Maria Callas

ECON Sachbuch

Jürgen Kesting

MARIA CALLAS

ECON Taschenbuch Verlag

Die Deutsche Bibliothek - CIP-Einheitsaufnahme

Kesting, Jürgen:
Maria Callas / Jürgen Kesting. - Düsseldorf; Wien:
ECON-Taschenbuch-Verl., 1992
(ETB ; 26017 : ECON-Sachbuch)
ISBN 3-612-26017-0
NE: GT

Lizenzausgabe
ECON Taschenbuch Verlag GmbH, Düsseldorf und Wien
Dezember 1992

Umschlaggestaltung: T. Beaufort
Titelfoto: Cecil Beaton/Camera Press, London
Druck und Bindearbeiten: Ebner Ulm
Printed in Germany
ISBN 3-612-26017-0

Für Jutta

Vorwort

> Was die wahre Schönheit, den wahren Rang, die wirkliche raison d'être des Singens ausmacht, das ist die Verbindung, die Mischung, die unauslöschliche Einheit von Klang und Gedanken. Der Klang jedoch, wie schön er auch immer sein mag, ist nichts, wenn er nicht etwas ausdrückt. Einzuräumen, daß man hingerissen oder weggetragen sei von der rein physischen oder materiellen Schönheit einer Stimme, ist das Eingeständnis einer Schwäche, eines morbiden Zustandes des Geistes, einer Inferiorität. Vergnügen an einem Sänger zu finden, der intelligent ausspricht, bei dem aber der Klang der Stimme unwichtig oder klobig ist, bezeugt, daß man nicht wirklich musikalisch ist... Die *Melodie* repräsentiert das übernatürliche Element des Singens, das dem Wort – den Worten – den Zuwachs an Intensität, an Stärke, an Feinheit, an Poesie, an Charme, an Fremdheit gibt, und zwar in einer Weise, die sich der Analyse entzieht, deren Zauber wir jedoch verspüren, ohne ihn erklären zu können. Auf der anderen Seite bringen die Worte, erfüllt mit Empfindungen und Gedanken, der Melodie ihre Signifikanz...
>
> *Reynaldo Hahn, Du chant*

KÖNNTE es sein, daß es die unvollkommene Schönheit ist, welche sich als die vollkommenste erweist? Eine Schönheit, welche kein Anschlag auf die Sinne ist, sondern langsam in uns einsickert und uns dann lange und ständig begleitet und unser Herz mit Schmerzen füllt – den Schmerzen der Erinnerung. Zunächst war es die Stimme Renata Tebaldis gewesen, die mich, in den Jahren der *éducation sentimentale* durch die Oper, zu den Engeln schickte. Die Stimme der Callas, für die sich ein als versponnen und morbide-außenseiterisch eingeschätzter Schulfreund begeisterte, erschien mir als unstet, schrill, als häßlich gar, auf jeden Fall als artifiziell.

Doch dann kam der Abend, an dem ich bei einem Fernempfangbummel durch die Mittelwellensender Europas in die Übertragung einer ihrer

Aufführungen geriet. Sie sang in Berlin die Lucia di Lammermoor, und zum erstenmal empfand ich eine Stimme zugleich als körperliche Berührung und als eine Idee: als etwas Unverlierbares. Spürte, wie sich die Farbe der Schönheit über die Finsternis des Schmerzes legte – wie Shelley es ausgedrückt hat; und fortan ließ mich diese Stimme nicht mehr los. Aber es dauerte Jahre, bis ich merkte, daß es nicht nur die Stimme oder viel mehr als die Stimme war, nämlich die Fähigkeit der Sängerin, das Leben und die Intensität der Emotionen auszudrücken; daß wichtiger als die Bewunderung dafür, *wie* sie sang, die Einsicht wurde, *warum* sie sang: aus Passion.

Den schönsten Satz, den ich während der Arbeit an diesem Versuch über Maria Callas gelesen habe, hat Paul Campion geschrieben – offenbar am 16. September 1977, ihrem Todestag: »An diesem traurigen Abend, an dem so viele berühmte Musiker Callas ihren Tribut gezollt haben, drängt es mich, einen ganz einfachen Liebhaber der Oper, Ihnen auch zu schreiben und meine Gefühle über sie und ihre Kunst mitzuteilen. ... Das Glück, sie im Theater zu erleben, war mir nie vergönnt, und doch ist meine Bewunderung für sie stets gewachsen; und heute abend, da ich ihr lausche, wie sie *La Sonnambula* singt, erkenne ich immer deutlicher, was sie zum Ausdruck bringen wollte. ... Mehr als jeder und jede andere zu meinen Lebzeiten war sie es, die der Oper neue Bedeutung und inneren Sinn gegeben hat.«

Das ist die Stimme eines *suchenden* Hörenden. Was suche ich, fragt Ernst Bloch in seinen philosophischen Fragmenten zur Musik, wenn ich höre? Ich möchte »inhaltlich reicher und vermehrter werden«, aber es wird mir nichts gegeben, wenn ich nur bequem, erleichtert mitschwinge und ich nicht selber weitergehe und etwas hole über den Genuß hinaus: »Wenn wir also nicht mitgehen, kann nichts länger singen.«

Vielleicht liegt in diesen Zeilen der Kern dessen, was in den letzten drei Jahrzehnten über die Bedeutung von Maria Callas geschrieben worden ist. Es sind Hunderte, es sind Aberhunderte von Aufsätzen und gewiß mehr als zwanzig Bücher – und die meisten dieser Bücher paraphrasieren die *Chronique scandaleuse* der weltberühmten, der großen und armen, der fatalen und einfältigen Frau. Gerade der Versuch, entweder »the woman behind the legend« oder »the art behind the legend« zu finden, perpetuiert die Legende.

Neue biographische Fakten über Maria Callas beizubringen wird von Jahr zu Jahr schwerer. Die Zeitzeugen erinnern sich, je älter sie werden, immer genauer an Begebenheiten und Dinge, die sie nie erlebt oder wahrgenommen, vielleicht gar nur in den Bulletins der journalistischen Indiskretins gelesen haben. Doch bietet der Zeitabstand die Chance, die Fakten und die Fiktionen, denen Bedeutung zugemessen ward, zu sammeln, zu ordnen und neu zu interpretieren. Allein, die Begründung für ein neues Buch über die große Griechin soll und darf hier nicht gegeben werden; denn alles, was einer Erklärung bedarf, ist – nach Voltaire – der Erklärung nicht wert.

ERSTES KAPITEL

Maria und Megäre
oder
Die Callas als Symbolfigur

»Wenn man sich mit einem bedeutenden Menschen beschäftigt, muß man auch den Mut haben, alles zu sehen, alles zu betrachten oder wenigstens alles anzudeuten.«

Charles-Augustin Sainte-Beuve

Quanto? ... Il Prezzo!
Giacomo Puccini, Tosca, II. Akt

WER sie je gehört hat, braucht nur diese drei Wörter zu lesen, und er wird sie erneut hören. Wird sie nicht nur wieder hören, sondern sie auch sehen. Wird vor Augen haben, wie sie zitternd, verzweifelt und haßerfüllt den Polizeichef Scarpia nach dem Preis für das Leben des Mannes fragt, den sie liebt. Wird beim genaueren Hinhören spüren, daß sie sich in der Frage schon der Antwort bewußt ist. Scarpia will sie selber; will das, was manche Männer für Liebe halten, will ihre Erniedrigung.

Nur »quanto?« singt sie als Frage. »Il prezzo« ist eine Feststellung, vielleicht schon Herausforderung, und so steht es im Text von Victorien Sardou. Nur nach »quanto« steht ein Fragezeichen, nach »il prezzo« ein Ausrufezeichen. Sie singt das nicht. Sie spricht das nicht. Sie überführt eine dramatische Situation, eine Sturmflut von Gefühlen, von Angst und Haß und Wut und Entschlossenheit, in eine Gebärde. Es ist nicht die übliche Gebärde, nicht die mechanische Illustrationsgeste des naturalistischen oder realistischen Theaters, sondern eine höchst artifizielle: Sie formt im Klang eine Plastik, in der das innerste Wesen der menschlichen Gebärde versammelt ist.

Das Geheimnis dieses Singens liegt darin, daß es erlitten wird und erleidbar ist. In ihm klingt das Leben der menschlichen Emotionen. In der Fähigkeit, diese Emotionen auszudrücken, erfüllt sich sängerische Kunst. Zu erleben ist hier ein im reinsten Sinne pathetisches Singen, in dem sich eine beschwörende, betende, verfluchende, rasende, liebende Kraft entäußert. Es ist die der Urlaute. In der Stimme bebt nicht nur der Klang von Traurigkeit, von Wehmut, von Verzweiflung und Aggressivität, wodurch sie Ausdrucksträgerin eines Dramas werden kann – in dieser Stimme spielt sich selber ein Drama ab, weil sich ein unruhiger, gequälter, verwirrter Geist im Klange ausdrückt und purifiziert. Und wer immer das gehört hat, den hat die Gewalt dieses Singens, um eine unsterbliche Metapher des französischen Romanciers Stendhal aufzugreifen, »zu den Engeln geschickt«; oder auch in ein Purgatorium von widerstreitenden Empfindungen.

Die Reaktionen auf Maria Callas – auf die Sängerin wie auf die Person – waren von Anbeginn an anders, ganz anders als die auf Marcella Sembrich, Nellie Melba, Rosa Ponselle, Claudia Muzio, Zinka Milanov, Renata Tebaldi oder irgendeine andere Diva dieses Säkulums. Die in New

York geborene Griechin hat auf ihre Zeit nicht wirken können wie die legendären Primadonnen des romantischen Zeitalters auf ihre Epoche. Gleich Maria Malibran, Pauline Viardot oder, vor allem, Giuditta Pasta, die erste Interpretin von Vincenzo Bellinis Norma, hat Maria Callas dennoch durch ihre dramatische Kunst die Empfindungsweisen ihrer Zeit geformt. Sie hat der Oper des 19. Jahrhunderts, die längst zu einem ästhetischen Anachronismus geworden war, ihre ursprüngliche Bedeutung zurückgegeben: von einer Schönheit zu singen, die mit Unglück behaftet ist. Sie hat zum Ausdruck gebracht, daß die schönsten Werke des Menschen, mit einem Wort von André Gide, »unbezwinglich traurig« sind oder, mit einem Diktum von Alfred de Musset, »die verzweifeltsten Gesänge die schönsten«, und wäre sie nur – wenn das Wörtchen »nur« hier überhaupt angebracht ist – eine technisch brillante und mit einer Engelsstimme begabte Sängerin gewesen, würde sie in den Annalen der Oper, und zwar nur in denen der Oper, ihren Platz behaupten als interessante, provozierende Interpretin. Doch hat sie die Phantasie, die Neugierde, die Sensationslust, die Zuneigung und den Haß auch derer erregt, die ihre Empfindungen von der Ausdruckswelt der Oper nicht hatten beeinflussen, geschweige denn formen lassen. Sie ist, in einem tieferen Sinne, zu einer Kunstfigur auch anderer Art geworden, an der Affekte sich entzündeten und entzünden – und sie hat keine solchen Panegyriker gefunden wie Heinrich Heine, Alfred de Musset oder Stendhal.

Schon bei ihren ersten Auftritten im Italien der Nachkriegsjahre hat sie nicht nur Irritationen ausgelöst, sondern heftige Kontroversen entfacht. Zwar wurde sie, einmal zur *assoluta* des Mailänder Teatro alla Scala aufgestiegen, von technisch kenntnisreichen und historisch gebildeten Kritikern wie Eugenio Gara, Rodolfo Celletti, Fedele d'Amico, Harold Rosenthal, Desmond Shawe-Taylor und Andrew Porter bewundert; zwar konnten die Leser der von Jean-Paul Sartre edierten Zeitschrift »Les Temps Modernes« einen grundlegenden und historisch weitausgreifenden Essay des Komponisten und Schönberg-Schülers René Leibowitz lesen, in dem die Kunst und die Technik der Callas auf das Singen *und* das Komponieren des romantischen Zeitalters zurückgeführt wurden. Doch die Reaktionen des Publikums und eines Großteils der Tages-Kritiker blieben indifferent und ablehnend und steigerten sich schließlich in Paroxysmen des Hasses auf eine unversehens entfremdete Figur, deren Imago von Blättern, die im angelsächsischen Sprachraum »tabloids« genannt werden, entstellt wurde: verzerrt und verfratzt zum Warnbild der launischen Primadonna, zur »Tigerin«.

Zur Heiligen der italienischen Oper ist sie erst nach ihrem Rückzug von der Bühne am 5. Juli 1965 – nach einer Aufführung von Giacomo Puccinis *Tosca* an der Royal Opera Covent Garden in London – und endgültig nach ihrem Tod am 16. September 1977 verklärt und stilisiert worden; und fast scheint es so, als wollte die Nachwelt seither durch kritiklose Glorifizierung vergessen machen, was der Sängerin zu Lebzeiten angetan wurde, der großen armen Frau, die nach einem Wort der Schriftstellerin Ingeborg Bachmann »der Hebel (war), der eine Welt umgedreht hat, zu dem Hörenden, man konnte plötzlich durchhören, durch Jahrhunderte, sie war das letzte Märchen«.

Ein Märchen? Ja, vielleicht, doch ein bitteres Märchen, ein grausames und archaisch-unheimliches, wie wir es im letzten Akt von Jacques Offenbachs *Les Contes d'Hoffmann* erleben, im Antonia-Akt, der eine dämonische Phantasie des Singens ist, eines Singens, in dem sich die Sängerin zu Tode verströmt. Die Laufbahn der Maria Callas war nichts weniger als ein Triumphzug, vielmehr ein Opfergang, wahrscheinlich auch im Sinne des von der großen Tänzerin Anna Pawlowa geprägten Satzes, daß große Künstlerinnen alles von der Liebe wissen und das, was sie wissen, vergessen müssen. Doch ist das allein der private Aspekt einer Karriere, die gesellschaftlichen Bedingungen unterlag, die selbst härtere Charaktere hätten zerbrechen müssen – wenn es ein scheinbar stolzes, insgeheim aber erbittertes Leitmotiv in den Äußerungen der Sängerin über ihre Kämpfe mit Impresarios, Kritikern, Indiskretins und einem sensationslüsternden Publikum gab, so war es ihr Stolz auf erkämpfte, ertrotzte Triumphe. Solche Siege werden nicht verziehen.

Maria Callas, leidend und groß wie die Figuren, deren vollkommenste Verkörperung sie war – der Norma, der Medea, der Anna Bolena, der Lucia, der Elvira, der Amelia, der Violetta, der Abigaille, der Lady Macbeth, der Tosca –, läßt sich mithin nicht allein begreifen als Sängerin und nicht durch die Analyse »dieser großen, häßlichen Stimme«, von der erstaunlicherweise ihr Mentor Tullio Serafin gesprochen hat. Vielmehr ist sie, wie die von ihr dargestellten Figuren, ein Opfer gewesen, und ihr triumphaler Leidensweg ist im Verlauf der Jahrzehnte zu einem Kunst-Mythos stilisiert worden. Hinter der Herausbildung eines Mythos steht, nach Roland Barthes, »gestohlene Geschichte«. In dem Maße, wie die Legenden um Maria Callas wachsen und wuchern, verschwinden die Fakten. Damit ist durchaus nicht die journalistische Kehrrichtsammlung des Faktischen gemeint, die mit der öffentlichen Verhandlung privater Dinge und Lebensumstände eine Biographie meint erstellen und einen

Kunstwillen begreifen zu können. Die faktenreichste Lebensgeschichte, Arianna Stassinopoulos' »Maria – Behind the Callas Legend«, leidet unter der Beziehungslosigkeit zu dem Kunstphänomen, das eine Biographin vorab zu interessieren hätte, und sie schenkt sich auch das Nachdenken über die sozialen Voraussetzungen und die Folgen eines Ruhms in einer Gesellschaft, für welche die Oper längst zur nebensächlichen Zerstreuung geworden war. Mag Maria Callas auch durch ihre Ausstrahlung einige Werke emphatisch aktualisiert haben, so ist dies überlagert von jenem »Mythos Callas«, durch den die Künstlerin in eine seltsam ferne Figurine verwandelt worden ist, in eine Trägerfigur für altbekannte Phantasien vom Weiblichen. In der jüngsten Biographie, der ihrer späteren Vertrauten Nadia Stancioff, wird die Frau hinter der Künstlerin zu einem hilflosen, oberflächlichen, abergläubischen, unselbständigen und kleinbürgerlich-liebenswürdigen Wesen, das nach Ende der Karriere der Welt abhanden gekommen war; zu einer Frau, die sich zudem dem Ehrgeiz und den Launen der Männer in ihrem Leben fügte wie ein Lamm.

Diese Projektion, durch die männliche Sehnsüchte sich erfüllen sollen in einem Wesen, das zugleich Maria Magdalena und Megäre ist, hat selbst Ingeborg Bachmann, die Maria Callas 1956 zum erstenmal als Violetta in Giuseppe Verdis *La Traviata* an der Scala unter Carlo Maria Giulini erlebte, nicht restlos zu durchbrechen vermocht. »Ich habe mich immer gewundert«, schreibt Ingeborg Bachmann, »daß diejenigen, die Maria Callas gehört haben, nicht darüber hinausgekommen sind, in ihr eine außerordentliche, allen Fährnissen unterworfene Stimme zu hören. Es hat sich wohl nicht nur um eine Stimme gehandelt, oh, keineswegs, in einer Zeit, in der so viele ausgezeichnete Stimmen zu hören waren. Maria Callas ist kein ›Stimmwunder‹, sie ist weit davon entfernt oder sehr nahe davon, denn sie ist die einzige Kreatur, die je eine Opernbühne betreten hat. Ein Geschöpf, über das die Boulevardpresse zu schweigen hat, weil jedes seiner Sätze, sein Atemholen, sein Weinen, seine Freude, seine Präzision, seine Lust daran, Kunst zu machen, eine Tragödie, die im üblichen Sinne zu kennen nicht nötig ist, evident sind. Nicht ihre Koloraturen, und sie sind überwältigend, nicht ihre Arien, nicht ihre Partnerschaft allein ist außerordentlich, sondern allein ihr Atemholen, ihr Aussprechen. M(aria) C(allas) hat eine Art, ein Wort auszusprechen, so, daß jedem, der nicht jedes Gehör verloren hat, aus Abgestumpftheit oder Snobismus, immer auf der Jagd nach frischen Sensationen des lyrischen Theaters (–––).« Hier reißt Bachmanns hymnischer Text elliptisch ab und setzt ebenso hymnisch wieder an: »... sie wird nie vergessen machen, daß es Ich und Du gibt, daß es Schmerz gibt, Freude, sie (ist) groß im Haß, in der Liebe, in der Zartheit, in der Brutalität, sie ist groß in jedem Ausdruck, und wenn sie ihn verfehlt, was zweifellos nachprüfbar ist in manchen Fällen, ist sie noch immer gescheitert, aber nie klein gewesen. Sie kann einen Ausdruck verfehlen, weil (sie) weiß, was Ausdruck überhaupt ist. Sie war zehn und mehrere Male groß, in jeder Geste, in jedem Schrei, in jeder Bewegung, sie war, was... an die Duse denken läßt: ecco un artista. Sie hat nicht Rollen gesungen, niemals, sondern auf der Rasierklinge gelebt, sie hat ein Rezitativ, das altbacken schien, neu gemacht, ach nicht neu, sie war so gegenwärtig, daß alle, die ihr die Rollen geschrieben haben, von Verdi bis Bellini, von Rossini bis Cherubini, in ihr nicht nur die Erfüllung gesehen hätten, sondern weitaus mehr. Ecco un artista, sie ist die einzige Person, die rechtmäßig die Bühne in diesen Jahrzehnten betreten hat, um den (Zuschauer) unten erfrieren, leiden, zittern zu machen, sie war immer die Kunst, ach die Kunst, und sie war immer ein Mensch, immer die Ärmste, die Heimgesuchteste, die Traviata. Sie war, wenn ich an das Märchen erinnern (darf), die natürliche Nachtigall dieser Jahre, dieses Jahrhunderts, und die Tränen, die ich geweint habe – ich brauche mich ihrer nicht zu schämen. Es werden so viele unsinnige geweint, aber die Tränen, die der Callas gegolten – sie waren so unsinnig nicht. Sie war das letzte Märchen, die letzte Wirklichkeit, deren ein Zuhörer hofft, teilhaftig zu werden. ... Es ist sehr schwer oder sehr leicht, Größe anzuerkennen. Die Callas – ja, wann hat sie gelebt, wann wird sie sterben? – ist groß, ist ein Mensch, ist unvertraut in einer Welt der Mediokrität und der Perfektion.«[1]

Mà: Quanto? Il prezzo? Was mag es sie gekostet haben, immer die Kunst zu sein und die Heimgesuchteste? Was die Bachmann, von Maria Callas hingerissen, hinreißend beschreibt, ist vor allem ihre eigene Ergriffenheit, ihre eigene Betroffenheit – aber kaum die Rolle der Callas im Getriebe des Musiklebens und in der »affekt-toten Stickluft der fünfziger Jahre« (Claudia Wolff). Auch bei der Bachmann erscheint die Callas als tragische Heroine, die »Vissi d'arte« singt, nicht aber als Sozialcharakter und auch nicht als weiblicher Mythos, als Frau mit gestohlener Geschichte.

»Über das Rätsel der Weiblichkeit«, heißt es in einem Aufsatz von Sigmund Freud, »haben die Menschen zu allen Zeiten gegrübelt.« Schwerlich jedoch hat dieses Nachdenken den Frauen des Alltags gegolten, den Haus- und Ehefrauen, den Ärztinnen und Arbeiterinnen. Freud, und nicht nur er allein, mag eher wohl an symbolische Frauengestalten gedacht haben, vielleicht an die stigmatisierten, gefährlichen und gefährdeten Frauen, in denen Hans Mayer exemplarische »Außenseiter« gesehen hat: Frauen wie Jeanne d'Arc und Judith, Dalila und Lulu, Marilyn Monroe oder andere Inkarnationen des Vamp und der Femme fatale. Sie alle sind Figurinen einer »imaginierten Weiblichkeit« (Silvia Bovenschen) und Repräsentationsformen des Weiblichen – Geschöpfe des Pygmalion.

Zu fragen ist, ob wir in Maria Callas nicht eine solche Frauengestalt zu sehen haben: eine Repräsentationsform des Weiblichen, wie sie typisch war für die fünfziger Jahre, eine Frau, die Wunsch- und zugleich Schreckbild war. Die Widersprüche eines solchen Wunsch- und Schreckbildes hat sie, als Künstlerin wie als Sozialcharakter, wie kaum eine andere Frau verkörpern müssen. Auf dem Höhepunkt ihrer Karriere von Beginn bis zur Mitte der fünfziger Jahre wurde sie bewundert als die Darstellerin der leidenden, der geopferten, der rachsüchtigen, der ver- und mißbrauchten Frau. Sie war die Sängerin, die, wie Giuseppe Verdi über Gemma Bellincioni gesagt hatte, »einer alten Sünderin [seiner Traviata] neues Leben eingehaucht« hatte; war die Darstellerin, die den säkularisierten Marienkult des 19. Jahrhunderts um die im Wahnsinn delirierenden Lucias, Aminas und Armidas zu Fallstudien des Neurotischen zuspitzte; die antikische Figuren wie Medea und Norma zu Portraits des Pathologischen steigerte. Die Bühnen-Callas verkörperte Figuren, die Opfer männlicher Macht-, Eroberungs- und Unterdrückungsphantasien waren. Das ist ein Aspekt, der in aller Schärfe erstmals wohl von Cathérine Clément in »Opera – or the Undoing of Women« herausgearbeitet worden ist. Mit feministischem Blick untersuchte die Schülerin von Claude Lévi-Strauss die Handlungen und die Motivationen einiger Opern, vor allem das Thema der Unterwerfung, der Ausbeutung, der Vergewaltigung, der Ermordung der Frau, ohne hinzunehmen, daß der Mann und Liebhaber Begehren trägt nach der leidenden Schönheit und verfolgten Unschuld oder der von Schmerz, Verderbtheit und Tod gezeichneten Medusenschönheit. Wie wichtig dieser Aspekt ist, zeigt die Rückwendung solcher Empfindungen. Daß sie diese Figuren auf die Bühne zurückholen und glaubhaft machen konnte – was über den Historismus einer bloßen Wiederaufführung weit hinausgeht –, lag an ihren technischen und expressiven Fähigkeiten. Zum einen beherrschte sie dank einer gründlichen Ausbildung und eminenten Musikalität die Grammatik des romantischen Belcanto-Gesangs, die ja nichts anderes ist als ein Substrat der zwischen 1790 und 1850 komponierten Werke, zum anderen verstand sie es zu zeigen, daß die Empfindungen und Seelenzustände, die in der Musik des

19. Jahrhunderts dargestellt werden, so unzeitgemäß nicht sind, daß vielleicht sogar so etwas wie Gleichzeitigkeit bestand zwischen der Epoche, in der sie sang, und der Epoche, aus der sie sang.

Die Intensität ihrer Darstellungen aber wurde projiziert auf die andere Callas, die öffentliche Frau, die als Tigerin, als *diva furiosa* in die Schlagzeilen kam: als gefährliche Frau und als Warnbild. Eine Zeitlang war ihr Name ein Synonym für Skandal, und was immer sie tat, verwandelte sich als Konkretion oder als Evidenz der von der Öffentlichkeit an sie gerichteten Erwartung, in einen neuerlichen Skandal. Als der Vamp hollywoodscher Ausprägung und die lockende Sünderin längst zu wohlfeilen Bildchen domestiziert worden waren, lebte in der Primadonna, wie Maria Callas sie verkörperte oder vielmehr verkörpern mußte, der Typus der fatalen Frau wieder auf, wie die Bürgerwelt sie sich seit jeher evoziert hat.

Bis in die Mitte der fünfziger Jahre stand Maria Callas im Mittelpunkt einer Kunstwelt, war sie nichts anderes als die berühmteste Sängerin der Epoche und durchaus noch nicht die Knetmasse für die sinistren Wunschbilder der veröffentlichten Meinung, die die öffentliche Meinung manipuliert. Gewiß, es verfolgte sie der Ruf, eine Frau mit heftigem Temperament, ruchlosem Ehrgeiz und konsequenter Härte zu sein; als liebenswürdig ward und wird sie auch von denen nicht geschildert, die sie gefördert, bewundert, geachtet und geliebt haben. Doch seit wann gehen Genie und Liebenswürdigkeit, Charakter und Konzilianz, höchster Kunstanspruch und Freundlichkeit miteinander einher? Ihr Image, von der Öffentlichkeit mit Wesen verwechselt, formte sich wohl auch durch das Staunen und Erschrecken ob der Intensität, der Energie, der Ausdruckswut ihrer Rollengestaltungen; durch den Neid von Kollegen, die sie zum Monstrum erklärten, nur um nicht an den von ihr gesetzten Maßstäben gemessen zu werden; endlich durch die Gewalt von Bildern, dessen berühmtestes und berüchtigtstes gewiß jenes aus Chicago ist, das eine keifende Furie mit grell-groß geschminktem Munde zeigt, die hinter zwei Sheriffs herschimpft. Wer weiß noch, daß die beiden Beamten unmittelbar nach einer Aufführung von *Madama Butterfly* in ihre Garderobe eingedrungen waren und ihr die Geldforderung eines Agenten überbracht hatten, der nie etwas für sie getan hatte.

Dieses Bild war zunächst nur ein publikumswirksamer Schnappschuß, vielleicht Auslöser für ein Lachen: Es befestigte ein uraltes Klischee, daß nämlich mit Primadonnen nicht zu spaßen sei. Es war jedoch ein tödliches Bild, ein Schuß nämlich, an dem die Sängerin langsam verblutet ist, weil aus diesem ganz und gar zufälligen Bild, das die nicht nur verständliche, sondern berechtigte Wut eines einzigen ganz und gar zufälligen Moments festhält, das Schreckbild ihres Image wurde: die permanente Illustration jener infamen und rufmörderischen *chronique scandaleuse*, in welche der Abgang aus einer römischen Aufführung von *Norma* im Jahr 1958 ebenso paßte wie die *liaison fatale* mit dem griechischen Sybariten Aristoteles Onassis. Mit ihrem Eintritt in das Café Society wurde von jenem Dämon, den wir öffentliche Meinung zu nennen pflegen, eine neue Maria Callas entworfen. Die *Primadonna assoluta* stieg ab zur berühmtesten Frau der Welt, und dies zu einer Zeit, da sie ihren Ruhm längst nicht mehr rechtfertigen konnte durch das immense Können, das gut ein Jahrzehnt zuvor die Voraussetzung ihres Ruhms gewesen war. Es war ein ruinöser Ruhm, weil er nur noch der Gier von schlechten Instinkten genügen konnte; eine Umfrage des Meinungsforschungsinstituts Allensbach manifestierte schließlich die »jedermännische Blödheit« (Claudia Wolff), daß zwei Drittel der Bundesbürger eine Frau nicht leiden konnten, deren verfratztes Bild sie sich selber ausgemalt oder hatten aufschwatzen lassen.

Maria Callas hat schon früh erkennen und erleiden müssen, daß der Ruhm ein »Bumerang« ist. Nur hat sie sich jenem Kodex des Verhaltens, den Dwight McDonald in seinem Essay über »Masscult and Midcult« beschrieben hat, nicht fügen wollen. Den Versuch, nett zu sein – läßt sich ein Mensch überhaupt vernichtender loben als mit dem Adjektiv »nett«? –, hat sie niemals unternommen. Sie war mißtrauisch gerade gegenüber denjenigen, die sie lobten, ganz besonders nach Aufführungen, die sie selber als nicht restlos gelungen ansah. Vor allem fügte sie sich nicht den in den fünfziger Jahren herrschenden Regeln für das, was beispielsweise in Hollywood »conduct of behavior« hieß. Nach diesen Regeln mußte jeder »Star« in der Öffentlichkeit eine Rolle spielen, deren Drehbuch für die öffentliche Meinung geschrieben worden war.

Susan Sontag hat in ihrem Essay über das Gesellschafts- und Kult-Phänomen »Camp« geschrieben, daß es über vergangene Epochen meist nur Ideen- und Sozialgeschichten gebe, selten aber Studien über die Empfindungsweisen und Sensibilitäten. Auch in den Büchern über Maria Callas bleibt die Frage völlig ausgeklammert, welcher Frauen-Typus in den fünfziger Jahren künstlerisch, gesellschaftlich, ästhetisch und moralisch akzeptiert wurde und mit welch unterschiedlichen Erwartungshaltungen in den einzelnen Ländern. Was die Bundesrepublik angeht, so waren Figuren wie Brigitte Bardot, Michèle Morgan, Marilyn Monroe, Jane Russell, Anita Ekberg die Hauptdarstellerinnen von Warnliteratur oder, mit einem Filmtitel, »verbotene Früchte«. Die beliebtesten deutschen Stars waren Maria Schell, Ruth Leuwerik und andere Frauen vom Typus »Seelchen«. Romy Schneider mußte nach Frankreich ausbrechen, um ihr Image vom süßen Wiener Mädel Schnitzlerscher Provenienz loszuwerden, und hatte jahrelang gegen moralische Ranküne zu kämpfen, als sie sich nackt hatte fotografieren lassen oder in Filmen wie »Trio infernal« aufgetreten war. Die »Tigerin« Maria Callas gehörte zu den Frauen, die den Erwartungen, vor allem nach der Kunstpriesterin, nicht genügte, weil sie restriktiven Regeln und Normen nicht parierte. Die Folgen bekam sie spätestens 1958, nach dem Abgang aus der römischen *Norma*-Aufführung, zu spüren. Maria Callas fand sich plötzlich, binnen weniger Jahre, ausgegrenzt: aus der Welt der Oper ebenso wie aus dem Panorama jener Weiblichkeit, die auf dem Markt der Medien zu verkaufen war. Weder an Liz Taylor noch an Brigitte Bardot, weder an Jacqueline Kennedy noch an der Monroe hat sich spießig-sadistische Zerstörungslust derart hemmungslos ausgetobt wie an Maria Callas. Die Metapher »Tigerin« verrät, daß an Hetzjagd gedacht wurde, und sie erweckt Assoziationen an die von Frank Wedekind geschilderte Frau mit den Eigenschaften des schönen, wilden Tiers.

Dieses Bild wurde nicht nur von der Boulevard- und Schlagzeilenpresse hingeschmiert, sondern auch von als seriös geltenden Magazinen mit vorgetäuschter Kennerschaft gemalt. Dadurch gewann dieses Bild, das vom »Mythos Primadonna« so etwas wie gesellschaftliche Evidenz, und es ward dafür gesorgt, daß die reale Figur dem Gefängnis ihres Bildes nicht mehr entfliehen konnte. Symptomatisch dafür sind zwei Titelgeschichten, die das New Yorker Magazin »Time« im Herbst 1956 und das Hamburger Nachrichten-Magazin »Der Spiegel« im Februar 1957 veröffentlichten – traurige Bestätigungen des von Karl Kraus formulierten Satzes, daß Not jeden Mann zum Journalisten machen könne, aber nicht jede Frau zur Prostituierten. In beiden Berichten wird Maria Callas als *Primadonna incarnata* und musikalisches Weltwunderwesen gefeiert, und zugleich wird ihr Charakterbild vergiftet durch das Innuendo. Das amerikanische Magazin zitierte die Griechin mit denunziatorischen Bemerkungen über ihre italienische Rivalin Renata Tebaldi und, weit gefährlicher, mit bitteren Auslassungen über ihre Mutter, der sie angeblich geschrieben haben soll, sie möge doch, wenn sie für ihren Lebensunterhalt nicht zahlen könne, aus dem Fenster springen, für die matriarchalische amerikanische Gesellschaft eine unerträgliche Tabuverletzung. Auch das Hamburger Magazin fügte all die »zahllosen verbürgten und nicht verbürgten Skandälchen« zum Schreckbild eines *monstre sacré* – mit teilweise absurden Sachfehlern wie dem, daß der Bariton Enzo Sordello nach dem Debüt der Callas an der New Yorker Metropolitan Opera deshalb gefeuert worden sei, weil er ein hohes C länger gehalten habe als die Diva: Weder in *Lucia di Lammermoor* noch sonstwo singen Baritone das C; in der Literatur findet sich das As, allenfalls einmal das A. Auf eine Seite seriöser Kritik kamen damals Hunderte von Artikeln, welche allein Wahnvorstellungen befriedigen sollten.

Der »Spiegel« berichtete beispielsweise, die Sängerin habe an dem Journalisten von »Time«, der eine Titelgeschichte über sie zu schreiben hatte, ihre typischen Primadonnenlaunen ausgelassen und unter anderem verlangt, er möge einen Zwergpudel für sie von Rom nach Mailand schaffen. »In Sorge um sein Interview leistete der ›Time‹-Vertreter – Pulitzer-Preisträger von 1952 – diesen durchaus berufsunüblichen Dienst ab, wobei das noch nicht stubenreine Hundeküken, wie die italienische Illustrierte ›Oggi‹ schadenfroh ausplauderte, seinen Anzug reinigungsreif machte. Erst dann durfte er sich noch einmal mit Signora Meneghini-Callas in ihrem luxuriösen Mailänder Palazzetto Via Buonarotti unterhalten.

Der ›Time‹-Titel brachte der Callas den bisher größten publizistischen Erfolg ein, denn das kostspielige Interview wurde auch von der Millionen-Illustrierten ›Life‹ ausgeschlachtet, die im selben Verlag erscheint. Das wiederum veranlaßte die Illustrierte ›Oggi‹, die erste sogenannte Autobiographie der Callas in Fortsetzungen zu veröffentlichen.

Soviel Scheinwerferlicht irritierte auch die als nervenstark bekannte Callas. Vor ihrem ersten Auftreten an der Met bekam sie in ihrer Garderobe einen Weinkrampf, dem angeblich Star-Großmutter Marlene Dietrich mit einer eigenhändig zubereiteten Hühnerbrühe entgegenzuwirken versuchte. Außerdem schleppte Ehemann ›Titta‹ eilends eine Kassette mit Schmuck herbei, damit seine Gattin in Gold und Brillanten wühlen konnte, um sich zu beruhigen. Meneghinis Hausmittel hatte offenbar durchschlagenden Erfolg. Das verwöhnte Met-Publikum raste vor Begeisterung und erzwang 28 Vorhänge.«

Hans Magnus Enzensberger hat in seinem Aufsatz »Die Sprache des Spiegels«[2] auf die Methode des »Innuendo« verwiesen: auf die raunenden Anspielungen; auf eine diffamatorische Rhetorik, die Fakten und Unterstellungen ununterscheidbar vermischt. Zu dieser Methodik gehört, Klatsch dadurch zu verbreiten, daß man ein Klatschblatt wie »Oggi« zitiert, gehört die Unterstellung, daß Sänger-Nerven vor wichtigen Aufführungen mit Hausmitteln wie Schmuck und Brillanten sediert werden können. Marlene Dietrich hat auch keine Hühnerbrühe gekocht, um einen Weinkrampf zu lösen. Vielmehr hatte die »Star-Großmutter« für die Sängerin, die sich bei den Proben wie stets bis an die Grenzen verausgabte, aus acht Pfund Beef eine konzentrierte Bouillon gekocht. Die Juwelen endlich, in denen sie angeblich hatte wühlen können, stammten von dem Juwelier Harry Winston. Sie waren an die Sängerin für die Party nach der Premiere im Ambassador-Hotel ausgeliehen worden. Was die »sogenannte Autobiographie« in »Oggi« angeht, handelt es sich um Erinnerungen von Maria Callas, die von Anita Pensotti für das italienische Magazin aufgezeichnet wurden.

Es ist unverkennbar, daß diese Erinnerungen journalistisch aufbereitet worden sind, weil sie in Ton und Stil nicht den Interview-Äußerungen entsprechen, die von Callas überliefert sind. Dennoch ist der Bericht mit Zustimmung der Diva erschienen und entspricht dem Bild, das die Sängerin damals von sich projizieren wollte. – Kennzeichnend auch, daß Maria Callas in »Time« wie »Spiegel« als Diva hingestellt wurde, »die von ihren Kollegen mehr gehaßt wird als jeder andere lebende Sänger«. Dem entgegenzuhalten ist eine – allerdings später veröffentlichte – Erklärung des Baritons George London: »Als ich hörte, daß ich den Scarpia neben der Tosca der Callas singen sollte, hatte ich, wie ich zugeben muß, böse Vorahnungen. So viel war über diesen stürmischen Star geschrieben worden, daß ich auf alles mögliche gefaßt war. Die erste Probe gab mir die Ruhe zurück. Hier war eine echte Mitstreiterin, eine besessene Arbeiterin, eine Fanatikerin des Details. ... Callas und ich sangen eine Szene aus dem zweiten Akt von *Tosca* bei der ersten Met-Sendung in der Ed Sullivan Show. Wieder war sie eine vollkommen partnerschaftliche Kollegin. ... Doch einen Tag nach der Sendung berichteten verschiedene Zeitungen, daß Callas und ich bei der Probe einen Streit gehabt hätten. Ich versuchte meinen Freunden zu erzählen, daß dem nicht so wahr. Schließlich gab ich auf. Denn mir wurde klar, daß Callas, die *Primadonna reincarnata,* nicht nur die Einbildungskraft des Publikums entzündet, sondern auch die der Presse. Sie brauchen sie einfach ›launisch‹ und ›feurig‹.«[3]

Gerade durch die Schilderung von schwer oder nicht überprüfbaren Begebenheiten aus ihrem Leben, durch anspielungsreiche und nicht belegte Zitate aus Kollegenmund und durch vage ästhetische Beurteilungen wurde aus der Person ein Typus – das Ziel für Projektionen und Phantasien. Mit Beginn der sechziger Jahre änderte sich dieses Bild, noch mehr nach ihrem Bühnenabschied und vollends nach ihrem Tod. Aus der Megäre wurde allmählich eine Madonna und Märtyrerin, aus der Sängerin eine Idee und schließlich eine Kunstheilige. Zehn Jahre nach ihrem Tod, schrieb der Kritiker Rupert Christiansen im englischen Magazin »Opera«, sei es unmöglich geworden, Maria Callas einfach nur zu hören. Es sei jede Perspektive für ihre Leistung verlorengegangen, und selbst die von ihren Bewunderern eingestandenen Fehler seien ihrem Mythos assimiliert worden.

Auch in dieser posthumen Verklärung der Sängerin zur Kunstheiligen liegt eine spezifische Präsentationsform des Weiblichen, in der Cathérine Clément eine »leichenschänderische Lust« zu verspüren meint – jene Erniedrigung, Ausbeutung, Schändung und Konsumption der Frau, die in fast all den Opern thematisch ist, die Maria Callas gesungen hat. Maria Callas hat sich selber verschiedentlich in dieser Opferrolle gesehen; nur haben diese Äußerungen nicht in das Bild gepaßt, das man sich einmal von ihr gemacht hatte – wen hat die reale Callas schon interessiert? Sie ist zu einer Figur in einem »Weiblichkeitspanoptikum« (Silvia Bovenschen) geworden: Biographinnen wie Arianna Stassinopoulos oder Nadia Stancioff nehmen die Abmagerungskur, die Beziehung zu Onassis, die Spaziergänge mit ihrem Pudel, die Stunden vor dem Fernseher, das gespannte Verhältnis zu ihrer Familie so wichtig wie die erkennbar übernommenen ästhetischen Urteile über die Stimme oder die sozial- und kulturgeschichtlichen Bewertungen der Callas für die Opern- und Interpretationsgeschichte. Noch einmal erleben wir sie, wie sie leidet, weint und stirbt – den Bühnentod und den realen. Noch einmal erleben und ergötzen wir uns an Agonien.

ZWEITES KAPITEL

Die Eine und Einzige

Sie scheint unmittelbarer zu sein als das Angesicht,
die Hand, die ruht. Ja, die Stimme ist eine direkte
körperliche Berührung.
Joseph Roth

DIE Eine und Einzige« – so lautet die Überschrift des letzten Kapitels einer Sammlung von Gesprächen, die Lanfranco Rasponi mit »The Last Prima Donnas«[1] geführt hat. Ein aufschlußreicher und kennzeichnender Titel. In der Welt der Musik spielt die Erinnerung eine ganz besondere Rolle. Das Vergangene, vor allem die Vergangenen, sind niemals tot. Sie sind nicht einmal vergangen, und das gilt für keine mehr als jene Eine und Einzige. Für Maria Callas. Natürlich Maria Callas.

Indessen hat der italoamerikanische Journalist mit der Sängerin nie ein ausführliches Interview führen können. Bei einer kurzen Begegnung, so schien ihm, zeigte sie sich als eine »ziemlich einfache und ungebildete Frau«, die, hätte sie über wirkliche Intelligenz geboten, mehr als nur einige wenige Jahre in der Sonne des Ruhm hätte leben können. Sie sei, folgert Rasponi, ein reines Instinktwesen gewesen. Was immer sie erreicht habe, sei nicht das Ergebnis gründlichen Nachdenkens oder profunder Studien gewesen, sondern der eingeborenen Fähigkeit, sich mit einem darzustellenden Charakter zu identifizieren.

Dies ist eine Naivität weit unter jener Simplizität, deren Maria Callas geziehen wird. Die mimetische Kraft und die Energie einer Darstellung hängen durchaus nicht, wie Rasponi andeutet, davon ab, ob eine Interpretin der Anna Bolena weiß, wie viele Frauen Heinrich VIII. gehabt hat oder aus welchem Hause Maria Stuarda stammte. Daß Beverly Sills, wie Rasponi rühmend schreibt, vor der Darstellung von Gaëtano Donizettis Tudor-Queens eine kleine Bibliothek historischer Quellen studiert hat, spricht für ihren Fleiß. Aber hört man es in ihrer Darstellung? Entscheidend für das Singen und Darstellen ist die Formung von Ausdruckscharakteren oder von Klangfiguren, nach einem Wort von Richard Wagner die Umsetzung des innersten Wesens menschlicher Gebärde in Klang. Fraglich, ob dies überhaupt mit »Identifikation« zu tun hat. Der große Künstler denkt mit dem Herzen und fühlt mit dem Kopf, und allzuoft ist es das mitfühlende Aufgehen in einer Rolle, das den schlechten Schauspieler macht und den noch schlechteren Sänger. Singen ist nun einmal keine realistische Kunst, sondern eine stilisierte; nicht unmittelbarer Ausdruck der Liebe und des Leidens, der Freude und des Schmerzes, sondern deren Klanggestalt, deren Mimus. Daß wir sängerischen Ausdruck als etwas Unmittelbares erleben, hat allein mit unseren Empfindungen zu tun, mit der Gewalt, die das Singen auf die Seele ausübt.

Die Heftigkeit der durch das Singen ausgelösten Empfindungen aber trübt das Urteil über das Singen selber[2], und Maria Callas gilt als »the one and the only« vor allem deshalb, weil über sie heftiger, kontroverser, fanatischer gestritten worden ist als über jede andere Sängerin seit Menschengedenken. Wann immer eine neue Aufnahme von *Norma* oder *Tosca* oder *Lucia* oder *Medea* erschien, wurden die Interpretinnen der Hauptrollen – ob Montserrat Caballé, Beverly Sills, Joan Sutherland, Leontyne Price oder Sylvia Sass – an der großen Griechin gemessen.

Warum die große Griechin? Größe heißt, wie Friedrich Nietzsche in apodiktischer Schärfe sagt, »Richtung geben«.

Ob sich dies auf einen Interpreten, einen nachschaffenden Künstler, anwenden läßt? Als Alfred Einstein vor vier Jahrzehnten, kurz nach Callas Debüt in Italien, seinen Essay über »Größe in der Musik« schrieb, ging er auf Interpreten nicht ein, sondern nur auf Komponisten. Er zog auch nicht in Betracht, daß die für den modernen Musikbetrieb typische Wiedererweckung von »scheinlebendiger« Musik oftmals von der Ausstrahlung bedeutender Interpreten abhängt; bedachte schon gar nicht, daß eine lediglich scheintote Musik auf emphatische Weise aktualisiert werden kann, wenn sich für sie nur die richtigen Interpreten finden.

Damit sind nicht jene Figuren gemeint, denen ebenso gedankenlos wie systematisch »Charisma« zugesprochen wird. Die Größe von Stars liegt meist in deren Weltgeltung, doch ob die Anerkennung der Welt überwiegend den Großen gilt oder den Großgemachten, sei dahingestellt. In einer Gesellschaft, die kaum mehr Anstrengungen unternimmt, ihre eigene Kultur zu schaffen und die der Idee der Avantgarde aufzukündigen versucht, wird die Rolle des Genies nach dem ironischen Wort von Hans Magnus Enzensberger mit dem Star besetzt. Der Star aber muß, um den Erwartungen seiner Bewunderer zu entsprechen, genialisiert werden, vor allem dann, wenn er seine Rolle als Kunst-Priester spielt. Exemplarisch dafür ist die verlogene Ikonographie des tief in sich versunkenen, mit geschlossenen Augen betenden Herbert von Karajan. Zugleich hat er seinen Jüngern nahe zu sein, und wenn es auch nur die technisch vermittelte Nähe ist. »Zu beobachten ist in diesem Zusammenhang eine seltsame Ambivalenz«, schreibt Dwight McDonald in seinem Essay »Masscult and Midcult«, »die Massen legen den allergrößten Wert auf das persönliche Genie, auf das Charisma des ausübenden Künstlers; zugleich aber klagen sie ihren Anteil ein. Er muß ein Spiel spielen – ihr Spiel –, muß seine Persönlichkeit verzerren, um ihnen, den Leuten, zu gefallen.« Mit dem, was Bert Brecht mit Blick auf Helene Weigel als den »Abstieg in den Ruhm« bezeichnete, beginnt für den Künstler ein Doppelleben. Er hat in der Öffentlichkeit gerade für seine Fans eine Rolle zu spielen, die nichts anderes ist als eine Summe von Projektionen, die seine Anhänger auf ihn richten. Sobald er nur ein einziges Mal aus der Rolle fällt, hat er vertan. Es gibt wenige Künstler in der Sphäre der sogenannten ernsten Musik, die unter den Folgen jenes Abstiegs in den Ruhm bitterer haben leiden müssen als Maria Callas.

In der Arbeit jedes Künstlers steckt der Versuch, sich selber zu erschaffen, einen neuen Menschen zu formen aus zwei Elementen: hier dem Erbe und dort der Vorstellungskraft über die Anverwandlung und Verwandlung dieses Erbes. Jeder Versuch geht aus von einer neuen Gemeinschaft, mit welcher der Künstler in einen Dialog treten will. Das Drama in der Geschichte eines Künstlers setzt ein in dem Moment, wenn seine Vorstellungen und Ideale denen des Publikums nicht entsprechen oder darüber hinausgehen. Ein Künstler darf es dem Publikum nicht erlauben, sich mit dem zu begnügen, was es schon akzeptiert hat. Er darf sich auch nicht damit begnügen, selber akzeptiert zu werden als das Bild, welches das Publikum sich von ihm gemacht hat.

Mit der Anerkennung – oder besser: mit der blinden oder tauben Verehrung – des Interpreten als Star beginnt die Verkennung des Musikers. Der Name substituiert das Tun oder Können, dem der Name seinen Ruhm verdankt, so daß endlich der Ruhm schon für die erbrachte Leistung genommen wird. Theodor W. Adorno hat diese Verschiebung in einem kritischen Aufsatz über Arturo Toscanini – »Die Meisterschaft des Maestro« – analysiert. Die totalitäre Gewalt des Star-Prinzips liegt danach in der Ununterscheidbarkeit des Stars und der von ihm gespielten (oder gesungenen) Bestseller. »Die neue Toscanini-Aufnahme«, so hieß es in einer Kritik über die Einspielung von Beethovens c-Moll-Symphonie aus dem Jahr 1939, »entfaltet all die flammende Glut (›all the blaze‹) dieses Meisterwerks. Dies ist keine Interpretation, dies ist die Symphonie selber.« Solch dumme und zugleich abgefeimte Umwandlung von Kritik in Reklame fungiert als universale Methodik beim *build up* von Stars. Mit der Folge, daß von einem Interpreten eine doppelte Geschichtswirkung ausgeht: Er kann nach innen wie nach außen wirken, kann dem Musikleben bedeutende Impulse geben und sie durch seine Außenwirkung zugleich gefährden, womöglich sogar zerstören.

Bei aller Kritik an Toscanini hat Adorno die Geschichtswirkung des Dirigenten durchaus anerkannt. Er hat ihn als einen der ersten Vertreter jener neuen Sachlichkeit angesehen, die sich gegen die Verzerrungen durch »romantische Subjektivität« auflehnten; hat eine Parallele gezogen zu den von Arnold Schönberg angestrebten strukturellen Aufführungen; hat endlich in der musikalischen Sachlichkeit gar die Voraussetzungen gesehen für des Musikers »Intransingenz gegenüber dem Faschismus«.

Problematisch erschien dem Philosophen allerdings, daß für Toscanini die Idee der Perfektion wichtiger wurde als die Frage nach dem musikalischen Sinn, und verheerend dünkte ihm, daß jene Idee sich zu einer starren Ideologie verfestigt hat. Die Orchester-Maschine habe Toscanini beherrschen gelernt um den Preis, selber einer Maschine immer ähnlicher zu werden. Das von Toscanini weithin durchgesetzte Musizier-Ideal, von Adorno als »streamlining« charakterisiert, wirkt auf die Werke zurück, verwandelt sie in standardisierte Waren, und dies um so mehr, als sich viele Dirigenten auf Toscanini beriefen und ihn zu imitieren begannen. Auch dadurch entsteht eine Geschichtswirkung nach innen wie nach außen. Angesichts einer solchen Wirkung ist die Tatsache, daß sich die Musikwissenschaft fast ausschließlich mit der Geschichte und der Hermeneutik beschäftigt, verwunderlich. Gewiß, es hat, nach Adorno, »mit dem Gehalt von Musik kaum etwas zu tun, ob Herr X das G-Dur-Konzert von Beethoven besser spiele als Herr Y oder ob die Stimme des jugendlichen Tenors allzu strapaziert sei«, doch geht es bei der Interpretationsgeschichte eben nicht um eine solche musikalische Warenkunde – die eine Sache des Rezensionswesens sein mag–, sondern um die Bedeutung des Interpreten für die Qualität der musikalischen Rezeption. Dies um so mehr, als es den Ideal-Hörer, der der musikalischen Struktur in jedem Moment folgen, womöglich nur lesend hören kann, kaum mehr gibt.

Wie sich die Einschätzung musikalischer – im Sinne Einsteins: von kompositorischer – Größe im Verlauf nicht einmal eines Jahrhunderts ändert, ist auch die Beurteilung von Interpreten abhängig von Zeitumständen, intellektuellen Strömungen, selbst von Moden. Was Arturo Toscanini und Maria Callas angeht, so werden sie als die beiden für die italienische Oper des 20. Jahrhunderts wichtigsten Interpreten angesehen.

Als Toscanini 1908 an die Metropolitan Opera kam, schrieb William James Henderson, des Dirigenten Ankunft sei der Beginn »einer neuen Ära in der Geschichte der Oper«. Ein halbes Jahrhundert später sprach der Regisseur Franco Zeffirelli von einer Ära BC und AC – »before Callas« und »after Callas«.

Mit Violettas Ausruf aus *La Traviata*: »È strano.« Zu Beginn der fünfziger Jahre sollte Maria Callas unter Toscanini singen – die Lady in Verdis *Macbeth*. Daß es nicht zu dieser Aufführung kam, hatte alltägliche, praktische Gründe. Und doch ist es, in einem höheren Sinne, kein Zufall, daß Maria Callas nicht unter Toscanini singen sollte. Der Dirigent hatte, wie oft und meist unbedacht zu seinem Ruhm gesagt wird, mit dem Primat des Sängers gebrochen und die Aufführung aus einer Zentralperspektive durchgesetzt. Das hatte seinen Preis gekostet: den Verlust der sängerischen Spontaneität, jener »kompositorischen Originalität«, die zum Beispiel einer Maria Malibran nachgerühmt worden war.

Maria Callas aber hatte zwar nicht, mit Verdis Wort, das »Übel des Primadonnen-Rondos« aufleben lassen – also die selbstgenügsame Bravour –, aber dem Singen seine alte Bedeutung zurückgegeben, ohne allerdings die habituellen Eigenwilligkeiten narzißtischer Primadonnen anzunehmen. Was ihre künstlerische Moral und ihre Musikalität angeht, brannte in ihr jenes *fuoco sacro*, das auch in Toscanini geglüht hatte. Mit einem Wort, Maria Callas war, paradox formuliert, eine Sängerin, die im Geiste Toscaninis gegen Toscanini ansang. Für sie war Tradition nicht die Anpassung an das (von Toscanini) Vorgegebene, sondern der Neuanfang. Anders als Geraldine Farrar, die von Toscanini sich hatte sagen lassen müssen, daß er »Sterne nur am Himmel« kenne, war Callas keine auf der Bühne eitel auftrumpfende Primadonna, sondern eine der Musik verpflichtete Sängerin. Sie wäre – vielleicht – die ideale Toscanini-Sängerin gewesen und konnte es doch nicht sein.

Wäre sie wirklich eine Sängerin für diesen Dirigenten gewesen? Die Frage oder die Hypothese klammert die Interpretationsgeschichte aus. Toscanini war an der von Maria Callas aktualisierten Sänger-Oper nicht im mindesten interessiert. Er fühlte sich den Ideen Richard Wagners und dem Spätwerk Verdis verpflichtet, und er setzte sich für die neuen Stücke zeitgenössischer Komponisten ein, obwohl er Skrupel (etwa gegenüber Puccini) durchaus nicht verhehlen konnte.

Anders aber als die Werke der vorerwähnten Komponisten sind die eines Händel und selbst eines Mozart, die von Rossini und die der italienischen Romantiker auf die technisch-virtuosen Fähigkeiten der Sänger zugeschnitten. Daß die Formensprache – als Summe virtuoser Formeln – in der älteren Oper nicht nur Zier, sondern Mittel des Ausdrucks war, daß sie aufgehen mußte in einer ganz eigenen sängerischen Expressivität, schien Ende der vierziger Jahre einfach vergessen. Als Maria Callas Ende der vierziger und zu Beginn der fünfziger Jahre Werke wie *Armida, Medea, Norma, I Puritani, La Sonnambula* und *Anna Bolena* sang, strahlten sie die Gewalt des Fremden aus.

Sie gaben der Sängerin nicht nur die Gelegenheit, das Neue im Alten zu finden; sie boten ihr die Chance zu zeigen, daß die Beziehung zwischen Komponist und Sänger im 18. und frühen 19. Jahrhundert eine andere war als beispielsweise die zwischen Wagner und Wilhelmine Schröder-Devrient. Der Sänger diente vormals nicht nur als Muse oder als Erfüllungsgehilfe des Komponisten, nicht als Sklave der Partitur – er war der mitkomponierende Gestalter. Händel und Francesca Cuzzoni, Hasse und Faustina Bordoni, Rossini und der Kastrat Velluti sowie die Tenöre der Familie der Davids und Isabella Colbran, Mozart und Lucrezia Agujari, Nancy Storace, Aloysia Weber und Ludwig Fischer, Bellini und Donizetti und Giuditta Pasta, Maria Malibran, Pauline Viardot, Giulia Grisi, Giovanni Battista Rubini und Luigi Lablache haben in einem kompositorischen Sinne zusammengearbeitet. Von Mozart stammt der Satz, er liebe es, einem Sänger seine Arien zuzuschneiden wie ein gutgefertigtes Kleid. An den Opern Rossinis, in denen seine Frau Isabella Colbran sang, ist der Zustand ihrer Stimme, vor allem die Extensionsfähigkeit in die Höhe, genau abzulesen. Domenico Donzelli schrieb vor der Uraufführung der *Norma* an den Komponisten und gab ihm genau den Umfang seiner Stimme an. Wagner endlich bekannte, daß er alles, was er über den »Mimus« wisse, der unvergleichlichen Schröder-Devrient verdanke. Gemeint ist damit Darstellung mittels des gesanglichen Ausdrucks. In seinen theoretischen Schriften spricht Wagner sogar von einer »Depotenzierung des Auges«, wenn im Klang »das innerste Wesen der menschlichen Gebärde« evoziert wird.

Seit einem halben Jahrhundert befinden wir uns in einer Post-Histoire der Oper, und da es keine aktuelle Produktion mit einer wirklichen Breitenwirkung mehr gibt, werden die Sänger auch nicht mehr herausgefordert – wenn man von den wenigen absieht, die Komponisten dazu inspirieren, für sie zu schreiben. Das gilt etwa für Dietrich Fischer-Dieskau und Aribert Reimann, und es galt für die englischen Sänger um Benjamin Britten: Sylvia Fischer, April Cantelo, Janet Baker, Peter Pears, Peter Glossop, John Noble, Owen Brannigan u.a. Diejenigen aber, die sich vom *mainstream* des Opernbetriebs, dem Star-Theater, treiben lassen, übernehmen schließlich nur noch die Rolle von musikalischen Handelsvertretern, die das sogenannte Gold in der Kehle zu verhökern haben.

Wenn Größe darin besteht, Richtung zu geben, wer war dann groß in den letzten Jahrzehnten? Groß im Sinne einer geschichtlichen Wirkung? Der Sänger unserer Zeit sieht sich vor einem riesigen Repertoire, das nicht zu übersehen und noch weniger zu bewältigen ist. Ein Ausweg liegt darin, daß er sich auf wenige, sicher beherrschte und allerorts gefällige Rollen konzentriert. Dies haben Arrivierte wie Zinka Milanov, Renata Tebaldi, Birgit Nilsson, Mario del Monaco, Giuseppe di Stefano, Luciano Pavarotti, Leonard Warren, Boris Christoff – um nur einige Namen zu nennen – getan. Die dagegen erhobene Kritik ist zwar verständlich, aber abgehoben; sie nimmt keinerlei Rücksicht auf die nicht nur musikalischen Anforderungen des Sängerberufes im modernen Betrieb, aus dem auszubrechen oder dem sich zu widersetzen kaum möglich ist. Andere geben sich den Anschein von Vielseitigkeit, indem sie im Studio Rollen singen, die sie auf der Bühne nicht singen – mit einem nicht einmal in Klammern hinzugefügten singen »könnten«. Beim Abhören dieser oft hurtig gehudelten Produktionen vermeint man das Ratschen der Messer zu hören, mit denen Frau Caballé oder Herr Domingo ihre brandneuen Partitur-Seiten aufschneiden. Andere verstehen sich als Stimmen der Musik und singen alles, was sie stimmlich und musikalisch überhaupt bewältigen können, und sie nutzen dabei die Schallplatte als eine Art von *musée imaginaire* der Musik: Elisabeth Schwarzkopf, Janet Baker, Nicolai Gedda, Dietrich Fischer-Dieskau, José van Dam.

Was ihnen jedoch allen verwehrt ist, das ist der freie Umgang mit der Musik, ist *kompositorische* Spontaneität. Der Sänger unserer Zeit muß durchweg das singen, was nach dem Befehl der Lex Werktreue einzig und allein gesungen werden darf: der gedruckte Text. Daß dies bei der Vokalmusik des späten 17., des 18. und des frühen 19. Jahrhunderts nicht nur auf eine Verarmung des Ausdrucks hinausläuft, sondern das genaue Gegenteil von Werktreue ist, steht längst außer Frage, wird aber gerade von den Dirigenten ignoriert, die das Opernleben beherrschen: etwa von Claudio Abbado, Riccardo Muti oder James Levine, deren Musizieren, nach einem Wort von Andrew Porter, »in Taktstriche eingezwängt« ist, ohne daß sie, etwa bei den Opern Verdis, den Fluß und die dramatische Gespanntheit eines Toscanini erreichen würden. Wenn es musikalische Gründe für die »Krise der Gesangskunst« gibt, so liegen sie auch in der jegliche Spontaneität lähmenden Einzwängung in das Prokrustesbett der Notentreue. Auffällig und seltsam, daß die Krise vor allem die Aufführung der Opern von Wagner, Verdi, Puccini und Strauss betrifft, in denen große und klanglich ausladende Stimmen verlangt werden. Die Werke dieser Komponisten sind auf höchstem Niveau kaum mehr aufzuführen.

Das scheint ein Widerspruch zu sein, weil die Vokal-Partien dieser Komponisten genau ausgeschrieben sind. Doch finden sich selbst in den Opern von Wagner zahlreiche Zierfiguren. Brünnhilde muß zu Beginn des zweiten Aktes von *Die Walküre* Triller singen, und in den *Meistersingern* wird mit den virtuosen Formeln des Singens ständig gespielt: Davids »Singschule« vor Stolzing gleicht einer Lehrstunde. Die Partie des Kothner enthält heikle Koloraturen. Die Beherrschung der sängerischen Formensprache erlaubt dem Sänger, der Wagner und Verdi singt, den Rückgang auf Mozart und Donizetti, auf Weber und Rossini und damit das ständige Training jener Agilität, die eine Stimme frisch hält. Anders: Die heutige Theaterpraxis, durch die viele Sänger in die Spezialisierung getrieben werden, läßt die langsame Entwicklung der sogenannten dramatischen Stimme nicht zu. Der Rückblick in die Geschichte des Singens zeigt, daß Lilli Lehmann, Lillian Nordica, Frida Leider oder Kirsten Flagstad durchweg erst im Alter von 40 Jahren die hochdramatischen Rollen gesungen haben und daneben immer auch Partien, die ihrer technischen Flexibilität dienten. Lehmann wie Leider selber haben das als Voraussetzung für die Qualität des Singens – und die Lebensdauer der Stimme – angesehen[3].

Weitaus besser steht es um das ältere Repertoire. Noch bevor der Rückgang auf die alte Aufführungspaxis das Singen gleichsam zu differenzieren begann, hat Maria Callas entscheidende Impulse gegeben. Sie hat gezeigt, daß technische Virtuosität unverzichtbar ist, wenn man der reichen Formensprache des Singens gerecht werden will, daß ein zarter und süßer Vokalklang nicht Ausdruck von sängerischem Hedonismus ist; daß endlich der symbolisch-sinnbildliche Ausdruck reizvoller sein kann als der heftig-affektgeladene des *verismo*. Jahrzehntelang erschwerte der Zwang, Rollen im Sinne eines geschlechtsspezifischen Realismus zu besetzen, die Besetzung von Travestie-Rollen der älteren Oper (bei Mozarts Cherubino oder Strauss' Oktavian wird das Spiel mit der sexuellen Ambiguität akzeptiert). Inzwischen entdecken viele Hörer den weniger sinnlichen als ästhetisch-musikalischen Reiz in Stimmen von Counter-Tenören, vor allem wenn sie so spontan und lebendig klingen wie die des phänomenalen Jochen Kowalski. Entdecken sie, daß die Affektmittel des veristischen Singens, die deklamatorischen Ausbrüche, die Schreie, das Schluchzen letztlich zu einer Verarmung des musikalischen

Ausdrucks geführt haben. Rodolfo Celletti steht nicht einmal an zu sagen, daß der »Mythos vom schauspielernden Sänger« auf den *verismo* zurückzuführen ist.

Die Qualität des Singens war seit eh und je gebunden an die des Komponierens. Der gewollten Kunstlosigkeit des *verismo* entsprachen viele Sänger durch einen entsprechend kunstlosen Vortrag – ein verheerendes Mißverständnis, weil der *verismo* nur eine *Kunst* der Kunstlosigkeit sein wollte. Auch deren Darstellung ist ohne sängerische Technik unmöglich. Um aber der Poetik des musikalischen Realismus gerecht zu werden, begannen die Sängerinnen und Sänger damit, ihren Klang gewaltsam einzudunkeln. Sie wollten einen schweren, sinnlich-sexuellen Klang erzeugen[4], und sie ruinierten damit ihre Stimmen. Celletti schreibt über diese Stimmproduktion: »Eine Lösung, die die Stimme hart macht, sich darum negativ auf die Modulation auswirkt, und hohe Töne ermüdend, harsch und schrill werden läßt. Als Drittes kommt hinzu, daß der Versuch, mit einem ›sprechenden‹ oder ›schreienden‹ Tonfall eine realistische Wirkung hervorzubringen, die Sänger dazu verführt, den runden, vollen und weichen Ton, der ein Frucht der ›in maschera‹ und ›sul fiato‹ erzeugten Stimme und des Registerwechsels zwischen mittlerer und hoher Lage ist, zu vernachlässigen. Sie tun das... ungeachtet der Tatsache, daß einige Veristen... die heftigsten und leidenschaftlichsten oder die stark deklamatorischen Phrasen mit Vorliebe ausgerechnet in die Zonen setzen, in denen ein Registerwechsel unumgänglich ist, will man vermeiden, daß die Stimme rauh, guttural oder forciert wirkt. Das heißt, im Verismo greift die Gewohnheit des ›offenen‹ Singens, die eigentlich das beste Indiz wäre, um Dilettanten von professionellen Sängern zu unterscheiden, um sich.«[5] Folglich können Darsteller mit großer dramatischer Begabung und suggestiver Bühnenpräsenz, doch ohne technisches Können Partien der veristischen Oper übernehmen (wenn auch gleich nicht singen). Wenn es auch falsch wäre, Toscanini zu bezichtigen, er habe selbst die Musik Verdis nach der Ästhetik des Verismo singen lassen, so bezeugen seine Aufnahmen doch, daß ihm sängerische Nuancierungen – das *tempo rubato*, das behutsame *portamento*, das feine Färben (von Verdi »miniare« genannt), das eloquente Verzieren und selbst die Interpolation von Kadenzen am Ende von zweiten Strophen – zuwider waren.

Größe heißt, eine Richtung zu weisen. Toscaninis Absage an die Subjektivität – und die Verzerrungen – der spätromantischen Darstellungsweise, sein Insistieren auf Sachlichkeit, seine Ablehnung des Ausdrucks, all das machte ihn zu einem »Settembrini der Musik« (Adorno), der kein anderes Ziel kannte als die perfekte Aufführung oder Oper als Festspiel in Permanenz. Größe heißt auch, eine *neue* Richtung zu weisen. So wie es eine verschlampte Operntradition *vor* Toscanini (oder auch: vor Mahler) und Aufführungen höchsten Ranges *unter* Toscanini, auch unter Fritz Busch, Bruno Walter, Erich Kleiber und Fritz Reiner gab, die allesamt Kollegen im Geiste des Italieners waren, so gibt es eben, was das Singen angeht, eine Ära vor Callas und nach Callas.

»Es ist bekannt, daß der gute Gesang, was die romantischen Komponisten, und der Belcanto, was die vorromantischen betrifft, nicht aufgrund der Interventionen von Musikologen, Opernhistorikern, Kritikern oder Dirigenten zurückkehrte«, heißt es bei Celletti, »sondern dank einer Sängerin: Maria Callas.« Sie hat nicht nur die Gesangstechnik (darunter ist stets die Umsetzung eines musikalischen Stils in theatralischen Ausdruck zu verstehen) revolutioniert, sondern damit eine scheintote Musik lebendig gemacht. Celletti hat dies zusammengefaßt: »Ausgangspunkt war die Rückbesinnung auf einen vor-veristischen, in gewisser Weise sogar vorverdischen Ansatz, der vier grundlegende Resultate brachte: a) die Wiedereinführung einer vielfältigen, analytischen Phrasierung, die über Farb- und Akzentabstufungen nicht nur die Beachtung der Ausdruckszeichen des Komponisten ermöglicht, sondern darauf abzielt, mit Hilfe eines äußerst subtilen Spiels mit Hell-Dunkel-Effekten und Schattierungen, den tieferen Sinn der Worte herauszuarbeiten; ob es sich um ein Rezitativ, eine Arie oder ein Duett handelt; b) die Rückkehr zur echten Virtuosität, die darin besteht, den Koloraturen Expressivität zu verleihen und das hörbar zu machen, was Rossini ›die verborgenen Akzente‹ nannte; c) das Wiederauftauchen des vorromantischen oder romantischen ›Cantabile‹, das Weichheit im Ton, Sauberkeit im Legato, Durchhaltevermögen, pathetische oder elegische Hingabe sowie lyrische Kraft voraussetzt; d) die Wiederkehr psychologischer Gesangstypen des klassizistischen und des protoromantischen Musiktheaters, die die Interpretationspraxis der Spätromantik und des Verismo verfälscht hatten: die Königin, die Priesterin und die Magierin.«

Maria Callas hat also nicht einfach »besser« und schon gar nicht mit einer besseren oder schöneren Stimme gesungen als ihre Rivalinnen (wenn sie denn überhaupt eine Konkurrentin hatte), sondern sie hat eine neue Richtung gewiesen, hat den Typus des romantischen Koloratursoprans mit dramatischen Ausdrucksmöglichkeiten auferstehen lassen – und damit das musik-dramatische Œuvre Rossinis, Cherubinis, Bellinis, Donizettis und des jungen Verdi.

Ein nachschaffender Künstler verkörpert immer auch einen ganz bestimmten Sozialcharakter. Wenn Wilfrid Mellers in Franz Liszt den »Künstler als Held« sah, so beschreibt er damit eine typisch romantische Künstler-Rolle, die z.B. von Vladimir Horowitz, zuletzt mit unfreiwillig komischen Nebenwirkungen, ins 20. Jahrhundert hinübergetragen worden ist. Die Primadonna und der Kult um die vergöttlichte Sängerin, um die Diva, war ein Produkt des 18. und des frühen 19. Jahrhunderts, hatte aber nichts, rein gar nichts zu tun mit dem modernen Star-Wesen, das nichts anderes ist als das platte Ergebnis dessen, was Thomas Mann ebenso treffend wie konservativ als »humandemokratische Nivellierung« bezeichnet hat. Die erwähnten Primadonnen und dazu aus der zweiten Hälfte des 19. Jahrhunderts Sängerinnen wie Fanny Persiani, Jenny Lind oder Adelina Patti wurden nicht nur von den Massen umjubelt, sondern sie entzündeten auch die Sinne und den Intellekt großer Poeten – und sie gewannen die Bewunderung und Liebe der Komponisten. Vermutlich war Nellie Melba die letzte wirkliche Primadonna – und Maria Jeritza der erste moderne Star, zu deren sängerischen Qualitäten auch »unglaublich schöne Hände und die längsten Beine, die die Opernbühne betreten« (Gustl Breuer), gezählt wurden. Welch eine Verschiebung damals stattfand, bezeugt das Wort von Richard Strauss, der während einer Probe zu *Salomé* sagte: »Wenn Sie nicht in die Partitur schauen, ist sie ein wahres Genie.«

Ein Star ist heutzutage jeder – das Wort wird jedem nachgeworfen wie die schmutzigen Kränze der Kritik, dem Fußballspieler, der Nachrichtensprecherin, dem Talkshow-Schwätzer, dem Modemacher, dem Designer. Sie alle sind Stars, sind prominent, ohne wirklich durch Qualitäten hervorgetreten zu sein. Doch ist die Kunstform der Oper nicht mehr so populär, als daß ihre Vertreter auch nur die Rolle von Stars spielen könnten, wenn man von einigen wenigen absieht, die zu Reisevertretern der sogenannten schönen Stimme geworden sind – wie Placido Domingo und Luciano Pavarotti.

Sängerinnen wie Renata Tebaldi, Zinka Milanov, Leonie Rysanek, Joan Sutherland, Birgit Nilsson oder Marilyn Horne waren oder sind gewiß berühmt, doch ist ihr Ruhm nicht zu vergleichen mit der Aura, die seit Mitte der fünfziger Jahre Maria Callas ummantelte. Maria Callas war die einzige Primadonna im ursprünglichen Sinne. Allein, was hat sie dazu gemacht? Was meint dieses stereotyp gebrauchte und für manche Ohren vielleicht aufregend idiomatische Wort? Die Anforderungen und das Können nur an das technische, virtuose, musikalische Vermögen einer Primadonna sind so hoch, daß gerade diejenigen, die ihre Arbeit wirklich ernst nehmen, an ihrem Ehrgeiz zerbrechen können. Sie muß nicht nur die schöne, sinnliche (oder sinnen-reizende), unverkennbare Stimme haben; ohne Musikalität, ohne Technik, ohne starke Nerven, athletische Energie, Ausstrahlung, Persönlichkeit, diplomatisches Geschick und inneren Glanz (der mit Glamour nicht zu verwechseln ist) ist kein Platz in jenen Rängen, die der Primadonna vorbehalten. Es gibt Sängerinnen, die nur den Mund öffnen und, mit einer gut plazierten Stimme gesegnet, den Hörer mit Wogen schöner Klänge übergießen – nach dem wohligen Bade kann er entspannt nach Hause gehen. Andere machen durch Ausstrahlung und Persönlichkeit vergessen, daß sie mit einem nur durchschnittlichen Instrument musizieren; man zollt ihnen Anerkennung und Respekt. Manche sind technisch so versiert, daß sie eine schwierige Rolle binnen einer Woche lernen, andere können Musik nicht lesen und singen die Platten ihrer Kollegen nach.

Der Weg nach oben, versperrt von den Hürden des Neides, der Eifersucht, der Mißgunst, ist hart, der zum Ruhm ein Kreuzgang. Es gibt Regisseure, die nur interessiert sind an dem Effekt, den *ihre* Aufführung macht, aber den Sänger nicht nur zum Requisit degradieren, sondern ihm Aktionen und selbst eine Spilastik zumuten, die das Singen erschweren, wenn nicht gar unmöglich machen. Es gibt Dirigenten, die, weil alle am Erfolg ihres Gastspiels interessiert (und wer gewährt heute schon mehr als Gastspiele), junge Sänger zu früh in zu große, zu schwere Rollen treiben und sich buchstäblich den Teufel darum scheren, ob sie eine Stimme ruinieren. Es gibt ferner Dirigenten, die ohne Rücksicht auf ihre Sänger das Orchester zu laut (und oft auch in zu hoher Stimmung[6]) spielen lassen und damit zum Forcieren zwingen: zu der unseligen Anwendung muskulärer Energie zur Bildung eines voluminöseren Tons. Es gibt Impresarios, die, nach dem Wort von Lisa della Casa, die ihnen anvertrauten Talente auspressen wie eine Zitrone und dann wegwerfen. Es gibt ein Publikum, das loyal und fair und vor allem dankbar ist, und es gibt Fans mit Manieren, die selbst abgebrühte Fußballreporter schockieren würden. Kurz, in der Welt der Oper geht es zu wie in einem Haifischbecken – und in diesem Becken soll ein Zierfisch überleben?

Noch einmal: Was ist eine Primadonna? Es ist nie, ist niemals die Handlungsreisende mit einer schönen Stimme. Es ist nie, niemals die tüchtige, zuverlässige, stets vorbereitete Sängerin; die kommt zum Einsatz, wenn eine wirkliche Primadonna fehlt. Die Primadonna braucht mehr: Musikalität, Temperament, Ausstrahlung und Hingabe, und sie braucht, nach Rossini, »Stimme, Stimme und nochmals Stimme«. Aber wann wäre das je zusammengekommen? Vielleicht bei Rosa Ponselle? Sie besaß eine überreiche, klangprächtige Stimme, eine sehr gute Musikalität, aber eine nur gute Technik und ein allzu kontrolliertes Temperament. Oder bei Nellie Melba? Sie hatte eine unvergleichlich brillante Stimme, eine superbe Technik, eminente Musikalität, aber das Temperament einer Statue aus Marmor. Oder bei Kirsten Flagstad? Sie war ein Stimmwunder und hatte die Ausstrahlung einer matronenhaften Hausfrau. Typisch ihr Satz über Lotte Lehmann nach einer Aufführung von Wagners *Die Walküre*: So wie Lotte Lehmann als Sieglinde dürfe man sich nur als Ehefrau mit dem Ehemann aufführen. Und Lotte Lehmann? Eine wunderbare Musikalität, dramatische und poetische Phantasie, Spontaneität, Temperament, eine prachtvoll-schöne Stimme und eine oftmals durch Ausdruckswollen gefährdete Technik. Martha Mödl? Temperament, Hingabe, Ausdruckskraft, aber eine durchschnittliche Stimme und eine problematische Technik. Montserrat Caballé? Eine berückend schöne Stimme, eine sichere Musikalität und das Temperament eines Siebenschläfers.

Es macht die Erklärung dessen, was eine Primadonna sei, nicht leichter, daß Stimme, Musikalität, Temperament in jeder Sängerin etwas anderes sind. Die Stimme von Janet Baker war kleiner, zarter, empfindlicher als z.B. die von Ottilie Metzger oder von Ebe Stignani; ihr Temperament brannte weniger hitzig als das einer Conchita Supervia oder einer Astrid Varnay, doch wenn man sie als Orfeo in Glucks Oper hört oder im *lamento* der Arianna von Claudio Monteverdi, so spürt man eine innere Erregtheit, ein genuines Pathos, das ihren Kolleginnen fehlt. Stimme ist etwas anderes bei Birgit Nilsson oder Amy Shuard als bei Renata Tebaldi oder Mirella Freni; Virtuosität bei Joan Sutherland oder Marilyn Horne etwas anderes als bei Maria Callas oder Magda Olivero. Zur Diva – muß gesagt werden, daß »Diva« mit »Göttin« zu übersetzen ist? – aber wird nur diejenige, die auf schier alchemistische Weise alle Fähigkeiten, Tugenden, Eigenschaften und Qualitäten zu verschmelzen weiß und die sich, wie alle Menschen, denen wir Größe zusprechen, zuzumuten wagt, gefährlich zu leben oder, wieder nach Nietzsche, hinaufmartern läßt in die Einsamkeit des Ruhms.

Die Primadonna hat sich, wenn man einer geläufigen Unterscheidung oder auch Polarisierung folgen will, inkarniert in der Stimm- und der Kunstdiva. Den Unterschied erfaßt der zwar nicht sonderlich geistreiche, aber plakative Witz, daß die Stimm-Diva, bevor sie Gounods Margarethe singt, Triller übt und ihr Kostüm begutachtet, während die Kunst-Diva Goethe liest. Doch hat es nie eine Stimm-Diva ohne künstlerische Einbildungskraft und nie eine Kunst-Diva ohne eine überragende Stimme gegeben – selbst über Callas, an deren Stimme auch ihre Bewunderer Mängel konstatiert haben, sagte Tito Gobbi, er habe von ihr »sounds once in a lifetime« gehört, Klänge, die man nur einmal im Leben hört.[7]

Schon die perfekte Formung einer Stimme, dies wiederum an die Kritiker von Joan Sutherland oder Montserrat Caballé, ist ein künstlerischer Vorgang von außergewöhnlicher Qualität. Andererseits, selbst wo Interpretation im Sinne von Ausdruckswollen oder gar *espressivo*-Wut die technische Ausführung beeinträchtigt wie bei Lotte Lehmann, Claudia Muzio, Anja Silja oder Magda Olivero, bleibt die Technik, bleibt das Funktionieren der Stimme letztlich doch die Basis des Ausdrucks. Mit einem Wort: Die Aufhebung der Technik und der artistischen Kontrolle mündet in einem ästhetischen Desaster. Vor allem im Herbst der Karriere, wenn die Zeit die Stimme einer Primadonna um ein oder zwei Töne nach unten transponiert hat, wird aus dem Drahtseilakt des Singens ein Leben auf der Rasierklinge.

Zwar nicht die »Größe«, wohl aber die Geschichtswirkung eines Interpreten wird erkennbar in der über ihn verfaßten Literatur oder auch der von ihm verfaßten Literatur. Die Erinnerungen eines Bruno Walter, eines Fritz Busch, eines Thomas Beecham, eines Gregor Piatigorsky sind bedeutende kulturelle und politische Dokumente. In ihnen ist nur selten ein Anflug von Selbstinszenierung oder Stilisierung zu finden. Das gilt auch für Yehudi Menuhins »Unvollendete Reise«.

Schon die meisten Toscanini-Darstellungen aber sind das, was man heute im englischen Sprachraum *coffee table book* nennt, prätentiöse Reklameschriften für Fans, die mit ihrem Star eine Objektwahl auf narzißtischer Basis vollziehen. Ebenso erstaunlich wie typisch, daß die erste sachliche Toscanini-Biographie von einem Autor geschrieben wurde, der den Dirigenten selber nie erlebt hat: Harvey Sachs. Bei den meisten Sänger-Biographien und vollends bei den von Ghostwriters abgefaßten Autobiographien begibt man sich als Leser ins ästhetische Souterrain, ob es sich nun um »Kiri« handelt (te Kanawa) oder »More than a diva« (Renata Scotto), um Pavarottis »My own story« oder gar um die »Opera People« (von Christian Steiner portraitiert im Vogue-Stil). Über Maria Callas sind gewiß zwanzig Bücher geschrieben worden, und bei vielen handelt es sich um sogenannte Enthüllungen von – um ein Wort von Helmut Schmidt zu gebrauchen – »Indiskretins«. Sachliche Darstellungen haben vor allem George Jellinek (schon 1960!) und Pierre-Jean Rémy (1978) gegeben. Unverzichtbar sind John Ardoins »The Callas Legacy« und die mit Gerald Fitzgerald erstellte Bild- und Interview-Biographie, in der fast alle wichtigen Kolleginnen und Kollegen der Sängerin zu Wort kommen. Arianna Stassinopoulos verheißt den Blick »Behind the Legend«, webt aber am Mythos fort. Daß sie viele biographische Details, vor allem aus der Schattenseite von Callas' Leben und Karriere offenlegt, entschädigt nicht für die Hilflosigkeit gegenüber dem Kunstphänomen Maria Callas.

DRITTES KAPITEL

Ein Paradox über den Ausdruck oder Die schöne und die häßliche Stimme

...Denn das Schöne ist nichts
als des Schrecklichen Anfang, den wir noch grade ertragen,
und wir bewundern es so, weil es gelassen verschmäht,
uns zu zerstören. ...
Rainer Maria Rilke, Erste Duineser Elegie

»Die Aufführung war nicht so gut, wie ich sie in meiner Vorstellung gesungen habe«, sagte Maria Callas nach einer umjubelten Premiere von *Norma*, 1948.

Diesen selbstkritischen Satz, und Selbstkritik gehörte zu den vorzüglichsten Tugenden der Sängerin, muß man zweimal lesen. Zweimal lesen deshalb, weil man der Skrupel innewerden muß, welche ein Interpret mit einem unbedingten Kunstwillen und einer präzisen Interpretationsvorstellung angesichts der Differenz zwischen künstlerischer Imagination und praktischer Ausführung empfindet. Oder sollte man nicht von einem Erleiden sprechen? Walter Benjamin hat diese Differenz in einem bewegenden Gedankenbild deutlich gemacht: »Das Werk ist die Totenmaske der Konzeption.«

Was die darstellenden Künste und insonderheit die Musik angeht, steht – stärker als jeder andere Interpret – der Sänger vor der schier unlösbaren Aufgabe, eine Konzeption in einer Aufführung zu verwirklichen. Während der Instrumentalist ein Spielwerk, sein Instrument, technisch zu beherrschen hat, ist der Sänger das sich selber spielende Instrument, und er ist damit den Befindlichkeiten seines Körpers ausgeliefert. Er kann, anders als ein versierter Instrumentalist, bei der Aufführung niemals auf den *automatic pilot* schalten. Über die Voraussetzungen des Geigenspiels hat Jascha Heifetz gesagt, es bedürfe jenseits einer vollkommenen Technik der Ruhe und Konzentration eines buddhistischen Mönches und der Nerven eines Stierkämpfers. Der Sänger mag diese Ruhe, diese Konzentration, diese Nerven haben; was aber, wenn die Technik durch das Versagen des Körpers gefährdet wird? Was vor allem, wenn ein Sänger eine Partitur nicht, wie Maria Callas gesagt hat, »der Stimme anbequemen will«, sondern sie so makellos aufzuführen versucht wie Jascha Heifetz seine Konzerte, Sonaten und Bravourstücke?

Mehr noch als jeder Instrumentalist braucht der Sänger ein vollkommen gelöstes Körpergefühl, einen konzentrierten Körpersinn, um sein Instrument zu verströmen, und ohne diese innere Empfindung kann nicht die geradezu animalische Wohligkeit einer Klangerzeugung entstehen, die das Merkmal großen Singens ist. Es gibt, so hat Franziska Martienssen-Lohmann in »Der wissende Sänger« geschrieben, eine »Körperfreude, (die) gleichsam unbewußt aus sich selber singt. Ihre Klangfreude treibt gleichzeitig den Geist zur Verwirklichung der Schönheit.«

Schönheit – ein zugleich magisches und banales Wort über die menschliche Stimme. Als Tullio Serafin von »dieser großen, häßlichen Stimme« sprach, war das ganz gewiß alles andere als ein pejoratives Urteil, auch wenn es einen geradezu stereotyp gegen die Sängerin erhobenen Einwand zu bestätigen scheint, den nämlich, daß die natürlichen Qualitäten ihrer Stimme nicht so edel gewesen seien wie etwa bei Nellie Melba, Rosa Ponselle, Zinka Milanov oder Renata Tebaldi. Das ist ganz sicher zutreffend und doch nur die halbe Wahrheit, und halbe Wahrheiten münden zumeist in ganze Lügen, welche der Erhellung der Kunstsache im Wege stehen.

In einem anderen Zusammenhang hat Tullio Serafin, der alle großen Sänger korrepetiert und dirigiert hat, gesagt, daß er in seinem ganzen Leben nur drei wirkliche Stimmwunder erlebt habe: Enrico Caruso, die italo-amerikanische Sopranistin Rosa Ponselle und den Bariton Titta Ruffo. Der Dirigent, dem die Idolatrie des stimmlichen Materials gewiß nicht unterstellt werden darf, verstand darunter die primär-sinnliche, unmittelbare Wirkung des Klangs, die Ausladung und die erregende Schallgewalt dieser Stimmen, die betörende Schönheit des Timbres – damit aber, unausgesprochen, das Verschwinden der Technik, wodurch der Eindruck einer vollkommenen Natürlichkeit entsteht. Es ist all das, was Ernst Bloch in »Das Prinzip Hoffnung« als die »Materialmagie des singenden Erotikons« bezeichnet hat. Neben diesen Stimmwundern, die er benannte, habe er, sagte Serafin weiter, noch »eine Handvoll wunderbarer Sänger« erlebt. Man kann davon ausgehen, daß er Maria Callas zu diesen Sängern gezählt hat.

Damit hat er eine Unterscheidung aufgegriffen, die schon aus der frühen Geschichte der Oper bekannt ist. Bereits im 17. Jahrhundert unterschied der französische Theoretiker des Singens, Bénigne de Bacilly, zwei Kategorien von Stimmen: die guten und die schönen. Jene vermöchten es, ohne besondere natürliche Qualitäten, all das auszudrücken, was die Musik oder die darzustellende Rolle verlangten, während diese, ihrer natürlichen Qualitäten gewiß, nichts von Belang auszudrücken in der Lage seien.

Das Wort »Schönheit« liefert mithin lediglich einen Annäherungswert. Was gemeinhin unter einer schönen Stimme verstanden wird, ist zunächst nichts als eine sinnliche Qualität und die davon ausgelöste Empfindung des Hörenden, und die Empfindung ist, nach Hegel, »die dumpfe Region des Geistes«. Mit dem Wort von der »guten Stimme« wird, auf dialektische Weise, nur eine Antithese konstruiert. Aber wie unbefriedigend im musikalisch-dramatischen Sinne die klangschöne, aber ausdrucksarme Stimme sein mag, so problematisch ist in ästhetischer Hinsicht die »gute« ohne adäquate klangliche Qualitäten und technische Durchbildung. Es gehört zur Ambivalenz, gar zur Paradoxie des musikalischen Ausdrucks in der Oper, daß selbst heftige Gefühle wie Wut und Haß sich vermitteln in dem, was Thomas Mann »Fülle des Wohllauts« nannte. Insofern liefert die Entgegensetzung von schöner und guter Stimme nur eine Hilfskonstruktion, die das Problem überhaupt erst in den Blick bringt – doch eben nur als Entgegensetzung.

Diese Dichotomie hat sich durch die Jahrhunderte hindurch in der ästhetischen Diskussion gehalten. Mit besonderer Vorliebe werden Spontanäußerungen von Komponisten auf mosaisch-strengen Interpretationstafeln verewigt. Dazu gehört, beispielsweise, der oft zitierte Satz von Richard Wagner über die von ihm hochgeschätzte Wilhelmine Schröder-Devrient. Nach ihrer Stimme gefragt, sagte er: »In Betreff dieser Künstlerin wurde immer wieder die Frage an mich gerichtet, ob denn, da wir sie als Sängerin rühmten, ihre Stimme wirklich so bedeutend gewesen wäre – worunter denn alles verstanden zu werden schien, worauf es in diesem Falle überhaupt ankomme. Wirklich verdroß es mich stets, diese Frage zu beantworten, weil es mich empörte, die große Tragödin mit jenen weiblichen Kastraten unserer Oper in eine Rangordnung geworfen zu wissen. Wer mich jetzt noch fragen sollte, dem würde ich ungefähr folgendes antworten: Nein! Sie hatte gar keine Stimme, aber sie wußte so schön mit ihrem Atem umzugehen und eine wahrhaftige weibliche Seele durch ihn so wundervoll ausströmen zu lassen, daß man dabei weder an Singen noch an Stimme dachte.«

Auch dies klingt nach einem Votum für die gute und der Geringschätzung der nur schönen oder virtuosen Stimme und war Wasser nicht nur auf die Mühlen jener Wagnerianer, deren Ideal der singende Darsteller und nicht der darstellende Sänger war, sondern auch auf die der Ausdrucksästhetiker, denen das Wort Technik offenbar vorkommt wie der *diabolus in musica*. Es wäre allerdings interessant zu wissen, was die Schröder-Devrient, Partien wie Pamina, Leonore, Agathe, Norma, Amina und Desdemona (in Rossinis *Otello*) singend, mit ihrem Atem gemacht hat. Sie muß auch im technischen Sinne eine erstklassige Sängerin gewesen sein, selbst wenn das für Wagner irgendwann nicht mehr so wichtig war wie ihre Fähigkeiten der dramatischen Darstellung und des gebärdenhaften Singens.

Im »Processo alla Callas« – unter diesem Titel fand 1969 im italienischen Rundfunk eine große Debatte über Maria Callas statt, an der Eugenio Gara, Fedele d'Amico, Rodolfo Celletti, Giorgio Gualerzi, Lucchino Visconti und Gianandrea Gavazzeni teilnahmen – ist diese alte Kontroverse mit äußerster Heftigkeit neu ausgebrochen. Selbst diese Bewunderer bekannten und bekennen, unter den zuckenden Stromstößen ihrer heftig flackernden und tremolierenden hohen Töne zu zittern, selbst ihre Kritiker und Gegner kamen und kommen nicht umhin, von der *melancolia tinta* in ihrem Timbre bewegt, verzaubert und angerührt zu werden und ihre dramatische Darstellungsfähigkeit zu bestaunen. Doch mit dem frei nach Richard Wagner formulierten Satz, daß sie zwar eine häßliche Stimme gehabt habe, aber schön mit ihrem Atem umgegangen sei, ist es ebensowenig getan wie mit dem scheinkritischen Stereotyp, daß bei ihr jeder Ton seinen Stellenwert gehabt habe im dramatischen Gefüge einer Phrase, eines Rezitativs oder einer Arie und daß das gelungene Ganze wichtiger sei als der mißglückte Einzelton.

Zu fragen ist, wann und auf welche Weise ein harscher, ein greller, ein womöglich häßlicher Klang dramatische Validität gewinnt. Muß Tosca ihr »è l'Attavanti« keifen? Soll die Lady in *Macbeth* eine häßliche Stimme haben? Maria Callas' Aufnahmen und Mitschnitte zwingen uns, diesen Fragen nachzugehen, weil in vielen Tönen und Phrasen der Ausdruckswille als sängerische Mühe spürbar wird, und wie immer dramatisch überzeugend dies ist – oder wirkt, weil wir sympathetisch hören –, so problematisch ist es nach strikt vokal-ästhetischen Maßstäben, selbst wenn man diese mit guten Gründen für nicht so entscheidend hält wie eine schlüssige dramatische Konzeption. Allerdings gibt es, um den Gedanken Ingeborg Bachmanns aufzugreifen, auch im Vokaltechnischen ein Scheitern auf unterschiedlichem Niveau, ein Scheitern, das vielen erspart bleibt, weil sie sich dem Problem erst gar nicht stellen.

Unbestritten ist, daß Maria Callas, um zunächst *ex negativo* zu argumentieren, gewiß nicht »the most faultless deliverer of tones that ever trod the stage« war, wie William James Henderson in seinem Buch »The Art of Singing« über die italienische Primadonna Adelina Patti schrieb. Sie hat keineswegs nur makellos geformte Töne von höchster klanglicher Reinheit und Rundung gebildet. Dies ist ein Defizit, weil bereits die Bildung solcher Töne ein nicht allein technischer, sondern musikalischer Vorgang ist. Ein erstklassiges Timbre, durch Technik verfeinert, zählt zu den höchst raren Edelwerten der Stimme und des Singens.

Das Timbre der Callas, nur als Klang gehört, war zwar charakteristisch und unverkennbar, aber nicht schön, nach Ansicht von Rodolfo Celletti sogar »grundsätzlich häßlich«. Sie produzierte zeitweilig einen dünnen und trockenen Klang, der zudem nicht frei von Schärfen war, einen Klang, der all das nicht besaß, was in der Sängersprache als Samt,

Seide, Schimmer oder Süße bezeichnet wird. Um so hervorstechender war das Metall in ihrer Stimme, ein harter, durchdringender Kern im Ton, die Voraussetzung für Leuchtkraft und Tragfähigkeit.

Läßt sich mit einem solchen Timbre schön singen? Aus methodischen Gründen sei dieses Problem noch einmal im Rückgriff auf Adelina Patti angegangen, deren Stimme zwar im Alter, wie George Bernard Shaw es formulierte, um eine kleine Terz nach unten transponiert, aber klanglich weitgehend intakt war. Die über 60jährige Diva hat die ebenmäßigsten verrundeten Triller gesungen, die man auf Platten überhaupt hören kann. Die Unversehrtheit ihrer Stimme hat die amerikanische Sopranistin Clara Louise Kelloq in ihren »Memoirs of an American Primadonna« darauf zurückgeführt, daß sich die Patti »nie Emotionen geleistet« habe, weil die Emotionen es sind, die eine Stimme verletzen und erschöpfen. Die Kelloq sagte weiter: »Sie spielte nie, und nie, nie erlaubte sie sich Gefühle.«

Unbedacht urteilen und vorschnell verurteilen würde, wer diese Beobachtung gegen die Patti wendete, auch wenn eine solche Interpretationshaltung heute den meisten fremd und seltsam erscheinen mag. Doch hat Giulietta Simionato mit dem gleichen Argument Montserrat Caballé gegen Kritiker verteidigt, die sie wegen ihres Kults um den Klang angegriffen und ihr Ausdrucksarmut vorgeworfen haben, und sie hat ausdrücklich die emotionale Hingabe an dramatische Rollen als große Gefahr für die Stimme bezeichnet. Ob ein Künstler von den Gefühlen, die er darzustellen hat, und von dem Charakter, den er vorzubilden hat, ergriffen sein oder bis zur Selbstaufgabe aufgezehrt werden soll, ist ein alter Streit. Diderot hat in einem »Paradoxe sur le comédien« geschrieben, daß die Tränen des Schauspielers aus dem Verstande rinnen und daß es die Empfindungen seien, die den schlechten Schauspieler ausmachen. Der bedeutende Schauspieler müsse immer auch der Beobachter dessen sein, was er spielt. Selbst ein so expressionistischer Sänger wie Fjodor Schaljapin, der als einer der ersten Sänger-Darsteller in der Geschichte der Oper gilt und dessen Einfluß mit dem der Callas durchaus zu vergleichen ist, hat den größten Wert auf das gelegt, was Charles Chaplin »die Mechanik der Szene« bezeichnet hat: Das genau konzipierte, exakt durchgeführte und nie veränderte Agieren. Es handelt sich um eine Logik der Gesten, der Bewegungen – kurz: um jene Natürlichkeit, die zweiten Grades ist und vom Bewußtsein hergestellt wird, wie Heinrich von Kleist es in seiner Studie »Über das Marionettentheater« ausgeführt hat.

Das ist auf das Singen durchaus zu übertragen. Singen ist, nach einer zunächst einfach anmutenden Definition von William James Henderson,

»die Interpretation eines Textes durch musikalische Töne, die von der menschlichen Stimme produziert werden«. Den musikalischen Ton hat Henderson definiert als »schönen Ton«, und die Schönheit durch Rundung, Leuchtkraft, die Intensität bei jeder dynamischen Gradierung und die harmonische Verbindung von Grund- und Obertönen. Daß bestimmte Rollen die *voce soffocata* (erstickte Stimme) verlangen – wie Verdis Otello – oder den ungeheuerlichen Klagelaut – wie Wagners Kundry –, daß im *verismo* die *aria d'urlo* aufkam, die Arie mit dem Schrei, relativiert diese Definition keineswegs: Es zeigt nur, daß die Komponisten des ausgehenden 19. Jahrhunderts auch andere Ausdrucksmittel als den »Ton« benutzt haben, nämlich den Schrei, die Exklamation, den Schluchzer.

Der schöne Ton, dies versteht sich von selbst, darf kein Selbstzweck sein; er hat das Wort, die Phrase, den dramatischen Zusammenhang zu illuminieren. Schon Pier Francesco Tosi hat in seinem legendären Traktat »Opinioni de' cantori antichi e moderni« betont, daß der Sänger sich durch das Wort vom Instrumentalisten unterscheidet. »Großes Singen, eine gute Stimme vorausgesetzt, entsteht nur«, schrieb Ernest Newman nach einer *La Traviata*-Aufführung mit Rosa Ponselle, »durch das intelligente Spiel eines klugen Kopfes auf dem inneren Sinn der Musik.« Dieser aber spricht sich aus im Wort als dem Sinnträger des musikalischen Gedankens. Kein Zweifel aber, daß, je intelligenter und bewußter das Spiel, die Technik gefährdet wird: die Produktion der Stimme. Der ideale Ton kann nur entstehen, wenn die langsam, sanft und tief eingeatmete Luft in einem vollkommen gleichmäßigen Fluß die Stimmbänder erreicht und sie, ohne das Klicken eines Glottis-Schlusses, zum Schwingen bringt und der so gebildete Ton ohne Nachstoßen von Luft gleichsam abgeschnitten wird. Jedes Gefühl, jede Erregung, jede Akzentuierung, jede Ausdrucksabsicht, kurz: jede Interpretation als Vermittlung einer »Emotion« muß den reinen Klang verändern oder beeinträchtigen.

Yehudi Menuhin hat dieses Widerspiel von Technik und Ausdruck in den lapidaren Satz gefaßt: »Interpretation ist der größte Feind der Technik.« Interpreten, die der technischen Perfektion so nahe kommen wie der Geiger Jascha Heifetz, der Pianist Josef Hofmann, der junge Vladimir Horowitz oder die Sopranistin Nellie Melba werden denn auch, eben weil ihre Interpretations-*Anstrengung* selten oder nie durchschlägt, der Gefühls- oder Seelenarmut geziehen; oder man wirft ihnen Problemlosigkeits-Probleme vor, als wäre nicht jener Schritt zur Problemlosigkeit, im Sinne der vollkommenen Überwindung aller technischen Schwierigkeiten, der wahre *gradus ad parnassum*. Die Bildung eines vollkommenen Tons und die perfekte Technik sind nichts der Musik und dem Singen Äußerliches, sondern wesentliches Ziel, und daß Verdi in der perfekten Sängerin Adelina Patti eine vollkommene Künstlerin bewunderte, bestätigt diese Feststellung.

Für Maria Callas war diese Vollkommenheit unerreichbar. Von Anbeginn an war in ihrem Singen der Interpretationswille als Ausdrucksanstrengung spürbar, und die Technik, soweit sie die Stimmbildung selber betraf, wurde davon affiziert. Verschiedene Beobachter haben auf die Eigenheiten der Stimmproduktion selber hingewiesen, etwa darauf, daß ihr Sopran nicht restlos ausgeglichen, nicht korrekt »verblendet« war. Sie klang so, als wäre sie aus drei Stimmen zusammengesetzt, und entsprach damit keineswegs dem heutigen Ideal des »Einregisters« mit bruchlosen Übergängen von der tiefen in die hohe Lage. Die Eigenarten der Stimme hat Walter Legge, seit 1953 Produzent der wichtigsten Studio-Aufnahmen, wie folgt beschrieben: »Callas besaß das *sine qua non* für eine große Karriere, ein augenblicklich wiedererkennbares persönliches Timbre. Es war eine große Stimme, die in ihren besten Jahren einen Umfang von fast drei Oktaven besaß, obwohl die hohe Lage gelegentlich unsicher war; und als wir versuchten, Dalilas ›Mon cœur s'ouvre à ta voix‹ aufzunehmen, entdeckten wir, daß tiefe Passagen mehr Kraft verlangten, als sie aufbringen konnte. Die natürliche Qualität der Stimme war luxuriös, das technische Können phänomenal. Callas besaß eigentlich drei unterschiedliche Stimmen, deren jede sie, wie sie nur wollte, für emotionale Effekte färben konnte – eine hohe Koloraturstimme, umfangreich, brillant (und, wenn sie wollte, dunkel getönt), bewunderungswürdig agil. Selbst bei den schwierigsten Fiorituren gab es für sie in diesem Teil der Stimme weder technische noch musikalische Schwierigkeiten, die sie nicht mit erstaunlicher und unprätentiöser Leichtigkeit hätte lösen können. Ihre chromatischen Läufe, insbesondere die abfallenden, erklangen mit schönster Geschmeidigkeit, *staccati* kamen mit fast makelloser Sicherheit selbst bei heikelsten Intervallen. Es gibt schwerlich einen einzigen Takt in der gesamten Musik des 19. Jahrhunderts für einen hohen Sopran, der ihre Fähigkeiten ernsthaft gefordert hätte, obwohl sie gelegentlich bei gehaltenen hohen Noten zur Höhe hin wegglitt oder, bei der Attacke *con forza*, zu hoch intonierte.

Die Mitte der Stimme war insgesamt dunkel getönt. Es war ihre ausdrucksvollste Lage, in der sie ihr flüssigstes *legato* verströmen konnte. Hier entfaltete sie einen eigenartigen und höchst persönlichen Klang, der oftmals wirkte, als sänge sie in eine Flasche. Das rührte, wie ich vermute, von der außergewöhnlichen Bildung des oberen Gaumens her, der wie ein gotischer Bogen geformt war und nicht romanisch gerundet, wie der normale. Ihr Brustkorb war, für eine Frau ihrer Größe, ungewöhnlich langgestreckt. Dies und ihre gut trainierten interkostalen Muskeln sicherten ihr die ungewöhnliche Fähigkeit, lange Phrasen auf einem Atem ohne sichtbare Schwierigkeiten zu singen und zu formen. Ihre Bruststimme gebrauchte sie im wesentlichen für dramatische Effekte, und sie trieb sie höher hinauf, als es andere Sängerinnen mit einem ähnlichen Umfang können, wenn sie den Eindruck hatte, daß der Text oder die Situation dadurch gewinnen kann.[1] Unglücklicherweise war sie nur bei rascher Musik, vor allem bei fallenden Skalen, in der Lage, die beinahe nicht kompatiblen Stimmen miteinander zu verbinden, doch bis etwa 1960 verbarg sie diese hörbaren Gangwechsel mit bemerkenswertem Geschick.«

Walter Legges geradezu vivisektorische Anmerkungen seien ergänzt. Wenn Callas, wie Legge es formulierte, »in eine Flasche« sang, nahm der Klang eine gutturale Färbung an, und dies geschah vor allem bei der Schaltstelle von der tiefen zur mittleren Lage, bei G und A. Auf andere Weise heikel war der Übergang von der mittleren in die hohe Lage, bei F und G. In der Vollhöhe, bei D''' und E''' und vor allem beim Es''' – oft *cabaletta*-Abschluß in Opern von Donizetti und Verdi –, hatte sie zuweilen Mühe, den Ton konzentriert zu halten; es konnte sich dort einschleichen, was die Angelsachsen *wobble* nennen, eine Art von »Wackeln« des Tons. Der gesamte Umfang der Stimme reichte vom Fis unter dem System bis zum dreigestrichenen E und selbst bis zum F, das sie in Rossinis *Armida* gesungen hat.

Kehren wir noch einmal zu Rodolfo Cellettis Bewertung der Stimme zurück. Wie Tullio Serafin empfand auch der Kritiker Klang und Timbre nach natürlichen Parametern als häßlich; doch vertrat er die Ansicht, »daß ein großer Teil ihrer Wirkung gerade auf dem Mangel an Samt und Seide« beruhte. Über dieses seltsame und ästhetisch durchaus ambivalente Phänomen hat einer der bedeutendsten Kenner des Singens geschrieben: »Sie besitzt die außergewöhnliche Fähigkeit, sowohl Alt- als auch Sopranpartien singen zu können. Ich nehme an, daß ihre Stimme von der Grundqualität her ein Mezzosopran ist, und jeder Komponist, der für sie schreibt, sollte vor allem die Mezzo-Lage ausnutzen, aber auch ... Töne verlangen, die im peripheren Bereich dieser bemerkenswert reichen Stimme liegen. Viele Töne der letzten Kategorie sind nicht nur schön in sich selber, sondern können auch eine Art von Resonanz und magnetischer Vibration erzeugen, die, auf Grund der Verbindung von bisher unerklärlichen physikalischen Phänomenen, einen unmittelbaren und selbst hypnotischen Effekt auf die Seele des Zuhörers ausüben...

Die Stimme war nicht aus identischem Metall geformt. Die fundamentale Vielfalt des Klanges, von einer einzigen Stimme erzeugt, sorgte für den größten Reichtum des musikalischen Ausdrucks. ... Eine große Zahl hervorragender Sänger der alten Schule hat dargetan, daß ein offensichtlicher Defekt zur Quelle unendlicher Schönheit werden kann. ...Tatsächlich führt uns die Geschichte der Kunst zu der Annahme, daß es nicht die vollkommen reine, silbrige, auf jedem Ton des gesamten Umfangs perfekt gebildete Stimme ist, welche die größten Leistungen ausdrucksvollen Singens ermöglicht. Eine Stimme, deren Timbre nicht verändert werden kann, bringt nicht jenen opaque-verhangenen Klang hervor, der so anrührend ist und zugleich so echt und natürlich wirkt in Momenten heftiger Emotion oder des erbitterten Zorns.«

Der Autor, der Stimme und Wirkung von Maria Callas suggestiv beschreibt, hat die Sängerin nie gehört. Es war der französische Romancier Stendhal – und er schrieb seine Hymne in »La vie de Rossini« über Giuditta Pasta, die erste Sängerin der Norma. Über die Pasta ist in der Literatur zu lesen, daß sie einige Töne gebildet habe wie ein Ventriloquist, eine Beobachtung, die auch bei Callas gemacht wurde. Aus diesem Grunde eine weitere Beschreibung von Giuditta Pastas Sopran, die aufschlußreich ist für die Entwicklung eines ganz bestimmten Sänger-Typus, der in Maria Callas seine letzte große Inkarnation erlebte. Henry Chorley, auch er ein Kenner des Singens und des Opernlebens im frühen 19. Jahrhundert, schrieb in seinen Memoiren von 1862 über die Pasta: »Sie unterwarf sich einer Reihe von strengen und unermüdlichen vokalen Studien, um ihre Stimme unter Kontrolle zu bringen und führbar zu machen. Sie auszugleichen war ihr nicht möglich. Es gab Teile der Skala, deren Qualität anders war als der übrige Teil der Stimme. Er lag wie unter einem Schleier. Immer wieder gab es, vor allem zu Beginn der Aufführung, Töne, die nicht auf der korrekten Höhe lagen. Aus solchen rauhen Materialien hatte sie ihr Instrument zu bilden und ihm dann Flexibilität zu geben. Ihre Anstrengungen, Perfektion zu erreichen, müssen enorm gewesen sein; doch die Üppigkeit und Brillanz nahmen, einmal gewonnen, einen ganz eigenen Charakter an. Da war eine Weite, eine Expressivität in ihren Rouladen, ein Ebenmaß und eine Solidität in ihren Trillern, die jeder Passage eine Bedeutung gaben, die vollkommen aus der Reichweite leichterer und spontanerer Sänger lag.«

An anderer Stelle heißt es: »Madame Pasta galt als Musikerin mit ärmlichen Mitteln – sie war eine langsame Leserin; doch gebot sie über eine der wichtigsten musikalischen Fähigkeiten in allerhöchstem Maße, den Sinn für die Gliederung und Proportion der Zeit. Dies ist seltener, als man wünschen möchte, und das Fehlen dieser Fähigkeit wird seltsamerweise selbst von Künstlern und Dilettanten nicht bemerkt, die in anderen Belangen ihren Geschmack feinfühlig kultiviert haben. Es geht nicht um jene Korrektheit, die mittels des Metronoms erreicht werden kann; nicht um jene kunstvolle Geschicklichkeit des Gebens und Nehmens, die allzuleicht ins Gekünstelte und Affektierte umschlagen kann; sondern um jenes instinktive Gefühl für Maß und Form, das durch keine Lektion gelehrt werden kann – dieses richtige Erkennen von Akzentuierung und Phrasierung –; es ist die Abwesenheit von nervösem Eilen und von Übertreibungen, ... diese intelligente Versammlung ohne Kühle, die sogleich jene, die sehen und hören, beeindrucken und von Zweifeln erlösen.«

Mit diesen Beschreibungen von Stendhal und Chorley kommen wir, auf historischem Wege, zu einem seltsamen Phänomen, dem der hochgebildete italienische Tenor Giacomo Lauri-Volpi, der sich eingehend mit den Problemen der Stimmbildung wie der Gesangsgeschichte beschäftigt hat, eine fesselnde Studie widmete: dem der »Voci Parallele«. Es geht darin um stimmliche – und natürlich auch um historische – Analogien, die weit über jene bloßen Ähnlichkeiten des Timbres hinausgehen, wie sie zwischen Benjamino Gigli und Ferruccio Tagliavini, zwischen Tito Schipa und Cesare Valletti, zwischen Titta Ruffo und Gino Bechi bestehen. Lauri-Volpi zeigt in individuellen Vergleichen, was die Zeugnisse des 19. Jahrhunderts verraten, daß die außergewöhnlichen Stimmen gleichsam Destillate der Musik, der Rollen sind, die sie zum Leben zu erwecken hatten.

Gehen wir, ohne diesen Aspekt aus der Erinnerung zu verlieren, zurück zu Stimme und Technik von Maria Callas. Auch ihre Stimme besaß in der tiefen und mittleren Lage jenen Mezzo-Klang, den Stendhal an Pasta wahrgenommen hatte. In der Höhe erreichte sie Töne, die, Folge der Facheinteilung, schon seit Ende des 19. Jahrhunderts dem leichten, hohen Sopran, dem *soprano leggiero*, zugefallen waren: die zwischen dem dreigestrichenen C und dem F. Während die sogenannten *soprani sfogati*, wie Maria Malibran und Giuditta Pasta ihre Mezzo-Stimmen zur

Höhe hin erweitert hatten, oft unter qualvollen Anstrengungen und manchmal auch mit fatalen Folgen schon nach wenigen Jahren auf der Bühne, bildete der hohe, leichte Sopran die Töne in der vokalen Stratosphäre mit glockenhaftem und vor allem mit sanft attackierendem Anschlag: Jenny Lind, Henriette Sontag, Fanny Persiani, Adelina Patti, Marcella Sembrich waren Soprane dieses Typus, in jüngerer Zeit Sängerinnen wie Amelita Galli-Curci, Lily Pons, Mado Robin oder Erna Sack. Auch wenn die hohen Töne und leichten Koloraturen dieser Sängerinnen das breite Publikum entzückt haben – die hohen Es' und E's sind so etwas wie Überwindungen von Klanggrenzen –, dramatischen Effekt haben sie kaum gemacht; und wenn die *soprani leggieri* Partien wie Lucia di Lammermoor, Rosina in Rossinis *Il Barbiere di Siviglia*, Gilda in *Rigoletto* oder gar Leonora in *Il Trovatore* oder Violetta in *La Traviata* sangen, fehlte die entscheidende Ausdrucks-Dimension: die dramatische.

Maria Callas war zwar in der Lage, Töne jenseits des dreigestrichenen C auch mit sanfter Attacke anzuschlagen, sang sie stets aber mit mehr Energie, mehr Volumen selbst im Piano und vor allem mit mehr Vokalfarbe. Zu hören war, nach Celletti, »mehr Stimme und weniger Instrument«, und dies um so mehr, als sie diese Töne auch mit der Vehemenz der vollen Attacke anhauen konnte, also der Energie des mit Maximalspannung singenden dramatischen Soprans, welcher, auch dies eine Entwicklung des 20. Jahrhunderts zur Lösung von im 19. Jahrhundert gestellten Problemen, mit dem C an seine obere Höhengrenze gekommen war. Nach Lilli Lehmann und Lillian Nordica hat es kaum noch Sängerinnen gegeben, die sowohl verzierte Musik – die durchaus dramatisch sein kann – als auch Wagner-Rollen gesungen haben. Die typischen Wagner-Soprane als auch die Verismo-Diven erreichen im besten Falle das C, und von vielen heißt es gar, daß sie ihrer Heiligen eine Kerze anzünden, wenn sie das C wirklich erreicht haben.

Maria Callas hat hingegen, vor allem in den frühen Jahren ihrer Karriere, ebenso furcht- wie mühelos das C, das Des, das D und das Es gesungen. Daß nicht jeder Ton in der umfangreichen Skala von 22 Tönen – vom tiefen A bis zum F''' – technisch perfekt gebildet war, mag man als den durch die natürliche Anlage bedingten Erdenrest der Stimme ansehen.

Neben der Technik im Sinne der stimmlichen Durchbildung gibt es eine musikalische Technik. Daß es für Maria Callas, nach den Worten Walter Legges, in der gesamten Vokalmusik des 19. Jahrhunderts keinen einzigen Takt gab, der sie vor Probleme hätte stellen können, ist mehr als ein Lob. Es ist eine ungeheuerliche Feststellung, und selbst wenn sie übertrieben sein sollte, deutet sie auf den Ehrgeiz der Sängerin, die einmal sagte, daß sie nicht die Absicht habe, eine Partitur ihrer Stimme anzupassen. Sie hat buchstäblich für jede Rolle eine eigene Stimme geformt und diese aus der Rolle entwickelt.

In dem schon erwähnten »Processo alla Callas« hat Rodolfo Celletti gesagt, zwanzig Jahre lang habe er die Partie der Norma so gesungen gehört, als handle es sich um Gioconda oder Santuzza. Die Gesamtaufnahme mit Gina Cigna von 1937 ist ein Beleg für diese These. Hingegen habe Callas jede Rolle Note für Note, Phrase für Phrase neu gelernt, »um eine Stimme herzustellen, die konsonant mit der jeweiligen Oper war«. Eine wesentliche Errungenschaft oder auch Erneuerung war das »Singen in der Maske« mit der Projektion des Klangs in die Hohlräume des Kopfes, ohne daß dabei der Eindruck der Nasalität entstehen durfte.

Dies ist eine vollkommen andere Stimm-Produktion und Klang-Projektion als in der seit etwa 1910 dominierenden veristischen Schule, bei welcher die Mittelstimme extrem weit in die Höhe getrieben wird, worunter die Vollhöhe, die nur unter Hoch- und Höchstspannung erreicht werden kann, leidet – und begrenzt wird. Dieses Singen ist eine Art von musikalisiertem Sprechen, in dem Sinne, daß dem Wort Klang zugegeben wird; mit der kuriosen Nebenwirkung, daß die Artikulation und damit die Plastizität der Wortbildung leidet, während beim Singen in der Maske die Worte in den Klang gebettet werden und dadurch viel markanter ins Relief getrieben werden können. Mit ihrer durch und durch artifiziellen Technik singt Maria Callas viel wortdeutlicher als etwa Renata Tebaldi oder Mirella Freni. Das Singen in der Maske sicherte ihr darüber hinaus die für die Musik des 19. Jahrhunderts essentielle Agilität und gab ihr Flexibilität für die endlosen dynamischen Gradierungen zwischen *mezzo forte* und *piano*. Callas als Norma, als Elvira, als Amina, als Lucia erteilt geradezu Lehrstunden differenziertester Dynamisierungen. Damit überwand sie eine durch die *soprani leggieri* zur Tradition gewordene Reduktion der verzierten Partien zur Kanarienvogelmusik. Soprane wie Amelita Galli-Curci, Lily Pons, Bidu Sayão, Mado Robin und etliche Sängerinnen der deutschen Schule sangen Verzierungen wie bloße Arabesken, wie Schmuckfiguren ohne inneren dramatischen Sinn. Ein schwerwiegender musikalischer Fehler. Oder auch: ein aus technisch-expressiven Defiziten entstandenes Mißverständnis des *canto fiorito*.

Der verzierte Gesang ist seit Richard Wagner und seiner Ausdrucks-Ästhetik, die einherging mit der Absage an den *solfeggio*, gründlich in

Verruf geraten. Schon im Werk des mittleren und späten Verdi, vollends in den Opern des *verismo,* finden sich allenfalls die Relikte jener kunstvollen Formen und Formeln, aus denen sich die Grammatik des *canto fiorito* zusammensetzt. Seit Beginn des 20. Jahrhunderts herrschte eine andere Ästhetik in der Oper: die Ausdrucksästhetik, die Affektsprache, die psychologische Eindeutigkeit, und es waren nur noch vergleichsweise wenige Sänger der alten Schule, die ihre Gesangskunst auf der Schallplatte konservieren konnten: Marcella Sembrich, Adelina Patti, Fernando de Lucia, Mattia Battistini, Pol Plançon. Doch wurden ihre Aufnahmen bei weitem nicht so bekannt, wie die eines Enrico Caruso, eines Titta Ruffo, eines Fjodor Schaljapin oder einer Rosa Ponselle.

Spätestens in den zwanziger und dreißiger Jahren hörte man auf den Bühnen von Berlin und New York, von Wien und vor allem von Mailand nichts mehr, was auch nur entfernt an die Kunst des *belcanto* erinnert hätte – dies vor allem durch den Einfluß Arturo Toscaninis, unter dessen Ägide an der Mailänder Scala die Opern des 18. und frühen 19. Jahrhunderts kaum noch gespielt wurden. Das verzierte Singen galt als Anachronismus, als bloß mechanisch und dekorativ, als emotional leer und als äußerlich virtuos; und die Sänger und Sängerinnen, die verzierte Rollen wie Rossinis Rosina und Almaviva, Armida und Semiramide, Cenerentola und Isabella, Bellinis Amina und Elvira, Donizettis Lucia und Norina, Verdis Gilda und Violetta sangen, geboten nicht über die Mittel, mit denen sie den expressiven Sinn jener Formeln hätten in Klang und Geste umsetzen können.

Dabei dienten alle diese Formeln expressiven Zwecken. Komponisten wie Bach, Händel oder Mozart, in deren Kantaten, Passionen, Oratorien, Messen und Opern sich die Elemente des floralen Stils zuhauf finden, haben schwerlich virtuose Sängermusik geschrieben. In seinem Buch »The Great Singers« hat Henry Pleasants erläutert: »Brillante Rouladen oder ›Teilungen‹ dienten dem Ausdruck der Wut, des Zorns, der Rache, der Befreiung oder, je nach harmonischer Fügung oder Figuration, des Jubels und der Zufriedenheit. Triller oder Schleifen sollten Schlüssen oder Kadenzen Emphase geben. Appoggiaturen verliehen einer langen melodischen Linie Dignität, Gewicht und Spannung. Portamenti und rasche Skalen-Passagen, ob diatonisch oder chromatisch, auf- oder absteigend, konnten eine Zielnote mit Gewicht und Pathos erfüllen. Verzierungen endlich konnten je nach Situation oder Persönlichkeit ausgeformt werden und wurden dadurch ein konstitutives Element der Charakterisierung.«

Die Elemente des verzierten Stils wurden im 18. und frühen 19. Jahrhundert von den Sängern im kompositorischen Sinne beherrscht und vom Publikum weitgehend verstanden – und nicht nur empfunden, wie es heute der Fall sein mag. Maria Callas wirkte Ende der vierziger und zu Beginn der fünfziger Jahre deshalb wie ein »in ein fremdes Sternensystem verirrter Planet« (Teodore Celli), weil sie dem verzierten Singen seinen ursprünglichen Sinn zurückgab, indem sie anschloß an das Singen der Pasta und der Malibran.

Celletti hat ausgeführt, daß Rossini nicht den leichten, flötenhaften Triller wollte, sondern einen vehementen. Im Mitschnitt von *Armida* ist zu erleben, daß Maria Callas eine reich verzierte Partie mit einer nachgerade lodernden Energie singt, aber stets mit feinster Ausformung.

Die Linien, die Fiorituren, die Teilungen wirken, bildhaft gesprochen, wie mit dem Stahlstichel geritzt. Auch wenn sie als Norma, als Elvira, als Lucia das Passagenwerk mit der Brillanz der *virtuosa* ausführte, gab sie ihm, durch die Intensität und Heftigkeit der Attacke und die Konzentration ihres brennenden Tons, jene expressive Spannung, die buchstäblich unerhört war. Ebenso mühelos konnte sie lange Linien, Passagen und Verzierungen mit der *mezza voce* singen und den Ton elegisch, wehmütig und sanft schattieren und den Eindruck erwecken, als fielen sphärische Klänge, vom Körper abgelöst, direkt aus den Theaterhimmeln.

Kommen wir zurück auf die Dichotomie zwischen der schönen und der guten Stimme. Maria Callas war durchaus nicht mit einer schönen Stimme geboren, nicht mit dem strömend reichen musikalischen Naturklang einer Rosa Ponselle, deren Namen man in ihrer Gegenwart besser nicht erwähnte. »Sie begann mit besseren Mitteln«, hat sie gegenüber Walter Legge gesagt. Vermutlich war die Stimme auch durch Schulung und Training nicht so zu formen, so abzuschleifen, daß sie die tonliche Makellosigkeit einer Adelina Patti oder Nellie Melba hätte erreichen können. Entscheidend aber, daß Maria Callas eine pathetische Interpretin war, eine Ausdruckssängerin – und Interpretation und Ausdruck sind, *da capo* für Yehudi Menuhin, Feinde der Technik. Feinde nicht der musikalischen Technik, denn die hat bei Maria Callas vor allem im ersten Dezennium ihrer großen Karriere zwischen 1949 und 1959 perfekt funktioniert, wohl aber der vokalen Technik. Wie die Malibran und die Pasta, die als sublim und zugleich als sängerisch imperfekt beschrieben worden sind, war Maria Callas ein unvollkommenes Wunder – und sie war in diesem Sinne so etwas wie eine Reinkarnation, weil sie ihre Rollen gesungen hat wie die Interpretinnen der Uraufführungen; nicht im Sinne einer Stilkopie, sondern in dem einer kompositorischen und darstellerischen Phantasie, durch welche ihr Sopran eine Stimme der Musik wurde. Insofern ist Ingeborg Bachmanns intuitive Anmerkung, die Komponisten hätten in Maria Callas die Erfüllung gesehen, eine richtig empfundene. Auch über Giuditta Pasta wurde immer wieder gesagt, daß ihre Aufführungen nicht Wiedergaben waren, sondern »Schöpfungen« von kompositorischer Originalität und Spontaneität.

Harmonie und Schönheit des Klangs sind zwar essentiell, aber nur Mittel und nicht Zweck des Singens und des dramatischen Ausdrucks. Jede Expression steht gleichsam in einem Spannungsverhältnis zum Idealklang, der nur Mittel einer Technik sein kann und darf, deren Ziel es sein muß, die Dichotomie von guter und schöner Stimme aufzuheben. Maria Callas mag Fehler in der Stimme gehabt haben; doch spornen, wie Voltaire sagte, natürliche Handicaps große Geister zu erhöhten Anstrengungen an. Als Sängerin ist sie, trotz etlicher vokaler Schwächen, der Vollkommenheit so nahe gekommen wie nur möglich – den perfekten Sänger hat es, nach der resignativen Feststellung von William James Henderson, ohnedies nie gegeben. Ihre Fast-Vollkommenheit lag darin, daß sie niemals Sklavin ihrer Mittel war und niemals ihre sängerische Virtuosität als Selbstzweck herausgestellt hat. Anders als selbst bedeutende Kolleginnen hat sie nie bloß schöne Stellen, effektvolle Phrasen oder brillante Einzeltöne gesungen, und schwerlich hat sie sich dazu erniedrigt, heikle Passagen zu vereinfachen oder vokalen Hürden einfach auszuweichen.

Undenkbar, daß sie, wie Zinka Milanov, am Ende des Nil-Duetts in Giuseppe Verdis *Aida* eine aufsteigende klimaktische Phrase – »Su noi gli astri brilleranno« – zur Vokalise vereinfacht hätte. Ihre Darstellungen waren bis ins Detail ausgeformt, und zwar dergestalt, daß sie, nach der Beobachtung von Fedele d'Amico, in ihren einzelnen Rollen sogar physisch verändert wirkte: Es ist eines der größten Geheimnisse darstellerischer Kunst. Sie hat zudem jeder Figur, die sie sang, ihre eigene Klanggestalt gegeben, so daß wir sie vor uns sehen, wenn wir sie nur hören. In jeder Rolle ist sie, wenn auch in Timbre, Ausdruck und Gestus ganz unverkennbar Callas, so unterschiedlich, wie Rosina und Armida, Norma und Amina, Lucia und Anna Bolena, Gilda und Lady Macbeth, Traviata und Amelia, Tosca und Lauretta, Butterfly und Turandot sein mögen.

In die Klanggestalt kann sich auch, was an Einzelbeispielen zu zeigen sein wird, der nicht vollkommene Einzelton harmonisch einfügen, oder er kann sich verwandeln in die Schönheit des Schrecklichen, die, geistesgeschichtlich betrachtet, zu den wesentlichen ästhetischen Genüssen des 19. Jahrhunderts gehört: zur sogenannten »schwarzen Romantik«, die nach Mario Praz »Liebe, Tod und Teufel« zusammenbringt.

Aus der Welt dieser dunklen Romantik stammen viele, vielleicht die meisten Figuren, die Maria Callas gesungen hat, ob es nun die verfolgten Unschuldigen sind oder die dämonischen Frauen. Auffällig in diesem Zusammenhang, daß sie – abgesehen von vier Aufführungen von *Die Entführung aus dem Serail* – auf der Bühne niemals Partien wie Elvira oder Donna Anna, die Gräfin oder Fiordiligi gesungen hat, obwohl ihr das technische Rüstzeug zu Gebote stand.

»Most of Mozart's music is dull«, hat sie später während einer Veranstaltung in der New Yorker Juilliard School gesagt, eine Bemerkung, die von ihren Biographen mit Irritation zur Kenntnis genommen, aber nicht bedacht worden ist. »Mozart wird«, so sagte sie einem Studenten, »zu oft gleichsam auf den Zehenspitzen gesungen, mit viel zuviel Fragilität. Er sollte mit derselben Direktheit gesungen werden, mit der man *Trovatore* singt.« Da Mozart, historisch und damit auch vokal-ästhetisch gesehen, ein italienischer Komponist war, ist diese Feststellung richtig. Besser: Sie ist zumindest nicht falsch. Es bleibt nur zu fragen, aus welchem Grund Maria Callas sich die sängerisch dankbaren Rollen entgehen ließ.

Der Grund kann nur sein, daß ihr die Rollen wesensfremd waren, und zwar in einem doppelten Sinne. Maria Callas besaß nicht, wie schon zu Beginn ausgeführt, die harmonische Stimme der schönen Seele, sondern in der Stimme selber spielte sich gleichsam ein Drama ab. Aus ihr klangen die Emotionen einer verwundeten und verwirrten, verletzlichen und verletzten Seele. Und ihr Temperament kannte nicht das Maß, sondern den Ausbruch, die Erregung, die Exaltation. Selbst wenn sie eine pastorale Figur verkörperte wie Bellinis Amina und deren Kantilenen mit unendlicher Zartheit und selbst Süße sang, war sozusagen das Zwielicht romantischer Todessehnsucht spürbar. Mozart verlangt aber, selbst wenn er seine Sängerinnen gemahnt hat, »die Gewalt der Worte« nicht zu vergessen, ein nicht nur äußerliches Formgefühl – einen Klang, der so etwas wie vokale Erregung und Erregtheit nicht kennt (ohne deshalb anämisch zu sein), und eine Darstellung ohne die leidensseligen, molochistischen, wollüstigen, dämonischen, düsteren und rasenden Gebärden, die jene der romantischen oder antikisch-tragischen Sängerin sind.

Noch einmal: Maria Callas besaß eine Leidensstimme, eine Stimme der Wildheit, eine Stimme der Nacht, eine Stimme für das Abgründige und damit für Seelenzustände, die in der Literatur des 19. Jahrhunderts, und die Oper gehört unzweifelhaft zu dieser Literatur, entfaltet worden sind, wobei die erotischen Empfindungen in besonderer Weise thematisch wurden, auch die Lust an Schrecken und Grausamkeiten, an inzestuösen und stigmatisierten Beziehungen. Sie besaß eine Stimme für die Schönheit des Schreckens, wie Giuseppe Verdi sie in einem Brief an seinen Librettisten Salvatore Cammarano vom 23. November 1848 verlangt hat. Dort heißt es: »Ich weiß, daß ihr im Begriffe seid, den *Macbeth* einzustudieren, und da dies eine Oper ist, die mich mehr als alle anderen interessiert, so gestattet mir, daß ich Euch einige Worte dazu sage. Die Partie der Lady hat man der Tadolini anvertraut, und ich bin überrascht, daß sie diese Partie zu singen eingewilligt hat. Ihr wißt, wie ich die Tadolini schätze, und sie selbst weiß es auch; doch im Interesse aller Beteiligten halte ich es für notwendig, Euch einige Hinweise zu geben. Die Fähigkeiten der Tadolini sind viel zu gut für diese Rolle! Das wird Euch vielleicht absurd vorkommen!!! Die Tadolini ist eine schöne und anziehende Erscheinung; und ich hätte die Lady lieber häßlich und böse. Die Tadolini singt geradezu vollkommen; und ich zöge es vor, wenn die Lady nicht singt. Die Tadolini hat eine prachtvolle Stimme, klar, flüssig und kräftig; und ich hätte es gern, wenn die Lady eine harsche, erstickte, dumpfe Stimme besäße. Die Stimme der Tadolini hat etwas Engelhaftes; und ich möchte, daß die Stimme der Lady teuflisch klingt.«

Eindeutiger geht es nicht. Oder? Bei genauerem Lesen mag einem die rhetorische Zuspitzung in diesem Brief Verdis auffallen, die Tendenz zu jener Übertreibung, die ein Mittel der Veranschaulichung ist. Wie auch immer, der Brief hat gewirkt, und er ist stets dann zitiert worden, wenn es um die ästhetische Rechtfertigung von Keifereien ging. Doch lassen die Verdi-Studien von Julian Budden und vor allem der von Andrew Porter und David-Rosen edierte Materialband über die Oper (»Verdi's Macbeth – A Sourcebook«) keinen Zweifel daran, daß Verdis Brief ein Argument *ad feminam* war, für uns heute eine Warnung, eine Stimme wie die von Mirella Freni oder Kiri te Kanawa eine dämonische Frau portraitieren zu lassen.

Jonas Barish hat in seinem Aufsatz »Madness, Hallucination and Sleepwalking«, enthalten in dem erwähnten Quellenbuch, ausgeführt, daß es dem Komponisten allein darum ging, für die Rolle eine dramatische Stimme zu finden. Ähnlich argumentiert Marilyn Feller in ihrem Aufsatz »Vocal Gesture in *Macbeth*«: Verdi habe nicht den konventionellen *buon canto* verlangt, sondern die plastische vokale Gebärde von dunkler Schönheit. Indes sei sein Brief nicht zu verstehen als Legitimation für schlechtes Singen oder gar Gellen mit dem Hinauftreiben des Brustregisters. Julian Budden interpretiert den Brief als Warnung vor womöglich »narzißtischen Dispositionen« einer Primadonna. Der Blick in die Noten zeigt, daß der Vokalsatz – etwa in »Vieni t'affretta« – elaboriert ist: Es gibt schwierige *gruppetti* und, an Phrasenenden, Triller. Offenbar sollen diese Passagen nicht wie dekorative Formeln gesungen werden, sondern mit dem heftigen *espressivo* der dramatischen Geste. Verdi beschreibt jenen Ausdruck, der mit einem Hauch von Verderbtheit gewürzt ist, mit Laster und Leidenschaft. Die Lady wäre demnach zu singen mit einer Schönheit, die frieren macht, mit einer Autorität, die Furcht einflößt, mit einem Locken, das zugleich abschreckt – mit vokalen Gesten von äußerster Ambivalenz, düster und doch leuchtend.

Und doch ist dabei der *musikalische* Ton zu wahren. Expression hat nichts zu tun mit rhetorischer Exaltation. Die sängerische Expression vollzieht sich vielmehr auf dreifache Weise: durch vokales Agieren, durch musikalischen Ausdruck und durch Emanation oder Seelenausdruck. Die Mittel des musikalischen Ausdrucks sind dynamische Gradierungen, Akzentuierungen, emphatische Intonation, Hell-Dunkel-Färbungen, die spannungsvolle Gliederung der musikalischen Zeit. Beim vokalen Agieren geht es allein um die emphatische Akzentuierung des Wortes und um die Färbung der Vokale. Über Emanation oder Seelenausdruck in einem technischen Kontext zu schreiben ist schwer, wenn nicht gar unmöglich. Es ist eine Fähigkeit jenseits der technischen Fertigkeiten, und es fällt leichter, Beispiele für ein solches Singen zu sammeln, als sie zu erklären. Zu spüren ist diese mystische Qualität in Francesco Tamagnos Aufnahmen aus *Otello*, in einigen Aufnahmen von Esther Mazzoleni und Maria Farneti, in Carusos »O figli«-Ausruf vor der Macduff-Arie, in der Arie des Eléazar, in »Core 'ngrato«; im Klang der Stimmen von Kathleen Ferrier und Joseph Schmidt; in den Todesszenen, die Magda Olivero in *Fedora* und *Adriana Lecouvreur* gesungen hat: orphische Gesten. Solche Gesten ließ die Stimme der Callas entstehen – und die Gebärden des Leids. In seinem Epitaph »Der Herztod der Primadonna« hat der Filmemacher Werner Schroeter geschrieben, ihr Ehrgeiz sei es gewesen, »diese wenigen vertretbaren Gefühle: Leben, Liebe, Freude, Haß, Eifersucht und Todesangst in ihrer Totalität und ohne psychologische Analyse vorzutragen«.

Ohne psychologische Analyse, gewiß, und doch ist in dieser Stimme etwas zu spüren von den Empfindungen, die nur, mit einem Titel von

Auden zu sprechen, in einem »Zeitalter der Angst« geboren werden konnten. Die Stimme selber ist Drama, mehr noch, sie ist Tragödie und zugleich ein altmeisterlicher Artefakt. Sie konnte, wie Teodore Celli schrieb, »aus Zorn einen Flammenstoß machen, wie sie Melancholie zu einer Essenz zu verwandeln vermochte, die einem das Herz brach. Und ohne in irgendeiner Weise vom Drama abzulenken, gab sie der Musik Finish zurück: Jedes Wort, jede Phrase waren sorgfältig abgewogen und bemessen; die Worte wurden zu Teilen einer musikalischen Skulptur, die sie zum Leben erweckte; sie erhob vokales Feuerwerk auf neue Ausdruckshöhen und ließ es nie zum bloßen Ornament herabsinken. Die Technik war dem musikalischen Ausdruck untergeordnet, vokale Schönheit der dramatischen Wahrheit. ›Es ist nicht genug, eine schöne Stimme zu haben‹, sagte sie später, ›was bedeutet dies schon? Wenn man eine Rolle interpretiert, muß man tausend Farben haben, um Glück, Freude, Kummer, Angst auszudrücken. Wie kann man das nur mit einer schönen Stimme? Auch wenn man manchmal harsch singt, wie ich es oft getan habe, ist das eine Ausdrucksnotwendigkeit. Man muß es tun, selbst wenn die Leute es nicht verstehen!‹«

Gehen wir, zum wiederholten Male, zurück in die Historie und erneut wegen einer Analogie, wegen einer *voce parallele*. Der Komponist Camille Saint-Saëns schrieb über Pauline Viardot, eine der Töchter Garcias: »Ihre Stimme war ungeheuer kraftvoll, reich in ihrem Umfang. Sie bewältigte alle technischen Schwierigkeiten des Singens. Doch erfreute diese wunderbare Stimme nicht alle Hörer, denn sie war keineswegs geschmeidig und samtig. In der Tat war sie ein wenig harsch, und man kann ihren Geschmack vergleichen mit den bitterer Orangen. Aber es war eine Stimme für eine Tragödie oder für ein Epos, weil es eine übernatürliche Stimme war und keine einfach menschliche. Sie gab tragischen Partien eine unvergleichliche Grandeur..., und leichtere Partien wurden vollständig verwandelt, wurden das Spielwerk einer Amazone oder einer Riesin.«

Eine Stimme, die nicht nur das Medium dramatischer Darstellung ist, sondern Drama in sich, hebt einen Gegensatz auf, den Pier Francesco Tosi in seinem schon erwähnten Traktat für fast unüberwindlich hielt: »Ich weiß nicht, ob ein vollkommener Sänger auch ein vollkommener Darsteller sein kann; denn wenn der Geist vor zwei vollkommen unterschiedlichen Aufgaben steht, wird er einer davon zweifellos mehr sich zuwenden. Welch eine Freude, wenn er beide Fähigkeiten in gleichem Maße besäße.«

Zumindest in einigen Aufführungen hat Maria Callas diesen Gegensatz verschwinden lassen. Die Anstrengungen aber, die sie aufbringen mußte, lassen sich schwerlich beschreiben, nicht einmal durch Ingeborg Bachmanns radikale Metapher vom »Leben auf der Rasierklinge«. Sie hat sich und ihrer Stimme vermutlich mehr zugemutet, als sie nervlich verkraften und ihr Sopran physisch durchstehen konnte. Pauline Viardot sagte am Ende ihres Lebens zu einem Studenten: »Tu nicht das, was ich getan habe. Ich wollte alles singen, und ich habe damit meine Stimme ruiniert.« Nach Ansicht von Elvira de Hidalgo, der Lehrerin, hat Maria Callas »ihre Stimme mißbraucht«. Sie hat zu Beginn ihrer Laufbahn nicht nur binnen einer Woche Wagners Brünnhilde in *Walküre* und Elvira in *I Puritani* gesungen, sondern auch Partien wie die Abigaille in *Nabucco*. Es ist eine hybride Partie mit maßlosen Intervallen, mit größten Anforderungen an Volumen und Durchschlagskraft auf der einen und an die *agilità* auf der anderen Seite. Sie hat Kundry und Turandot gesungen, Norma und Medea und dann jene Rollen aus dem veristischen Repertoire, die von ausgesprochenen *verismo*-Diven als Killerpartien bezeichnet worden sind: Gioconda, Butterfly und Tosca. Diese Partien sind deshalb so schwierig, weil ihre Interpretinnen in der Mittellage und in der Höhe mit voller Stimme gegen große Orchester ansingen müssen, meist mit Maximalspannung und vehementer Attacke. Vor allem hat sie immer mit vollem Einsatz gesungen. »Sie hätte so viele Normas mehr singen können«, sagte Franco Zeffirelli, »wenn sie es nur hätte über sich bringen können, ein wenig mehr zu mogeln; aber dies war ein Ausweg, den sie nie akzeptieren konnte.« Dies war eine ständige Herausforderung, vielleicht auch Überforderung ihrer Willenskraft, ihres Ehrgeizes, den Walter Legge als »shakespearehaft« beschrieben hat. Dieser Ergeiz hat nicht ihre musikalische Technik überfordert, wohl aber hat sie in den frühen Jahren ihrer Laufbahn ihre Stimme jenem Dämon überlassen, der sie verzehrt hat: dem Rausch.

VIERTES KAPITEL

Maria Callas und die Opernwelt der fünfziger Jahre

Werke der Kunst werden zerstört,
wenn der Kunstsinn verschwindet.
Johann Wolfgang von Goethe

> Ich kann nur sagen, daß Maria womöglich das disziplinierteste und professionellste Material war, das je zu gebrauchen ich die Gelegenheit hatte. Nicht nur hat sie nie darum gebeten, Proben abzukürzen; sie verlangt tatsächlich mehr Proben und arbeitet bei diesen mit derselben Intensität von Anfang bis Ende. Sie gibt dabei alles, was sie hat, singt immer mit voller Stimme – selbst wenn der Regisseur ihr den Rat gibt, sich nicht zu ermüden und die vokale Linie nur anzudeuten. Sie ist so beteiligt am gesamten Ergebnis einer Produktion, daß es sie irritiert, wenn ein Kollege auch nur zu spät kommt. Wenn eine *primadonna* zu sein etwas anderes bedeutet als das, dann ist Callas keine *primadonna.*
>
> *Lucchino Visconti*

IM Frühjahr 1951 erhielt Maria Callas einen Anruf von Antonio Ghiringhelli, dem Impresario des Teatro alla Scala. Er bat sie, für die indisponierte Renata Tebaldi als Aida einzuspringen, wie sie es schon im Jahr zuvor, lediglich mit einem Achtungserfolg, getan hatte. Nach großen Erfolgen in Südamerika war sie selbstbewußt genug, dem Intendanten die kalte Schulter zu zeigen. Wenn die Scala sie wolle, teilte sie mit, werde sie kommen, aber nur für eigene Aufgaben und nicht, um Partien von Kolleginnen zu übernehmen. Wenig später reiste sie gleichwohl nach Mailand, doch hatte dieser Besuch nichts mit der Scala zu tun. Arturo Toscanini war in der Stadt und suchte nach einer Sängerin für die Rolle der Lady Macbeth; die Aufführung des Werks sollte in New York stattfinden. Sein Freund Vincenzo Tommasini, ein anerkannter Komponist, hatte ihm Maria Callas vorgeschlagen, und des Dirigenten Tochter Wally besorgte die Vorstellung und arrangierte das Probesingen. Es ist nicht zu klären, aus welchen Gründen das Projekt gescheitert ist, ob wegen der nachlassenden Arbeitskraft des Dirigenten oder wegen irgendwelcher Vorbehalte gegenüber der Sängerin; Toscanini galt damals als Parteigänger von Renata Tebaldi. Jedenfalls entging Maria Callas damals eine Produktion, die vielleicht einer der größten Triumphe ihrer Karriere hätte werden können – und eine Aufnahme von einzigartigem Rang, gar symbolischer Bedeutung.

Eine Aufführung mit Maria Callas unter Arturo Toscanini hätte das Zusammentreffen der für die italienische Oper des 20. Jahrhunderts einflußreichsten Künstler bedeutet. Gianandrea Gavazzeni, ein Assistent

Toscaninis und Dirigent vieler Aufführungen mit Maria Callas, hat über Toscaninis Wirken an der Mailänder Scala im Dezennium zwischen 1920 und 1930 geschrieben: »Es war eine für die italienische Operntradition völlig neue Arbeitsweise, weil er eine bestimmte Ordnung, eine bestimmte Methode einführte. ... Vor Toscanini hat es sicher auch große Aufführungen, große Dirigenten, große Sänger gegeben, aber eben keine Methode zur umfassenden Realisierung von einem ästhetischen oder sogar moralischen Standpunkt aus. ... Das Publikum wurde in der Ära Toscanini dazu erzogen, das Theater nicht als Amüsierbetrieb anzusehen, sondern als Institution mit ästhetischer und moralischer Funktion, als eine Einrichtung, die ins Leben der Gesellschaft und der Kultur eingreift.«

Als Toscanini geboren wurde, am 25. März 1867, waren Verdi und Wagner 54 Jahre alt, *Aida, Otello, Falstaff* und *Parsifal* noch nicht geschrieben, die Bayreuther Festspiele noch ein ferner Traum. Puccini ging eben zur Schule. Caruso war noch nicht geboren, das Grammophon nicht erfunden, das Opernleben in Italien so etwas wie ein ständiges Improvviso. Stehende Orchester mit fest engagierten Musikern existierten noch nicht. Die von Gavazzeni beschriebene Arbeitsweise, welche Toscanini schon in seiner ersten Ägide an der Scala durchzusetzen begann, wäre unter den technischen und ökonomischen Bedingungen des mittleren und späten 19. Jahrhunderts unmöglich gewesen. An kleinen und mittleren Theatern wurden die Musiker von Stück zu Stück verpflichtet und mußten nicht einmal ein Probespiel absolvieren. Es versteht sich von selbst, daß nicht einmal ein Grundrepertoire vorausgesetzt werden konnte. Toscanini in Mailand und Gustav Mahler in Wien stiegen auf zu Schlüsselfiguren des modernen Opern-*Theaters*, weil sie sich der Herausforderung, Meisterwerke in angemessener Form zu spielen, mit quälendem Rigorismus und mit erschöpfender Hingabe gestellt haben.

Meisterwerk – das ist ein Begriff, der zeitliche Distanz voraussetzt, wie denn Größe überhaupt erst, nach Alfred Einsteins Essays zu diesem Thema, aus Generationenabstand wirklich erkannt werden kann. Die Aufführung eines Meisterwerks verlangt eine dienende Haltung, die des Sachwalters eines Größeren.

Es ist symptomatisch, daß der junge, noch nicht dreißigjährige Toscanini sich vor allem zum Anwalt Richard Wagners machte. 1895 besorgte er im Turiner Teatro Regio die italienische Erstaufführung der *Götterdämmerung*, 1897 brachte er dort den *Tristan* heraus, und als Leiter der Scala stellte er sich 1898 mit *Die Meistersinger von Nürnberg* vor. Es steht außer Frage, daß er von Wagners Idee der Oper als ästhetischer Schule der Nation ebenso fasziniert war wie von der Bayreuther Festspielidee. Mit dem notorischen Schlendrian des Opernbetriebs hat er radikal gebrochen, vor allem nach seinen dirigentischen Galeerenjahren. Bevor er 1898 zum Chef der Scala ernannt wurde, hatte er in zwölf Jahren 113 Inszenierungen von 58 Opern geleitet und rund 1 500 Aufführungen dirigiert, darüber hinaus in zweieinhalb Jahren 150 symphonische Werke gelernt. Modest Mussorgskys *Boris Godunow*, den er 1913 in den USA mit dem Baß Adamo Didur herausbrachte, kannte er schon, als das Werk in Westeuropa noch nicht gespielt worden war, und daß er die italienischen Premieren von Claude Debussys *Pelléas et Mélisande* und von Peter Tschaikowskys *Eugen Onegin* verantwortete, weist ihn als *avantgarde* aus.

Vor allem stellte er sich in den Dienst der beiden größten Operndramatiker des 19. Jahrhunderts: von Verdi und Wagner, die allein schon durch ihre Anforderungen an die Theater-Apparate Revolutionäre waren. Für sie mußte er perfekte Apparate schaffen und darüber hinaus mit mancherlei Traditionen brechen – vor allem mit den Freizügigkeiten, die zuvor den Sängern eingeräumt worden waren. Sie vertrugen sich nicht mit dem damals aufkommenden Begriff der »Werktreue«. Toscanini focht durch, was Verdi jahrzehntelang angestrebt hatte: Er interpretierte die traditionelle italienische Oper aus der Perspektive des zu seiner Zeit aktuellen kompositorischen Standes.

Ein Bericht des Tenors Giovanni Martinelli über eine Aufführung von *Il Trovatore* an der Metropolitan Opera – nachzulesen in »Musical America«, 1963 – läßt den Schluß zu, daß Toscanini die Gesangsoper aus dem Geist des Musikdramas erlösen wollte. Als der Dirigent 1920 zum zweiten Male die Leitung des Teatro alla Scala übernahm, zielte sein Ehrgeiz auf ein Festspiel in Permanenz, und dafür hat er sich unvorstellbare, geradezu herkuleische Kraftanstrengungen zugemutet. Harvey Sachs hat diese Arbeit in seiner Toscanini-Biographie eindrucksvoll beschrieben, und es ist mehr als wahrscheinlich, daß es Aufführungen vergleichbaren Ranges später nur noch selten, wenn überhaupt, je wieder gegeben hat.

Doch fordern Revolutionen, auch die ästhetischen, Opfer, und Toscanini opferte, der Idee der Werktreue verpflichtet, ein entscheidendes Element des Singens: Das Improvisieren und Auszieren, die Kunst der mitkomponierenden Gestaltung, die zumindest bis zur Mitte des 19. Jahrhunderts selbstverständlich gewesen war. Er tat dies, Verdi mißverstehend, im Namen Verdis, der gewiß willkürliche sängerische Freizügigkeiten ablehnte, aber keineswegs ein Verfechter oder gar ein Dogmatiker der Noten-Treue war und im Alter sogar sagte, daß es früher einmal die Willkür des Primadonnen-Rondos gegeben habe und dann, viel schlimmer, die »Tyrannis des Dirigenten«.

Es spricht für sich, daß die typische »Sänger-Oper« des frühen 19. Jahrhunderts, also die Werke von Rossini, Bellini und Donizetti, im Spielplan der Scala zwischen 1920 und 1930 kaum noch auftauchten, wenn man von Rossinis *Barbiere* und Donizettis *Lucia* einmal absieht.

Aufschlußreich der Blick auf das von Toscanini dirigierte Repertoire. In seiner ersten Saison 1921/22 waren es *Falstaff, Rigoletto, Boris Godunow, Mefistofele* und *Die Meistersinger von Nürnberg.* Ein Jahr später folgten Pizzettis *Dèbora e Jaéle* (Uraufführung), *Manon Lescaut*, Charpentiers *Louise, Lucia di Lammermoor*, Umberto Giordanos *Madame sans Gêne* (1915 an der Met unter Toscanini uraufgeführt) und Mozarts *Zauberflöte.* 1923/24 brachte *Aida, La Traviata, Tristan und Isolde*, Mascagnis *Iris*, Glucks *Orfeo* und die Uraufführung von Boitos *Nerone.* 1924/25 hob Toscanini Giordanos *La Cena della Beffe* aus der Taufe, sodann Zandonais *I Cavalieri d'Ekebu*, und er beschloß die Saison mit Debussys *Pelléas et Mélisande.* 1925/26 brachte an neuen Werken *Un Ballo in maschera*, Gounods *Faust*, Puccinis *Madama Butterfly*, Debussys *Le Martyre de St. Sebastien*, Montemezzis *L'Amore dei tre Re* und die Uraufführung von *Turandot.* Bis ans Ende des Jahrzehnts hat Toscanini dann nur noch *Fidelio, Tosca*, Dukas' *Ariane et Barbe-Bleue, Otello, Don Carlo*, die Uraufführung von Pizzettis *Fra Gherardo, La Forza del Destino, Parsifal*, die Uraufführung von Giordanos *Il Rè* übernommen. Sieht man von *Lucia di Lammermoor* ab, so hat Toscanini also keine einzige italienische Oper aus der ersten Hälfte des 19. Jahrhunderts dirigiert. Er konzentrierte sich auf Verdi und Wagner, setzte sich ein für – aus italienischer Perspektive – Randwerke von Mussorgsky und Debussy und, vor allem, für die aktuelle Produktion.

Daß diese in eine schwere Krise geraten war, konnte ihm nicht entgehen. Dennoch waren für ihn die Aufführungen zeitgenössischer Opern selbstverständlich, und für Verdi und Wagner, deren Zeitgenosse er als aktiver Interpret für mehr als ein Jahrzehnt gewesen war, setzte er den Kampf fort, den die Komponisten selber begonnen hatten. Es war der Kampf um die Oper als Gesamtkunstwerk, gesehen aus interpretatorischer Perspektive. Toscanini versuchte, mit jeder Aufführung die Idee des Festspiels zu erfüllen. Die Akribie und Kompromißlosigkeit, mit der

Toscanini das gesamte musikalische und szenische Geschehen zu einer Einheit zu formen versuchte, ist in der Geschichte der Oper ohne Parallele.

Eigenartig und typisch, daß der Dirigent 1899 eine Aufführung von *Norma* nach wochenlanger Vorbereitung im Anschluß an die Generalprobe (!) absetzte. Seine Erklärung lautete: »Haben Sie die Oper je gehört? Ich habe sie nie so gehört, wie sie wirklich aufgeführt werden muß. Ich habe es versucht, sie herauszubringen. Aber es ist mir nicht gelungen.« Unvorstellbar, daß er das Scheitern als *sein* Scheitern angesehen hätte, weil orchestrale Probleme für ihn eigentlich nie existiert haben. Die Ursache für die Absage kann eigentlich nur die Sängerin der Titelpartie gewesen sein: Ines de Frate, schwerlich eine Meisterin expressiven Ziergesangs.

Oder gab es eine tiefere Ursache, welcher sich der Dirigent womöglich gar nicht bewußt war – eine Idiosynkrasie gegenüber der Formensprache der romantischen Belcanto-Oper? Jedenfalls ist es auffällig, wie heftig, ja wütend er reagierte, wenn sich eine Sängerin auch nur die geringsten Abweichungen vom gedruckten Text erlaubte – im *bel canto* üblich und von dem Komponisten sogar verlangt. Toti dal Monte hat berichtet, daß sie Toscanini mit einer leicht verzierten – nicht einmal kühn ausgezierten – Wiedergabe der Gilda-Arie in Rage versetzte. Auffällig auch, daß in der Aufnahme von Giuseppe Verdis *La Traviata* mit Licia Albanese die Rückstände des verzierten Stils, die sich im *brindisi,* in Violettas »È strano«, in Alfredos »De'miei bollenti spiriti« und in Germonts »Di provenza« finden, radikal ausgemerzt sind. Dadurch wirken die Vokalparts weniger gereinigt als skelettiert, ihres Gestaltenreichtums und ihres Charmes beraubt. Das ist eine Treue zum Text, die mit Werktreue nichts zu tun hat. Daß Toscanini eine Manier, die er für überlebt hielt, ersetzte durch eine eigene Manier, zeigt sich daran, wie rücksichtslos er Jan Peerce und Robert Merrill über die subtilen dynamischen Nuancierungen Verdis hinwegsingen läßt. Der unbestreitbare Rang der Aufnahme liegt allein in der geradezu fiebrigen orchestralen Spannung, in einer wildheftigen Rhetorik.

Dieser Exkurs zur Historie des Singens ist fortzusetzen. Der *espressivo*-Stil, auf Realismus und Unmittelbarkeit zielend, mag zurückzuführen sein auf die kompositorische Entwicklung zu Toscaninis Lebzeiten: auf die Musik der veristischen Schule. Komponisten wie Ponchielli, Puccini, Mascagni, Leoncavallo, Zandonai und Cilea verzichteten, bei all ihren individuellen Unterschieden, weitgehend auf die Formensprache des klassischen Singens. Zwar finden sich auch in ihren Opern noch Verzierungen, meist aber nur in Form einfacher Schleifen und Vorschläge, schwerlich aber elaborierte Fiorituren oder gehaltene Triller. In Werken, in denen es, wie in *Pagliacci*, um die »schaurige Wahrheit« des wirklichen Lebens ging oder um neurotische Seelenzustände, hatte die virtuose Formel ihren Sinn verloren; ersetzt wurde sie durch naturalistische Ausdruckseffekte. Symptomatisch ist das Aufkommen der *aria d'urlo*, der Arie mit dem Schrei. Binnen weniger Jahrzehnte, etwa zwischen 1890 und 1910, veränderte sich die Ästhetik des Singens: Aus einer artifiziellen Form-Kunst, die eine differenzierte Technik verlangte, entwickelte sich eine naturalistische Ausdruckssprache, die sich in heftigen Affekt-Figuren zuspitzte. Es war eine Entwicklung, wie sie sich auch in der Dramenliteratur abzeichnete: Die Figuren z.B. in den Stücken Gerhart Hauptmanns drücken sich in Momenten des heftigen Affekts weniger sprachlich-logisch als laut- und gebärdenhaft aus. Es waren Ausdrucksgesten, die den Primadonnen aus dem Jahrzehnt unmittelbar vor der Jahrhundertwende – einer Adelina Patti, einer Marcella Sembrich und auch einer Nellie Melba – fremd bleiben mußten. Im ersten Dezennium dieses Jahrhunderts verlor dann auch die Primadonna in der Hierarchie der Oper ihren zentralen Platz. Mit Caruso avancierte der Tenor zum Star der Rampe: Spätestens seit 1904 überstrahlte der Ruhm des Neapolitaners den aller seiner Sopran-Partnerinnen.

Dafür gibt es nicht allein musikimmanente Gründe. Der 1873 geborene Caruso erreichte sein Publikum als erster durch das neue Medium der Schallplatte; zum einen deshalb, weil seine dunkel getönte Tenorstimme exakt in das damals erreichbare Frequenzspektrum der Trichteraufnahmen paßte und besser reproduziert werden konnte als die höherfrequenten Frauenstimmen, die oftmals körperlos, steif und in der Höhe schwingungsarm klingen; zum anderen, weil er, anders als die Diven und seine Tenor- und Baritonkollegen, seine Belcanto-Technik mit einer an ästhetische Frechheit reichenden Verve in den Dienst der veristischen Musik stellte. Auch wenn Caruso im Verlauf seiner Karriere seine stimmliche Flexibilität nicht einbüßte, so hat er nach 1906 doch fast nur noch mit vollem Ton gesungen: im *mezzo forte* und im *forte*. Daß seine wundervollen frühen Aufnahmen lange Zeit kaum und später auch nur von den Connaisseurs zur Kenntnis genommen und teilweise verworfen worden sind, liegt nicht allein an der schlechteren Aufnahmetechnik und an der Klavierbegleitung; vielmehr wurden sie, aus der Perspektive der späteren Platten, als anachronistisch empfunden, weil es in ihnen deutliche Reflexe des *canto fiorito* gibt: das lange Ausspinnen des Tons, das freiere *rubato,* das Ziselieren von Zierfiguren. Wolf Rosenberg, Autor der Diatribe »Die Krise der Gesangskunst«, hat zum Beispiel Carusos Interpretation von »Una furtiva lagrima« aus dem Jahr 1911 gegen die von 1904 ausgespielt und die letztere als manieriert, gekünstelt, stilistisch überholt bezeichnet. Damit stellt er den dramatischen Espressivo-Sänger über den Gesangs-Artisten.

Nicht daß dies nicht vertretbar wäre; es entspricht unserem Zeitgeschmack. Allein die von Rosenberg durchaus nicht herbeigeredete Krise der Gesangskunst ist wesentlich zurückzuführen auf den Verfall der vokalen Artistik, zurückzuführen ferner auf das gerade von Caruso initiierte *espressivo*-Singen.[1] Vielleicht ist sogar eine der berühmtesten und großartigsten Aufnahmen des Neapolitaners so etwas wie ein Menetekel: die des Lamentos »Recitar« aus Leoncavallos *Pagliacci.* Caruso durchsetzt den Klagegesang mit empfindsamen Schluchzern, die freilich nicht aufgesetzt wirken, sondern spontan und empfindsam, und er läßt auf die Phrase »bah, sei tu forse un uom« ein verzweifeltes Lachen folgen, das von Leoncavallo in der Partitur verlangt wird. Die klimaktische Phrase »sul tuo amore infranto« bildet er, fortgetragen von dem, was er singt, auf einem Atem, mit schier endloser Dehnung von »infranto« und mit ekstatischer Phonation; die Klanggebärde bei »il cor« ist herzbewegend, und sie ist vor allem unnachahmlich.

Leider wurden die affektiven Gesten bis zum Exzeß nachgeahmt. Benjamino Gigli, Miguel Fleta, Mario del Monaco und, in jüngster Zeit, auch Placido Domingo durchsetzten selbst das lange Nachspiel mit Schluchzern und laut vernehmlichem Weinen. Was bei Caruso spontan war, das Affektsingen, das Brennen des *fuoco sacro*, verkam zur histrionischen Mache. Nachgeahmt wurde ganz besonders das Singen *con forza*, die Tonproduktion unter Maximalspannung mit roh hochgetriebener Mittellage. Caruso behandelte die F's – Töne der Übergangslage – als hohe Töne, so daß die hohen A's mühelos in seiner Reichweite blieben. Viele Nachfolger bildeten diese *passaggio*-Noten indes als Töne der Mittellage und überbrusteten ihre Stimmen durch zu große Anspannung. Die Folge war eine dunkle Tongebung mit der farblichen Annäherung aller Vokale an ein Klanggemisch aus »o« und »a«, ausgesprochen wie der englische »aw«-Laut.

In der Verbindung von klassischer Technik und modernem Ausdruckswollen war Carusos Gesangsvortrag so etwas wie die Vollendung des *bel canto* – und dessen Ende. Er war einer der letzten, der auf höchstem

Niveau die Grammatik des alten Stils erlernt hatte und diese mit den Gesten und Gebärden des *verismo* versöhnte. Überzeugend war er durch die Kraft seiner Persönlichkeit und die Wahrhaftigkeit seiner Darstellung.

Als er 1921 starb, fiel sein Tod zusammen mit dem Ende der traditionellen Oper. Puccinis *Turandot*, von Toscanini 1926 an der Mailänder Scala in der vom Komponisten hinterlassenen, unvollendeten Fassung uraufgeführt, war die letzte Gesangsoper. In dieser Zeit begannen Dirigenten wie der Italiener Arturo Toscanini und der Deutsche Fritz Busch mit dem Dienst am Meisterwerk die Pflege des historisch gewordenen Repertoires. Es war eine heroische Anstrengung: Der Versuch monumentaler Historie und zugleich die Überführung der Oper ins Museum. Repertoire – das sind die Ausstellungsstücke eines Museums. Zum imaginären und ubiquitären Museum der Oper aber wurde die Schallplatte. Carusos Platten waren es, die aus dem kulturellen Paria ein Instrument werden ließen. In seinen Aufnahmen ist das Ende der Gesangsoper im doppelten Sinne eingefangen. Seine Nachfolger haben bereits »Repertoire« gesungen, museal gewordene Werke, die dem sogenannten kulturellen Erbe zugerechnet werden.

Erbe kann nicht einfach als Besitz übernommen, nicht lediglich in Besitz genommen werden. »Was du ererbt von deinen Vätern«, heißt es im *Faust*, »erwirb es, um es zu besitzen.« Erbe verlangt die immer wieder neue Anverwandlung und, viel wichtiger noch, die Versöhnung mit dem Neuen. Diese Versöhnung, die Caruso noch gelingen konnte, war für die Nachfolger kaum mehr möglich. Mit der Gesangsoper war, wie Theodor W. Adorno es formulierte, nicht länger der Weltgeist. Werke wie Alban Bergs *Wozzeck* und *Lulu* haben mit der Gesangsoper radikal gebrochen, und die Produktion des späten Strauss ist mit dem Wort »Meistermachwerk« noch milde charakterisiert.

Es mag einen zweiten Grund für die Veränderung der traditionellen Gesangskunst gegeben haben: wiederum die Schallplatte. Sie hat unser Hören und in einem ganz spezifischen Sinne unser Verhältnis zur Zeit verändert, damit auch den ästhetischen Sinn. Es gibt in einer musikalischen Aufführung eine Real- und eine Erlebniszeit – ein Phänomen, das in der Literatur der Jahrhundertwende thematisch wurde, etwa in Marcel Prousts »A la recherche du temps perdu«. Im Theater wie im Opernhaus können wir die Realzeit völlig vergessen; können wir den Augenblick mit jener Lust erleben, die Ewigkeit will, wie, nach Friedrich Nietzsche, alle Lust Ewigkeit will. Wir können nach*fühlen*, daß in den Fiorituren Bellinis wie in den Arabesken Chopins der Zeitstillstand komponiert ist.

Bei reproduzierter Musik wird die Suggestion der Zeitaufhebung sistiert. Ein *rubato*, eine Fermate, eine empfindsame Geste, in der Aufführung berückend, können auf der Platte, und zwar durch die Reproduzierbarkeit, problematisch, sogar störend wirken. Es ist auffällig, daß in den Plattenaufnahmen der dreißiger Jahre das romantische *rubato*-Musizieren abgelöst wurde durch einen vor allem in metrischer Hinsicht strengeren Vortrag, der dem »Chronos der realen Zeit« folgte, wie Igor Strawinsky dies in seiner kleinen musikalischen Poetik genannt hat. Toscanini war es, der das fast mechanische, apparathafte Gelingen zum Fetisch machte, Perfektion über den »musikalischen Sinn« setzte.

In einer Notiz über Furtwängler – »Bewahrer der Musik« – hat Theodor W. Adorno geschrieben: »Die Aktualität Wilhelm Furtwänglers scheint mir heute daran ablesbar, daß in der Breite der musikalischen Interpretation etwas fehlt, was Furtwängler in höchstem Maße besaß: das Organ für den musikalischen Sinn, im Gegensatz zum bloßen Funktionieren, wie es als Ideal im Anschluß an Toscanini in die musikalische Welt kam. Man könnte sagen, daß Furtwängler etwas wie ein Korrektiv sei für eine bestimmte Art des nur an der Perfektion des Apparates ausgerichteten Musizierens.« Die Perfektion des Apparates – im Sinne des technisch reibungslos funktionierenden Orchesters – scheint für die Ästhetik der Schallplatte unabdingbar. Ihr Ideal ist die in jedem Detail stimmige, fehlerfreie Wiedergabe im Gegensatz zu der mit Fehler-Risiken belasteten Aufführung. Insofern wäre Adornos Feststellung zu ergänzen: Das Funktionieren kam nicht allein im Anschluß an Toscanini in die musikalische Welt, sondern vor allem im Anschluß an die Entwicklung der technischen Reproduktion.

Daß Toscaninis großer Antipode Wilhelm Furtwängler, Prototyp des romantischen Dirigenten, der Tonaufzeichnung und vor allem der Produktion im Studio skeptisch, sogar ablehnend gegenüberstand, war mehr als eine Ranküne gegen die Technik, sondern kam aus der Einsicht in die Unvereinbarkeit seines musikalischen Empfindens (und seines Zeitgefühls) mit der technischen Aufzeichnung (und ihren ganz anderen zeitlichen Gesetzmäßigkeiten).

Die durch die Schallplatte dokumentierte Interpretationsgeschichte hat gezeigt, daß nichts schwieriger in den Chronos der Realzeit, der den Ablauf der Platte bestimmt, einzubinden ist, als jener komponierte Stillstand der Zeit. Das *rubato*-Spiel eines Paderewski, eines Thibaud, eines Mengelberg, eines Barbirolli und das Singen eines Fernando de Lucia wirken auf den mit der Aufführungspraxis früherer Zeiten nicht vertrauten

Hörer kurios und unzeitgemäß; die Aufnahmen dieser Interpreten scheinen das Vorurteil über romantische Willkürlichkeiten und selbstgefällige Sänger-Manier zu bestätigen. Insofern fallen sie in einem doppelten Sinne aus der Zeit: dem Chronos der Realzeit, den die Platte verlangt, und dem Zeitgeschmack unserer Epoche.

Für drei Jahrzehnte blieb nach dem Tod Carusos der Tenor Favorit des Publikums. Der Typ der Virtuosa, des dramatischen *soprano d'agilità*, verschwand mehr und mehr von der Bühne. Die verzierten Rollen fielen an Koloratursängerinnen mit oftmals zu leichten Stimmen, die lyrischen und dramatischen Partien an den *soprano spinto*. Keiner der Soprane aus der Ära nach Caruso, nicht einmal Rosa Ponselle, erreichte den populären Ruhm eines Benjamino Gigli, eines Richard Tauber, eines Joseph Schmidt, die, vom Film und vom Massenpublikum umworben, dem Publikum gaben, was das Publikum verlangte: die Musik der »Seele« und der Verkaufstüchtigkeit mit Schluchzern und Seufzern, die später in den Schlager eingesickerte Verbindung von Wortakzent und *vibrato*.

Die Gesangskunst im strengen Sinne, als Formengebilde mit einer komplexen Grammatik, begann zu verfallen. Selbst die lyrischen Tenöre, die an Fernando de Lucia, Alessandro Bonci und Giuseppe Anselmi anschlossen, also Tito Schipa, Cesare Valletti, Luigi Infantino, Ferruccio Tagliavini und Luigi Alva, waren keine Sänger-Virtuosen mehr und bei verzierter Musik oftmals überfordert. Die dramatischen Tenöre setzten auf das schon erwähnte *cantare con forza*, das zu Beginn der fünfziger Jahre seinen Höhepunkt im Vortrag von Mario del Monaco fand. Selbst ein lyrischer Tenor wie Giuseppe di Stefano, der eine der klangschönsten Stimmen überhaupt besaß, überforderte sich durch zu offenes Singen und das Herauftreiben der Mittellage. Caruso hatte dem Tenor auf der Bühne den Primat gesichert, und er hatte stilbildend gewirkt. Über Martinelli, Gigli und Pertile bis zu del Monaco, di Stefano und Domingo haben sich alle Tenöre, wie Michael Scott in seiner Caruso-Biographie schreibt, an dem Neapolitaner orientiert. Für die Soprane gab es ein solches Vorbild nicht. Die Tradition der klassischen und romantischen Sängerinnen ist schon mit Patti, Sembrich und Melba abgebrochen, spätestens mit Rosa Ponselle. Unter Toscanini hörte man vorwiegend Soprane, die der veristischen Schule zuzurechnen sind. Manchmal ausdrucksvolle Sängerinnen, aber keine Virtuosinnen mehr. Um so befremdlicher mußte zu Beginn der fünfziger Jahre eine Sängerin wie Maria Callas wirken.

Für die Oper Verdis, Puccinis und der Veristen fand sie in Giuseppe di Stefano und Mario del Monaco, Richard Tucker und Eugenio Fernandi zwar keine stilistisch ebenbürtigen Partner (sie alle sangen undifferenzierter), aber durchaus kompetente und dem Zeitgeschmack halbwegs entsprechende. Wenn sie hingegen *bel canto*-Partien wie die von Rossini, Bellini und Donizetti und selbst die Opern des jungen Verdi sang, war sie ihren Partnern in der Bewältigung der vokalen Formensprache weit überlegen. Entscheidend aber war, daß sie die Verbindung zur Tradition schaffte, nicht an die *soprani leggieri* anschloß, sondern an die *soprani sfogati* des 19. Jahrhunderts. Insofern leistete sie eine emphatische Aktualisierung.

Während Toscanini an der Scala und an der Met ein Zeitgenosse Verdis und Wagners und in Grenzen auch der veristischen Komponisten gewesen war, konnte Callas das Neue nur noch im Alten finden. Ihren Erfolg allein zurückzuführen auf eine heroische Anstrengung und auf den Versuch, das zu tun, was alle ganz Großen tun, nämlich die Zeit anzuhalten, reicht jedoch nicht aus. Sie konnte die Zeit anhalten nur dank ihrer fast rätselhaften Fähigkeit, selbst die beiläufigste Formel oder Floskel in musikalische Architektur zu verwandeln: Durch ein ganz spezifisches Gespür für Maß und Proportion der Zeit.

Werner Schroeter hat in seinem Nachruf geschrieben, daß sie sich einer unzeitgemäßen Kunstform bedient habe, der italienischen Belcanto-Oper, daß sie dadurch »in einen künstlerischen und gesellschaftlichen Bereich abgedrängt« worden sei, dem Vitalität fehle, und daß sie sich vor einem gesellschaftlichen System habe produzieren müssen, »dessen abgestorbenste oberste Schicht ihre großartigen Abende zu eitlen Gesellschaftsereignissen machte«.

Daraus spricht die Passion eines leidenschaftlichen Anhängers, der so etwas wie eine *unio mystica* mit dem Objekt seiner Bewunderung will. Maria Callas aber als Opfer einer abgestorbenen Gesellschaftsschicht zu sehen, ist schwerlich vertretbar. Sie ist wohl auch das Opfer eines demokratischen Systems mit ästhetischen Minderwertigkeitskomplexen und Tendenzen zur Nivellierung geworden. Wogegen sie anzukämpfen hatte, war das Mittelmaß, war die Routine des Theater*betriebs*, die Schlamperei der Repertoire-Aufführungen.

Einige Jahre lang hat sie, gegen alle nur denkbaren Widerstände, wahrhaft triumphale Erfolge errungen. Wer die Mitschnitte von Giuseppe Verdis *Nabucco* unter Vittorio Gui aus Neapel, von Verdis *Aida* und *Il Trovatore* aus Mexico City, von Vincenzo Bellinis *La Sonnambula* und von Verdis *La Traviata* oder *Un Ballo in Maschera* aus der Mailänder Scala hört, wer sorgsam auf die Reaktionen des Publikums in der Aufführung von Gaëtano Donizettis *Anna Bolena* achtet und wer erlebt, wie sie am 7. Dezember 1955 bei einer Saison-Eröffnung der Scala als Norma auf einem Hauch von Atem »Ah sì, fa core, abbracciami« durch den Raum schweben läßt und dem Publikum hörbare Seufzer von Bewunderung und Glück und Schmerz entlockt, muß merken, daß sie zumindest im Theater wirkliche Hörer hatte – Hörer, die sich entzünden ließen und sich der Außerordentlichkeit ihres Singens bewußt waren. Auch der Beifall hat seinen Ton, und er kennt Zwischentöne. Schlafen kann eine Form von Kritik sein und Bravo-Gebrüll erst recht eine Entwertung; in und nach den Callas-Aufführungen kann man Beifall der anderen Art erleben, den des Staunens, den der Begeisterung, den der Fassungslosigkeit.

Nein, sie hat durchaus nicht in der für die Oper unempfänglichsten Zeit gesungen; die setzte erst ein, als sie die Bühne verlassen hatte und die Neue und Alte Welt mit »festivalischen Sonderangelegenheiten« (Theodor W. Adorno) überfüttert wurden. Vor allem sang sie, wie Lucchino Viscontis Erinnerungen und auch die von Franco Zeffirelli oder Walter Legge zeigen, zu einer Zeit mit Zeit. Gewiß, als junge Sängerin mußte sie binnen einer Woche, während der sie die Brünnhilde in Richard Wagners *Walküre* sang, die mit Blick auf die stilistischen und technischen Anforderungen völlig unterschiedliche Partie der Elvira in Bellinis *I Puritani* studieren, und für Rossinis *Armida* hatte sie gar nur fünf Tage Zeit; aber daß sie diese Herausforderungen annehmen und bestehen konnte, verrät nur den Rückhalt einer technischen Schulung, die selbst die intrikatesten Schwierigkeiten des verzierten Gesangs bewältigen konnte.

Einmal arriviert, konnte sie zumindest in Mailand, Florenz, Venedig, London und Chicago an Inszenierungen arbeiten und in Aufführungen singen, die all das ausstrahlten, was eine Festspielaufführung ausstrahlen muß: den Ehrgeiz nach Vollkommenheit, den zumindest einige ihrer Kollegen und Partner mit ihr teilten. Vollkommenheit – welch unvollkommener, weil ins Abstrakte treibender Begriff. Von Ausdruck ist zu reden, von der Schmerzenslust, Kunst zu machen und, wie Ingeborg Bachmann gesagt hat, »eine Tragödie, die im üblichen Sinne zu kennen nicht nötig ist«, zu einem jener Ereignisse werden zu lassen, das den großen Sinn derer, die es vollbringen, vereint mit dem großen Sinn derer, die es erleben.

Am Abend des 28. Mai 1955 ... ach nein, es geschieht jetzt, wir können es hören, weil die Zeit zurückzuholen ist für den Dialog mit der Ewigkeit, also damals und gestern und jetzt und morgen und in zehn Jahren war und ist zu erleben, was Carlo Maria Giulini, der damals dirigierte und morgen dirigieren wird, beschrieben hat, der Moment, da er das Vorspiel zu *La Traviata* beendete und sich der Vorhang während des die Ballszene untermalenden Allegro öffnete: »Mein Herz setzte einen Schlag aus. Ich war überwältigt von der Schönheit, die ich vor mir sah. Die gefühlvollste, die exquisiteste Ausstattung, die ich in meinem ganzen Leben gesehen habe. Jedes Detail von Lila de Nobilis außergewöhnlichen Bühnenbildern und Kostümen ließ mich spüren, daß ich buchstäblich in eine andere Welt ging, in eine Welt von unbegreiflicher Unmittelbarkeit. Die Illusion von Kunst – oder auch nur von Künstlichkeit, denn das Theater ist eine Welt der Künstlichkeit – löste sich auf. Mich überfiel, wann immer ich diese Produktion dirigierte, stets dieselbe Empfindung – über zwanzigmal in zwei Spielzeiten. Für mich begab sich die Wirklichkeit auf der Bühne. Was hinter mir war, das Publikum, das Auditorium, die Scala selbst, all das schien mir künstlich. Nur das, was auf der Bühne atmete, war Wahrheit – war das Leben selbst.«

Das war sie, jene Aufführung, die Ingeborg Bachmann entzündete. Ecco un artista – »sie ist die einzige Person, die rechtmäßig die Bühne in diesen Jahrzehnten betreten hat, um den Zuhörer unten erfrieren, leiden, zittern zu machen, sie war immer die Kunst, ach die Kunst...« Das war sie, die Aufführung, mit welcher Lucchino Visconti eine Idee visierte, die des vollkommenen Schauspiels: »Ich inszenierte *Traviata* für sie allein, nicht für mich. Ich tat es, um Callas zu dienen, denn man *muß* einer Callas dienen. Lila de Nobili und ich veränderten den zeitlichen Hintergrund der Geschichte hin zum Fin de siècle, um 1875.[2] Warum? Weil Maria in den Kostümen dieser Zeit wundervoll aussehen würde. Sie war groß und schlank, und in einem Kleid mit einem langen, engen Oberteil, Krinoline und langer Schleppe, würde sie ein Traumbild sein. Was meine Regie anging, versuchte ich, sie ein wenig zur Duse zu machen, ein wenig zur Rachel, ein wenig zur Bernhardt. Doch mehr als an alle anderen dachte ich an die Duse.«

Das war sie, jene Evokation, von welcher der Bühnenbildner Sandro Sequi sagte: »Visconti brachte uns bei, daß wir zu glauben hätten, was wir sehen, aber daß die Wahrheit durch die Kunst gefiltert werden müsse. Und obgleich alles in seiner *Traviata* vollkommen realistisch wirkte, war es mitnichten realistisch. Für die meisten Theaterleute in Italien ist Lila de Nobili die größte Bühnenbildnerin der Welt wegen ihrer wunderbaren Fähigkeit, eine Stimmung zu kristallisieren. Ihre Arbeit vermittelt die Illusion von Wahrheit, doch mit dem Eindruck eines Gemäldes, mit einem Sinn von poetischer Distanz. Sie kann eine Stimmung erwecken, die über die Wirklichkeit hinausgreift. Ich erinnere mich des großen Kronleuchters im ersten Akt, der nicht wirklich vorhanden, sondern aufgemalt war, umrahmt von Seide, Gaze und Tüll. Sobald er angestrahlt wurde, verwandelte er sich in ein lebendiges Bild. Das gleiche gilt für die großen orientalischen Vasen und Vorhänge, welche sie für diese Szene entwarf – es gab da nicht ein einziges authentisches Detail orientalischer Kunst auf diesen Dingen. Doch man sah sie und glaubte an ihre Echtheit. Die ganze Produktion hatte einen Anflug von *décadence*, und das war richtig so. Visconti und de Nobili inszenierten einen unvergeßlichen Traum von der *belle époque.*«

Das war sie, die Aufführung, in welcher die Früchte einer skrupulösen und inspirierten, einer lust- und qualvollen Arbeit Kunstwirklichkeit wurden. Carlo Maria Giulini: »In der Aufführung sang und spielte sie mit einer Leichtigkeit, als wäre sie, Violetta, in ihrer Wohnung und nicht im Theater. Das war lebenswichtig für unsere Vorstellung, für unsere Vision der Violetta, denn das Publikum mußte alles glauben, was sie tat. Im ersten Akt war Callas gekleidet wie alle anderen Kurtisanen und bewegte sich auch entsprechend; nur war sie umgeben von jener mysteriösen Aura, die sie von allen absetzte. Es war durchaus nicht so, daß sie besser beleuchtet worden wäre oder mehr Bühnenaktion hätte machen können; sie besaß einfach diesen einzigartigen Magnetismus. ... Lange bevor ich die musikalischen Proben mit den Solisten, Chor und Orchester begann, bevor Visconti mit den Darstellern auf der Bühne zu proben anfing, arbeiteten wir über einen langen Zeitraum allein mit Maria. Wir drei feilten ihre Darstellung aus, eine vollständige Einheit von Wort, Musik und Aktion. Visconti besitzt – einmal abgesehen davon, daß er ein Theatergenie ist – eine einzigartige Sensibilität für die romantische italienische Oper. Jede einzelne Geste Marias entwickelte er ausschließlich aus musikalischen Werten. Besondere Aufmerksamkeit widmeten wir dem Geisteszustand Violettas, indem wir versuchten, in die Psyche dieser kleinen, fragilen Frau einzudringen, und dabei entdeckten wir Tausende feinste Nuancen. Ich bin sicher, daß keiner, der Maria in *Traviata* gesehen hat, sie je wird vergessen können, so wie keiner die Schönheit der Garbo in *Camille* vergessen kann. Man war erregt und bewegt. ... Was Callas' Gesangsvortrag angeht, so hatte ich vier Jahre zuvor mit ihr eine einzige Aufführung von *Traviata* in Bergamo dirigiert – meine erste Theateraufführung. Sie kam im letzten Augenblick als Ersatz für eine indisponierte Renata Tebaldi, die die Premiere gesungen hatte. Wir hatten kaum Zeit, vor der Aufführung am Klavier die Partitur durchzugehen. Natürlich sang sie großartig – sie war damals sehr füllig –, aber ihre Violetta an der Scala war etwas anderes. Sehr nach innen genommen, so zart. Als sie, Visconti und ich uns Schritt für Schritt vorbereiteten, fand sie neue Farben in ihrer Stimme, neue Werte des musikalischen Ausdrucks – alles durch ein neues Verständnis für Violettas Wesen. Alles rundete sich. Ich kann nur betonen, daß es eine langsame, erschöpfende, sorgfältige Arbeit war, nicht um des populären Erfolges willen, sondern für das Theater in seiner tiefsten Ausdrucksfähigkeit.«

Da war sie und da ist sie, diese Lust – und alle Lust will Ewigkeit, will tiefe, tiefe Ewigkeit –, die schmerzliche Lust, Kunst zu machen. Giulini: »Maria wußte nicht, was Caprice oder Routine war, selbst wenn sie eine Sache hundertmal zu wiederholen hatte. Sie gehört zu den wenigen darstellenden Künstlern meiner Erfahrung – unter Sängern, Instrumentalisten und Dirigenten –, für welche die letzte Aufführung ebenso bedeutend, so frisch, so aufregend war wie die erste. Mit all den anderen, und das ist das Elend des Theaters, geht nach der ersten Aufführung oder einigen Wiederholungen alles den Bach hinunter, wird alles schal. Bei Maria, versichere ich, war die achtzehnte *Traviata* so fesselnd und intensiv wie die erste. Natürlich waren einige Abende glückhafter als andere; ein Sänger ist keine Maschine. Aber eins blieb konstant: Maria hatte eine Hingabe zu ihrer Arbeit und zum Theater, und sie war erfüllt von dem dringlichen Wunsch, dem Publikum etwas zu geben. Ihre Inspiriertheit spürte man nicht nur in den großen Momenten, in den berühmten Arien und Duetten, sondern auch, wenn sie in einem Rezitativ den Namen ihrer Zofe rief. Es konnte einem das Herz brechen.«

Da war sie und da ist sie, die einzige Künstlerin, die je rechtmäßig die Bühne betreten hat, während ihr Partner Giuseppe di Stefano die Proben der zarten Liebesannäherung gelangweilt begann und dann spät oder überhaupt nicht zu den Proben erschien. Visconti: »Maria wurde zornig ob dieses Verhaltens. ›Es ist Mangel an Respekt für mich, ein Mangel an Würde – auch dir selber gegenüber.‹« Da war sie und da ist sie, der Hebel, der eine Welt umgedreht hat zu den Sehenden und den Hörenden.

Der Bühnenbildner Piero Tosi, der zwei Monate zuvor die Aufführung von Bellinis *La Sonnambula* ausgestattet hatte. »De Nobilis erstes Bühnenbild mit seinen Trauerfarben Schwarz, Gold und Tiefrot erfüllte die Atmosphäre mit einer Vorahnung von Violettas Tod. Visconti gab jedem Choristen einen scharf umrissenen Charakter, jeder Kurtisane ihre eigene Persönlichkeit. Gastone zeigte er als affektierten Homosexuellen. Das konfuse Durcheinander auf der Bühne entsprach dem Treiben einer wirklichen Party, einer rüde-wilden. Da das Bühnenbild einen Pavillon auf der Hinterbühne hatte, konnten Violettas Gäste zum Essen abgehen und ganz natürlich zurückkehren. Während des Duetts ›Un di felice‹ waren die Liebenden allein, Callas in einem schwarzen Satin-Abendkleid und mit langen weißen Handschuhen und mit einem kleinen Strauß Veilchen in der Hand. Als Alfredo ihr seine Liebe gesteht, wandte sie sich langsam von ihm ab und ging zum Proszenium. ... Ihre Arme mit den weißen Handschuhen waren hinter ihrem Rücken, voller Vorsicht, ausgestreckt. Schließlich wurde sie, so dastehend, von Alfredo umarmt. Im Moment der Hingabe fiel das Blumensträußchen zu Boden. Unvergeßlich bewegend. Theatralische Schönheit. ... Nachdem die Gäste gegangen waren, sah der verlassene Raum aus wie ein Friedhof – die großen Blumenarrangements nicht mehr frisch, der Tisch ein Schlachtfeld, Servietten und Fächer auf dem Boden, die Stühle verrückt. Dann kam die Zofe Annina herein, um den Kronleuchter und die Kerzen auszulöschen, während sich Callas am Kamin niedersetzte, eingehüllt in eine Stola und nur von den Flammen erleuchtet. Und während sie ihren Schmuck ablegte und die Spangen aus dem Haar nahm, das auf ihre Schultern niederfiel, sang sie ›Ah, fors' è lui‹. Für das Cabaletta-Finale aufstehend, ging sie auf den Tisch zu, setzte sich nieder, warf den Kopf zurück und schleuderte ihre Schuhe von den Füßen – das Bild von Zolas Nana. Dann unterbrach Alfredos Stimme ihren Gesang. Es ist ein Klang, den sie nicht versteht. Klingt er in ihrem Herzen, ihrer Vorstellung? Oder ist er wirklich? Vergeblich sucht sie nach der Stimme, eilt zur Veranda. Man konnte in diesem Augenblick ihren Herzschlag spüren.«

Da war sie und da ist sie, die nicht Rollen gesungen, sondern auf der Rasierklinge gelebt hat und den Zuhörer unten erfrieren, leiden und zittern machte. Giulini: »Die Brillanz, mit welcher Callas im ersten Akt die selbstsüchtige Gier der Kurtisane nach Lust und Vergnügen gezeichnet hatte, ließ im zweiten Akt ihre Verwandlung in eine Frau, die von Liebe verzehrt wird, noch bewegender werden. Dieser Kontrast der Gefühle war das, wonach Maria, Lucchino und ich während der langen Proben gesucht hatten. Indem Callas jedes vokale, musikalische und dramatische Ausdrucksmittel, das ihr zu Gebote stand, einsetzte, offenbarte sie ganz und gar Violettas Fähigkeit, sich zu vergeben, ihre unendliche Bereitschaft, sich einem anderen zu schenken – bis hin zu dem Punkt, sich selber vollständig zu opfern und die einzige Liebe, die sie je gekannt hat, aufzugeben. Es war unglaublich, wie Callas in diesem langen Zwiegesang eine unendliche Linie unterschiedlichster Stimmungen und Gefühle sang.« Man hat es gehört, und wir hören es wieder, wie sie »Ah! Dite alla giovine« singt; nein, nicht singt, sondern wispert, und wie die Stimme erstirbt und leidet und nach innen sich wendet und doch das gesamte Theater füllt. Und wir sehen sie vor uns als Bild der Trauer und der Verzweiflung.

Visconti: »In diesem Moment ist Violetta wie tot. Während sie da am Tische sitzt, tat sie nichts, was wir nicht bei der Probe erarbeitet hatten – wie sie weinen würde, wie sie ihre Augenbrauen ziehen würde, wie sie die Feder in die Tinte tauchen würde, wie sie die Hand beim Schreiben halten würde, alles das. Kein Singen, nur Darstellen zur Orchesterbegleitung. Im Publikum gab es einige, die weinten, während sie Callas in dieser Szene beobachteten.« Und nur sie war noch da, sie allein, die Szene verschwand und materialisierte sich nur noch in ihrem Ausdruck, wie der Kritiker Piero Tosi es schilderte. Und wir sehen sie als die Heimgesuchteste und Todgeweihte im letzten Akt, wenn der Vorhang sich öffnet und Packer die Möbel Violettas wegtragen zum Verkauf, sehen sie aufstehen aus dem Bett, und sie sieht aus, so schildert es Tosi, »wie ein Leichnam, wie eine verfallene Figur aus einem Wachsmuseum, nicht länger menschliches Wesen, und sie singt mit einem Faden von Stimme, so schwach, so krank, so herzanrührend, und nur mit größter Anstrengung schleppt sie sich zu dem Ankleidetisch, an dem sie den Brief Germonts liest und ›Addio, del passato‹ singt. ... Und dann sieht man die Lichter der draußen vorbeiziehenden Karnevalsmeute. Auf der Wand die Schatten der draußen sich Vergnügenden. Für Violetta ist das Leben zu einer Welt der Schatten geworden. ... Und in jeder Geste der Callas steckt der Tod. Selbst während der Seligkeit des Wiedersehens mit Alfredo ist sie so müde und schwach, daß sie sich kaum bewegen kann. ... Nachdem die Liebenden von ihrem Traum gesungen haben, fern der Stadt glücklich zu leben – ›Parigi, o cara‹ –, wird Violetta von dem verzweifelten Gedanken erfaßt, daß sie aus ihrer Gruft fliehen muß. Sie rief das Mädchen und begann einen schrecklichen Kampf, sich anzukleiden. ... Dann kommt der Augenblick, in dem sie versucht, sich Handschuhe überzustreifen, aber sie kann das nicht, weil ihre Finger schon steif und hart geworden sind durch den nahenden Tod. Erst in diesem Augenblick begriff Violetta, daß es kein Entkommen mehr gibt, und in diesem Bewußtsein stieß Callas mit überwältigender Intensität den Schrei aus: ›Gran dio! Morir sì giovine!‹ ... Für den Moment des Sterbens verlangt Visconti das ganze Genie der Darstellerin Callas. Nachdem sie ihr Schicksal schließlich angenommen hat und Alfredo ein Medaillon mit ihrem Portrait gegeben hat, sprach Violetta ihre berühmten Schlußzeilen. Strahlend lächelnd sagte sie Alfredo, daß ihre Schmerzen aufgehört haben, daß ihre alte Kraft wiedergekehrt, daß neues Leben in ihr erwacht sei – und starb mit den Worten: ›Oh, Freude!‹, ihre großen Augen weit geöffnet mit einem empfindungslosen Starren ins Publikum, und als der Vorhang fiel, starrten ihre toten Augen weiter leer in den Raum. Für einen Moment hat die gesamte Zuschauermenge Alfredos Schrecken und Schmerz gespürt – auch sie hatte den Tod gespürt.«

Solche Aufführungen waren noch möglich in den fünfziger Jahren, vor allem an der Scala, wo sie am 7. Dezember 1955 die unvergeßlichste aller *Norma*-Aufführungen sang, am 14. April 1957 unter dramatischen Umständen Gaëtano Donizettis *Anna Bolena* und am 7. Dezember 1957 Giuseppe Verdis *Un Ballo in Maschera* und am 7. Dezember 1960 Donizettis *Poliuto*. Und solche Aufführungen waren schon nicht mehr möglich, als sie 1956 endlich an die Metropolitan Opera kam und ihre minuziös ausgefeilten Portraits in Szenarien von besseren Schmieren-Aufführungen singen mußte. Nach Darstellung von Irving Kolodin in »The Story of the Metropolitan Opera« brachte Maria Callas dramatisch überzeugende Portraits, doch »was blieb, und immer irritierender wirkte, das waren verschlampte Szenarien«. Callas bekam auch nicht, was in Mailand selbstverständlich gewesen war: eine ausreichende Anzahl von Proben.

Nicht anders die Entwicklung im Plattenstudio. Nachdem Walter Legge, im Anschluß an monatelange und schwierige Vertragsverhandlungen sein »Callas – finalmente mia« über den am 21. Juli 1952 geschlossenen Kontrakt der Sängerin mit dem EMI-Konzern geseufzt hatte, begann er 1953 mit den ersten Aufnahmen. Er berichtete: »Unsere ersten Aufnahmen wurden in Florenz im Anschluß an eine Serie von *Lucia*-Aufführungen gemacht. Die akustischen Bedingungen der Halle, die von unserer italienischen Tochterfirma ausgesucht worden war, erwiesen sich als unmusikalisch und feindlich. Ich entschloß mich, eine Test-Reihe von ›Non mi dir‹[3] mit Callas zu machen, und dies aus zwei Gründen: um das psychologische Gefühl für die Arbeit mit ihr zu gewinnen und herauszufinden, wie offen sie für Kritik sein würde, und um eine Plazierung zu finden, die einen halbwegs guten Klang sichern würde. Es war alsbald klar, daß sie Anregungen ohne Murren aufnehmen würde. Ich hatte einen Perfektions-Partner gefunden, der so begierig war, sich zu beweisen und so zu vervollkommnen, wie es alle großen Künstler gewesen waren, mit denen ich zuvor gearbeitet hatte. (Zehn Jahre später verbrachten wir den besten Teil einer dreistündigen Aufnahmesitzung damit, nur das letzte Dutzend Takte aus der Juwelenarie aus *Faust* zu wiederholen, um einen passablen Schluß hinzukriegen.) Wir verschoben die Veröffentlichung dieser *Lucia* und nahmen einige Wochen später *I Puritani* auf: Angels erste Callas-Aufnahmen hatten einfach Offenbarungen zu sein – um ihretwillen wie wegen der Reputation der Firma Angel für Qualität. Dies mußte erst ins Bewußtsein gebracht werden. Außerdem war die Aufnahme von *I Puritani* die erste Frucht der Zusammenarbeit von EMI mit dem Teatro alla Scala – ein doppelter Coup –, obwohl das Werk in einer Mailänder Basilika aufgenommen wurde.«

Was der Produzent hier schildert, ist technische Karriere-Steuerung, aber eine mit künstlerischen Mitteln und nicht mit denen von Reklame und Marketing. Sein Bericht über die Produktion von Giacomo Puccinis *Tosca* vom 10. bis zum 21. August 1953 verrät, daß es allen Beteiligten um das Ideal einer vollkommenen Aufführung für die Klangbühne ging. Legge schreibt: »Die vollkommenste Callas-Aufnahme war ihre erste *Tosca*, nach fast 25 Jahren[4] noch einzigartig in der Geschichte der auf Platte aufgezeichneten italienischen Oper. ... De Sabata und ich waren seit 1946 miteinander befreundet, hatten aber noch nicht im Studio gearbeitet. In jenen Vorstereo-Tagen waren Distanz-Effekte schwieriger als heute. Um Toscas Auftritt überzeugend klingen zu lassen, wurden ihre drei ›Mario‹-Rufe separat aufgenommen – alle von der Gasse aus, jeder näher zum Mikrophon – und dann zusammengeschnitten. Das ›Tedeum‹ forderte den größten Teil von zwei Sitzungen: Tito Gobbi erinnerte mich jüngst daran, daß wir ihn seine gesamte Musik des ersten Aktes dreißigmal singen ließen, wobei er Inflektionen und Farben selbst auf Einzelsilben zu verändern hatte, bevor wir endlich zufrieden waren. Callas war in superber Stimme angekommen, und sie war, wie immer damals, sorgfältig vorbereitet. Allein für ›E avanti a lui tremava la tutta Roma‹ wurde sie von de Sabata eine halbe Stunde durch die Mühle gedreht – gut genutzte Zeit. Wir verbrauchten Meilen und Meilen an Tonband.«

Wie die Erinnerungen von Giulini oder Visconti zeigen auch die Walter Legges, daß Maria Callas in einer Zeit mit Zeit hat singen können. Das war nicht mehr möglich, als sie, Weltstar geworden, herausgelöst ward aus jener strengen Kunstwelt kongenialer Regisseure und Produzenten, die ihr die Entfaltung ihres Könnens und ihrer Ausdruckskraft ermöglicht hatten. Als ihr Abstieg zur berühmtesten Frau der Welt begann, wurden auch die ersten Anzeichen des künstlerischen Nachlassens spürbar. Es war wie eine Inkubation. Dann folgten Erschöpfungszustände und Nervenkrisen. Die ersten großen Eklats folgten auf die Absage einer Aufführung von *La Sonnambula* bei einem Gastspiel der Scala im August 1957 in Edinburgh und vor allem nach dem Abbruch einer *Norma*-Aufführung in Rom im Januar 1958, die, nach dem Maßstab ihres Ruhms, zu maßlosen Skandalen aufgebauscht wurden. Der Abstieg zeigte sich ferner daran, daß Maria Callas seit Ende der fünfziger Jahre überall Konzerte in luxuriöser Zirkus-Atmosphäre zu bestreiten begann, in Hamburg und München, in Barcelona und Athen, London und Amsterdam, bei denen sie ihre besten Talente, die der dramatischen Darstellung, nicht entfalten konnte. Und ein Jubel, der nur die Sensation ihres Kommens hysterisch feierte, muß ihr eher schmerzlich in den Ohren geklungen haben und wohl auch einigen Kritikern, die spürten, daß ihre Triumphe zu Pyrrhussiegen geworden waren. (Nichts sei freilich dagegen gesagt, daß ein Künstler das Heu in den Spätsommertagen seiner Karriere macht – es ist sein Recht.)

Es war die Zeit, in der das Opernleben in den Opernbetrieb sich zu verwandeln und zu verkommen begann: Mit Galas und ubiquitären Stars, die nur noch für kurze Probenzeiten und ansonsten der ganzen Welt zur Verfügung stehen. Die endlich, wie es heute Usus, den Theatern die Aufführung von Werken diktieren, die sie gerade aufgenommen oder andernorts mehr schlecht als recht einstudiert haben. Zwischen dieser Entwicklung des Musiklebens zu einem festivalischen Markttreiben und dem Erlöschen jenes großen Kometen, der fast ein Jahrzehnt den Opernhimmel erleuchtet hatte, gibt es keinen kausalen Zusammenhang. Maria Callas hatte sich, gleich einer an beiden Seiten brennenden Kerze, verzehrt: »Licht wird alles, was ich fasse, Asche alles, was ich lasse, Flamme bin ich sicherlich.«

Aber ihr Ende war ein symbolisches Ende mit dem Geheimnis der Zeitgenossenschaft. Wie hätte sie weiterleben, wie weitersingen können in dieser untergehenden Welt?

FÜNFTES KAPITEL

Lehrjahre

Ein Gesangslehrer muß vollkommen über drei Fähigkeiten gebieten und über drei Weisen, seinen Schülern zuzuhören – er sollte in der Lage sein, sie so zu hören, wie sie sind, wie sie sein könnten und wie sie sein sollten. ... Er muß ihren Verstand entwickeln wie ihren Körper. Er muß ihnen helfen, ihren Charakter zu entfalten. Und er muß in ihnen den Wunsch nach Schönheit erwecken.

Giovanni Battista Lamperti

Eine gestohlene Kindheit?

Alte Zeitungen sind eine erstklassige Schule der Vergänglichkeit.
Robert Musil

Letzten Endes kommt es nur auf den Wahrheitsgehalt der Lüge an.
Thomas Bernhard

NACH Ansicht des britischen Schriftstellers Thomas Carlyle lag die Aufgabe biographischer Literatur in »heroe worship« – in Heldenverehrung, in der Bewunderung der Genies, der Großen, der Unsterblichen. Das Private – es war irrelevant. In einigen Biographien über Maria Callas wird der Rang der Künstlerin dazu gebraucht, private Angelegenheiten und möglichst intime Details als Bausteine für sogenannte Psychogramme zu benutzen. Über die Verbindung der Sängerin mit dem griechischen Entrepreneur Aristoteles Onassis ist mehr geschrieben worden als über ihre gut 600 Aufführungen, über Skandale mehr als über ihre künstlerischen Leistungen und Triumphe. Neue Details beizubringen ist nicht möglich, irrelevante auszusondern womöglich viel wichtiger. Dies nicht, weil die Sängerin verklärt und die Person stilisiert werden soll, sondern weil nur so das Kunstphänomen Callas zu begreifen und historisch einzuordnen ist. Walter Legge hat dies, mit einer Mischung aus Bewunderung und Kälte, getan. »Mehr als genug ist über ihre unglückliche Kindheit publiziert worden«, schreibt er in seinem Aufsatz »La Divina«, »über sich streitende Eltern, über Kurzsichtigkeit, Übergewicht und mangelnde Anerkennung; doch keiner hat die Wirkungen dieser Benachteiligungen auf ihre Karriere und ihren Charakter bezogen. Callas litt an einem übermenschlichen Minderwertigkeitskomplex. Dies war die treibende Kraft hinter ihrem ruhe- und ruchlosen Ehrgeiz, ihrem unerbittlichen Willen, ihrer monomanischen Egozentrik und ihrem unstillbaren Hunger nach Berühmtheit. In allen Belangen ihres Lebens und ihrer Arbeit war Selbstvervollkommnung geradezu eine Obsession. Als man mich zum erstenmal auf sie aufmerksam machte, ein oder zwei Jahre vor unserer ersten persönlichen Begegnung, war sie massig: Sie trug einen formlosen Tweed-Mantel, und ihr Gang glich dem wenigen anmutigen Schwanken eines Seemanns, der nach Monaten auf rauher See zum erstenmal wieder *terra firma* unter seinen Füßen verspürt. Bei unserem ersten Zusammentreffen war ich verschreckt durch ihren ziemlich furchterregenden New Yorker Akzent. ... Binnen weniger Monate sprach Callas das, was die Engländer ›King's English‹ nannten, bevor die BBC es mordete. Alsbald lernte sie, für Fremdsprachen begabt, ein gutes Italienisch und Französisch. Nachdem sie sich von 180 auf 126 Pfund heruntergehungert hatte, wurde sie eine der bestangezogenen Frauen Mailands. Ihre Wohnungen in Verona, Mailand und Paris zeugten von ihrem Geschmack und ihrem Sinn für Ordnung. An jedem Kleidungsstück ihrer Garderobe in Mailand war ein Notizzettel, auf dem vermerkt war, wann sie es gekauft hatte, wie teuer es gewesen war und wo, wann und in wessen Gesellschaft sie es getragen hatte. Handschuhe bewahrte sie Paar für Paar in einem transparenten Beutel aus Plastik auf, und Handtaschen wurden in ähnlicher Weise dokumentiert. Jedes Teil hatte seinen festen Platz. Dies sind private Reflexe jener Sorgfalt, die sie in ihre Arbeit investierte.«

Welch eine elegante Kehrtwendung vor dem Absturz in den Psychoexkurs der biographischen Trivialliteratur über die Sängerin. Der Verzicht auf Klatsch soll nicht von der Verpflichtung entbinden, bei der Beschäftigung mit dem Werdegang der Sängerin – nach der Maxime von Sainte-Beuve – »alles zu sehen, alles zu betrachten oder wenigstens alles anzudeuten«. Es darf nicht verschwiegen werden, daß sie keineswegs ein besonders liebenswürdiger Mensch war, sondern, um weiter Walter Legge, der auch kein liebenswürdiger Mensch war, zu zitieren, »rachsüchtig, streitlustig und bösartig gegenüber Menschen sein konnte, auf die sie eifersüchtig war oder die sie nicht leiden konnte, und dies ohne rechte Gründe. Sie war undankbar: Jahrelang weigerte sie sich, mit Serafin zu arbeiten oder auch nur mit ihm zu sprechen, nachdem er *La Traviata* mit Antonietta Stella aufgenommen hatte; dabei war er ihr unschätzbarer Helfer und Architekt ihrer Karriere nach ihrem Debüt in Italien gewesen.«

Dieses Verhalten ist erklärt worden aus der Scheu und der Unsicherheit einer Karrierefrau mit einer unglücklichen Kindheit. Sie wurde am 3. Dezember 1923 als drittes Kind von Evangelia und George Kalogeropoulos im New Yorker Fifth Avenue Hospital geboren und auf den Namen Cecilia Sophia Anna Maria getauft. Arianna Stassinopoulos schreibt, daß Maria Callas ihren Geburtstag stets am 2. Dezember gefeiert habe. Dr. Lantzounis, der bei der Geburt im Hospital war, bestätigt dieses Datum. Ihre Mutter gibt den 4. Dezember an. In ihrer Schule ist der 3. Dezember registriert.

Ihre Eltern waren am 21. August ihres Geburtsjahres nach dem Tod ihres dreijährigen Sohnes von Athen aus in die USA emigriert. Die Mutter berichtet in »My Daughter Maria Callas«, daß sie ständig nach dem Tod ihres Sohnes Vasily »um einen anderen Sohn gebetet (habe), um den leeren Platz in meinem Herzen zu füllen«. Nach der Geburt war sie bitter enttäuscht und schaute ihre Tochter »erst nach vier Tagen zum erstenmal an«. Doch nachdem die schwarzen Augen des Kindes sie zu fragen schienen: »Mutter, warum liebst du mich nicht?«, habe sie plötzlich das Gefühl mütterlicher Liebe verspürt.

Die finanzielle Lage der Familie hatte sich verschlechtert. George Kalogeropoulos, in Athen ein durchaus erfolgreicher Drogist, mußte seine Frau und seine beiden Töchter als Reisevertreter für Drogerieartikel durchbringen. Daß seine Frau darauf bestand, ihren Töchtern eine musikalische Ausbildung zu geben, empfand er angesichts der wirtschaftlichen Depression als sinnlose Verschwendung. Evangelia berichtet, daß schon die vierjährige Maria voller Enthusiasmus dem Pianola der Familie gelauscht habe. Sie erzählt ferner, daß sie Platten mit Aufnahmen aus *Faust, Mignon* und *Lucia di Lammermoor* gekauft habe und daß die beiden Mädchen die Stimme von Rosa Ponselle bewundert und mit ihr gesungen hätten. Zu der von der Mutter genährten Legende gehört auch, daß die Familie an einem Nachmittag eine Übertragung von *Lucia di Lammermoor* aus der Metropolitan Opera gehört habe. Die Sängerin der Titelpartie habe in der Wahnsinnsszene versagt, und Maria habe sich heftig darüber beklagt und behauptet, sie könne das besser singen.

Ihren ersten Klavierunterricht erhielt Maria mit acht Jahren. Sie konnte später alle Rollen am Klavier selber ohne die Hilfe eines Korrepetitors studieren. Mit zehn Jahren sang sie Arien aus *Carmen*, und es heißt, daß Passanten unter dem Fenster stehen blieben, wenn sie »La Paloma« und andere Lieder sang. Bei einem Wettbewerb des Mutual Radio Network gewann sie einen Preis, eine Bulova-Uhr. Es war der Auftakt zur Teilnahme an zahlreichen anderen Wettbewerben, in die sie durch den Ehrgeiz der Mutter getrieben wurde, die in beiden Töchtern Wunderkinder sah. Maria Callas hat sich später – »dagegen sollte es ein Gesetz geben« – bitter darüber beklagt, daß ihr von der Mutter die Kindheit gestohlen worden sei. »Nur wenn ich sang, durfte ich mich geliebt fühlen.« Noch mehr litt sie darunter, daß sie dicklich und extrem kurzsichtig war. »Meine Schwester Jackie war ein schönes Mädchen«, sagte sie später, »aber ich war fett und voller Pickel. Für mein Alter war ich viel zu reif, und ich war alles andere als glücklich. Ich war ganz sicher das häßliche Entlein.«

In den letzten Wochen des Jahres 1937 beschloß die Mutter, mit ihren beiden Töchtern nach Griechenland zurückzukehren. Sie war überzeugt, daß Maria nur in Athen eine angemessene Stimmausbildung würde erhalten können. George Callas – der Grieche hatte seinen Namen in New York geändert – stimmte zu. Wenige Tage nach Abschluß des achten Schuljahres ging sie mit der Mutter an Bord der *Saturnia*. Während der Überfahrt sang sie zur Unterhaltung des Kapitäns und der Passagiere »La Paloma« und »Ave-Maria« und schließlich die Habanera aus Georges Bizets *Carmen*. Bei der Schlußphrase »Prends garde à toi« soll sie eine Nelke aus einer Vase gezogen und dem Kapitän zugeworfen haben.

Mehr als eine Lehrerin: Elvira de Hidalgo

Die Technik des Singens ist einfach und immer dieselbe. Schwierig ist nur, einen Menschen dazu zu bringen, technisch das Richtige zu tun. Das kann nur ein guter Lehrer.
Luciano Pavarotti

EINEN Tag nach der Rückkehr in die griechische Hauptstadt verwandelte sich das Leben des Mädchens in das einer »Vorsinge-Maschine«. Sie mußte für jedermann singen. Im September 1937 gelang es ihrem Onkel Efthimios, ein Probesingen vor Maria Trivella, die am Nationalen Konservatorium von Athen unterrichtete, zu arrangieren. Unmittelbar vor dem Test war sie, wie später vor vielen Aufführungen, von panischer Angst erfüllt. »Bevor ich zu singen beginne, weiß ich gar nichts mehr, erinnere ich mich nicht mehr der Partie, weiß ich nicht, wo ich anfangen soll.« Die Trivella, als Sängerin wenig erfolgreich, als Pädagogin versiert, nahm Maria Callas augenblicklich als Schülerin an und ließ sich auch darauf ein, das Alter des Kindes zu fälschen; Maria war dreizehn Jahre alt, Zutritt zum Konservatorium erhielten die Schüler erst mit 16 Jahren.

Maria sang Musik aus *Carmen*, *Lucia di Lammermoor* und *Cavalleria Rusticana*. In der Oper von Pietro Mascagni gab sie im November 1938, kurz vor ihrem 15. Geburtstag, ihr Bühnendebüt in einer Studentenaufführung. Sie gewann damit den ersten Preis des Konservatoriums. Pierre-Jean Rémy sieht als symbolisch an, daß schon die erste Rolle der Callas die einer leidenden, geopferten Frau war. »Zeit ihres Lebens hat sie sich zwischen diesen Extremen bewegt – dem des Opfers und dem der Tigerin. Aber auch die Tigerin, ob Santuzza oder Medea, ist ein Opfer.« Nach zweijähriger Arbeit mit Maria Trivella nahm sie einen neuen Anlauf, um am Athener Konservatorium angenommen zu werden. Nach dem Probesingen vor Elvira de Hidalgo bestand die spanische Sopranistin darauf, daß das Mädchen ungeachtet ihres jugendlichen Alters Zutritt erhalte.

Die 1892 geborene Elvira de Hidalgo war eine Schülerin von Paul-Antoine Vidal. Sie hatte mit 16 Jahren als Rosina in Gioacchino Rossinis *Il Barbiere di Siviglia* am San Carlo von Neapel debütiert. Der legendäre Impresario Raoul Ginsbourg verpflichtete sie an das Theater von Monte Carlo, wo sie neben dem Almaviva von Dimitri Smirnow und dem Basilio von Fjodor Schaljapin erneut die Rosina sang. Giulio Gatti-Casazza holte sie an die Met, weil er dringend eine Konkurrentin für Luisa Tetrazzini brauchte, die an Oscar Hammersteins Oper sang. De Hidalgo hatte keine Chance gegen die italienische *virtuosa.* Nachdem er die Spanierin gehört hatte, schrieb William James Henderson, die Met sei kein »Institut zum Aufpäppeln kleiner Mädchen«. Sie ging nach Europa zurück, debütierte 1916 als Rosina an der Scala (neben dem Figaro von Riccardo Stracciari) und sang fortan an den mittleren italienischen Bühnen und vor allem in Südamerika. In den dreißiger Jahren war sie mit einer reisenden Operntruppe nach Athen gekommen und hatte, da der Ausbruch des Krieges weitere Reisen erschwerte, eine Professur am Konservatorium angenommen. Sie wollte zunächst nur ein Jahr dort arbeiten; es wurden Jahre daraus.

Über ihre erste Begegnung mit dem häßlichen und darob gehemmten Mädchen hat die Spanierin erzählt. »Daß dieses sich ausgerechnet wünschte, Sängerin zu werden, war einfach lächerlich. Sie war groß, sehr fett und trug eine dicke Brille. Sobald sie diese abnahm, blickte sie einen mit großen, jedoch vagen und nichts sehenden Augen an. Ihr ganzes Wesen war linkisch. Sie trug ein viel zu großes Kleid. Es war vorn geknöpft und ziemlich formlos. Weil sie nicht wußte, was sie tun sollte, saß sie still in der Ecke, kaute auf den Nägeln und wartete darauf, endlich zu singen.«

Maria sang Rezias »Ozean, du Ungeheuer« aus Carl Maria von Webers *Oberon*, und die Lehrerin war fasziniert, weil sie »heftige Kaskaden von Klängen hörte, die noch nicht vollständig kontrolliert, aber voller Drama und Emotion waren. Ich lauschte mit geschlossenen Augen und stellte mir vor, welch eine Freude es sein müßte, mit solchem Material zu arbeiten und es bis zur Perfektion zu formen.« Maria wurde am Konservatorium als Privatschülerin der Hidalgo angenommen, und sie mußte für ihre Stunden nichts bezahlen, weil die Lehrerin, nach Rémy »ein weiblicher Pygmalion«, alles darein setzte, aus ihrer Schülerin eine Sängerin zu formen, wie sie selber es nie gewesen war. »Ich begann die Unterrichtsstunden mit ihr morgens um zehn«, erzählte Maria Callas 1970, »dann machten wir mittags eine Pause, um ein Sandwich zu essen, und setzten den Unterricht bis in die Abendstunden fort. Ich hätte nie daran gedacht, früher nach Hause zu gehen, schon weil ich gar nicht wußte, was ich dort hätte anfangen sollen.«

Der Umfang ihrer Stimme war damals so begrenzt, daß einige Lehrer in ihr einen Mezzo, recht eigentlich also eine kurze Stimme, gesehen hatten. Die behutsame Erweiterung zur hohen und tiefen Lage erlebte sie wie ein athletisches Training. »Ich war wie ein Sportler«, sagte sie, »der sich daran freut, seine Muskeln zu gebrauchen und zu entwickeln.« Elvira de Hidalgo wurde mehr als nur Lehrerin. Sie wurde auch in emotionaler Hinsicht die wichtigste Bezugsperson ihrer Schülerin.

Je enger die Beziehung zur Lehrerin wurde, desto kritischer zeigte sich Maria Callas gegenüber ihrer Mutter, die sich später mit ihrem Buch an ihrer Tochter geradezu rächte. Hingegen blieb die Hidalgo eine der wenigen Personen, vielleicht sogar die einzige, die nie die Zuneigung der Callas verlor. Neben dem Bild der legendären Maria Malibran fand sich in der Wohnung der Callas nach ihrem Tod nur das von Elvira de Hidalgo. Sie war es gewesen, die das »häßliche Entlein« zu verwandeln begonnen hatte, nicht nur durch das musikalische Training, sondern auch durch praktische Lebenshilfe. Sie hatte ihr gezeigt, wie sie sich auf der Bühne zu bewegen, wie sie sich zu kleiden, wie sie sich zu halten hatte.

Die Mutter hatte sich nichts mehr gewünscht als den Ruhm ihrer Tochter. »Alles, was ich für sie wollte, war Ruhm.« Dafür hatte sie, wie Maria Callas es später sah, ihrer Tochter die Kindheit gestohlen. Elvira de Hidalgo hingegen hatte sie auf den Weg zum Ruhm geführt und damit das Selbstwertgefühl gegeben, das Maria Callas als Kind nie gehabt hatte. Der Einfluß beider Frauen aber mag die Disposition und die seelischen Verhaltensweisen der Sängerin geprägt haben.

Bei der Stimmausbildung gab de Hidalgo ihrer Schülerin den Rat, sich zunächst auf die leichteren Koloraturpartien zu konzentrieren, auf den *canto fiorito*. Erst nach abgeschlossener technischer Entwicklung sollte die Schülerin an schwerere, dramatische Rollen herangehen. Von vornherein war allerdings klar, daß Maria Callas kein *soprano leggiero* werden sollte, sondern, wie Giuditta Pasta, für die Bellini die Norma und die Amina in *Sonnambula* geschrieben hat, ein *soprano sfogato*, ein erweiterter Sopran mit Koloratur-Agilität und dramatischer Verve. »Ich war wie ein Schwamm«, sagte Maria Callas später, »bereit, alles aufzusaugen.«

Ihre Lehrerin sicherte ihr eine gründliche und umfassende Ausbildung. Sie lieh ihrer Schülerin Partituren, die diese auswendig lernte, oft in nächtelanger Arbeit. Sie studierte Lieder von Franz Schubert und Johannes Brahms, das *Stabat Mater* von Giovanni Pergolesi und Henry Purcells *Dido and Aeneas*, selbst Johann Sebastian Bachs *Matthäus-Passion*. Ohne dieses systematisch-umfassende Training, vergleichbar dem Studium von Etüden, wie es für Pianisten und Geiger unerläßlich ist, hätte Maria Callas später nie binnen weniger Tage schwierigste Rollen lernen und meistern können. Das Training in jener Kunst, die mehr oder minder gedankenlos Belcanto genannt wird, war für sie »das spezifische Training der Stimme und die Entwicklung einer Technik für ihren Gebrauch, wie ein Geiger oder ein Flötist ausgebildet werden, ihr Instrument vollständig zu beherrschen«. De Hidalgo sorgte dafür, daß ihre Schülerin in einer Studentenaufführung des dritten Aktes von Verdis *Un Ballo in Maschera* und in Puccinis *Suor Angelica* singen konnte. Im selben Jahr, 1940, verschaffte sie ihr das erste Engagement an der Königlichen Oper von Athen; am 27. November sang sie in Franz von Suppés Operette *Boccaccio* die kleine Partie der Beatrice. Zwei Jahre später konnte sie eine erkrankte Kollegin an der Königlichen Oper ersetzen: Sie sang dreizehn Aufführungen von Puccinis *Tosca* in Freilichtaufführungen am Thellentas-Theater.

Über diese Aufführungen kursieren maliziöse Gerüchte, wie Vorboten jener Skandale, die ihre spätere Karriere überschatteten. Angeblich hat die erkrankte Diva eine Fronde von Callas-Gegnern angeführt. Als sie hörte, daß die gehaßte Konkurrentin die Tosca singen würde, soll sie ihren Ehemann in die Oper geschickt haben, um den Auftritt der Rivalin zu verhindern, und voller Wut habe Maria Callas ihm das Gesicht zerkratzt.

Daß Maria Callas seit diesen Aufführungen das Werk nicht mehr mochte, wird auf diese Begebenheit zurückgeführt. Sie hat indes in Interviews mehrfach ihre Abneigung sowohl gegen die Partie als auch gegen die Musik Puccinis ausgedrückt. Die plausibelste Erklärung dafür ist, daß sie diese Rolle, die zu ihren sublimsten Portraits gehört, nicht mit jener vokalen Leichtigkeit singen und jene Balance erreichen konnte, die sie in den großen Belcanto-Partien fand. So ist auch zu erklären, daß sie neben ihren 46 Aufführungen von *Tosca* und den 23 von *Turandot* (nur in den Jahren 1948 und 1949, da sie sich an die Spitze zu kämpfen versuchte) Rollen wie die *Cio-Cio-San* nur dreimal auf der Bühne gesungen hat und nie die Mimi in *La Bohème* und Manon Lescaut. In ihren großen Jahren zwischen 1953 und 1958 haben Puccinis Heroinen für ihre Karriere, für ihren Aufstieg zur größten Primadonna der Epoche, keine Rolle gespielt. Und doch: Erfolg hat sie mit Tosca, auch wenn es eine ungeliebte Partie gewesen sein sollte, schon bei ihren ersten Aufführungen gehabt. Alexandra Lalaouni schrieb in »Vradyni« nach Aufführungen im August und September 1942: »Alle Fehler, alle Schwächen der Inszenierung sind vergessen, sobald Maria Kalogeropoulos erscheint, ein junges Mädchen, fast noch ein Kind. ... Sie steht die Rolle nicht nur ohne Versagen durch, singt sie nicht nur korrekt, sondern sie versteht es, sie mit einer Überzeugungskraft darzustellen, die das Publikum oftmals geradezu überwältigt. Die Stimme ist voll über den gesamten Umfang des ausgedehnten Registers. Ganz gleich, wie gut die Ausbildung ist, die sie erfahren hat; es scheint mir, daß sie darüber hinaus etwas anderes besitzt. Musikalischer Instinkt in höchstem Maße und dramatischer Sinn sind Gaben, die sie nicht bei der Ausbildung bekommen und die man schon gar nicht in ihrem Alter erworben haben kann. Sie ist damit geboren.« Daß sie die Tosca vor allem am Ende ihrer Karriere öfter gesungen hat, ist ein Beweis für die These, derzufolge Partien des veristischen Repertoires durch die Kunst der Darstellung und mit den Resten der Stimme bewältigt werden kann.

Nach 1940, während der Besetzung Griechenlands durch die Deutschen und die Italiener, verschlechterten sich die Lebensumstände für Evangelia Callas und ihre Töchter. Lebensmittel waren so knapp, daß die 17jährige in Athen und Saloniki Konzerte geben mußte. Als Honorar erhielt sie Spaghetti und Gemüse. Schließlich engagierte die Athener Oper die junge Sängerin für ein Honorar von 3 000 Drachmen. Das Repertoire konnte sie selber noch nicht wählen; sie hatte zu singen, was aufs Programm gesetzt wurde: Im April und Mai 1944 waren es sechs Aufführungen von Eugen d'Alberts *Tiefland*. In den »Deutschen Nachrichten in Griechenland« schrieb der Kritiker Friedrich W. Herzog, daß sie all das besitze, was andere Sänger erlernen müssen, den dramatischen

Maria Callas als Turandot, 1957

Lucia di Lammermoor in der Mailänder Scala, 1953 –
mit Giuseppe di Stefano und Herbert von Karajan

Mit Ettore Bastianini (links) und Franco Corelli in *Poliuto*,
Mailänder Scala 1960

Mit Antonio Ghiringhelli nach einer Scala-Aufführung von
Un Ballo in Maschera (1957): Die Feinde beim Kriegslächeln

Als Lucia di Lammermoor, Teatro alla Scala, 1954

Als Amina in *La Sonnambula*, Teatro alla Scala, 1955

Fiorilla in *Il Turco in Italia*, Teatro alla Scala, 1954

Rosina in *Il Barbiere di Siviglia*, Teatro alla Scala, 1956

Als Medea, Teatro alla Scala, 1961

Instinkt, die Intensität der Darstellung, die interpretatorische Einbildungskraft. Auffällig, daß er die »durchdringende metallische Kraft« der Stimme in der hohen Lage erwähnte. Am 14. August 1944 folgten im Theater Herodes Atticus von Athen zwei Aufführungen von Ludwig van Beethovens *Fidelio* unter dem deutschen Dirigenten Hans Hörner. Zwei Monate später verloren die Besatzer die Kontrolle über Athen und Griechenland. Dann landete die britische Flotte in Piräus. Maria Callas entschloß sich, in die USA und zu ihrem Vater zurückzukehren: Am 3. August 1945 gab sie, um Reisegeld zu verdienen, ein Konzert in Athen, bei dem sie »Bel raggio« aus Rossinis *Semiramide*, Arien aus *Don Giovanni, Aida, Il Trovatore* und *Oberon* sang, ein Indiz dafür, daß sie das Potential eines dramatischen *soprano d'agilità* besessen haben muß. Am 5. September folgte eine Aufführung von Carl Millöckers *Der Bettelstudent.* Wenige Tage später ging sie an Bord der *Stockholm* und fuhr nach New York, verabschiedet von Elvira de Hidalgo.

Zwischenspiel in New York

Ich ziehe es vor, mich auf mich selber und mich allein
zu verlassen.
Maria Callas, 1970

IN Empfang genommen wurde sie von ihrem Vater, der in bescheidenen Verhältnissen lebte. Arianna Stassinopoulos berichtet, daß die Sängerin – »ich war so hungrig, wie man nur hungrig sein kann, wenn man lange Zeit nichts Rechtes hat essen können« – unentwegt den Verlockungen des Essens erlag und immer dicker wurde. Die Versuche, Engagements zu erhalten scheiterten. Sie suchte Hilfe bei dem griechischen Baß Nicola Moscona, bekannt aus etlichen Verdi-Aufführungen Arturo Toscaninis, der in Athen von den Aufführungen der jungen Kollegin sehr beeindruckt gewesen war. Als sie es geschafft hatte, bis zu ihm vorzudringen und ihn bat, er möge sie bei Arturo Toscanini einführen, lehnte er es kategorisch ab, dem alten Maestro eine ehrgeizige junge Sängerin zu empfehlen. Hingegen bekam sie die Chance, dem Tenor Giovanni Martinelli vorzusingen.

Martinelli, 1885 in Montagnana geboren (wie sein Kollege Aureliano Pertile), war im November 1913 an die Metropolitan Opera gekommen, hatte dort als Rodolfo in *La Bohème* debütiert und in den zwanziger Jahren nach dem Tod Carusos dessen dramatische Partien wie Radames, Canio, Alvaro, Dick Johnson und Andrea Chenier übernommen. Bis 1946 hatte er in jeder Spielzeit an der Met gesungen: insgesamt über 650 Vorstellungen in 36 Rollen, dazu 300 Aufführungen während der Gastspiele des Met-Ensembles. Er war ein hochdramatischer Sänger mit einer phantastischen Atemkontrolle und aristokratischer Linienbildung; allerdings war die Tonbildung nicht restlos frei. Stilistisch hatte er sich dem dramatischen Espressivo-Stil Arturo Toscaninis angepaßt: Flammender, pathetischer, rhetorischer haben wenige Tenöre in diesem Jahrhundert gesungen.

Martinelli beurteilte ihre Stimme wohlwollend, gab ihr aber den Rat, weiter Unterricht zu nehmen. Es läßt sich nur vermuten, daß ihn die Unausgeglichenheit der Stimme mit den hörbaren »Schaltstellen« zwischen den Lagen irritiert haben mag.

Hingegen fand Edward Johnson, der nach seiner Tenor-Karriere an der Met die Leitung des Hauses von Giulio Gatti-Casazza übernommen hatte, ihre Stimme »beeindruckend«. Er bot der 22jährigen zwei Produktionen für die Saison 1946/1947 an: die Leonore in Ludwig van Beethovens *Fidelio* und die Cio-Cio-San in Puccinis *Madama Butterfly*. Daß sie ablehnte, vor allem die Begründung, mit der sie ablehnte, ist ein Baustein der Callas-Legende. Rémy berichtet, daß sie vorgeschlagen habe, Aida oder Tosca zu singen, und daß der Impresario daraufhin verärgert den Vertrag in die Tasche gesteckt habe.

Plausibler die Information von John Ardoin. Maria Callas habe sich, angesichts ihrer massigen Statur, nicht vorstellen können, die japanische Geisha darzustellen, und die Leonore habe sie nicht in englischer Sprache singen wollen; die Beethoven-Rolle ging schließlich an Regina Resnik. Das Verhalten der Sängerin zeigt jedenfalls, daß sie sich ihrer Möglichkeiten und ihres Werts bewußt, vor allem aber, daß sie kompromißlos war. Oder sollte sie sich nur so dargestellt haben? Ausgerechnet von John Ardoin will Nadia Stancioff eine andere Interpretation gehört haben. Johnson habe der Sängerin ein Engagement für den Fall in Aussicht gestellt, daß sie ihre Höhe und Tiefe zu verbessern in der Lage wäre, genau das, was Giovanni Martinelli auch angeraten hatte. Ihrem Vater, dem sie von ihren griechischen Erfolgen vorgeschwärmt hatte, habe sie diese Ablehnung nicht eingestehen können. Um ihr Gesicht zu wahren, habe sie sich eine heroische Legende ausgedacht, die sie später so oft erzählt hat, daß sie schließlich selber daran glaubte.

Die Wahrheit mag sein, daß sie Johnson Tosca und Aida angeboten hat, selbst wenn sie beide Partien ohne Honorar hätte singen müssen. Seit dieser Zeit habe, so stellt Arianna Stassinopoulos es dar, Haß gegen die Met in ihr geschwelt. Überliefert wird der Satz: »Ich werde wiederkommen; sie werden mich auf Knien anflehen, daß ich wiederkomme.« Wieder ein Satz, der in den Roman einer jeden Künstler-Karriere paßt und stereotyp wiederkehrt, wann immer über ihre Schwierigkeiten in den ersten Jahren ihrer Laufbahn berichtet wird. Ebenso trefflich in die Legende fügt sich die Anekdote über ein Vorsingen an der Oper von San Francisco vor Direktor Gaëtano Merola. Er soll der Sängerin gesagt haben, sie sei jung, solle nach Italien gehen und sich dort durchkämpfen; dann werde er sie engagieren. »Ich danke Ihnen, aber wenn ich meine Karriere in Italien einmal gemacht habe, werde ich Sie nicht mehr brauchen.«

Im Januar 1946 traf sie, eine folgenschwere Begegnung, auf Eddie Bagarozy, einen in die Oper vernarrten Anwalt. Er war verheiratet mit der Sängerin und Pädagogin Louise Caselotti. Beide setzten sogleich viel Hoffnung in die junge Sopranistin, obwohl sie ihre Stimme rauh in der Höhe und unausgeglichen fanden. Caselotti bot weiteren Unterricht an, und es folgten erneut Wochen intensiver Studien. In seinem Enthusiasmus für die Schülerin seiner Frau verfiel Bagarozy Ende 1946 auf die Idee, eine Operntruppe zu bilden. Mit der United States Opera Company wollte er in Chicago die Lyric Opera reaktivieren. Da in Europa viele Künstler auf Engagements warteten, fiel es ihm leicht, Stars mit bedeutendem Ruf zu gewinnen: den Wagner-Tenor Max Lorenz, die Geschwister Anny und Hilde Konetzni, die junge Sopranistin Mafalda Favero und den bedeutenden Bassisten Nicola Rossi-Lemeni, der später noch oft neben Callas singen sollte; er war der Schwiegersohn von Tullio Serafin.

Für die Eröffnungsvorstellung in Chicago war Giacomo Puccinis *Turandot* ausersehen. In der Titelrolle wurde ein neuer, sensationeller Sopran angekündigt: Maria Callas. Doch kam die für den 27. Januar 1947 geplante Aufführung nicht zustande. Die Gewerkschaft der amerikanischen Chorsänger hatte eine finanzielle Garantie verlangt, die Bagarozy und sein Partner, der italienische Agent Ottavio Scotto, nicht bezahlen konnten. Bagarozy mußte sein Auto und selbst den Schmuck seiner Frau verkaufen, um einen Teil seiner Schulden zu bezahlen. Am 6. Februar 1947 fuhr Maria Callas enttäuscht und um eine große Hoffnung ärmer nach New York zurück. Das Unternehmen United States Opera Company war gescheitert und schien abgeschlossen.

Durch Nicola Rossi-Lemeni, der vom Talent seiner jungen Kollegin überzeugt war, wurde sie bei Giovanni Zenatello eingeführt. Der Tenor-Veteran, nach Francesco Tamagno lange Jahre der bedeutendste Interpret von Verdis Otello, war künstlerischer Leiter der Opernfestspiele von Verona. Er war nach New York gekommen, um eine Sängerin für die Saison-Eröffnung 1947 zu finden: für Amilcare Ponchiellis *La Gioconda*. Er hatte die Wahl zwischen zwei bekannten und bewährten Sopranistinnen, Zinka Milanov und Herva Nelli, der *favorita* Arturo Toscaninis. Auf Rat von Rossi-Lemeni lud Zenatello Maria Callas zu einem Probesingen ein, und er war von ihrem Singen so begeistert, daß er spontan in das Duett aus dem vierten Akt der Oper einstimmte: »Enzo! ... sei tu!« Zenatello engagierte die unbekannte Griechin und einen jungen amerikanischen Tenor, der damals am Beginn seiner großen Karriere stand: Richard Tucker. Er hatte die Partie des Enzo an der Met schon neben der Milanov gesungen. Zenatello beschrieb die Begegnung als »eine Offenbarung und nicht nur ein Probesingen«.

Am 27. Juni 1947 verließ Maria Callas auf der *Rossia* die Vereinigten Staaten. Am selben Tag hatte sie einen Vertrag mit Edward Richard Bagarozy unterschrieben. Danach sollte der Anwalt »der einzige und exklusive Agent« der Sängerin »für einen Zeitraum von zehn Jahren« sein. Für seine Arbeit sollte er zehn Prozent ihres Honorars für »alle Auftritte in Oper, Konzert, Radio, im Studio und im Fernsehen« erhalten. Bagarozy verpflichtete sich, »alle Anstrengungen zur Förderung der Karriere der Künstlerin« zu unternehmen. Wie Stassinopoulos schreibt, hatte sich Maria Callas eine Zeitlang gesträubt, diesen Vertrag zu unterzeichnen; daß sie es, am Tage der Abreise, doch tat, sei eine irrationale Augenblicksentscheidung gewesen, bei welcher sie von ihren ansonsten so sicheren »Instinkten« verlassen worden sei.

Elvira de Hidalgo hatte ihrer Schülerin geraten, ihre Laufbahn in Italien zu beginnen – und sie sollte nach dem 18 Monate währenden Intermezzo in New York tatsächlich in Italien beginnen. Die ersten neun Jahre ihrer Laufbahn, vom Debüt als Santuzza an der Athener Oper bis zum ersten Auftritt in der Arena von Verona am 3. August 1947, liegen im Halbdunkel, das von Anekdoten und Episoden nur spärlich erleuchtet wird. Neun Jahre ohne eine signifikante Entwicklung, neun Jahre des fanatischen Lernens ohne wirkliche Anerkennung, neun Jahre des Kampfes ohne wirklichen Erfolg, neun Jahre des Hungerns und der Sehnsucht nach Ruhm.

Was immer über das »häßliche Entlein« des Jahrzehnts zwischen 1937 und 1947 ermittelt worden ist, gleicht einer bruchstückhaften psychologischen Anamnese, die, um nur ein Beispiel zu geben, von dem Dirigenten Nicola Rescigno in die Feststellung gekleidet wurde: »Es ist ein tiefes Geheimnis, aus welchem Grunde ein Mädchen aus der Bronx, das in eine unmusikalische Familie hineingeboren wurde und in Lebensumständen ohne die geringste Verbindung zur Oper aufgewachsen ist, mit der Fähigkeit hätte gesegnet sein sollen, das perfekte Rezitativ zu singen. Sie besaß einen architektonischen Sinn, der ihr genau sagte, welches Wort sie in einem musikalischen Satz hervorzuheben hatte und welche Silbe sie in diesem Wort betonen mußte.« Das ist eine Beschreibung ihrer Fähigkeiten, keine Erklärung. Diese Fähigkeiten werden ebensowenig erklärt durch den oft zitierten Ratschlag Tullio Serafins, sie möge die Worte eines Rezitativs nur langsam sprechen, um den dramatischen Sinn zu finden. Diesen Rat mag Tullio Serafin Hunderten von Sängerinnen und Sängern erteilt haben; nur wenige haben ihn phantasievoll umzusetzen verstanden. Maria Callas besaß für die Umformung des plastisch und ausdrucksvoll artikulierten Wortes in eine suggestive Klanggestalt nicht allein einen dramatischen, sondern einen kompositorischen Sinn; und sie war technisch so exemplarisch geschult, daß sie das Wort immer dem Klang zuführte und dadurch musikalisierte.

Dies alles zurückzuführen auf den kanalisierten Ehrgeiz eines frustrierten Kindes, auf den Minderwertigkeitskomplex eines unattraktiven Mädchens, auf die maßlose und eindimensionale Leidenschaft einer nach Ruhm süchtigen Frau, auf die Ruchlosigkeit einer Karriere-Kämpferin, greift zu kurz; diese Erklärungen folgen der Psychologie von Seifenopern über hypostasierte Genies. Maria Callas gebot, wie beispielsweise Fjodor Schaljapin oder auch Charlie Chaplin, über ein Höchstmaß an Imagination und grenzenlose mimetische Kraft, dazu über die in zweite Natur verwandelte Technik. Die leidvolle Jugend mag sie zu ungewöhnlichen Anstrengungen getrieben haben. Aber Genie liegt nicht nur darin, endlose Schmerzen zu ertragen, sondern auch in einem hohen Ziel und der unendlichen Mühe, die Mittel zu erwerben, um dieses Ziel zu erreichen.

SECHSTES KAPITEL

Wanderjahre

Meneghini

> Ich möchte Dir nur eines sagen, mein Geliebter: daß ich Dich liebe, daß ich Dich verehre und achte. Ich bin ja so stolz auf meinen Battista! Es gibt keine Frau, die so glücklich ist wie ich. Auch wenn ich als Sängerin berühmt bin – viel wichtiger ist, daß ich den Mann meiner Träume gefunden habe!
>
> *Maria Callas in einem Brief vom 2. Mai 1949*

DIE aus Vernunft, Zuneigung und Fürsorge geschlossene Ehe paßte nicht in die Phantasiewelt der fünfziger Jahre. Daß eine Frau, die als »Göttliche« bewundert und als »Tigerin« gehaßt wurde und deren Launen den Stoff für Hunderte von Skandalgeschichten lieferten, einen Mann geheiratet hatte, der in der Presse als »Hagestolz« und »alter Opernroué«, als »Pfennigfuchser« und »Provinz-Casanova« hingestellt wurde, fügt sich schlecht in die von der Traumfabrik erfundenen Märchen vom idealen Paar, von verzehrender Leidenschaft und Liebesheirat, und dies um so weniger, als Maria Callas auf der Bühne die vollkommene Darstellerin jener leidenschaftlichen und leidenden, gefährlichen und gefährdeten Frauen war, die sich das 19. Jahrhundert imaginiert hatte. Noch einmal: Als die *femme fatale* längst domestiziert war, überlebte im Mythos der Primadonna, wie er in Maria Callas wiederauferstand, das *Rätsel* des Weiblichen; dazu wollte die Figur des erfolgreichen und durchschnittlichen, nicht einmal sonderlich attraktiven Bourgeois, den der Industrielle verkörperte, nicht passen. Die Fama, die im Buch der Stassinopoulos und in vielen Zeitungsartikeln überliefert ward, beschreibt die Ehe zwischen Maria Callas und Giovanni Battista Meneghini als erotisch inexistent; sie verweist damit anspielungsweise auf das erotische Spannungssystem als Quelle ihrer künstlerischen Ausdruckskraft und erklärt schließlich auch die Wirkung des »Tankers Onassis« (Claudia Wolff), der irgendwann in den späten fünfziger Jahren den Kurs der Sängerin kreuzte.

Daß die Ehe mit dem alternden Veroneser nicht zuletzt dazu da war, ein praktisches Ziel zu erreichen, wird kaum bedacht. Friedrich Nietzsche hat geschrieben, daß eine Ehe dann gut zusammenhält, »wenn die Frau durch den Mann berühmt, der Mann durch die Frau beliebt werden will«. Dies ist keine »romantische«, sondern eine durch und durch realistische Definition der Beziehung zwischen Callas und Meneghini. Walter Legge, der das Paar genau kannte, hat die Beziehung jedenfalls nicht anders gesehen: basierend auf dem Talent zur Freundschaft. Vielleicht kommt hinzu, daß Maria Callas durch die Zuneigung und das Vertrauen, das Meneghini in sie setzte, zu dem wurde, was er in ihr sah: die große und einzigartige Sängerin.

Maria Callas in Verona: erneut der Mosaikstein einer Legende. Nach der Landung der *SS Rossia* am 27. Juni 1947 in Neapel fuhr Maria Callas mit Louise Caselotti und dem Baß Nicola Rossi-Lemeni nach Verona. Gaëtano Pomari, ein Vertreter der Festspiele, hatte ein Abendessen mit dem Industriellen arrangiert, der sich wie die meisten großbürgerlichen Italiener für die Oper und die Festspiele begeisterte. George Jellinek beschreibt ihn als kleinen, kompakten Mann mit grauen, dünner werdenden Haaren und zugleich als »gewitzt, alert und dynamisch«. Er war sofort an der Sängerin nicht nur interessiert, sondern auch von ihr fasziniert, und sie sollte später sagen: »Ich wußte nach fünf Minuten, daß er *es* war.« Am nächsten Tag begleitete er sie auf einem Ausflug in Venedig, und fortan waren sie unzertrennlich. An der Seite des ruhigen, selbstsicheren und höflich um sie werbenden Mannes fühlte sie sich wohl und geborgen, auch wenn es, nach Jellinek, nicht die romantische große »Liebe auf den ersten Blick« gewesen sein mag. In der Biographie der Stassinopoulos heißt es, daß »Männer als Liebhaber in ihrem Leben zuvor überhaupt keine Rolle gespielt« hätten; hingegen zitiert Nadia Stancioff die Sängerin Arda Mandikian von der Athener Oper: »Natürlich hatte sie ihre Liebschaften! Darunter eine Affaire mit dem Bariton Evangelios Mangliveras, von der jedermann wußte. ... Er war damals schon über seinen künstlerischen Zenit hinaus, hatte aber immer noch seine treue Anhängerschaft. Vielleicht war es nur eine unbedeutende Affaire. Aber er hat sie jedenfalls sehr ernst genommen. Später, als er dann krank darniederlag und die Callas längst zur Weltberühmtheit aufgestiegen war, wollte er sie noch einmal sehen. Aber sie weigerte sich. Sie hat sich ihm gegenüber überhaupt sehr schlecht benommen. In dieser Hinsicht war sie schon recht eigen.«

Debüt in Verona

Wenn du Magnetismus besitzt, wird dir die Welt gehören.
Giovanni Battista Lamperti, Vokale Weisheit

IM Juli 1947 begannen die Proben für die Aufführung von Amilcare Ponchiellis *La Gioconda* unter dem Dirigenten Tullio Serafin (1878–1968), der in Deutschland zu Unrecht nur als routinierter Opernkapellmeister angesehen wird. Die Sängerin hat ihn beschrieben als »vecchio lupo«, als einen alten Wolf mit einem untrüglichen Gespür, ja einer instinktiven Witterung nicht nur für die Qualität einer Stimme, sondern vor allem für ihre technischen Fertigkeiten und expressiven Möglichkeiten und endlich der Fähigkeit zur Antizipation dessen, was in der nächsten Sekunde würde passieren können. Die Sängerin hat die Begegnung mit dem Dirigenten als »das größte Glück« in ihrer frühen Karriere angesehen. »Er brachte mir bei, daß in allem, was man singt, Ausdruck sein muß und tieferer Sinn; ich trank in mich hinein, was dieser Mann sagte.«

Serafin gehörte zu den Gründern der Veroneser Festspiele in der alten Arena. Er hatte dort 1913 die erste Aufführung, Giuseppe Verdis *Aida*, dirigiert. In den zwanziger Jahren, als Arturo Toscanini die Mailänder Scala leitete, wirkte Serafin an der New Yorker Metropolitan Opera. Schon damals bewies der Dirigent, der mit der wundervollen Sopranistin Elena Rakowska verheiratet war, ein einzigartiges Gespür für erstklassige Stimmen. Serafin hatte die Karriere von Rosa Ponselle entscheidend gefördert und ihre Aufführungen von *Norma, La Gioconda* und *La Vestale* betreut. Nach ihrem Debüt an der Met hatte die Ponselle von William James Henderson hören müssen, sie werde »eines Tages noch zu singen lernen.« Für ihre erste Norma nahm sie sich 18 Monate Zeit, in denen Serafin ihr ständig mit Rat und Hilfe zur Seite stand. Nachdem Henderson über ihre Norma voller Begeisterung geschrieben hatte, galt sie als die *assoluta* der Met; später bekannte sie in ihren Erinnerungen, daß die erste enthusiastische Kritik Hendersons für sie das größte Glück der Saison und ihrer jungen Karriere gewesen sei. Serafin hatte wenig später auch mit Claudia Muzio gearbeitet, der womöglich interessantesten Diva des Verismo, deren Interpretation von Violettas »Addio del passato« oft mit jener der Callas verglichen worden ist. Muzios Vortrag ist hochexpressiv, aber sehr stark von der Deklamation bestimmt. Maria Callas faßt die Szene sanglicher auf: Sie führt die Worte dem Klang zu. Nach Ansicht des Verfassers lassen sich die beiden Interpretationen nicht miteinander vergleichen – es sei denn im Sinne der Polarität.

Als Serafin die 23jährige Maria Callas zum erstenmal erlebte, hörte er, wie er später sagte, »eine exzeptionelle Stimme. Einige wenige Noten waren noch nicht restlos sicher plaziert (besonders für ein italienisches Auditorium), doch erkannte ich in ihr sogleich die künftige große Sängerin.« Und er war bemüht, ihr den Weg zu ebnen, vielleicht eine neue Ponselle herauszubringen: nach Elvira de Hidalgo ein zweiter Pygmalion.

Etwas ausführlicher hat sich Nicola Rossi-Lemeni über die Schwächen der Stimme geäußert, und dieser Kommentar ist deshalb interessant, weil er die Legende vom durchschlagenden Erfolg der fünf *Gioconda*-Aufführungen – die Premiere fand am 2. August 1947 statt – ein wenig verdunkelt. Rossi-Lemeni, der mit Maria Callas auf der Bühne stand, wird von Nadia Stancioff zitiert: »In den Callas-Büchern liest man immer, daß diese *Gioconda* ihr eigentlicher Durchbruch gewesen sei. Das stimmt überhaupt nicht. Selbst in dieser *Gioconda* hatte sie keinen Erfolg. Im Gegenteil: Sie mußte anschließend sehr hart an ihrer Stimme arbeiten, um endlich den häßlichen Beiklang loszuwerden, der ihre Stimme immer wieder wie ein Nebelschleier trübte. Natürlich sang sie technisch auch falsch – wir nennen das ›mit einer Kartoffel im Maul‹. Die Töne fielen ihr immer wieder zurück, obwohl sie sich sehr um die Gesangsstütze bemühte. Das hat mit der Formung des Resonanzraumes zu tun ... Maria arbeitete hart, um ihn zu verbessern ..., und ich habe in meinem ganzen Leben nie jemanden getroffen, der so zäh und so unerbittlich an sich gearbeitet hätte.« Die technische Erklärung, die Rossi-Lemeni *via* (!) Stancioff gibt, ist merkwürdig. Offenbar ging es bei der Arbeit um den Vordersitz der Stimme am harten Gaumen und die daraus sich ergebende Resonanz in der sogenannten Maske. Denkbar ist, daß bei Maria Callas zu Beginn die mühe- und zwanglose Hebung des Gaumensegels noch auf Schwierigkeiten stieß.

Auch in dem schon zitierten Buch über den amerikanischen Tenor Richard Tucker ist zu lesen, daß Maria Callas durchaus kein sensationelles Debüt gegeben hat.

James A. Drake vertritt – und belegt – die Ansicht, daß jenes Debüt *sub specie* des späteren Ruhms glorifiziert worden sei. Tucker habe die Technik der Sängerin als »amateurhaft« angesehen; er sei vom »exquisiten lyrischen Fluß und der makellosen Technik Renata Tebaldis« weitaus überzeugter gewesen. Drake zitiert den Kritiker Renato Ravazzin, der in »Il gazettino« die Gioconda der Callas als »dramatisch fesselnd, aber beeinträchtigt durch eine offensichtlich unfertige Technik« bewertet hatte.

Hingegen schreibt der »Corriere della Sera«, von David A. Lowe kurz zitiert, Callas und Tucker hätten sich als »Besitzer exzellenter vokaler Mittel« erwiesen und seien »mit viel Beifall bedacht worden«. Wieder ist es schwer, wenn nicht gar unmöglich, Fakten und Fiktionen zuverlässig zu trennen. Nach den fünf Aufführungen, die sie nach einem Probenunfall mit einem verstauchten Knöchel hatte bestreiten müssen, erhielt sie zunächst keine neue Einladungen von den Festspielen. Die zweite Oper, die während der Stagione aufgeführt wurde, war Charles Gounods *Faust*. Den Mephisto sang Rossi-Lemeni, die Marguerite war Renata Tebaldi, die im Jahr zuvor vor allem auf die Empfehlung Arturo Toscaninis hin an die Mailänder Scala engagiert worden war. Zum erstenmal kreuzten sich die Bahnen der beiden Diven, die später zu Rivalinnen wurden, vielleicht auch nur dazu gemacht wurden.

Die einzige Einladung für einen neuen Auftritt kam aus dem Städtchen Vigevano nahe Mailand. Maria Callas sollte auch dort die Gioconda singen, lehnte aber ab, weil sie auf eine bessere Offerte hoffte. Ihre Zuversicht, von Tullio Serafin genährt, wurde enttäuscht. Ein Probesingen vor Mario Labroca, dem künstlerischen Direktor der Scala, zeitigte nicht mehr als die gewohnten Hinweise auf einige vokale Mängel. Immerhin wurde ihr in Aussicht gestellt, in einer Produktion von Giuseppe Verdis *Un Ballo in Maschera* berücksichtigt zu werden, doch dann hörte sie zwei Monate lang gar nichts. Die Agenten, die sie in Mailand besuchte, halfen ihr ebensowenig weiter wie das Lob, das Tullio Serafin überall verstreute. Zu erklären ist dies einmal mehr nur mit der – für damalige Ohren – Fremdartigkeit ihres Singens und der Eigenartigkeit ihrer oszillierenden, metallischen Stimme. »Mir zuzuhören, das war etwas Neuartiges«, sagte Maria Callas, »und sie mochten all das nicht, was von ihren Traditionen wegführte.«

Ihr zweites Engagement verdankte Maria Callas dem für ihre Karriere entscheidenden Architekten: Tullio Serafin. Der Maestro wollte am Teatro La Fenice von Venedig Richard Wagners *Tristan und Isolde* herausbringen, in italienischer Sprache. Sie kannte die Rolle nicht, nahm das Angebot jedoch ohne Zögern an, zumal er ihr versicherte, sie werde nicht mehr brauchen »als einen Monat Studium und harte Arbeit«. Die Premiere am 30. Dezember 1947 und die drei Aufführungen im Januar 1948 brachten ihr einen bedeutenden Erfolg. Sie wurde sogleich für fünf Aufführungen von Puccinis *Turandot* engagiert. Auch diese Aufführungen, dirigiert von Nino Sanzogno, festigten ihr Ansehen. Nur Louise Caselotti sagte später: »Ich war aufgeschreckt, als ich ihre Turandot hörte. Den leuchtenden hohen Tönen, die ich während der Vorbereitung der Partie für die in Chicago geplanten Aufführungen gehört hatte, fehlte die Freiheit; sie wackelten heftig. Auch ihr tiefes Register war schwach. Ich wußte, daß sie auf dem falschen Wege war, und sagte es ihr auch.« Maria Callas hat die Partie der eisumgürteten Prinzessin 24mal gesungen, und zwar nur in den Jahren 1948 und 1949, in denen sie sich durchsetzen mußte, und es spricht viel dafür, daß sie die Partie souverän und nicht nur mit einer gewaltigen Willensanstrengung gemeistert hat wie in der Gesamtaufnahme von 1957.

Die Aufführungen von *Turandot* bildeten den Auftakt eines guten, eines großen Jahres für die Sängerin. Plötzlich erhielt sie Angebote über Angebote. Sie sang zwei *Turandot*-Aufführungen in Udine im März 1948, vier von Verdis *La Forza del Destino* in Triest, drei von *Tristan und Isolde* neben Max Lorenz und unter Serafin in Genua; weitere Turandots in den römischen Thermen des Caracalla, in der Veroneser Arena und am Carlo Felice von Genua; viermal Aida unter Serafin am Lirico von Turin und endlich, am Ende des Jahres, die Norma am Communale von Florenz, erneut unter Tullio Serafin. Über ihre Isolde schrieb der Kritiker Beppe Broselli im »Corriere del popolo« nach den Genueser Aufführungen: »Nobel und geradezu feierlich, eine erhabene Königin und passionierte Liebende – ihre Isolde war eine große Interpretation. Ihre großartige Erscheinung gab der Figur eine zusätzliche Ausstrahlung und unwiderstehliche Grandeur. Doch die stärkste Faszination und den bewegendsten Ausdruck strahlte ihre Stimme aus, ein majestätisches, glänzendes Instrument, vibrierend und warm, geschmeidig und in allen Registern ausgeglichen – die ideale Stimme für die Isolde.« Das ist, nach allem zuvor über die Stimme Gesagten, eine erstaunliche und überraschende Kritik. Nach weiteren Aufführungen in Rom 1950 gab sie die Partie auf. Später sagte sie, daß weder Brünnhilde noch Isolde eine solche Herausforderung seien wie die Rolle, die sie im Juni 1948 mit Tullio Serafin zu studieren begann und die sie 89mal gesungen hat – von den insgesamt 605 Aufführungen, den *nur* 605 Aufführungen ihrer Karriere: Vincenzo Bellinis *Norma*.

Nach drei Aufführungen von *Aida* am Teatro Sociale von Rovigo im Oktober und einer *Turandot*-Aufführung in Pisa im November sang sie am Communale von Florenz am 30. November und am 5. Dezember 1948 ihre beiden ersten Aufführungen von *Norma* unter Tullio Serafin. Adalgisa war die Mezzo-Sopranistin Fedora Barbieri, Pollione der Tenor Mirto Picchi, Oroveso der Baß Cesare Siepi – die ganz großen Namen der italienischen Oper jener Jahre. Zwei von Henry Wisneski zitierte Kritiken zeigen, daß man Maria Callas als Sonderfall zu begreifen begann. Gualtiero Frangini schrieb in »La Nazione«: »Maria Callas war eine neue Sängerin für uns; doch nach ihrem Auftritt im ersten Akt war uns sogleich klar, daß wir einen Sopran von wirklich signifikanten Qualitäten vor uns hatten. Sie hat eine kraftvolle Stimme, die stetig und attraktiv timbriert ist, durchdringend in lauten Passagen und süß in zarteren Momenten. Ihre Technik ist sicher und vollkommen kontrolliert. Die Stimme besitzt eine außergewöhnliche Farbe, und ihre Schulung – wenn auch gleich verschieden von dem, was wir zu hören gewöhnt sind – hat nicht zu leugnende Qualitäten. Callas hat eine Interpretation geboten, die reich ist an subtilen und bewegenden Akzenten von Weiblichkeit. Als Norma bietet sie, neben der nicht zu besänftigenden Priesterin des letzten Aktes, die liebende Frau und dann die betrogene, die Mutter und die Freundin.« Der Kritiker Virgilio Doplicher hob hervor, daß sie »versiert ist in den größten Anforderungen der italienischen Belcanto-Tradition«. Offenbar hatte sie von der Zusammenarbeit mit Tullio Serafin unendlich profitiert, so wie es ein Vierteljahrhundert zuvor bei Rosa Ponselle auch der Fall gewesen war. Rémy zitiert Maria Callas mit einer zwei Jahrzehnte später gemachten Äußerung: »Es gibt nur zwei Dirigenten auf der Welt: Serafin und Giulini.« Gearbeitet hat sie mit Victor de Sabata, Erich Kleiber, Leonard Bernstein, Herbert von Karajan, Gianandrea Gavazzeni, Antonino Votto, Vittorio Gui, Georges Prêtre, Nicola Rescigno, Dimitri Mitropoulos und Fausto Cleva.

Ambizioso spirto

Die Gesangsstimme ist ein Schloß, das in der Luft gebaut wird. Die Imagination ist dessen Architekt. Die Nerven führen die Absichten aus. Die Muskeln sind die Arbeiter. Die Seele bewohnt es.
Giovanni Battista Lamperti, Vokale Weisheit

TURANDOT, Isolde, Leonora in *Forza del Destino*, Aida und Norma binnen eines Jahres: Welch ein Mut, welch eine Energie! Größer aber war der Ehrgeiz von Tullio Serafin – oder sollte man ihn maßlos nennen? Gleich nach den Aufführungen von *Norma* engagierte der Dirigent sie für eine Produktion von Richard Wagners *Die Walküre* am Teatro La Fenice von Venedig im Januar 1949. Er wollte zeigen, daß die Unterscheidung zwischen einer lyrischen, einer dramatischen und einer koloraturfähigen Stimme eine Lösung – besser: eine Notlösung – von Problemen ist, die im 19. Jahrhundert von den Komponisten geschaffen worden waren; und er war überzeugt davon, daß er in Maria Callas eine Interpretin gefunden hatte, die alle Fächer singen konnte, so wie Lilli Lehmann einst alle Rollen gesungen hatte. Maria Callas nahm die Herausforderung an mit einer Leidenschaftlichkeit, die man nur als selbstzerstörerisch bezeichnen kann.

Es ist tausendfach darüber spekuliert worden, ob die Stimme der Sängerin länger gehalten hätte als für sieben oder acht große Jahre bis 1957, wenn sie in der Zeit von 1947 bis 1951 nicht hybride Partien wie Turandot, Isolde, Norma, Brünnhilde, Elena und Abigaille riskiert hätte. Vielleicht hätte sie dann länger singen können, aber sie wäre nicht Callas geworden und nicht »das einzige Wesen, das die Bühne rechtmäßig betreten hat« in jenen Jahren. Obwohl Elvira de Hidalgo ihr geraten hatte, mit den verzierten *bel canto*-Partien zu beginnen, studierte sie im Herbst und Winter 1948 neben der Norma auch die schwere Wagner-Partie.

Als sie nach Venedig kam, noch erschöpft von den *Norma*-Aufführungen in Florenz und doch zu erregt vom Rausch des Erfolges, stand die Leitung des Theaters vor einem schweren Dilemma. Für den 8. Januar 1949 war die Premiere der Wagner-Oper angesetzt, elf Tage später die von Vincenzo Bellinis *I Puritani*. Die Partie der Elvira, bei der Uraufführung von Giulia Grisi gesungen (neben dem Arturo von Giovanni Battista Rubini, der im Schlußakt auf Grund eines Lesefehlers – Achtung, verehrte Leser! – ein hohes F gesungen hat), war der Sopranistin Margherita Carosio anvertraut, einem typischen *soprano leggiero*. Am Tag vor Maria Callas' Ankunft hatte Carosio ihre Proben wegen einer heftigen Grippe absagen müssen. Serafin rief, nach dem Bericht der Stassinopoulos, seine Frau Elena Rakowska im Hotel an und berichtete ihr verzweifelt über seine Notlage. Elena Rakowska habe, gleich nach dem Notruf, in der Tür zum Nebenzimmer des Hotels Regina gestanden, wo Maria Callas mit Serafin außerhalb der normalen Proben zu arbeiten pflegte. Sie habe die Arien der Elvira vom Blatt gesungen. »Tullio ist auf dem Weg zum Hotel«, soll die Rakowska gesagt haben, »wollen Sie mir einen Gefallen tun? Würden Sie das noch einmal für ihn singen?« Maria Callas sang Serafin die große Arie der Elvira vor, das einzige Stück, das sie aus der gesamten Partie kannte. Serafin hörte zu und sagte nichts. Am nächsten Morgen rief er die Sängerin an und forderte sie auf, sogleich zu ihm zu kommen. Sie mußte die Arie singen. Dann sagte er: »Gut, Maria, in einer Woche wirst du diese Rolle singen.«

Wie phantasievoll die Gespräche zwischen dem Dirigenten und der Sängerin ausgeschmückt worden sein mögen – Legenden brauchen diese imaginativen Zutaten –, Maria Callas sang am 8., 12., 14. und 16. Januar 1949 Wagners Brünnhilde und nach einer Lernzeit von eben einer Woche am 19., 22. und 23. Januar Bellinis Elvira. Daß sie in der Lage war, beide Partien musikalisch gleichzeitig zu *studieren*, verrät ein Maß an musikalischer Meisterschaft, die selten, ganz selten anzutreffen ist; daß sie beide *singen* konnte, grenzt an ein Wunder, denn unterschiedlichere Rollen lassen sich schwerlich denken: Brünnhildes »Hojotoho« und Elviras »Son vergin vezzosa« von *einer* Stimme. Den Schlachtruf hatte man von Kirsten Flagstad oder Frida Leider im Ohr, die Koloraturketten von Lily Pons oder der Carosio.

Mit den Aufführungen stellte sich Maria Callas ins hellste Licht der Sensation. Henry Wisneski zitiert den Kritiker Mario Nordio: »Vor einigen Tagen lasen viele verblüfft, daß unsere großartige Brünnhilde, Isolde und Turandot die Elvira singen würde. Gestern hatte jedermann die Gelegenheit, ihre Elvira zu erleben. Selbst die ganz und gar Skeptischen hatten – auch wenn sie von den ersten Tönen merkten, daß sie nicht den üblichen leichten Sopran vor sich hatten – das Wunder anzuerkennen, das Maria Callas bewirkte. Zum großen Teil mag sie dies ihren frühen Studien verdanken, die sie bei Elvira de Hidalgo ... absolviert hat. Anzuerkennen hatten sie die Flexibilität ihrer flüssigen, schön gefluteten Stimme und ihre glänzenden hohen Töne. Ihre Interpretation hat zudem eine Menschlichkeit, eine Wärme und Expressivität, die man vergeblich bei den fragilen, leichten Sopranen, die Elvira singen, sucht.«

Fünf Tage nach den drei Aufführungen von *I Puritani* sang sie wiederum die Brünnhilde, diesmal in Palermo, gleich danach viermal am San Carlo von Neapel die Turandot und dann in Rom, wieder unter Serafin, Kundry in *Parsifal*. Franco Zeffirelli inszenierte damals in Rom Shakespeares *As You Like It*, doch nach der Generalprobe der Wagner-Oper hatte keiner mehr, wie er später erzählte, Interesse an seiner Arbeit; gesprochen wurde nur über die neue, phänomenale Sängerin. »Ich erinnere mich genau, daß meine Ohren rauschten – die Kraft dieser Frau und die Präsenz –, da geschah etwas Einzigartiges«, sagte er nach einer Aufführung. Bei der Beschreibung der Stimme sprach der Kritiker Adriano Bellin »von der Sicherheit der Vokalproduktion, dem wundervollen Ausgleich der Register, der feinen hohen Lage – sie bewältigte sieghaft alle Schwierigkeiten«.

Weil sie über die Grenzen der Oper hinaus zum Tagesgespräch in Italien geworden war, lud die RAI die Sängerin zu einem Konzert ein. Am 7. März 1949 sang sie Isoldes Liebestod, Elviras »Qui la voce«, Normas »Casta Diva« und Aidas »O patria mia«. Nach diesem Modell, der Kontrastrierung zweier dramatischer mit zwei verzierten Arien, sollte sie auch später ihre Konzerte aufbauen. Bis auf die Aida-Arie, die ihr nie lag und die sie auch nie restlos befriedigend gesungen hat, wurde das Programm im November 1949 in Turin unter Arturo Basile aufgenommen, und vor allem Elviras Arie mit dem unglaublichen *portamento* bei »speme« und den mirakulösen *rubato*-Wirkungen wurde zur Offenbarung, zumal man wohl in der gesamten Plattengeschichte keinen dramatischen Sopran mit einer vergleichbaren Agilität gehört hatte. In der *cabaletta* sang sie sowohl die diatonischen als auch die fallenden chromatischen Skalen mit instrumentaler Perfektion – und zum Schluß ein Es *in alto* mit voller Stimme. Nach dem Konzert sandte Nazzareno de Angelis, neben Tancredi Pasero und Ezio Pinza einer der überragenden Bassisten der italienischen Oper, ein Telegramm: »Nach diesem Radio-Programm wage ich vorherzusagen, daß in Maria Callas der Geist einer Maria Malibran wiederauferstehen wird.« Wenig später aber soll der Sänger, nach George Jellinek, Maria Callas in Rom in *I Puritani* gehört und vor Rollen gewarnt haben, »die nicht Ihre Rollen sind«.

Nach dem RAI-Konzert war Maria Callas als Maria Meneghini-Callas zum erstenmal nach Südamerika gereist: ans Teatro Colón von Buenos Aires. Am 21. April 1949 hatte sie in der Chiesa dei Filippini zu Verona geheiratet und von ihrer Mutter auf ihr Telegramm – »siamo sposati e felici« – die Antwort erhalten: »Denke immer daran, Maria, daß Du zuerst dem Publikum gehörst und erst dann Deinem Mann.«

Am 20. Mai 1949 eröffnete Maria Meneghini-Callas die italienische Saison in Buenos Aires als Turandot. Auch wenn in »La Prensa« zu lesen war, daß sie, auf Grund einer leichten Indisposition, nervös war, muß es eine denkwürdige Aufführung gewesen sein, wie ein Fragment der Szene aus dem zweiten Akt mit Mario del Monaco als Partner zeigt. Ihre Stimme durchschneidet den dichten Orchestersatz mit gleißender Intensität – mit einer so hellen Glut, wie man es nur von Eva Turner in Erinnerung hat. Am Pult stand der in Argentinien hochverehrte Tullio Serafin, der mit dem Bariton-Veteranen Carlo Galeffi und mit Fedora Barbieri und Nicola Rossi-Lemeni einige der brillantesten Interpreten der italienischen Opernbühne nach Südamerika gebracht hatte. Weder als Turandot, die sie in Buenos Aires zum letztenmal sang, noch als Aida vermochte sie die argentinischen Kritiker restlos zu überzeugen, wohl aber mit den vier *Norma*-Aufführungen im Juni. Nach vier Monaten kehrte sie zurück und hatte, abgesehen von einer Aufführung des Alessandro-Stradella-Oratoriums *San Giovanni Battista* am 18. September 1949, fast vier Monate Zeit, sich auf ihre dritte Verdi-Rolle vorzubereiten: Am San Carlo von Neapel sollte sie unter Vittorio Gui die Abigaille in *Nabucco* singen, die Partie, von der es heißt, daß Verdi damit die Stimme seiner späteren Frau Giuseppina Strepponi vernichtend überfordert habe. In der Eröffnungsnacht am 22. Dezember war Gino Bechi der Partner der Sängerin, damals im Vollbesitz seiner gewaltigen, an Titta Ruffo gemahnenden stimmlichen Mittel. In seiner Studie »Voci Parallele« vergleicht Giacomo Lauri Volpi den 1913 geborenen Bechi mit Ruffo – wobei das *tertium comparationis* der Begriff des *suonatore* ist: des mit ausladender Klanggewalt auftrumpfenden Sängers.

Wenn es eines Beweises für die Behauptung der Stassinopoulos bedurfte, daß die Sängerin dem Bariton den Erfolg der Premiere »stehlen« wollte, so ist es der technisch desolate Mitschnitt vom 20. Dezember 1949, der die erste vollständige Aufführung der Sängerin dokumentiert; in einer Rolle, die als hybride bezeichnet wird, weil sie ein hohes Maß an Agilität verlangt, die Durchschlagskraft eines dramatischen Soprans und einen großen Umfang. Das hohe C, als Übergangsnote in die Vollhöhe der dritten Oktave später oftmals eine Zitternote für die Sängerin, nahm sie damals mühelos, selbst nach den Triller-Ketten in der *cabaletta* im Anschluß an die große Arie, die sie zudem in der Wiederholung ausziert.

Denkwürdig vor allem das Duett des dritten Aktes, in dem sich die Sängerin auf ein Duell mit Bechi einläßt und durch die schiere Intensität ihres Singens obsiegt – nach ihrem Es *in alto* wirkt selbst sein fulminantes hohes As nur laut, aber nicht intensiv-brennend.

Mit dem triumphalen Erfolg der drei Aufführungen begann eine Saison, in der Maria Callas ihren Anspruch auf den ersten Platz unter den italienischen Sopranen anmeldete. Am La Fenice von Venedig sang sie im Januar 1950 unter Antonino Votto die Norma, früh im Februar am Teatro Grande von Brescia die Aida unter Alberto Erede, dazu, fast zeitgleich, unter Serafin die Isolde und die Norma in Rom. Über die zweite römische *Norma*-Aufführung vom 26. Februar 1950 schrieb der Tenor Giacomo Lauri-Volpi, später einige Male der Partner der Sängerin und einer der bedeutenden Analytiker des Singens, in seinem Buch »A viso aperto«: »Norma ist göttlich. Bis in die Tiefen meines Herzens hat mich das Werk an der Opera begeistert. All diejenigen, die erstaunt darüber waren, daß das Werk auch von Malibran interpretiert wurde, hätten Maria Callas hören sollen, um zu begreifen, wie recht Bellini daran tat, das Werk einer kraftvollen Stimme anzuvertrauen. Stimme, Stil, Haltung, Kraft der Konzentration und jenes vitale Pulsieren des inneren Sinns – all dies zusammen erreicht in dieser Künstlerin eine ungewöhnliche Größe ... Im Schlußakt berührte mich Normas klagende Stimme als das reinste Glück der Kunst.«

Der 2. April 1950 sollte den Höhepunkt der Saison bringen, mehr noch: den Durchbruch. Die Mailänder Scala hatte Maria Callas gebeten, für die erkrankte Renata Tebaldi einzuspringen. Die Sängerin wie ihr Mann erwarteten ein Vertragsangebot nach den drei Aufführungen, doch errang sie nur einen Achtungserfolg, und Antonio Ghiringhelli hielt sich bedeckt. Möglich, daß Maria Callas in der falschen Rolle aufgetreten war: als Aida. Henry Wisneski zitiert eine Kritik aus dem »Corriere Lombardo«, in der angedeutet wird, daß sie bei den hohen Noten forciert habe.

Mexikanische Höhenflüge

Emotion ohne einen auf dem Atem fließenden Ton
verschleißt die Stimme.
Giovanni Battista Lamperti

NACH den Scala-Aufführungen sang sie die Aida noch zweimal in Neapel unter Tullio Serafin und reiste dann zu ihrem ersten Gastspiel nach Mexico. In ihrem Vertrag waren Aufführungen von fünf Opern vorgesehen: *Norma, Aida, Tosca, Il Trovatore* und *La Traviata*. Das Engagement hatte sie auf Empfehlung von Cesare Siepi erhalten, der dem Manager der Nationaloper von Mexico, Antonio Caraza-Campos, gesagt hatte: »Da ist ein Sopran, Maria Meneghini-Callas. Sie hat Norma, Brünnhilde, Turandot und Elvira in *Puritani* gesungen; sie hat einen großartigen Umfang; sie geht hinauf bis zum dreigestrichenen Es mit einer dramatischen Farbe, welche die Leute verrückt macht.«

Maria Callas, die über New York nach Mexico geflogen war und ihre Mutter mitgebracht hatte, sagte gleich nach ihrer Ankunft die Aufführungen von *La Traviata* ab. Sie hatte die Oper noch nicht studiert und kannte den Vertrag nicht.

Als Carlos Diaz Du-Pond, der Assistent des Managers, Callas bei der ersten Klavierprobe mit dem Dirigenten Guido Picco hörte, rief er, gleich nachdem er das Duett »Mira, o Norma« mit Giulietta Simionato als Adalgisa gehört hatte, bei Caraza-Campos an: »›Kommen Sie gleich her; Callas ist der beste dramatische Koloratursopran, den ich in meinem Leben gehört habe.‹ Ich hatte die Norma der Ponselle an der Met erlebt und auch Arangi-Lombardi gehört. Caraza-Campos eilte herbei und brachte die Partitur von *I Puritani* mit. Er bat mich, Maria Callas zu fragen, ob sie die Arien singen könne, um ihr Es''' zu hören. Marias Antwort lautete: ›Sagen Sie Herrn Caraza-Campos, daß er mich fürs nächste Jahr in *Puritani* verpflichten muß, wenn er mein Es hören will.‹«

Ihr Debüt im Palacio de las Bellas Artes gab sie am 23. Mai als Norma. Giulietta Simionato sang ihre erste Adalgisa, Kurt Baum den Pollione und Nicola Moscona den Oroveso. Die beiden Sängerinnen litten unter einer leichten Indisposition, und mit »Casta Diva« vermochte Callas das Publikum noch nicht zu gewinnen. In der ersten Pause sagte Maria Callas dem Assistant Manager Du-Pond: »Carlos, über die kühlen Reaktionen bin ich nicht überrascht; die Leute mögen meine Stimme nicht auf Anhieb, sie müssen sich daran gewöhnen.« Du-Pond erklärte ihr, daß das südamerikanische Publikum vor allem auf effektvolle hohe Noten warte. Am Ende des zweiten Aktes »sang Callas ein brillantes Des *in alto* und erhielt dafür eine Ovation«. (Da die Aufführungen mitgeschnitten wurden, läßt sich feststellen, daß Callas im Finale des zweiten Aktes ein hohes D singt.) In der zweiten Aufführung sang sie, nach dem Bericht von Du-Pond, »wie ein Engel«. Ein Kritiker schrieb im »Excelsior«, daß er aus der Aufführung selig und zugleich traurig hinausgegangen sei: Traurig deshalb, weil er sich sicher war, »nie wieder eine solche Norma hören zu können«.

Es ist oft berichtet worden, daß Maria Callas in Mexico mit äußerstem Einsatz gesungen hat. Mit welch maßlosem, zeigt der Mitschnitt von Giuseppe Verdis *Aida* vom 30. Mai 1950 mit dem legendären hohen Es am Ende des zweiten Aktes. Existierte nicht das Tondokument, so würden die Berichte über die Aufführung wohl ins Reich der Legenden verwiesen werden.

Schon bei den *Norma*-Aufführungen hatte es Spannungen zwischen dem Tenor Kurt Baum und Maria Callas gegeben, die in der ersten *Aida* wieder einmal zu einer Art von Duell auf der Bühne führen sollten. Carlos Diaz Du-Pond hat in »Opera« erzählt, daß Antonio Caraza-Campos nach der Generalprobe Maria Callas und Giulietta Simionato in sein Haus eingeladen hatte. Dort hatte er Callas eine Partitur gezeigt, die der mexikanischen Sopranistin Angela Peralta (1845–1883) gehört hatte. Die Peralta hatte am Ende des zweiten Aktes ein hohes Es gesungen, und Caraza-Campos lockte Maria Callas mit dem Satz: »Madame Callas, wenn Sie morgen ein Es singen, werden die Mexikaner verrückt.« Maria Callas lehnte ab, zum einen, weil die Note nicht geschrieben war, zum anderen, weil sie ihre Kollegen nicht irritieren wollte. Beim Rückweg soll Giulietta Simionato, nach dem Bericht von Du-Pond, gesagt haben: »Cara per me, da il me bemolle... vielleicht wird es ein großer Spaß.« Am Abend des 30. Mai verärgerte Kurt Baum, ein typischer Rampentenor, seine Kollegen, weil er seine hohen Töne endlos lange hielt; das hohe B am Ende der Romanze stemmt er, wie der Mitschnitt zeigt, mit einer so angestrengten Ausdauer, daß man beim Hören das Weiße in seinen Augen zu sehen vermeint. Nicola Moscona begab sich in der Pause in die Garderobe von Maria Callas und beklagte sich. Callas wandte sich zu Du-Pond: »Carlos, gehen Sie bitte zu Simionato und Robert Weede (der den Amonasro sang) und fragen Sie die beiden, ob sie Einwände haben, wenn ich ein hohes Es singe.« Ein Es *in alto* im Finale des zweiten Aktes von *Aida* bedeutet mehr, weit mehr als nur ein sängerisches Risiko. Verdi hat hier, zum letzten Male, eine Szene nach dem Modell der Grand Opéra komponiert, eine brillante Effektszene. Sich gegen einen groß besetzten Chor und ein volles Orchester mit schmetternden Trompeten durchzusetzen, erfordert ein Höchstmaß an Durchschlagskraft. Ein Es, wie ein *soprano leggiero* es bildet, würde in den Klangwogen dieses Finales untergehen. Maria Callas nahm dieses Es – also eine Oktavierung in die Höhe – mit vollem Anschlag. Der Ton durchschneidet den tumultuösen Lärm der Szene – man hat das Gefühl, als ob ein greller, gleißender Blitz das Wüten einer stürmischen Gewitternacht erhellt, und zu spüren ist, daß sowohl das Publikum als auch Kurt Baum für einen Moment fassungslos sind. Maria Callas aber muß Gefallen gefunden haben an diesem *stunt*. Ein Jahr später sollte sie ihn, ohne daß Kurt Baums sängerische Mätzchen eine Entschuldigung gewesen wären, wiederholen, diesmal neben oder gegenüber Mario del Monaco, der den Radames mit der Emphase eines römischen Volkstribunen vorführte.

Die Aufführungen sind wegen dieses Trapez-Aktes in der vokalen Stratosphäre berühmt geworden, und dies, wie nicht nachdrücklich genug betont werden kann, mit gutem Grund, weil eine Primadonna solche Risiken einfach auf sich nehmen muß, um dahin zu kommen, wohin Maria Callas gelangt ist. Und doch gibt es bessere Gründe, die dramatische Darstellung der Aida-Partie insgesamt ins Auge zu fassen. Ihre Musik des ersten Aktes ist in keiner einzigen Studio-Aufnahme suggestiver, lebendiger, plastischer zu erleben als in diesen mexikanischen Aufführungen von 1950 und 1951. Wenn es eine »Schwäche« in dieser Aufführung gab, so war es allein das C der Nil-Arie. Es mag seltsam erscheinen, daß eine Sängerin, die als Norma ein C aus der Luft nehmen oder ein Es mit voller Attacke anhauen konnte, mit diesem C solche Schwierigkeiten hatte. Doch ist dieses C keine Ziel-, sondern eine Übergangsnote, die zu bilden unendlich viel schwieriger ist als ein Es in Maximalspannung. Um so überzeugender gelingt Maria Callas das dramatische Duell mit dem pauschal und ungenau singenden Radames von Kurt Baum.

Die dritte Oper des vierwöchigen Mexico-Gastspiels war Giacomo Puccinis *Tosca*. Die erste Aufführung mußte wegen einer Indisposition der Sängerin um zwei Tage verschoben werden. Der Mitschnitt vom 8. Juni 1950 läßt spüren, daß ein wenig inspirierter Dirigent – Umberto Mugnai – und krude singende Partner, vor allem der Tenor Mario Filippeschi, selbst eine Callas zu lähmen vermochten; die Aufführung ist, vor allem im Vergleich zu der grandiosen Gesamtaufnahme unter Victor de

Sabata, von provinzieller Dürftigkeit, und sie zeigt überdies, daß Maria Callas als Interpretin der sogenannten veristischen Musik nicht das war, was die Angelsachsen »a natural« nennen.

Um so interessanter die Aufführung von Giuseppe Verdis *Il Trovatore* vom 20. Juni mit Giulietta Simionato, Kurt Baum und Leonard Warren als Partnern und Guido Picco am Pult. Carlo Diaz Du-Pont schreibt in seinem Beitrag in »Opera«, daß Leonard Warren krank gewesen sei und deshalb die Aufführung nicht habe beenden können; das Duett des vierten Aktes sei deshalb ausgelassen worden. In der zweiten und dritten Aufführung sei der Bariton Ivan Petrov aus New York geholt worden. Im Mitschnitt ist allerdings, zu unverkennbar ist die Stimme, Leonard Warren zu hören.

Maria Callas hatte sich vor der ersten Leonora ihrer Laufbahn an Tullio Serafin gewandt, um die Partie mit ihm vorzubereiten. Der Maestro versagte ihr die Unterstützung mit dem Argument, daß er nicht willens sei, die Vorarbeit für die Aufführungen eines anderen auf sich zu nehmen. Erst sieben Monate später sollte sie die Leonora in Neapel unter Serafin singen. Daß John Ardoin die mexikanische Aufführung als »ungewöhnliche Leistung« bezeichnet, ist ein eher untertriebenes Lob, weil Maria Callas die Partie musikalisch nach Jahrzehnten vokaler Einebnung wieder richtig situierte: in die *bel canto*-Tradition. Doch verwandelt sie die von Verdi reich eingesetzten Formeln des Ziergesangs, etwa die Triller an den Phrasenenden von »D'amor sull'ali rosee« durch die Schärfe der Ausformung und durch die satte Kolorierung in expressive Gesten. Daß sie im ersten Akt nach dem makellos angeschlagenen Des *in alto* ein Es *in alto* interpoliert, mag ein Zugeständnis an das in hohe Töne verliebte südamerikanische Publikum gewesen sein. Die *cabaletta* ist eine wahre vokale *tour de force* mit kraftvoll ausgeformten Trillern, fein akzentuierten *staccati* und einem weiteren, diesmal allerdings angestrengten Es.

Im Hause Caraza-Campos' verhandelte die Sängerin über ein Gastspiel im folgenden Jahr. Der Manager riet ihr, Gilda in *Rigoletto* und Lucia di Lammermoor zu studieren, doch sollte sie diese Rollen – neben Elvira in *Puritani*, Violetta in *La Traviata* und Tosca – erst 1952 in Mexico singen. 1951 wiederholte sie ihren Triumph in *Aida* und sang ihre erste Violetta, und wenn John Ardoin schreibt, es sei »a performance in the making« gewesen, so ist zu betonen, daß selbst diese Skizze der Rolle schärfer umrissen und charakteristischer ausgeführt ist als die Portraits aller ihrer Rivalinnen. Sie hat vor allem den Vorzug einer stimmlichen

Energie, die die Wiedergabe von »Sempre libera« mit ihren vielen hohen Cs zu einem atemberaubenden vokalen Akt macht, nicht zu reden von dem abschließenden hohen Es mit seiner weißglühenden Brillanz. Solche Töne haben ihren Preis. Sie verbrennen Energie, verbrennen die Stimme. Nach den mexikanischen Aufführungen war Maria Callas so erschöpft, daß sie fast drei Monate pausierte. Am 27. Juni 1950 sang sie ihre letzte Aufführung von *Il Trovatore*, verabschiedete sich von ihrer Mutter, die sie zum letztenmal sehen sollte, mit dem Geschenk eines Pelzmantels, reiste nach Madrid, um ihren Mann zu treffen, und erholte sich dann in Italien. Erst am 22. September trat sie wieder als Tosca auf. Am 2. Oktober sang sie Aida in Rom, wo sie sich auf ihre erste komische Rolle vorbereitete: die Fiorilla in Gioacchino Rossinis *Il Turco in Italia*.

Vorgeschlagen worden war sie von Lucchino Visconti, der im Verein mit jungen Regisseuren und Musikliebhabern am römischen Teatro Eliseo selten gespielte Opernwerke während einer zweiwöchigen Stagione aktualisieren wollte. Visconti hatte Maria Callas im Jahr zuvor in Rom als Kundry gesehen. Durch ihn geriet die Sängerin in den Bannkreis der »Anfiparnasso«-Gruppe, einer Künstlervereinigung, der es um eine Erneuerung von Politik und Kunst, Ästhetik und Moral, mithin um ein neues Gesellschaftsmodell ging. Auch wenn Maria Callas schwerlich eine Intellektuelle war, erwies sie sich für einen Mann wie Visconti als das ideale Medium – als das »professionellste Material«, mit dem er jemals gearbeitet hatte. Anders aber als einige Exponenten des sogenannten Regie-Theaters war Visconti kein Regisseur, der die Sänger gleichsam instrumentalisiert und, wie die Sopranistin Maria Carbone sagte, »all ihrer Persönlichkeit beraubt« hätte. Im Gegenteil, ihm ging es darum, gleichermaßen die sängerischen und darstellerischen Möglichkeiten seiner Diva zu entfalten und damit *Oper* zu machen, und dazu gehörte nach seiner Auffassung, daß er sie nie zu einem Darstellen zwang, das das Singen inhibiert hätte: Er begriff Singen als eine Form des Agierens. Damit lag er näher bei Richard Wagners Idee des singenden Darstellers als die meisten Vertreter des deutschen Regietheaters. Später hat Maria Callas gesagt, wie überrascht sie war, den weithin berühmten Regisseur Tag für Tag auch bei den stundenlangen musikalischen Proben erlebt zu haben.

Diese erste Zusammenarbeit in Rom legte den Grundstein für die Freundschaft zwischen Maria Callas und dem Regisseur, der ihr versprach, auch in Zukunft mit ihr arbeiten zu wollen. Die vier Aufführungen von *Il Turco in Italia* im Oktober 1950 – mit Cesare Valletti, Sesto Bruscantini und Mariano Stabile als Partnern und Gianandrea Gavazzeni am Pult – brachten Maria Callas einen triumphalen Erfolg. T. de Beneducci schrieb im Magazin »Opera«: »Maria Callas war die Überraschung des Abends, weil sie eine *leggiero*-Rolle mit der größtmöglichen Leichtigkeit in dem Stil sang, der wohl von den Sängerinnen der Kompositionszeit des Werks praktiziert worden war. Sie machte es uns nicht eben leicht zu glauben, daß sie die vollkommene Interpretin sowohl von Turandot als auch von Isolde sein kann. Im ersten Akt verblüffte sie jeden dadurch, daß sie am Ende einer effektvollen und vokal schwierigen Arie ein perfekt intoniertes, sanftes hohes Es sang.«

Kaum vorstellbar, daß sie gut drei Wochen nach der vierten Aufführung von Rossinis Buffa, die am 29. Oktober 1950 stattfand, für die RAI in Rom die Kundry in Wagners *Parsifal* sang, und es ist leicht zu begreifen, daß sie als einzigartiges vokales und dramatisches Phänomen begriffen wurde. In den Wochen zwischen den beiden Aufführungen hatte sie zudem an einer weiteren neuen Rolle gearbeitet, die sie nur fünfmal auf der Bühne sang und nie hat aufnehmen können: Elisabetta in Verdis *Don Carlo*. Die für Rom und Neapel geplanten Aufführungen mußte sie wegen einer akuten Gelbsucht absagen; es war wohl die letzte Absage, die keinen Skandal zeitigte. Sie mußte sechs Wochen nach den beiden römischen *Parsifal*-Aufführungen pausieren.

Während der ersten Reise nach Südamerika hatte sie mit Tullio Serafin die Violetta zu studieren begonnen, und mit dieser Partie ging sie am 14. Januar 1951 in das neue Jahr: In das Jahr, in dem Italien den 50. Todestag Verdis feierte. Die Proben hatten zu ersten kleinen Meinungsverschiedenheiten mit Tullio Serafin geführt, weil die Sängerin offenbar nicht länger bereit war, die Rolle der geduldigen Schülerin des großen Maestro zu spielen. Doch nach der Aufführung sagte Serafin: »Ihr ist etwas Außerordentliches geglückt, die Aufführung hat die meisten verblüfft.« Eine Woche nach den *Traviata*-Aufführungen in Florenz sang sie in Neapel, erneut unter Tullio Serafin, drei Aufführungen von *Il Trovatore*, die, wie John Ardoin ausgeführt hat, »das verstärkend entfalteten, was Callas intuitiv (in den mexikanischen Aufführungen) erfaßt hatte«. Die Aufführung, von Serafin grandios und, vor allem im dritten Akt, mit ungeheurem Drive dirigiert, wurde vergleichsweise kühl aufgenommen. In den Beifall für die *stretta* des Tenor-Veteranen Giacomo Lauri-Volpi mischen sich, wie der Mitschnitt zeigt, unüberhörbare, heftige Buh-Rufe. Der Tenor, der sich selbst von Arturo Toscanini nicht hatte einschüchtern lassen, schrieb einen offenen Brief an die neapolitanischen Zeitungen. Er beklagte sich über die »schreckliche Indifferenz« gegenüber feinerer Vokalkunst und empörte sich vor allem darüber, daß man das gloriose Singen seiner jungen Kollegin nicht angemessen gewürdigt hatte.

Auf die *Trovatore*-Aufführungen in Neapel folgten im Februar 1951 zwei Normas in Palermo. Dort ereilte die Sängerin ein Notruf von Antonio Ghiringhelli: Wiederum sollte sie an der Scala die indisponierte Renata Tebaldi als Aida vertreten. Die Antwort, so wie sie kolportiert wird, ist ein weiterer Baustein für die Callas-Legende. Wenn die Scala sie wolle, soll die Sängerin gesagt haben, werde sie kommen, aber nicht als Ersatz für eine andere Primadonna, sondern als Star. Sie wußte nur zu gut, daß sie warten konnte, und sie wußte auch, daß der autokratisch-selbstgefällige Impresario nicht mehr allzu lange auf sie würde warten können. Jede ihrer Aufführungen brachte sie dem Triumph an der Scala näher, vor allem die von Giuseppe Verdis *I Vespri Siciliani* beim Maggio Musicale Fiorentino am 26. Mai 1951 unter der Leitung von Erich Kleiber, der mit diesem Werk sein italienisches Debüt als Operndirigent gab.

SIEBENTES KAPITEL

Königin der Scala

Die beste Sängerin der italienischen Bühne

»Mein Gott, sie kam auf die Bühne und klang wie unsere tiefste Altistin, Cloe Elmo, und vor dem Ende des Abends nahm sie ein hohes Es, und es war doppelt so kraftvoll wie das von Toti dal Monte.«

Eine Choristin über Maria Callas als Elena in ›I Vespri Siciliani‹ *bei ihrem Debüt an der Scala*

AUCH die Aufführung von Giuseppe Verdis *I Vespri Siciliani* bei den Florentiner Mai-Festspielen gehörte in das landesweite Programm zur Erinnerung an den ein halbes Jahrhundert zuvor gestorbenen Komponisten. Die Partie der Elena ist, wie die der Abigaille, eine hybride Rolle: Sie verlangt eine *spinto*-Stimme von großem Umfang und, für den Bolero, Koloraturgeläufigkeit. Es verschlägt wenig, daß ihr in »Mercé, dilette amiche« ein hohes E nicht restlos sicher gelingt. Noten in der Vollhöhe sind Trapezakte. Aber welche Verve hat der Triller in der Coda, welche Energie der Sprung auf das hohe C.

Für die Aufführung war Antonio Ghiringhelli nach Florenz gekommen. Der Impresario der Mailänger Scala wußte, daß er um das Engagement der griechischen Diva nicht mehr herum kam, und er bot ihr die Saison-Premiere 1951/1952 an: *Macbeth*, dirigiert von Victor de Sabata. Der Vertrag sah ferner drei führende Rollen, 30 Aufführungen und eine Gage von 300000 Lire vor, damals rund 500 Dollar oder 2000 Mark. Obwohl die Sängerin bei der Premiere unter einer Indisposition litt, fanden ihre dramatische Darstellung wie ihr Singen viel Beifall. Der italienische Kritiker Giuseppe Pugliese, einer der *savanti* des Singens, berichtete in »Opera«: »Sie war, wie ich glaube, bei der ersten Aufführung nicht in bester Verfassung, und dennoch lag in ihrem Singen eine Selbstsicherheit und eine tragische Bravour, die oft erregend waren. ... Ihr dramatisches Gespür zeigte sich in der geschmeidigen *cavatina* und der elaborierten *cabaletta,* mit denen sie im ersten Akt die Sizilianer gegen die Franzosen aufwiegelt, und die schwelende Wut von ›Il vostro fato è in vostra man‹ war außerordentlich lebendig. In dieser Aufführung geriet die Stimme zuweilen in Gefahr, im Forte an Qualität zu verlieren (abgesehen vom leuchtenden hohen E am Ende des Bolero). Doch ihr sanftes Singen in den Duetten des zweiten und vierten Aktes war exquisit, und die lange, kristallklare chromatische Skala, mit welcher sie ihr Solo im vierten Akt beendete, machte brillanten Effekt.«

Vier Tage nach den vier Aufführungen von *Vespri*, am 9. Juni 1951, sang Maria Callas im Teatro della Pergola die Euridice in Joseph Haydns Oper *Orfeo ed Euridice*. Für »Musical America« berichtete der Kritiker Newell Jenkins, daß sie den klassischen Stil vollkommen gemeistert habe, ihre »reiche und schöne Stimme« indes »oft uneben und müde« gewesen sei. Auffällig, daß ihre Aufführungen längst mehr als lokale Ereignisse waren; sie fanden zunehmend aufmerksame Beobachter auch in der internationalen Presse. Nach der Scala bot auch das Londoner Royal Opera House Covent Garden der jungen Diva einen Vertrag an. Sie sollte 1952 Vincenzo Bellinis *Norma* singen. Sander Gorlinsky führte die schwierigen Vertragsverhandlungen in Verona. Als Gage solle sie 250 Pfund erhalten, und die erste, die ihren Anteil am Erfolg und Wohlstand der Sängerin einzuklagen versuchte, war ihre Mutter Evangelia. Sie hatte ihren Mann zum zweitenmal verlassen, war mit ihrer Tochter Jackie nach Griechenland gegangen und sandte eine Reihe von Briefen an ihre Tochter, in denen sie sich bitter über George Callas beklagte und schließlich die Dankesschuld der mit einem Millionär verheirateten Tochter forderte.

Im Juni 1951 reiste Maria Callas, diesmal in Begleitung ihres Mannes, wieder nach Südamerika. Sie mußte in Mexico und in Brasilien singen. In Mexico sollte sie ihren Vater treffen, den sie zu ihrem Gastspiel eingeladen hatte. Sie sang drei Aufführungen von *Aida*, konsistenter in der Tongebung als im Vorjahr und zudem dramatisch noch geschlossener. Eine Woche nach den *Aida*-Aufführungen und einem Konzert folgten, dirigiert ebenfalls von Oliviero de Fabritiis, vier von *La Traviata* mit dem jungen Cesare Valletti als Alfredo und Giuseppe Taddei (und Morelli) als Germont père. Wie Norma war auch Violetta eine Schicksalspartie für Maria Callas; sie hatte die Rolle einmal zuvor, in Massimo, gesungen und sollte sie insgesamt 63mal verkörpern. Schon in dieser Aufführung zeigte sie, daß die Violetta von *einer* Stimme gesungen werden kann – und nicht im ersten und im vierten Akt unterschiedliche Stimmen braucht. In »Sempre libera« ist, wie John Ardoin anmerkte, jede Note genau plaziert. Die Skalen werden flüssig und mit bedeutendem Gewicht eines jeden einzelnen Tons gebildet, die hohen C's sitzen perfekt, und das hohe Es am Ende gleicht einem ekstatischen Jubelruf (auch wenn man Einwände dagegen haben könnte, daß sie, zur Versammlung der Stimme, vor dem Es viereinhalb Takte ausläßt). Daß sie die Schmerzensphrasen des zweiten Aktes oder den gesprochenen Text vor »Addio del passato« noch nicht so erfüllt singt wie in den von Carlo Maria Giulini betreuten Scala-Aufführungen von 1955, mindert den Rang ihrer Darstellung nur wenig.

Nach den triumphalen mexikanischen Aufführungen war die Sängerin so erschöpft, daß sie in São Paulo und Rio de Janeiro ihre geplanten *Aida*-Auftritte absagen mußte; sie sang *Norma* in São Paulo und Rio, *La Traviata* in São Paulo und Tosca in Rio. Die Absagen bescherten ihr die ersten kritischen Kommentare in der Presse, die genüßlich auch einige Kontroversen zwischen Maria Callas und Renata Tebaldi, die alternierend die Violetta sang, ausschlachtete. Renata Tebaldi hatte als Violetta kurz zuvor an der Mailänder Scala ein Fiasco erlebt und war, trotz ihres Erfolges in Rio, irritiert und reizbar. Die Spannungen, unter denen die beiden Diven standen, brachen nach einem Konzert im Municipal von Rio aus. Maria Callas sang »O patria mia« und »Sempre libera«, Renata Tebaldi die große Szene der Desdemona aus dem vierten Akt von *Otello* – und dann gab die Tebaldi zwei Zugaben. Eine Dankesgeste für das Publikum, aber ein Affront gegen die Kollegin, die keine Zugabe gewährt hatte, weil es nicht ihr *alleiniger* Abend war. Die vormals gute Beziehung zwischen den Sängerinnen war plötzlich schwer belastet und erstarrte später in einer Art von Frostigkeit, die von der Presse als kalter Krieg zweier Diven dargestellt wurde.

Die gereizte Stimmung entlud sich nach der ersten *Tosca*-Aufführung am 24. September. Meneghini soll, berichtet Stassinopoulos, mit Angstmeldungen über eine Callas-Fronde in die Gardarobe seiner Frau geplatzt sein. Wenig später wurde die Sängerin über einen Boten in das Büro des Theaterchefs, Barreto Pinto, gebeten, der ihr kalt mitteilte, daß sie, wegen negativer Reaktionen des Publikums, von allen weiteren Aufführungen entbunden sei: ein schrecklicher Affront. Die Sängerin bewahrte Haltung, erinnerte den Impresario an seine vertraglichen Verpflichtungen und rang ihm das Zugeständnis ab, die zwei geplanten Aufführungen von *La Traviata* zu singen. Beide waren ausverkauft, und der Erfolg der Sängerin war bedeutend. Was danach im Büro des Direktors geschah, wird mit unterschiedlichen Worten ähnlichen Inhalts erzählt: »Ich sollte Ihnen nichts bezahlen, wenn ich den Erfolg sehe, den Sie hatten«, soll Pinto nach dem Bericht Jellineks gesagt haben. Bei Stassinopoulos wird er anders zitiert: »Ah, Sie wollen Ihr Geld im Moment des Ruhms.« Daß Maria Callas, rasend vor Wut, ein auf dem Schreibtisch stehendes Tintenfaß ergriff und es, wäre sie nicht von einem Mitarbeiter Pintos gehindert worden, dem Impresario auch an den Kopf geworfen hätte, ist das Standard-Ende der kleinen Anekdote und der Anfang der Legende von der *diva furiosa.*

Mag sein, daß Meneghini, der seine Geschäfte mehr und mehr zurückstellte und die Aufgaben des Managers seiner Frau übernahm, an den vielen Lunten dessen zündelte, was eine Diva unbedingt haben muß: Temperament. Dieses Temperament ist nicht nur die unabdingbare Voraussetzung dafür, daß eine Sängerin Risiken auf sich zu nehmen wagt, es ist auch der wichtigste Stoff für Schlagzeilen und Ruhm. Die sanfte, versöhnliche, mit sich und der Welt zufriedene Diva ist eine *contradictio in adiecto*: Nicht die Freundschaft zu Kollegen sorgt für Gespräche, sondern der Kampf. Daß die nächste *Tosca*-Aufführung mit Renata Tebaldi stattfand, schürte bei Maria Callas den Verdacht, daß aus der Kollegin eine Rivalin geworden war.

Den Rückflug nach Italien unterbrach das Ehepaar Meneghini in New York. Dort trafen sie auf Dario Soria, den Leiter der amerikanischen Sektion von Cetra. Es ging um einen langfristigen Schallplattenvertrag. Bei den Verhandlungen verhielt sich die Sängerin höchst professionell – sie diskutierte nicht über Geld, sondern fragte nach den Werken, die sie aufnehmen sollte, und nach den Dirigenten, unter denen sie singen würde. Für 1952 wurden drei Opernaufnahmen abgesprochen. Nach der Rückkehr sang sie am Teatro Donizetti unter Carlo Maria Giulini zwei Aufführungen von *La Traviata* und dann, am Massimo Bellini von Catania, der Geburtsstadt des größten italienischen Melodikers, jeweils vier Aufführungen von *Norma* und *I Puritani.* Unter ihren Partnern waren Giulietta Simionato (Adalgisa), Gino Penno (Pollione) und Boris Christoff (Oroveso und Giorgio). Die Ovationen müssen bis nach Mailand geschallt haben – wo sie am 7. Dezember 1951 die Saison der Scala als Elena in *I Vespri Siciliani* eröffnete. Es war die erste von insgesamt sechs Saison-Premieren. Regisseur war Herbert Graf, der das Werk schon in Florenz inszeniert hatte, die Bühnenbilder besorgte Nicola Benois. Nicola war der Sohn von Alexandre Benois, der etliche Produktionen der Ballets Russes von Sergej Diaghilew betreut hatte, darunter *Petruschka* mit Waslaw Nijinski und Tamara Karsawina. Nach der Aufführung schrieb Franco Abbiati im »Corriere della Sera« über die »grandiose Kehle« von Maria Meneghini-Callas und bezeichnete die Sängerin, mit Blick auf Technik und umfassende Musikalität, als »einzigartig«. Es war ein mehr als nur vielversprechendes, es war ein großes Debüt, das zudem die Zusammenarbeit mit Victor de Sabata begründete, unter dessen Leitung sie wenig später Puccinis *Tosca* aufnehmen sollte.

Nach den sieben Aufführungen von *I Vespri*, unterbrochen durch ein Traviata-Gastspiel in Parma am 29. Dezember, begann sie das Jahr 1952 am Communale von Florenz mit zwei Aufführungen von Bellinis *I Puritani* unter Tullio Serafin und neben dem amerikanischen Tenor Eugene Conley, Carlo Tagliabue und Nicola Rossi-Lemeni. Der amerikanische Kritiker Newell Jenkins – auch ein ausgebildeter Dirigent – schrieb für »Musical America«: »Diese Oper muß, soll sie erträglich sein, vollendet gesungen werden; allein, die Aufführung war eine Sensation. Man kann nur, will man über das Singen von Miss Callas schreiben, zu Superlativen greifen – über ihren samtenen Ton, ihre aufregende Phrasierung, ihre atemberaubenden Koloraturen, ihre Bühnenpräsenz, ihr majestätisches Auftreten, ihr feines Spiel. Am Ende eines jeden Aktes begab sich etwas ganz und gar Außergewöhnliches, was ich seit der Rückkehr Toscaninis in keinem italienischen Opernhaus oder Konzertsaal mehr erlebt habe. Das Publikum rief, trampelte mit den Füßen oder stürmte nach vorn, um für Miss Callas Vorhang um Vorhang zu erzwingen. Das Orchester... stand im Graben und applaudierte nicht weniger stürmisch als das Publikum.«

Fünf Tage später, am 16. Januar, sang Maria Callas die erste von acht *Norma*-Aufführungen an der Mailänder Scala. Diese Aufführungen fanden statt am 16., 19., 23., 27. und 29. Januar und am 2., 7. und 10. Februar. Damals galt, daß eine Oper nach der *prima* nur in den nächsten vier Wochen gespielt wurde. Eine neunte Norma sang Callas am 14. April; Dirigent war Franco Ghione, die Partner waren Ebe Stignani, Gino Penno und Nicola Rossi-Lemeni.

Wieder war Newell Jenkins zugegen. Er schrieb, daß die Bedeutung der Aufführung in der »umfassenden Künstlerschaft« von Maria Callas lag, die »das Publikum elektrisierte, bevor sie auch nur eine einzige Note gesungen hatte, und als sie zu singen begann, kam jede Phrase ohne spürbare Mühe; die Zuhörer wußten vom ersten Ton einer Phrase, daß die Sängerin instinktiv und bewußt genau merkte, wo und wie die Phrase enden würde. Ihre Töne erklangen rund und voll und mit dem Legato eines Streichinstruments. Ihre Agilität war atemberaubend. Sie hat keine leichte Stimme, doch selbst die schwierigsten Koloraturen sang sie ohne Probleme, und ihre fallenden *glissandi* ließen den Hörern kalte Schauer über den Rücken laufen. Gelegentlich war in den hohen Noten eine leichte Schrillheit und Schärfe zu hören, doch ihre Intonation war makellos. Es ist zu hoffen, daß dieses kleine Manko auf Ermüdung zurückzuführen ist...«

Leider existiert kein Mitschnitt von *Norma*-Aufführungen aus dieser Zeit, in der das Singen der Callas vielleicht noch nicht das Finish späterer Aufführungen hatte – etwa der vom 7. Dezember 1955 –, aber noch etwas von der Energie der (mexikanischen) Wildkatze.

Ihre nächste große Rolle war die Constanze in Wolfgang Amadeus Mozarts *Die Entführung aus dem Serail*. Die Partie, geschrieben für die geläufige Gurgel der Mme Cavalieri, ist im besten Sinne Sänger-Musik und den vokalen Möglichkeiten der Uraufführungssängerin angepaßt wie ein gutgefertigtes Kleid. Für die vier Aufführungen erhielt Maria Callas vorzügliche Kritiken, keineswegs aber den enthusiastischen Applaus, den ihr Portrait verdient hätte – wenn man rückschließen darf von ihrer Interpretation der Arie (italienisch gesungen: »Tutte le torture«), deren Ausdrucksgewalt man kaum je so suggestiv erlebt hat. Das Passagenwerk ist souverän, die Phrasierung großbogig, und vor allem hat das Singen ein Höchstmaß an Puls, an innerer Bewegtheit. Wieder einmal ist zu spüren, daß ihr das gehaltene hohe C – vor der *coda* – nicht unerhebliche Mühe bereitet. Das ist nicht anders in einem Probenmitschnitt aus Dallas vom 20. November 1957, wo Callas die Arie zunächst mit halber Stimme beginnt und, sobald warm, energisch aussingt. Mit den vier Aufführungen von *Die Entführung aus dem Serail* schloß sie ihre erste Saison an der Scala ab – und auch das Kapitel Mozart, ein Faktum, das mit einem Ton des Bedauerns kommentiert worden ist. Allein, wenn Maria Callas auch, wie im Kapitel über ihre Stimme ausgeführt worden ist, die technischen Mittel für den Mozart-Gesang hatte, so besaß sie weder den Klang noch das Ausdrucksgefühl für Mozart.

Damit soll nicht das selbst von Franziska Martienssen-Lohmann vertretene Vorurteil aufgegriffen werden, demzufolge die italienische Gesangsdarstellung mit der »gesanglichen Atmosphäre im Werke Mozarts« nicht korrespondiere.[1] Das mag für das aus der veristischen Musik entwickelte Singen gelten, nicht notwendigerweise aber für den klassischen *bel canto*-Stil – vorausgesetzt, der Sänger findet das für Mozart essentielle Tempo. Wichtiger ist ein anderer Hinweis der eminenten Gesangspädagogin. Das italienische Singen sei, bewußt wie unbewußt, eingestellt auf Ekstase und Rausch und ziele auch beim Hörer auf eine Art von physiologischer Ansteckung. Das italienische Singen gehe auf in einer Art von gemessener Maßlosigkeit, während Mozart Fülle und Maß zugleich verlange. Das Maß werde gegeben durch eine Tonstärkeskala –

und durch einen geistigen Tonstärkensinn. Maria Callas aber besaß einen dramatischen, zur Exaltation neigenden Tonstärkensinn; sie war nie eine lyrische Sängerin, selbst wenn sie lyrische Phrasen mit größter Anmut singen konnte, sondern eine nervös-dramatische.

Schon nach ihrer ersten Saison an der Scala stand Maria Callas, wenn auch noch nicht ganz unumstritten, an der Spitze der italienischen Diven; Rosanna Carteri, Margherita Carosio, Clara Petrella, Giulietta Simionato oder Ebe Stignani strahlten bei weitem nicht die Wirkung der 28jährigen Griechin aus. Allein Renata Tebaldi blieb eine bedeutende Rivalin, weil sie, auf höchstem Niveau, einen ganz spezifischen »Ton« besaß, welcher Callas nie zu Gebote stand: den lyrisch-verinnerlichten der Sanftheit. Es gibt eine Reihe von *savanti*, denen die samtige, seidige Tonqualität ebenso wichtig ist wie die technische Geläufigkeit und die dramatische Darstellungskunst. Dieses Agieren mit der Stimme, das Darstellen im Singen wurde von Maria Callas zu einem neuen Konzept gemacht, das von vielen erst begriffen werden mußte. Dadurch wurde jede ihrer Aufführungen auch so spannend, bekam jeder ihrer Triumphe das Element des trotzig Erkämpften, zumal sie zumindest partiell auf Werke zurückgriff, die entweder rehabilitiert oder überhaupt erst durchgesetzt werden mußten.

Gioacchino Rossinis *Armida* zum Beispiel, vierzehn Tage nach Ende der Scala-Saison zum 160. Geburtstag des Komponisten am Communale von Florenz aufgeführt, war von den Spielplänen der Theater verschwunden – wenn das am 11. November 1817 mit Isabella Colbran uraufgeführte und bei der Premiere abgelehnte Werk überhaupt je dauerhaft auf irgendeinem Spielplan gestanden haben sollte. Im Œuvre des Komponisten ist *Armida* ein Werk des Übergangs von der *opera buffa* zum Romantizismus mit seiner *expression outrée*. Rossini schrieb, nicht zuletzt inspiriert durch seine Beziehung zu Isabella Colbran, eine »passionierte und verdeckt erotische Musik« (Richard Osborne) von außerordentlicher figurativer Brillanz: »In *Armida* verliert Rossinis Musik«, so schreibt Osborne in seiner Monographie über den Komponisten, »ihre Unschuld«; Stendhal sprach von einer »candeur virginale«. Ohne einen dramatischen Koloratursopran der Extra-Klasse und fünf Tenöre mit der Extensionsfähigkeit in vokale Stratosphären ist das Werk nicht zu besetzen.

Maria Callas lernte die Titelpartie binnen fünf Tagen. »Wo sonst«, schrieb einmal mehr Newell Jenkins für »Musical America«, »werden vom Sänger solche Rouladen, solche Triller, Läufe, Sprünge, solch ein

Tempo und ein derartiges Feuerwerk verlangt? Man kann davon ausgehen, daß keine andere als Maria Callas, unumstritten die beste Sängerin der italienischen Opernbühne, diese unglaublich schwierige Partie meistern und sie wie Musik klingen lassen kann.« Jenkins' Kollege Andrew Porter merkte in »Opera« an: »Man kann vielleicht den Eindruck haben, daß die Phrasen neben den verzierten allzusehr mit Ornamenten überlegt worden sind; doch dies zu bedauern war unmöglich, weil Maria Callas sie sang. Diese aus Amerika stammende griechische Sopranistin hat die beachtliche Reputation, die sie sich erworben hat, wohl verdient, denn sie muß als eine der aufregendsten Sängerinnen der heutigen Opernbühne angesehen werden. Ihre Präsenz ist beherrschend, ihre Koloratur nicht piepsend und hübsch, sondern kraftvoll und dramatisch. Es muß festgehalten werden, daß ihr Ton von Zeit zu Zeit eine unangenehme Schärfe annahm; doch als sie eine chromatische Scala über zwei Oktaven hinaufkletterte und dann kaskadenhaft abfallen ließ (in der Arie ›D'amore al dolce impero‹), war der Effekt elektrisierend. Ihre Brillanz verblüffte und verzückte die Hörer während der ganzen Aufführung, doch wenn Zärtlichkeit und sinnlicher Charme verlangt waren, war ihre Wirkung weniger bewegend.«

Der Mitschnitt zeigt, daß die Aufführung der Arie trotz schwierigster Ausschmückungen – sie interpoliert dreimal das hohe D – der Vollendung so nahekommt, wie ein Sänger ihr überhaupt nur nahekommen kann, und zu erwähnen ist, daß sie am Ende der Oper immer noch frisch oder auch energiegeladen genug ist, eine Leuchtrakete von Es''' abzubrennen.

Nach drei nicht weniger erfolgreichen Aufführungen von Bellinis *I Puritani* im Mai 1952 neben Giacomo Lauri-Volpi in Rom – die den Kritiker Giorgio Vigolo von »vier Stimmen in ihrer Kehle« schwärmen ließen – reiste die Sängerin zu ihrem dritten Gastspiel nach Mexico. Zum erstenmal sang sie Verdis Gilda in einer insgesamt enttäuschenden Aufführung mit dem naturalistisch-agierenden Piero Campolonghi und dem forcierenden Giuseppe di Stefano, der seine hohen Töne nicht, wie John Ardoin bildhaft-treffend schreibt, auf den Atem legte, sondern mit dem Kiefer hielt. Solomon Kahan schrieb in »Musical America«, daß Gilda keine »ideale Rolle« für Callas gewesen sei.

Eine problematische Einschätzung. Callas hat die Gilda vielmehr, wie auch die Lucia, dem *soprano leggiero* entwunden und gezeigt, daß gerade »Caro nome« kein Nachtigallengesang ist, sondern ein innermonologisch-dramatisches Stück, und es kann schwerlich ein Zweifel daran bestehen, daß ihre Interpretation der Rolle auf der Schallplatte die aller ihrer Kolleginnen in den vorliegenden Gesamtaufnahmen an perspektivischer Weite übertrifft. Für die Donizetti-Lucia hat sie mehr gefunden, nämlich ein völlig neues dramatisches Konzept. Bei der Uraufführung am 26. September 1835 am Teatro San Carlo von Neapel hatte Fanny Tacchinardi-Persiani die Titelpartie gesungen. Die Tochter eines Gesangslehrers wurde »la piccola Pasta« genannt, hatte eine feine, reine und perfekt plazierte Stimme mit einem Umfang von zwei Oktaven und einer Quinte bis zum F'''. Ihre Technik war superb, trotz eines nicht vollkommenen Trillers: »ben precisa e intonatissima«, sagte Donizetti. Ihr Ton besaß nicht den Reichtum wie der der Pasta, doch wurde dies wettgemacht durch ihre instrumentale Virtuosität. Dank ihrer zarten, ätherischen Erscheinung war sie prädestiniert für die frühen romantischen Rollen, für die »amorosa angelicata«. Später fiel die Rolle der Lucia an Soprane wie Marcella Sembrich an der Met und Toti dal Monte an der Scala, an Adelina Patti, Nelli Melba, Luisa Tetrazzini, Amelita Galli-Curci, Maria Barrientos, Graziella Pareto und Lina Pagliughi, mithin an leichtere Soprane (wenn man Melba ausnimmt).

Maria Callas machte, wie der englische Kritiker Michael Scott in »Opera News« schrieb, »etwas *sui generis*« aus der Rolle: Sie gab ihr eine tragische Dimension, vielleicht auch eine pathologische. Die Teilnehmer des »Processo alla Callas« haben angemerkt, daß in ihr Singen psychologische Perspektiven aus dem Zeitalter Freuds und Kafkas eingewandert seien. Wenn man die »Edgardo«-Ausrufe hört oder die schmerzlich-dunkel eingefärbte Phrase »alfin sei tua«, spürt man, was gemeint ist. Schon die erste mexikanische Aufführung des Werks bietet ein grandioses Rollenportrait, und dem Verfasser steht nicht an, die Aufführung – was Callas angeht – über die weithin gerühmte Berliner Aufführung unter von Karajan zu stellen, in der ihre Stimme bei weitem nicht mehr den Reichtum der frühen Jahre hat, ganz abgesehen davon, daß ihr Vortrag auch an Spontaneität verloren hat. In der mexikanischen Aufführung sang sie die Wahnsinnsszene mit »erstaunlichem tonlichem Gewicht und ausgreifender Phrasierung« (Scott) und führte die verzierten Passagen mit einer Verve aus, die man seit der legendären Platte der Melba nicht mehr erlebt hatte. Scott merkt an, daß das mexikanische Auditorium nach dem »vollstimmigen Es *in alto* seinerseits eine Wahnsinnsszene anstimmte« – auch wenn dieser Ton keineswegs von Schärfen frei ist. Die Ovationen für die Sängerin währten volle zwanzig Minuten.

Die zehnte Aufführung in Mexico brachte ihre erste große Tosca, vielleicht *noch* eine plakativ-theatralische Darstellung, jedoch eine vokal imponierende und vor allem im zweiten Akt elektrisierende, im dritten dramatisch plausible. John Ardoin, der die Aufnahmen der Sängerin genauer gehört hat als jeder andere, weist darauf hin, daß sie nach »Presto su! Mario« die Erkenntnis, daß Cavaradossi wirklich erschossen worden ist, zu rasch zum Ausdruck kommen läßt und die Darstellung übermäßig erhitzt. Es bezeugt den dramatischen Sinn der Sängerin, daß sie diesen Fehler, oder besser: diesen kleinen Mißgriff in der Darstellung alsbald korrigiert hat.

Daß sie ihre dritte mexikanische Saison als Fehlschlag in Erinnerung behielt, lag an den Aufführungen des *Rigoletto*. Nach Verona zurückgekehrt, schwor sie, die Partie der Gilda nie mehr auf der Bühne zu singen; unglücklicherweise blieb sie diesem Vorsatz, sieht man von der Studio-Aufnahme unter Tullio Serafin ab, treu. Ihre depressive Stimmung verschlechterte sich, um ein Schlüsselwort aus der Wahnsinnsszene der Lucia aufzugreifen, durch das »Fantasma« der Mutter.

Callas reagierte irritiert und scharf auf die Geldforderungen ihrer Mutter: Sie fühle sich, schrieb sie, nicht verantwortlich für die Laufbahn ihrer Schwester, und ihre Mutter sei jung genug, um sich nach einem Beruf umzusehen. Der Krieg der Briefe, der Beschuldigungen, der Diffamierungen hatte begonnen, und die nächsten Herausforderungen standen bevor. Am 19. Juli 1952 sollte sie die Veroneser Saison eröffnen, wiederum mit *La Gioconda*. Daß sie auch Verdis Violetta sang, zeigt ihre Fähigkeit, weiterhin unterschiedlichste Partien innerhalb kürzester Zeiträume zu meistern. Die Aufführung von Ponchiellis Oper war kein unumstrittener Erfolg. Claudia Cassidy von der »Chicago Tribune«, später eine glühende Parteigängerin der Sängerin, merkte überaus kritisch an, daß Callas arge Probleme mit dem C gehabt habe und daß ihre dramatischen Töne unstet und forciert geklungen hätten.

Erfolgreicher waren vier Aufführungen von *La Traviata* in den beiden ersten Augustwochen 1952 der Veroneser Saison. Elisabeth Schwarzkopf, die ihre Kollegin als Violetta erlebte, entschloß sich sogleich, die Verdi-Partie selber nie wieder zu singen. »Was hat es für einen Sinn«, sagte sie, »eine Partie zu singen, die von einer anderen Sängerin mit Vollkommenheit dargestellt wird?« Wenn dies auch nicht Bescheidenheit ist, so spricht daraus die Klugheit einer Diva, die sich ihres eigenen Wertes sicher ist. Schwarzkopf wußte, daß sie als Elvira, als Marschallin, als Fiordiligi so exzeptionell war wie Callas als Violetta, Norma, Tosca oder

Lucia. Beide Sängerinnen wurden zu guten Kolleginnen, fast zu Freundinnen, vielleicht auch, weil es eine unmittelbare Konkurrenzsituation nicht geben konnte.

Zwei Tage nach der Aufführung der Ponchielli-Oper, die sie im September 1952 für Cetra aufnehmen sollte, unterzeichnete Maria Callas nach monatelangen Verhandlungen einen der wichtigsten Verträge ihres Lebens: einen exklusiven Aufnahmekontrakt mit dem englischen EMI-Konzern, der kurz zuvor mit der Mailänder Scala übereingekommen war, italienische Opern mit dem Ensemble des Theaters zu produzieren. Über die Annäherung an die Sängerin hat Walter Legge in seinem schon zitierten Erinnerungs-Aufsatz berichtet. Der Produzent hatte 1947 in Italien, eigentlich nicht sein Territorium, den damals noch unbekannten Boris Christoff entdeckt und viel Zeit mit Herbert von Karajan in der Scala verbracht. Durch die ersten Cetra-Aufnahmen von »Casta diva«, »Qui la voce« und Isoldes Liebestod wurde er auf die Griechin – »endlich ein wirklich erregender italienischer Sopran!« – aufmerksam, und seine Wachsamkeit verstärkte sich noch, als einer ihrer berühmten Kollegen sagte: »Nicht Ihr Typ von Sängerin.« Legge reiste nach Rom, um sie als Norma zu hören; es muß sich um eine der Aufführungen vom Februar oder März 1950 gehandelt haben. Nach dem ersten Akt rief er seine Frau, Elisabeth Schwarzkopf, an und bat sie, in die Oper zu kommen, um »etwas ganz und gar Außergewöhnliches zu hören«. Sie lehnte ab, weil sie ihrerseits etwas Außerordentliches nicht versäumen wollte: den zweiten Teil einer Radioübertragung mit einer gewissen Maria Callas. Nach der Aufführung bot Legge der Sängerin einen exklusiven Vertrag an, doch die Verhandlungen »bei Essen in Verona, bei Biffi Scala und Giannino's schienen endlos«. Legges Erinnerungen haben nicht einmal die Schmerzen vergessen, die ihm das Tragen riesiger Blumen-Bouquets verursachte. Vor den ersten EMI-Aufnahmen, die 1953 entstanden, hatte Callas noch ihre vertraglichen Verpflichtungen für Cetra zu erfüllen. 1952 nahm sie Ponchiellis *La Gioconda* auf, ein Jahr danach Verdis *La Traviata.* Zu diesem Zeitpunkt hatte sie schon ihre ersten Produktionen für EMI abgeschlossen, mit einem Produzenten, der die Qualitäten eines Musikers besaß und die Schallplatte als künstlerisches Dokument ansah. Für seine Arbeit brauchte er, was er in vielen seiner Künstler – bei Elisabeth Schwarzkopf, Herbert von Karajan, Boris Christoff, Tito Gobbi, Nicolai Gedda und Callas – fand: »Fellow perfectionists.«

Er fand sie genau in dem Moment, da die Schallplatte einen entscheidenden Schritt zu dem gemacht hatte, was man »autonome Form« nennen könnte, als sie zum *musée imaginaire* der Oper wurde. Maria Callas führt, dank dieses Museums, so etwas wie eine zweite Existenz, die ihr Allgegenwärtigkeit sichert. Diese gleichsam überlebensgroße Präsenz im Bewußtsein der Musikfreunde ist nicht zuletzt zurückzuführen auf die neuen Produktionsbedingungen der Schallplatte in den fünfziger Jahren und den Ehrgeiz ihres Produzenten Walter Legge, der sein Medium nicht an den Kommerz, nicht an die Durchschnittlichkeit verraten hat.

Theater für die Einbildungskraft

Nehmen Sie die Brille ab,
Sie dürfen die Musik nur hören.
Richard Wagner in Bayreuth gegenüber Nietzsche

In einem skizzenhaften Essay hat Theodor W. Adorno am 24. März 1969 unter dem Titel »Die Oper überwintert auf der Langspielplatte« geschrieben: »Nicht ganz selten in der Geschichte der Musik gewinnen technische Erfindungen ihren Sinn erst lange, nachdem sie längst gemacht worden waren. Technik hat in der Musik eine doppelte Bedeutung. Es gibt eigentliche Kompositionstechniken und die industriellen Verfahrensweisen, die auf Musik angewandt werden zu Zwecken ihrer massenhaften Verbreitung. Doch bleiben sie ihr durchaus nicht äußerlich. Hinter den technisch-industriellen und den künstlerischen Erfindungen ist derselbe geschichtliche Prozeß am Werk, dieselbe menschliche Produktivkraft; darum trifft beides zusammen.« Der Skeptiker Adorno ungewohnt optimistisch. Die Frage ist, wann und wie die technischen Errungenschaften künstlerisch angemessen genutzt worden sind, oder anders gefragt: wann eine Schallplatten-Ästhetik kategorialer Art entwickelt worden ist.

Es ist zunächst festzuhalten, daß durch die Langspielplatte zum einen ganze Akte geschlossen wiedergegeben und durch die Technik des Bandschnitts, also die Arbeit mit Takes, die zufälligen Fehler der Bühnenaufführung ausgemerzt werden konnten; es wurde die musikalisch ausgefeilte und von den Zufälligkeiten der Bühnenaufführung befreite Produktion möglich. Nicht minder wichtig ein dritter Aspekt, den Adorno in seinem Aufsatz hervorgehoben hat. Nach seiner Ansicht waren die

Opern Alban Bergs die letzten, mit denen der Weltgeist war, oder anders: Die Oper war zum Anachronismus geworden. Errettet werden konnte sie allein »durch die Konzentration auf die Musik als die wahre Sache der Oper«, nicht aber durch den »Mummenschanz« der Bühne. Das erinnert an die Rezeptionsweise des Philosophen Sören Kierkegaard, der den *Don Giovanni* nicht auf der Bühne sehen, sondern von ferne nur hören wollte.

Demnach wäre die Schallplatte anzusehen als ein imaginäres Theater oder als Theater für den mit Einbildungskraft begabten Hörer. Walter Legge versuchte mit den Mitteln der Technik, musikalische Produktionen herzustellen, die befreit waren von den Zufälligkeiten, den Routiniertheiten, den Übertreibungen, den Lässigkeiten der Bühnenaufführungen: Musiktheater auf einer idealischen Bühne. Ein Blick in die Discographien von »Opera on Record« zeigt, daß verschiedene Aufnahmen mit Maria Callas zu den ersten wirklichen Produktionen der jeweiligen Werke gehören, nicht zu reden davon, daß die Mitschnitte von Cherubinis *Medea*, Rossinis *Armida*, Donizettis *Anna Bolena* und *Poliuto*, Bellinis *Il Pirata* und Giuseppe Verdis *Nabucco*, *I Vespri Siciliani* und *Macbeth* die ersten Gesamtaufnahmen sind. Im Studio hat Callas die erste Gesamtaufnahme von Bellinis *I Puritani* gesungen und die zweite von *La Sonnambula*, die erste von Rossinis *Il Turco in Italia* und die zweite von Bellinis *Norma*. Entscheidend dabei ist, und das gilt auch für Donizettis *Lucia di Lammermoor*, daß Walter Legge mit Maria Callas in diesen Aufführungen so etwas wie eine strikt akustische *mise en scène* anstrebte: Theater für die Einbildungskraft.

Nachdem Callas im September 1952 für Cetra ihre erste Gesamtaufnahme, *La Gioconda*, aufgezeichnet hatte, stand ein wichtiges Debüt bevor, bei dem sie ein Publikum eroberte, das sie nicht ständig *besiegen* mußte: das englische. Sie kam, sie sang, sie siegte, und wann immer sie wiederkam, wurde sie geliebt, weil sie kam.

Musik, Drama und Bewegung

Virtuosität liegt darin, im vorhinein alles zu sehen und abzuschätzen, was wir mit Leichtigkeit ausführen können. Wenn wir materialisieren können, was unsere Emotionen wünschen und unsere Vorstellungskraft sich ausmalt – in diesem Moment sind wir große Künstler.

Giovanni Battista Lamperti

Am 8. November 1952 stellte sie sich an der Royal Opera Covent Garden als Norma vor. Ebe Stignani sang die Adalgisa, Mirto Picchi den Pollione, am Pult stand mit Vittorio Gui einer der Bedeutendsten seines Fachs. Harold Rosenthal berichtet in seiner Geschichte der Covent Garden Opera, daß Maria Callas Ovationen erhielt, wie sie sonst nur der Primaballerina Margot Fonteyn zufielen. Unter den englischen Kritikern, damals vermutlich die anspruchsvollsten überhaupt, wurde die Stimme kontrovers diskutiert. »Obwohl sie insgesamt eine noch nicht perfekte Vokalistin ist«, urteilte Desmond Shawe-Taylor, »ist sie die interessanteste Sängerin, die seit vielen Jahren in London zu hören war.« Detailliert beschrieb Cecil Smith die erste der fünf Aufführungen in »Opera«. Er rühmte die »fabelhaften Fiorituren«, die fehlerlosen chromatischen *glissandi* in der Kadenz am Ende von »Casta Diva«, den mühelosen Sprung vom mittleren F auf das hohe G und das »stupende, zwölf Takte lang gehaltene hohe D« in der *stretta* des Terzetts, mit dem der zweite Akt zu Ende geht. Allerdings ließen sich auch kritische Stimmen hören. Ernest Newman gab sich als *laudator temporis acti*: »Sie ist keine Ponselle.« John Freeman, für »Opera News« schreibend, erwähnte am Ende seiner insgesamt enthusiastischen Kritik die »verschatteten Töne in der Mittellage, die den Eindruck erweckten, als sänge sie mit heißen Murmeln im Munde«. Andrew Porter hingegen schrieb kategorisch: »Maria Meneghini-Callas ist die Norma unserer Zeit, so wie Ponselle und Grisi es in ihrer Zeit waren.«

Was Maria Callas auch zu lesen bekam, waren verdeckte Hinweise auf ihre unförmige Erscheinung. Nach einer *Aida*-Aufführung in der Arena von Verona hatte ein Kritiker, so berichtet Arianna Stassinopoulos, geschrieben, daß man zwischen den Beinen der Elefanten auf der Bühne und denen von Maria Callas nicht habe unterscheiden können, und die

Sängerin sei über diese impertinente Bemerkung so verletzt gewesen, daß sie sich noch kurz vor ihrem Tod der bitteren Tränen erinnerte, die sie geweint hatte. Die fortgesetzten Hinweise auf ihr Übergewicht brachten sie zu dem Entschluß, abzunehmen, sich in ein sylphenhaftes Wesen zu verwandeln. Ihr geheimes Vorbild war die feenhafte Audrey Hepburn, die später erzählte: »Ich lernte sie (Maria Callas) kennen, weil wir beide denselben Visagisten hatten, Alberto de Rossi. Wir trafen uns alle in Paris und gingen zusammen essen. Es war ein unvergeßlicher Abend. Maria erzählte, daß sie abnehmen wollte, und bat Alberto, sie auf die gleiche Art zurechtzumachen, wie er mich schminkte. Sie nahm mich als Vorbild! Das war ein riesiges Kompliment für mich. Ich kann es eigentlich bis heute noch nicht glauben.«

Nach der fünften Londoner *Norma* blieben nur 17 Tage bis zu einer der wichtigsten Aufführungen ihrer gesamten Laufbahn. Der 7. November ist der Festtag von Mailands Patron, des heiligen Ambrosius, und es ist der Tag, an dem die Scala ihre Saison eröffnet. Sie sollte die Lady in Verdis *Macbeth* singen, seinerzeit ein selten gespieltes Werk. Als Regisseur war Carl Ebert engagiert worden, der die Shakespeare-Oper während der dreißiger Jahre in Berlin und 1939 in Glyndebourne inszeniert hatte, hier mit der großartigen Margherita Grandi, die vor allem wegen der dramatischen Farbigkeit ihres Singens gerühmt wurde – ihre Aufnahme der Nachtwandelszene läßt sich durchaus mit der der Callas vergleichen. Dirigent war, wie schon im Jahr zuvor bei *I Vespri Siciliani*, Victor de Sabata.

Die Aufführung liegt in einem technisch zwar nicht guten, aber insgesamt akzeptablen Mitschnitt vor, und sie ist auch, wie die suggestive Bilder-Biographie von John Ardoin und Gerald Fitzgerald zeigt, fotografisch exzellent dokumentiert. Hört man den Mitschnitt, vermeint man die Bilder zu sehen, und sieht man die Bilder, hört man die Aufführung. Auch wenn die Erscheinung der Sängerin noch statuarisch war: Haltung, Ausdruck und Bewegung, vor allem aber der Blick der großen, durchdringenden Augen sind von ungeheurer Suggestivität. Festzustellen, daß sie die Rolle mit der von Verdi geforderten harschen, hohlen, häßlichen Stimme gesungen habe, liefe auf eine Verkürzung hinaus: auf die Bestätigung eines populären Klischees. Callas beginnt z.B. das *brindisi* mit feinster *bel canto*-Eleganz, mit superber tonlicher Definition und filigraner Ausformung der Phrasen. Das ist dramatisch richtig, weil es sich zunächst um eine höfische Szene handelt. Erst in dem Moment, da Macbeth, gesungen von Enzo Mascherini, die Fassung verliert und die Szene nicht mehr spielen kann, weil er in Wahnphantasien den ermordeten Banquo sieht, verschärft Callas den Ton, so daß aus dem Trinklied etwas anderes wird: etwas Erschrecktes, Heftiges und Hysterisches. Mit einem Wort, sie formt den Klang in einem gestischen Sinne, macht die Stimme zu einem Seismographen seelischer Zustände.

Die von David A. Lowe zitierten Kritiken sind kontrovers. Peter Hoffer schrieb in »Music and Musicians«, sie sei nicht bei bester Stimme gewesen, während Peter Dragadze in »Opera« ihre Aufführung uneingeschränkt lobte. Als Kenner ersten Ranges führte Teodore Celli aus, daß die Rolle der Lady wie maßgeschneidert für die Callas war und die wenigen Mißfallensäußerungen von Leuten kamen, die ein Singen in dramatischen Klanggestalten nicht erwartet hatten, und daß es gerade einige wenige Pfiffe waren, die den Rest des Publikums zu einer wahren Ovation herausforderte. Ewig schade, daß Maria Callas nach den fünf Scala-Aufführungen die Lady nie wieder hat verkörpern können. Sie sollte sie in San Francisco singen – es kam nicht dazu; sie sollte sie an der Met singen – die bittere Kontroverse mit Rudolf Bing verhinderte die Aufführung; sie sollte sie an der Covent Garden Opera singen – der Plan scheiterte. Von einer der herrlichsten dramatischen Darstellungen blieben nur der Scala-Mitschnitt und die Aufnahme von drei Arien in einem von Nicola Rescigno dirigierten Recital: viel, aber nicht genug.

Neun Tage nach den Aufführungen der Verdi-Oper gab es vom 26. Dezember an bis in die ersten Januar-Tage 1953 fünf Aufführungen von Ponchiellis *La Gioconda* mit Giuseppe di Stefano als Enzo und Antonino Votto am Pult. Am 19. Februar folgte die sechste von insgesamt zwölf, die sie überhaupt gesungen hat. Dennoch gehört die Gioconda zu den zentralen Rollen ihrer Karriere. Sie hat sie nicht nur bei ihrem italienischen Debüt in Verona gesungen, sondern auch zweimal, jeweils unter Votto aufgenommen. Die erste Einspielung, noch für Cetra, machte nicht zuletzt deshalb Sensation, weil man nicht glauben konnte, daß eine Sängerin mit einer so dunklen, dramatischen Stimme auch die Lucia singen konnte. Votto, der dreißig Jahre lang der Assistent Toscaninis gewesen war und dessen Arbeit an der Scala erlebt hatte, nannte Callas später »die letzte große Künstlerin«. Für ihn war es fast ein Wunder, daß sie, oft fünfzig Meter vom Dirigenten entfernt, trotz ihrer extremen Kurzsichtigkeit exakt mit dem Schlag des Dirigenten einsetzte. Er erinnerte sich, daß sie ihre Partie schon notengenau kannte, wenn sie zu den Proben kam, bei denen sie, zum Verdruß ihrer Kollegen, stets voll aussang. Interessant des Dirigenten Erklärung und Rechtfertigung dieses Einsatzes: »Wenn man in ein Rennen geht, das eine Meile lang ist, dann läuft man beim Training nicht nur eine halbe Meile. Die meisten Sänger sind dumm und versuchen, ihre Kräfte aufzusparen, aber eine Probe ist eine Hürde.«

Votto nannte es töricht, Callas nur als Stimme zu diskutieren: »Sie muß in ihrer Vollständigkeit gesehen werden – als eine Einheit von Musik, Drama und Bewegung. Jemanden wie sie findet man heute nicht mehr. Sie war ein ästhetisches Phänomen.« Die Aufführungen von *La Gioconda* fanden keinen ungeteilten Beifall, weil die Stimme nach den Strapazen in der zweiten Hälfte des Jahres 1952 nicht in bester Verfassung war. Schon fünf Tage später folgten in Venedig und Rom fünf Aufführungen von *La Traviata* – mit großem Erfolg in Venedig und mit weniger Anerkennung in der italienischen Metropole.

»La voce è troppo forte« (»Die Stimme ist zu stark«) sagten diejenigen, die sich in der Partie an Sängerinnen von der Art der dal Monte erinnerten. In »Opera« berichtete Cynthia Jolly, daß selbst die Platzanweiser an der laut geführten Diskussion über ihre Darstellung teilgenommen hätten. Bemängelt wurde, daß Maria Callas unbeteiligt gewirkt hätte und, nach einem brillanten ersten Akt, die Phrase »Amami, Alfredo« ohne tiefen Schmerzensausdruck gesungen habe, und im Schlußakt habe sie gar zu »histrionischen Mitteln« gegriffen.

Vor ihrer Rückkehr an die Mailänder Scala sang sie zum erstenmal in Italien am Communale von Florenz Gaëtano Donizettis *Lucia* (25. und 28. Januar, 5. und 8. Februar 1953). Ihr erster Partner als Edgardo war Giacomo Lauri-Volpi, einer der frühen Bewunderer der jungen Diva. »Ein grenzenloser Triumph«, schrieb er kurz nach der Aufführung, »diese junge Künstlerin, die ihre Zuhörer in Hochspannung versetzen kann, mag die Opernbühne einer neuen goldenen Ära des Singens zuführen.« Gleich nach den vier Aufführungen wurde das Werk von der EMI aufgenommen. Statt Franco Ghione, der die Aufführungen geleitet hatte, dirigierte Tullio Serafin, die Partner der Sängerin waren Giuseppe di Stefano und Tito Gobbi. Walter Legge, der Produzent, schickte ein kurzes Stückchen Band an Herbert von Karajan, der sich sogleich entschloß, die Oper mit Maria Callas an der Mailänder Scala herauszubringen; der Dirigent hat es immer verstanden, am Erfolg kongenialer Künstler zu partizipieren. Er brachte die Aufführung nach Berlin und vor allem auch, im Juni 1956, nach Wien an die erst ein halbes Jahr zuvor wiedereröffnete Staatsoper. Deren Leiter Karl Böhm hatte für Schlagzeilen gesorgt, weil er, ob seiner langen Abwesenheit getadelt, erklärt hatte, er sei nicht willens, seine internationale Karriere für die Wiener Oper zu opfern, eine

Äußerung, die als ungeheuerlicher Affront gewertet wurde. Nicht zuletzt die triumphale Aufführung der Donizetti-Oper ließ Herbert von Karajan als den Mann erscheinen, der die Wiener Oper noch einmal glorreichen Zeiten würde entgegenführen können, besonders durch den künstlerischen Zusammenschluß mit der Mailänder Scala: Es war der Auftakt für einen europäischen Musikmarkt.

Nach den in der Opernwelt weithin diskutierten Aufführungen von *Lucia* erfüllte Maria Callas ihre letzten Verpflichtungen an der Mailänder Scala in der Saison 1952/53. Sie sang fünf Aufführungen von Giuseppe Verdis *Il Trovatore*, drei im Februar und zwei Ende März. Die Partie der Leonora wird nicht oft erwähnt, wenn über die herausragenden Callas-Portraits gehandelt wird. Gerade für dieses Werk aber hat sie, wie John Ardoin ausführt, mehr getan als selbst für *Norma*. Daß Bellinis Musik ganz besondere Anforderungen an die vokale Technik stellt, war bekannt, auch wenn (oder weil) diese Anforderungen kaum mehr erfüllt wurden. Daß die vokalen Darstellungen der Leonora jedoch Opfer jener Art von Tradition geworden waren, die Schlamperei perpetuiert, kam erst ins Bewußtsein, als Maria Callas diese Partie zu singen begann. Schon mit ihrer mexikanischen Aufführung hatte sie gezeigt, daß die Musik der Leonora eine des Übergangs ist. Formelhaft gesagt: Vom verzierten Stil des Belcanto zum szenisch-dramatischen Gesang, wie Verdi ihn in den fünfziger Jahren des 19. Jahrhunderts zu entwickeln begann. Bei ihrer ersten italienischen Aufführung in Neapel hatte ihr elaboriertes Singen das Publikum noch irritiert. Nach der *prima* in der Scala schrieb »Oggi« über »stupenden Vokalismus«. Peter Dragadze rühmte in »Opera« »ihre bemerkenswerte künstlerische Intelligenz, ihre außerordentlichen sängerischen Fähigkeiten und eine Technik, die der keines anderen Sängers nachsteht«.

Im März, da sie in Genua zwei weitere Aufführungen als Lucia sang, schloß sie ihre zweite Aufnahme für EMI ab: Vincenzo Bellinis *I Puritani*. Erneut war Giuseppe di Stefano ihr Partner, und obwohl Tullio Serafin nicht in der Scala dirigierte, stand er im Studio vor dem Scala-Orchester.

Nach Aufführungen von *Norma* in Rom und von *Lucia di Lammermoor* in Catania sollte sie beim Maggio Musicale Fiorentino einmal mehr ein Museums-Stück aktualisieren. 1951 hatte sie dort die Elena in Verdis *I Vespri Siciliani* gesungen, 1952 Rossinis Armida. Für die Festspiele von 1953 stand Luigi Cherubinis *Medea* auf dem Programm, ein Werk, das 1797 in Paris, am Théâtre Feydeau, uraufgeführt worden und erst 1909 an die Mailänder Scala gekommen war (mit Ester Mazzoleni in der Titelpartie). Daß die Oper alsbald wieder im tiefen Brunnen des Vergessens versunken war, kann nur, mit den Worten von Robert Mann in »Musical America«, daran gelegen haben, »daß Sänger von der Künstlerschaft und der Intelligenz einer Miss Callas so ausgesprochen rar sind«. Dabei hatte Maria Callas nur acht Tage Zeit gehabt, die Rolle – unter Vittorio Gui – zu studieren.

Es sollte in mehrfacher Hinsicht eine Schlüsselrolle für ihre Karriere werden. Bei der Florentiner Aufführung war Rudolf Bing, der Impresario der New Yorker Metropolitan Opera, anwesend, um mit der Sängerin über einen Vertrag zu reden, doch kam es zu keinem Abschluß. Meneghini sagte gegenüber der Presse: »Meine Frau wird an der Met nicht singen, solange sie von Bing geführt wird. Es gereicht der Met zum Schaden.« Als Medea hatte Callas später in Dallas einen ihrer größten Triumphe – inspiriert von den Revanchegefühlen gegenüber Bing, mit dem sie sich überworfen und der sie, unter öffentlichen Brüskierungen, gefeuert hatte. Medea war die letzte Rolle, die sie 1962 an der Mailänder Scala sang, und es war auch die Rolle, mit der sie 1960 nach Griechenland zurückging: Es war, mit einem Wort, eine Rolle, die sie selbst mit den Resten ihrer Stimme noch darstellen konnte. Erst nach den diversen Aufführungen mit Maria Callas haben sich Sängerinnen wie Rita Gorr, Leyla Gencer, Gwyneth Jones, Magda Olivero, Anja Silja, Leonie Rysanek und Sylvia Sass an die Partie gewagt, deren Uraufführungssängerin, Madame Scio, gestorben sein soll, weil sie die Medea zu oft gesungen habe.

Nach der ersten Aufführung in Florenz am 7. Mai 1953 schrieb Giuseppe Pugliese – später Teilnehmer an der Callas-Debatte der RAI –, daß die Sängerin eine Herausforderung bewältigt habe, der keine andere Interpretin gewachsen gewesen wäre. Teodore Celli sagte im »Corriere Lombardo«: »Callas war Medea. Sie war erstaunlich. Eine große Sängerin und eine tragische Darstellerin von bemerkenswerter Kraft, gab sie der Zauberin einen sinistren Klang der Stimme, die in der tiefen Lage von glühender Intensität war. Aber sie fand auch herzbewegende Töne für die liebende Medea und anrührende für die mütterliche Medea. Kurz, sie drang hinter die Noten und fand den monumentalen Charakter der Legende ...« Ihr Erfolg war so außerordentlich, daß die Direktion der Mailänder Scala die zu Beginn der Saison 1953/54 geplante Premiere von Alessandro Scarlattis *Mitridate Eupatore* absetzte. Ausgesucht worden war dieses Werk mit Blick auf die anderen Opern, in denen Callas singen sollte: Geplant waren die erste *Lucia* an der Scala (unter von Karajan),

Christoph Willibald Glucks *Alceste* und Giuseppe Verdis *Don Carlo.* Statt der Scarlatti-Oper sollte Cherubinis Musikdrama die Saison eröffnen – den Mitarbeitern der Scala standen schwere Wochen bevor.

Zunächst aber hatte die Sängerin weitere Verpflichtungen in London zu erfüllen. Im Juni sang sie unter Sir John Barbirolli drei Aufführungen von *Aida* mit Giulietta Simionato und Kurt Baum als Partnern; es folgten vier von Bellinis *Norma* unter John Pritchard mit Mirto Picchi als Pollione und der Simionato als Adalgisa, sodann drei von Verdis *Il Trovatore* unter Alberto Erede. In seiner Monographie über die Covent Garden Opera bezeichnet Harold Rosenthal das Aida-Portrait als »stürmisch und immens dramatisch«, doch war in der »Times« auch zu lesen, daß ein »Exzeß an Emotion« die Tonbildung einige Male beeinträchtigt hatte – erinnert sei an den zu Beginn zitierten Satz von Yehudi Menuhin, daß Ausdruck der Feind der Technik ist. Uneingeschränkt gelobt wurden ihre Darstellungen der Norma und der Leonora, obwohl Alberto Erede als Dirigent der Verdi-Oper hart kritisiert wurde. Cecil Smith schrieb in »Opera«: »Auf eine Art und Weise, die ich schwer erklären kann, verkörperte sie sowohl Leonoras passionierte Menschlichkeit als auch die Formalität, mit der Libretto und Partitur ihre Emotionen generalisieren. Die Stimme – oder vielmehr deren Gebrauch – war Quelle unendlichen Staunens. Endlich einmal hörten wir vollständig ausgeformte Triller, Skalen und Arpeggien voller Körper, die *portamenti* und die langgedehnten Phrasen mit voll gestütztem Klang und exquisiten Inflektionen. Die stürmische Ovation nach ›D'amor sull'ali rosee‹ im Schlußakt war das, was Callas verdient hatte.« Erneut ein Hinweis auf den außerordentlichen Rang dieses feinen Portraits in der Galerie der von Maria Callas gesungenen Verdi-Heroinen.

Der Sommer brachte wenig Zeit zur Erholung, zumal Maria Callas sich der physischen Strapaze einer radikalen Diät unterzog. Sie kehrte im Juli nach Verona zurück, sang in der Arena unter Tullio Serafin vier Aufführungen von *Aida*, unter Francesco Molinari-Pradelli die Leonora in *Il Trovatore* und verbrachte die ersten drei Augustwochen für die Aufnahmen von Pietro Mascagnis *Cavalleria Rusticana* und von Giacomo Puccinis *Tosca* in Mailand. Sie hatte Santuzza nur in Athen studiert und auf der Bühne gesungen. Später hat sie die dramatisch zwar effektvolle, aber eindimensionale Rolle, wie so viele andere aus dem veristischen Repertoire, gemieden. Doch nie hat man, wie in so vielen modernen Studio-Aufführungen, den Eindruck einer vom Blatt singenden Interpretin. Ihre dramatische Phantasie arbeitete auch ohne Rollenpraxis auf dem höchsten Spannungsniveau. Erwähnenswert, daß diese Aufnahme als einzige vor den späteren Pariser Produktionen nicht von Walter Legge betreut wurde, der knapp eine Woche nach der am 4. August abgeschlossenen Aufnahme der Mascagni-Oper in Mailand eintraf und die Produktion von *Tosca* betreute.

Deren Rang ist nicht hoch genug zu veranschlagen: Mit ihr beginnt recht eigentlich das für die Einbildungskraft inszenierte musikalische Theater oder, anders gesagt, die Emanzipation der dramatischen Musik von der Bühne, ihre Erlösung durch die Technik. Ein Vergleich zwischen der im August 1953 aufgenommenen *Tosca* und der wenige Wochen später von der italienischen Firma Cetra produzierten *La Traviata* läßt erkennen, daß die technische Phantasie in der Aufnahme der Puccini-Oper eine künstlerische Qualität gewinnt: Sie setzt das Werk auf einer Klang-Bühne in Szene, während die Cetra-Produktion vergleichsweise spannungslos abläuft.

Nach einer langen Erholungspause begann Maria Callas am 19. November am Teatro Verdi von Triest die neue Saison. Sie sang vier *Norma*-Aufführungen, die letzte am 29. November, und ging anschließend nach Mailand. Eröffnet wurde die Saison mit Alfredo Catalanis *La Wally* – und mit Renata Tebaldi, für die Antonio Ghiringhelli ferner Desdemona, Tosca und Tatjana in *Eugen Onegin* ausgesucht hatte. Die Tatsache, daß die beiden größten Diven der italienischen Oper innerhalb weniger Tage Premieren am Teatro alla Scala singen würden, zeitigte eine Atmosphäre hysterischer Spannung. Der Kritiker Emilio Radius schrieb in »L'Europeo«, die beiden Sängerinnen möchten doch, zur höheren Ehre der Musik, sich öffentlich aussöhnen. Callas, die, wie es heißt, jede Zeile über sich zu lesen pflegte, gehörte jedenfalls zu den Premieren-Besuchern der Catalani-Oper. Der Kritiker Bruno Slavitz notierte in »Musica e Dischi«: »Die Rivalität, die das Publikum teilt in die Bewunderer einer großen Stimme (Tebaldianer) und die Bewunderer technischer Meisterschaft (Callasianer), bringt Leben in das Theater. Zum Glück gehen Rivalität und Ritterlichkeit miteinander einher. Alle waren froh, Signorina Meneghini-Callas in ihrer Loge zu sehen, wie sie Renata Tebaldis Erfolg herzlich Beifall zollte.«

Es versteht sich fast von selbst, daß es viele gab, die diesen Besuch als kühl kalkulierten Auftritt, ja als ein zynisches Störmanöver ansahen. Callas sollte drei Tage nach der Saison-Eröffnung die im letzten Moment ausgesuchte Oper Cherubinis singen, eine Entscheidung, die das Theater beinahe in ein Chaos stürzte. Margherita Wallmann mußte binnen kürzester Zeit das Werk szenisch erarbeiten und für Bühnenbilder und Kostüme sorgen. Für die Bühnenbilder gewann sie den in Italien bekannten Maler Salvatore Fiume, der ursprünglich für Christoph Willibald Glucks *Alceste* engagiert worden war und mit dem Werk nicht zurechtgekommen war. Ein Teil der für Glucks Oper entworfenen phantastisch-wilden Bilder eignete sich hingegen für Cherubinis Oper.

Viel gravierender als die szenischen Probleme war, daß die Scala keinen Dirigenten für das Werk hatte. Victor de Sabata war erkrankt, so schwer, daß er nie wieder in der Oper dirigieren sollte. Vittorio Gui, der in Florenz am Pult gestanden hatte, mußte andere Verpflichtungen erfüllen. Der Ersatzmann kam aus den Vereinigten Staaten: Leonard Bernstein. Wie die Scala auf ihn, der noch nie in der Oper gearbeitet hatte und das Werk nicht kannte, verfiel, geht aus den Büchern über Maria Callas nicht hervor. In der Bernstein-Biographie von Joan Peyser, die sich auf Meneghinis »My Wife, Maria Callas« beruft, heißt es, daß Maria Callas dem Intendanten der Scala von einer Konzertaufführung, die sie im Radio gehört hatte, erzählte. Das Konzert sei, soll sie gesagt haben, ungewöhnlich fesselnd gewesen, und es müsse doch leicht sein, den Namen des Dirigenten, den sie nicht gehört hatte, ausfindig zu machen. Ghiringhelli soll sich geweigert haben, den in Italien völlig unbekannten Leonard Bernstein zu engagieren, doch auf Drängen der Sängerin setzte er sich mit dem jungen Amerikaner in Verbindung, der, nach seiner langen Konzertreise erschöpft, wenig Lust hatte, innerhalb kürzester Zeit ein unbekanntes Werk zu erarbeiten. Erst als Maria Callas mit ihm sprach, willigte er ein.

Kurios eine Begebenheit zu Beginn der Proben. Das Papier der Originalpartitur von 1798, die ihm zugeschickt worden war, löste sich auf und gab einen Staub ab, auf den der Dirigent allergisch reagierte: »Er hustete und schneuzte sich durch alle Proben«, berichtete Margherita Wallmann. Mit der Sängerin verstand er sich augenblicklich. Sie akzeptierte sogar ohne Murren, daß er Striche in der Partitur vornahm, denen auch ihre Arie aus dem zweiten Akt zum Opfer fiel. »Sie erkannte sogleich die dramaturgische Richtigkeit dieses Eingriffs«, sagte er später, »sie verstand einfach alles, was ich wollte, und ich verstand das, was sie wollte.«

Bernstein hatte nur fünf Tage Zeit, und dennoch »wirkte er Wunder mit dem Orchester« (Wallmann). Maria Callas versetzte das Publikum in Frenesie. »Sie war die reinste Elektrizität«, sagte Bernstein. Wallmann erinnert sich, daß sie damals noch nicht allzuviel Gewicht verloren hatte und auf der Bühne wirkte wie die Karyatiden der Akropolis. »In ihren Gesten steckte ein ungeheurer Nachdruck – man fühlte ihre Stärke. Für Medea war ihre damalige Physis ein Vorteil; sie gab dem Charakter etwas Antikisches.« Von Anfang an habe sich die Sängerin, wie sich Margherita Wallmann weiter erinnerte, mit der Rolle vollkommen identifiziert. Die Regisseurin deutete sogar an, daß gewisse sexuelle Frustrationen der jungen Frau, die mit einem älteren Mann verheiratet war, durch die Intensität der Arbeit kompensiert worden seien: »Unerfüllte Leidenschaften schafften sich Ausdruck in ihrem Singen. Als dies kein Problem mehr für sie bedeutete, war sie nicht mehr dieselbe Künstlerin.«

Die Aufführung war ein beispielloser Erfolg sowohl für Maria Callas als auch für Leonard Bernstein. Es war einmal mehr der Kritiker Teodore Celli, der in »Oggi« klarmachte, daß Maria Callas mit der Aktualisierung des Stils des *ottocento* die Kunst der Malibran hatte auferstehen lassen. Callas sang fünf Aufführungen von *Medea* im Dezember 1953 und im Januar 1954, gastierte daneben als Leonora in *Il Trovatore* in Rom und bereitete sich überdies auf ihre zweite Premiere an der Scala vor. Während ihres kurzen Weihnachtsurlaubs konnte sie in »L'Europeo« aus der Feder von Emilio Radius lesen: »Wenn diese Zeiten besser wären für die Musik, wäre Maria Callas die berühmteste Frau Europas.«

Zum Glück war sie damals nur die berühmteste Opern-Diva der Epoche, und zu deren Ruhm trugen sieben Aufführungen von *Lucia di Lammermoor* unter Herbert von Karajan entscheidend bei. Sie hatte die Rolle zum erstenmal 1952 in Mexico City gesungen, und ganz gewiß ist Michael Scott zuzustimmen, daß sie die Rolle nie dramatischer und suggestiver gesungen hat als in Südamerika. Die Chance, sie szenisch wirklich zu erarbeiten, bekam sie zum erstenmal an der Scala, und so zählt denn auch der 18. Januar 1954 – leider nicht durch einen Mitschnitt dokumentiert – zu den großen Tagen ihrer Karriere. Damals konnte sie noch das Es *in alto* zehn Sekunden und länger halten, jenen magischen Ton in der höchsten Höhe, bei dem sie vier Jahre später, bei einer Aufführung in Dallas, die Zeffirelli für Joan Sutherland inszeniert hatte, patzte. Sie war so ärgerlich, daß sie, kaum daß der Vorhang gefallen war, das Es fünfmal nacheinander sang; doch obwohl es jedesmal kam, hat sie die Lucia nie wieder auf der Bühne gesungen.

Herbert von Karajan war nicht nur der Dirigent, sondern auch der Regisseur der Aufführung. Seine Idee der szenischen Stilisierung hatte Nicola Benois, den ersten Bühnenbildner der Scala, dazu gebracht, aus der Produktion auszusteigen. Sein Ersatz, Gianni Ratto, erfüllte des Dirigenten Wünsche: karge, schattenhafte, dunkle Bühnenbilder wie aus der Welt Hamlets. Der Dirigent war sogar nach Schottland gefahren, um sich ein Bild zu machen von der Landschaft, in der Walter Scott die tragische Liebesgeschichte situiert hatte, und während der Vorbereitungszeit verlangte und erhielt er zusätzliche Beleuchtungsproben. Mit der Inszenierung und dem stilisierten Bühnenbild konnte sich die Sängerin nicht befreunden; doch die musikalische Arbeit mit dem Dirigenten war ein ungetrübtes Vergnügen.

Nicht nur Maria Callas hat gesagt, daß Herbert von Karajan – in der Terminologie von Sängern – »mit der Stimme gehen« konnte. Damit ist beileibe nicht nur geschickte Anpassung gemeint, auch nicht das in der Tat sehr wichtige Mitatmen, sondern ein Gespür für Zeiteinteilung, für Dynamik, für Phrasierung, für insgesamt mehr, als die Aufzählung von spezifischen technischen Details erklären kann. Es geht, wie immer banal das klingen mag, um die Gliederung der Zeit durch gespannte und sich entspannende Bewegung. Die spezifische Bewegungs-Intelligenz der Callas – oder sollte man von einem durch Intelligenz und Kunstverstand gesteuerten Instinkt sprechen? – hat der italienische Regisseur Sandro Sequi mit einer Genauigkeit beschrieben, die man in der Literatur über Sänger und Schauspieler sonst nur noch bei Wagner, bei Brecht oder bei Stanislawski findet.

»Bestimmte Künstler sind mit etwas ganz und gar Außerordentlichem begabt«, erklärt Sequi, »und Maria Callas hatte jene besondere theatralische Qualität, die man heute bei Nurejew, bei Plissetskaya, bei Brando und Olivier findet. Magnani hatte sie auch. Sie alle sind ganz und gar individuell, sind einander völlig unähnlich. Nachdem ich Callas viele Male auf der Bühne gesehen hatte, wurde mir klar, daß sie ein Geheimnis bewahrte, das die wenigsten Theaterleute kennen. Aber um das zu erklären, muß ich in mein eigenes Leben zurückgehen. Als Teenager habe ich bei Clotilde und Alexandre Sacharoff, die in den zwanziger und dreißiger Jahren überall in Europa bekannt waren, Tanzen studiert; er war ein Schüler von Isadora Duncan. Bei seinen Unterrichtsstunden verlangte Sacharoff stets mit Nachdruck, daß das Gehirn jeden Muskel des Körpers in Spannung zu versetzen habe – in eine Spannung des Geistes, der Intelligenz, die in jedes Glied übergehen müsse, in die Finger, die Zehen, das Gesicht, überallhin. Unversehens aber müsse es eine Entspannung geben, die den Eindruck einer jäh aufgehobenen Energie erwecke. Sacharoff pflegte dies mit einer Geste äußerster Intensität zu demonstrieren und diese plötzlich abzubrechen. Der Effekt war außerordentlich, eine dramatische Klimax wie der Moment, in dem ein Mensch stirbt. Dieser Wechsel von Spannung und Entspannung kann das Publikum auf geradezu unglaubliche Weise in Bann schlagen. Ich glaube, daß dies der Schlüssel zum Magnetismus der Callas war, die Erklärung dafür, warum ihr Singen und Darstellen derart fesselten. Denken Sie nur an die Bewegungen ihrer Arme in der Nachtwandelszene der Lucia. Sie waren wie der Flügel eines riesigen Adlers, eines wunderbaren Vogels. Wenn sie sich aufwärts bewegten und sie bewegte sie oftmals ganz langsam, wirkten sie schwer – nicht luftig-leicht wie die einer Tänzerin, sondern gleichsam beschwert. Dann erreichte sie den Höhepunkt einer musikalischen Phrase, und ihre Arme entspannten sich und flossen über in die nächste Geste, bis sie wieder einen musikalischen Höhepunkt erreichte. ... Es gab da eine ununterbrochene Linie in ihrem Singen und in ihren Bewegungen, die wirklich ganz schlicht waren.«

Was Sequi hier beschreibt, ist das Geheimnis der sprechenden menschlichen Gebärde, ist ein Singen als erfühlte und erfüllte Empfindung. Von besonderer Bedeutung ist die Schlußfolgerung dieses wahrhaft mit präziser Beobachtungsgabe und Innervation begabten Hörers und Zuschauers. Dem Singen und dem Darstellen der Callas sei, folgerte Sequi, »Realismus fremd gewesen«, und nur deshalb sei sie »die größte aller Opernsängerinnen gewesen«. In Verismo-Rollen seien ihre Talente »vergeudet« gewesen – ihr Genie habe sie als Norma, als Sonnambula, als Lucia entfalten können.

Die Wahnsinnsszene am Ende der Oper löste Wahnsinnsszenen im Auditorium aus. »Die Scala im Delirium... ein Regen roter Nelken... vier Minuten Beifall nach der Wahnsinnsszene« – so lauteten die Schlagzeilen in »La Notte«. In »Opera News« berichtete Cynthia Jolly, daß Maria Callas schon nach dem Sextett ein dutzendmal vor den Vorhang gejubelt wurde. In der Wahnsinnsszene habe sie »so manche Ophelia der Sprechbühne übertroffen. Es wird schwer, sehr schwer sein, ›Spargi d'amaro pianto‹ von einer anderen Sängerin (wie immer perfekt) zu hören, ohne die Phrase blaß und fade zu finden.« Auch dies eine hellhörige Anmerkung: Wer immer die Partie der Lucia nach Maria Callas gesungen hat, ist im Namen von Maria Callas gleichsam verworfen worden. Das gilt selbst für Joan Sutherlands nicht nur technisch makellos gesungene, sondern auch empfindsame Lucia. Wer die Färbungen und Wortnuancierungen der Callas im Ohr hat, muß das weniger präzis artikulierte Singen der Australierin als ausdrucksärmer, als weniger eloquent empfinden.

Nach den Scala-Triumphen sang Callas jeweils drei Aufführungen als Lucia und Medea am La Fenice von Venedig und drei als Tosca in Genua. Dann begannen die Vorbereitungen für die erste Aufführung von Christoph Willibald Glucks *Alceste* an der Scala (4. April 1954). In George Jellineks Buch heißt es lapidar, die Produktion habe nicht die Höhen der vorhergehenden Premieren erreicht. Gewiß haben die vier Aufführungen nicht Sensation gemacht wie die von *Medea* oder *Lucia*, weil Maria Callas in der Gluck-Oper weder *virtuosa* noch die dramatisch-dämonische Darstellerin sein konnte. Daß sie eine Gluck-Interpretin höchsten Ranges war, zeigt sie in jeder Phrase der von Carlo Maria Giulini flüssig und mit sanfter Expression dirigierten Aufführung. Es gibt wenige Aufnahmen von »Divinités du Styx«, die an Callas' italienisch gesungene Version (»Divinità infernal«) herankommen, und schwerlich eine, die sie überträfe. Die Partie der Alceste ist nicht so extravertiert wie Medea, Norma oder Violetta und muß mit klassischem Maß gesungen werden. Jede Phrase, jede *legato*-Linie bedürfen jedoch stärkster innerer Spannung, und wenn etwas den einzigartigen Rang der Sängerin beweist, ist es die Tatsache, daß sie binnen weniger Wochen drei Rollen gerecht wurde, wie sie unterschiedlicher nicht sein könnten: Daß sie eben mehr war als eine Diva, vielmehr eine Stimme der Musik.

Gerald Fitzgerald berichtet, daß sich Wallmann, Giulini und Callas mit größter Hingabe um das Werk bemühten. Der Dirigent sah das Werk als »etwas Heiliges«. Er griff auf den alten Text von Calzabigi zurück, wählte aber die spätere Pariser Fassung des Komponisten. Über Callas sagte er, sie sei jeder »Ausdrucksforderung gerecht geworden« und habe die Aufmerksamkeit der Hörer selbst in den Momenten auf sich gezogen, wenn sie nicht sang – wieder einer der unendlich vielen Hinweise auf die durch innere Gespanntheit erzeugte Spannung, die von der Darstellerin Maria Callas ausging. Margherita Wallmann erzählte, daß sie während der Proben die Sängerin erst für den Nachmittag bestellt hatte; doch als sie ins Theater kam, saß Maria Callas im Zuschauerraum und erklärte der Regisseurin, sie wolle sie bei der Arbeit mit dem Chor beobachten, um ein Gefühl für die Einheit der Aufführung zu bekommen.

Sechs Tage nach der zweiten Aufführung der Gluck-Oper verwandelte Nicola Benois, der Chefbühnen- und Kostümbildner der Scala, die Sängerin in eine Figur wie aus einem Gemälde von Velasquez. Während der Saison 1953/1954 hatte sich Maria Callas auf wunderbare Weise verändert. Sie selber hat das so notiert:

Gioconda	92
Aida	87
Norma	80
Medea	78
Lucia	75
Alceste	65
Elisabetta	64

Sie war nicht nur achtundzwanzig Kilo leichter geworden, sondern durch die körperliche Veränderung, wie Carlo Maria Giulini sagte, »eine ganz andere Frau, der sich neue Welten des Ausdrucks eröffneten. Möglichkeiten, die in ihr geschlummert hatten, traten hervor. Sie war in jeder Beziehung transformiert.« Ward je eine königlichere Elisabetta in Verdis *Don Carlo* gesehen? Sie hatte die Partie schon vier Jahre zuvor für Aufführungen am Teatro San Carlo und am römischen Teatro dell'Opera studiert, diese aber wegen einer Gelbsucht absagen müssen. Ihre Scala-Aufführung neben ihrem alten Freund Nicola Rossi-Lemeni, Paolo Silveri als Posa und der grandiosen Ebe Stignani als Eboli wurde als dramatische Darstellung einhellig gelobt, doch während Franco Abbiati im »Corriere della Sera« ihr Singen »süßer als gewohnt« fand, vermißte Riccardo Malipiero »Süße und Sanftheit«. Nach den fünf Aufführungen im April 1954 hat sie die Partie nie wieder gesungen – nach Lady Macbeth die zweite Verdi-Rolle, die man im Museum der Schallplatte schmerzlich vermißt, zumal die unvergleichliche Aufnahme der großen Szene unter Rescigno andeutet, daß sie deren größte Darstellerin war.

Nach Abschluß der Saison galt Maria Callas, obwohl auch Renata Tebaldi glänzende Aufführungen gesungen hatte, als *»La Regina della Scala«*. Man bewunderte sie nicht nur als unvergleichliche *virtuosa*, sondern vor allem wegen ihrer Ausstrahlung, ihrer Flamboyance, ihres Magnetismus, auch wenn eine zweite Transformation – die in La Callas, den Star – Neidern und Hassern Stoff für Angriffe gab.

Während sie noch Elisabetta an der Scala sang, begannen am 23. April im Metropol-Kino die Aufnahmen von Vincenzo Bellinis *Norma* unter Tullio Serafin, der die Partitur mit gelassener Ruhe, aber nie spannungslos dirigiert. Die Art und Weise, wie er die endlosen Melodiebögen Bellinis entfaltet, weist ihn als einen der größten italienischen Operndirigenten aus – die Flexibilität, mit der er Begleitfiguren musiziert, sucht man in den späteren Aufnahmen unter Dirigenten wie James Levine oder Riccardo Muti vergebens. Seltsam nur, daß Walter Legge bei der Besetzung keine allzu glückliche Hand bewies: Mario Filippeschi ist unter vielen mittelmäßigen Sängern des Pollione einer der ganz schlechten; nur Giacomo Lauri-Volpi hat »Meco all'altar« so gesungen, daß er als Partner der Callas würdig gewesen wäre. Ebe Stignani gibt als Adalgisa eine kompetente Aufführung; doch das Timbre der Stimme ist schwer und zu alt für die Rolle.

Debüt in den USA

Während der *Norma*-Aufnahmen wurde Maria Callas für das amerikanische Magazin »High Fidelity« interviewt. Ihr Debüt in den USA stand bevor. Im Februar war Carol Fox nach Europa gekommen, und sie hatte geschafft, was Bing nicht gelungen war. Maria Callas war bereit, in die Stadt zurückzukehren, wo ihre Karriere einige Jahre zuvor – mit *Turandot* – hätte beginnen sollen: Chicago. Gemeinsam mit dem jungen Lawrence Kelly und dem Dirigenten Nicola Rescigno, später ein ständiger Partner der Sängerin, wollte Carol Fox der Lyric Opera neuen Glanz geben, und alle Beteiligten wußten, daß ein solcher Versuch ohne die Besten zum Scheitern verurteilt sein würde.

Im Februar 1954 brachte Rescigno mit einer superben Besetzung den *Don Giovanni* heraus: mit Nicola Rossi-Lemeni in der Titelpartie, Eleanor Steber als Anna, Leopold Simoneau als Ottavio und Bidu Sayão als Zerlina. Der Erfolg ermutigte Carol Fox, für den Herbst eine dreiwöchige Stagione zu planen und dafür die besten Stars in Europa zu verpflichten. Rossi-Lemeni bestärkte Maria Callas darin, ihr amerikanisches Debüt in Chicago zu geben. Sie akzeptierte, zumal die Gagenofferte generös war. Für sechs Aufführungen sollte sie 12 000 Dollar erhalten; die Met zahlte damals pro Abend eine Höchstgage von 1000 Dollar. Nicht weniger verlockend war das Ensemble. Zu ihren Partnern gehörten Giulietta Simionato, Ebe Stignani, Giuseppe di Stefano, Jussi Björling, Tito Gobbi, Ettore Bastianini und Rossi-Lemeni, und am Pult stand Tullio Serafin.

Dem Gastspiel in den USA ging ein arbeitsreicher Sommer voraus. Im Mai sang sie zwei Aufführungen von Verdis *La Forza del Destino* in Ravenna, und im August nahm sie die Oper unter Leitung von Tullio Serafin auf. Ihr Tenorpartner war Richard Tucker, der Enzo ihrer ersten *Gioconda*-Aufführung in Verona. Zwischen dem 25. Mai und dem

17. Juni 1954 entstand die Aufnahme von Ruggiero Leoncavallos *Pagliacci.* Im Juli sang sie in der Arena von Verona in Boitos *Mefistofele.* Zwischen dem 31. August und dem 8. September folgte die Platteneinspielung von Gioacchino Rossinis *Il Turco in Italia* – die Fiorilla sollte sie wenig später an der Scala singen; und kurz bevor sie in die USA reiste, sang sie am Teatro Donizetti von Bergamo zwei Aufführungen von *Lucia di Lammermoor.* Im Studio entstanden zudem zwei Recitals. Zwischen dem 15. und dem 21. September sang sie unter Tullio Serafin elf Arien aus Opern von Puccini und ein weiteres Programm mit verzierter Musik von Rossini, Meyerbeer, Delibes und Verdi und empfindsam-dramatischen Arien von Cilea, Catalani, Giordano und Boito. Das letztere sollte ihren Rang als *assoluta* erweisen und zeigen, daß sie gleichermaßen verzierte und dramatische Musik zu singen imstande war.

Für ihr amerikanisches Debüt hatte sie Norma, Violetta und Lucia gewählt. Welche Schlagzeilen ihr auch vorausgeeilt waren, bei der Vorbereitung setzte sie ihre Kollegen und den jungen Nicola Rescigno in Erstaunen durch ihre fanatische Probenenergie. Sie verfolgte sorgsam die Arbeit ihrer Partner, auch die des Chores, und um für »Casta Diva« – das Entree der Norma – die richtige Balance zu finden, sang sie die immens schwierige Arie bei der Probe neunmal. »Sie lebte Oper 24 Stunden am Tag«, sagte Lawrence Kelly später.

Claudia Cassidy, die gefürchtete Kritikerin der »Chicago Tribune«, gab den Ton der Kritik an, als sie nach der *Norma*-Aufführung vom 1. November 1954 schrieb: »Nach meiner Ansicht entsprach sie nicht nur den hohen Erwartungen, sondern sie übertraf sie. Das tat auch Giulietta Simionato als Adalgisa, die mit ihr das große Duett ›Mira o Norma‹ zu etwas machte, wovon man seinen Enkelkindern noch erzählen kann.... Ich hätte Callas, wären vor der Aufführung nicht Bilder zu sehen gewesen, nicht wiedererkannt. Sie ist gertenschlank und, als tragische Maske, bildschön – mit einem Anflug von innerer Heiterkeit. Sie hat Präsenz und Stil, und sie singt großartig. ... Es gibt winzige Unstetigkeiten bei gehaltenen hohen Tönen. Doch ist ihre Stimme für meine Ohren heute schöner in der Farbe und ebenmäßiger durch alle Lagen, als sie es früher war. Ihr Umfang ist erstaunlich, ihre Technik blendend. Sie sang ›Casta diva‹ in einer Art von mystischem Traum wie eine Mondgöttin, die eben für einen Moment auf die Erde niedergestiegen ist. Wenn es zum sängerischen Feuerwerk kommt: Das Glitzern ihrer Attacke und das federleichte Fallen einer Skala – all das summiert sich zu großartigem, schönem Singen.«

Unter den 3500 Zuschauern, die Maria Callas nach der Aufführung zujubelten, befanden sich die wundervolle Sopranistin Edith Mason, der Tenor Giovanni Martinelli, die englische Sopranistin Eva Turner, die Sopranistin Rosa Raisa – lebende Erinnerungen an die großen Zeiten der Lyric Opera. In der »Saturday Review« erschien eine überaus differenzierte Rezension von Irving Kolodin: »Der Klang, den Miss Callas produziert, läßt sich am besten mit dem Wort ungewöhnlich charakterisieren, denn er entspricht keinem konventionellen Konzept der Tonproduktion. Es ist ein grundsätzlich instrumentelles Konzept der menschlichen Stimme, dem sie folgt; und wie alle großen Instrumentalisten geht es ihr alleine um künstlerische Ziele. Sie ist kein Schreihals, und sie will das Publikum nicht mit Effekten ködern. Sie arbeitet mit – und auf – der Stimme in nachgerade externer Weise. Mal schattiert sie sie zur filigranen Linie in ›Casta diva‹, mal läßt sie ihre rachevolle Kraft bei der Anklage des verräterischen Pollione explodieren. Daß ›Casta diva‹ ebenmäßiger und besser artikuliert war als in der Schallplattenaufnahme, zeigt, daß sie ihr bemerkenswertes Instrument immer vollkommener beherrscht. Sie sang hohe C's mit Leichtigkeit und, am Ende des zweiten Aktes, ein übergipfelndes D mit absoluter Sicherheit. Eines scheint sicher: Es wird noch viel besser werden, bevor es schlechter wird. Sie imponiert einem als künstlerischer Handwerker.«

Gut zwanzig Jahre später, nach dem Tod der Sängerin, erinnerte Claudia Cassidy daran, daß Callas als Violetta in Chicago die Erinnerungen an Claudia Muzio und an Lucrezia Bori heraufbeschworen habe. Auch wenn keine der Aufführungen aus Chicago mitgeschnitten worden ist, läßt sich mit Sicherheit sagen, daß sie an der Lyric Opera ihre besten Aufführungen in den Vereinigten Statten gesungen hat. 1955 sollten weitere Aufführungen dieses Ranges folgen. Zu ergänzen ist, daß ihre ersten Aufführungen für die Firma »Angel« – Tochter der EMI – von entscheidender Bedeutung für ihren Erfolg waren. Walter Legge hatte schon bei den ersten Produktionen mit der Sängerin die Strategie verfolgt, das neue Label in den USA mit Künstlern ersten Ranges ins Gespräch zu bringen. Die Aufnahmen von *Lucia di Lammermoor, I Puritani* und *Tosca* wurden sogleich zu Bestsellern und verschafften Maria Callas das Image der *assoluta*.

Ihr Debüt an der Lyric Opera wurde für eine große, aber taktvolle Werbekampagne genutzt. Maria Callas verließ die USA als »The Queen of Opera«, als »La Divina« und wie immer solche Superlative lauten mögen.

Callas und Visconti
oder Kunst über Kunst

Zwischen Gedanken und Emotion verläuft keine Trennungslinie. ... Es gibt nichts Bedeutungsloseres als einen mechanisch kontrollierten Ton, auch wenn er gefühlvoll ist. Es fehlt ihm die Schönheit.
Giovanni Battista Lamperti

NACH der letzten Lucia-Aufführung am 17. November, vom Publikum bedankt mit 22 Vorhängen, flog sie zurück nach Mailand. Am 7. Dezember mußte sie die neue Saison an der Scala eröffnen: mit Gasparo Spontinis *La Vestale*. Die Scala wollte in dieser Saison 21 Werke spielen, davon 18 in neuen Produktionen. (Heute bringen es hochsubventionierte Staatstheater auf sechs, im höchsten Falle acht Produktionen.) Darunter waren Wagner-Aufführungen mit den besten Bayreuther Sängern, die europäische Erstaufführung von Menottis *The Saint of Bleecker Street* und die Scala-Premiere von *Porgy and Bess*. Herbert von Karajan sollte dirigieren, und, sehnlich erwarteter Höhepunkt, Arturo Toscanini hatte zugesagt, die Piccolo Scala mit Verdis *Falstaff* zu eröffnen. Es kam nicht dazu; im selben Jahr zog sich der Dirigent endgültig zurück. Callas sollte in Neueinstudierungen von Umberto Giordanos *Andrea Chenier*, Vincenzo Bellinis *La Sonnambula*, Gioacchino Rossinis *Il Turco in Italia* und Giuseppe Verdis *La Traviata* singen.

Die Zusammenarbeit mit den Regisseuren Lucchino Visconti und Franco Zeffirelli, den Dirigenten Leonard Bernstein, Gianandrea Gavazzeni, Antonino Votto und Carlo Maria Giulini zeitigte ihre in jeder Beziehung beste Saison an der Scala: 31 Aufführungen von fünf stilistisch und technisch völlig unterschiedlichen Opern und, vor allem, die Entstehung einer neuen Imago. Als sie zu den Proben kam, wurde sie von einigen ihrer Kollegen zunächst nicht erkannt. Sie war fast so schlank wie Audrey Hepburn und trug die sorgsam ausgewählte Garderobe aus dem Salon von Puccinis Enkeltochter Madame Biki, der führenden Mode-Designerin Mailands. Ihr rötliches Haar hatte sie heller getönt, um auf der Bühne weicher und sanfter zu wirken (was sie später korrigiert hat).

Die neue Arbeit mit Luchino Visconti machte Epoche in ihrem Leben. Der Regisseur, einer der führenden italienischen Filmemacher, entstammte einer vornehmen Mailänder Familie und war mit dem Metier wohlvertraut. Er war, schreibt Gerald Fitzgerald, »in der Loge vier des ersten Ranges« aufgewachsen. Für die Produktion von *La Vestale* hatte er ein Budget von 140000 Dollar erhalten, damals eine ungeheuerliche Summe, die, als sie bekannt wurde, von den Zeitungen mit schauderndem Staunen und auch mit Bewunderung kommentiert wurde. Schon bei der ersten Probe spürte der Regisseur »Intensität, Ausdruck, einfach alles. Sie war ein ungeheuerliches Phänomen. Beinahe eine Krankheit – ein Typus von Darstellerin, die für alle Zeit gestorben ist.« Während der Proben kam der Moment, in dem sich Maria Callas in den Regisseur verliebte. »Es war die pure Einbildung«, sagte Visconti, »aber wie so viele Griechen, war sie sehr besitzergreifend.« Es kam hinzu, daß sie ihren Tenorpartner Franco Corelli nicht mochte, weil er sehr attraktiv war und, wie Arianna Stassinopoulos suggeriert, von Luchino Visconti jene Aufmerksamkeit bekam, die sie gern für sich gehabt hätte. Corelli irritierte sie, machte sie nervös und eifersüchtig. »Sie war auf der Hut vor schönen Menschen«, sagte Visconti. Noch weniger vertrug sie sich mit dem Bariton Enzo Sordello, mit dem sie später an der Met ein mehr als unerfreuliches Rencontre haben sollte. Dennoch duldete der Regisseur all ihre Launen, Ängste und Capricen, weil sie seinen Regieanweisungen genau folgte.

Viele Gesten und Posen für Maria Callas und Franco Corelli wurden Gemälden von Canova, Ingres und David nachgestellt – eine Entsprechung zum neoklassizistischen Stil der Oper. Ebenso studierten der Regisseur und seine Darstellerin die Posen griechischer und französischer Schauspielerinnen. Er wollte sie in eine klassische Schauspielerin verwandeln, in eine Schauspielerin des großen, tragischen Stils mit beredter Gestik. Wie alle genialischen Darstellerinnen verwandelte sich Maria Callas in all diese Anregungen und Vorbilder mühelos; hingegen schaffte Visconti es nicht, die Mezzo-Sopranistin Ebe Stignani zu mehr zu bewegen als zu »zwei Standardgesten«.

Bei der Premiere saßen Arturo Toscanini und Victor de Sabata in den Logen. Als Maria Callas am Ende des zweiten Aktes an die Rampe kam und es rote Nelken regnete, überreichte sie eine davon, mit anmutiger Verbeugung, dem greisen Toscanini, eine Geste des Respekts und der Bewunderung – und eines primadonnenhaften Selbstbewußtseins, und sie wurde vom Publikum mit noch mehr Beifall aufgenommen.

Die nächste »Callas-Oper« der Saison hätte Giuseppe Verdis *Il Trovatore* sein sollen, doch fünf Tage vor der ersten Aufführung am 8. Januar 1955 überredete der Tenor Mario del Monaco den Intendanten Antonio

Ghiringhelli, Umberto Giordanos *Andrea Chenier* auf den Spielplan zu setzen, ein Werk, mit dem der Tenor drei Wochen zuvor an der Met einen bedeutenden Erfolg gehabt hatte. Der Chenier war eine Partie nach seinem Herzen – und vor allem nach seiner Stimme, die mit dem H an ihre Grenzen kam, während die Partie der Maddalena, die Maria Callas in fünf Tagen lernen mußte, musikalisch nicht allzuviel hergibt und ihr auch stimmlich nicht unbedingt lag. Mit einem Wort, Giordanos Revolutionsstück ist die Oper des Tenors und nicht des Soprans, und um so ärgerlicher war, daß die Auswechslung der Werke als eine Laune der Primadonna dargestellt wurde. Es kam hinzu, daß die Stimme der Sängerin, vielleicht durch die strapaziöse Abmagerungskur, ein wenig an Volumen, an attackierender Energie verloren hatte. Sie hatte ein hohes B nicht ganz unter Kontrolle, so daß nach der großen Arie aus dem dritten Akt, »La mamma morta«, in der Scala plötzlich ein Inferno ausbrach; die Tebaldi-Fans und jene Claque, die zu bezahlen sich die Sängerin stets geweigert hatte, inszenierten einen Höllenlärm, und es war nur ein geringer Trost, daß nach der Aufführung die Witwe des Komponisten der Sängerin zu ihrem feinen Portrait gratulierte.

Hört man heute den Mitschnitt der Aufführung, so sind die Mißfallenskundgebungen gerade nach »La mamma morta« einzig als Beweise für feindlichen Fanatismus anzusehen. Den Beginn der Arie schattiert Maria Callas mit der nur ihr ganz eigenen Farbenpalette, und allein für die mit dramatischer Emphase gesungene letzte Phrase »l'amor« lohnt sich das Hören der Aufnahme.

Visconti erklärte, daß der stürmische Abend lediglich ein Streit zwischen zwei Fraktionen von Fans gewesen sei. Ghiringhelli versuchte, weitere Unruhe zu verhindern und setzte die beiden Sängerinnen fortan zu unterschiedlichen Zeiten sein. Doch besserte das wenig, und noch weniger half eine Äußerung von Maria Callas, die, ob wahr oder erfunden, in der Presse zu lesen war. »Wenn meine teure Freundin Renata Tebaldi Norma oder Lucia an einem Abend singt und dann die Violetta, La Gioconda oder Medea – dann und nur dann werden wir Rivalinnen sein. Andernfalls ist es, als ob man Champagner mit Cognac vergliche. Nein – mit Coca-Cola.« Renata Tebaldi kehrte der Scala wenig später den Rükken und sang fortan an der Met, und als Maria Callas nach New York kam, mußte sie herausfinden, daß das dortige Publikum, mit den Worten von Fitzgerald, Coca-Cola vorzog.

Eine scheinbar belanglose Affäre, jedoch der Anfang einer Kette von kleineren und größeren Krächen. Der nächste folgte unmittelbar nach den *Andrea Chenier*-Aufführungen in Rom. Dort wurde die Scala-Produktion von *Medea* gezeigt, sechs Wochen nach der Saison-Eröffnung, bei der Renata Tebaldi gesungen hatte, deren Fans Maria Callas bei der Premiere am 22. Januar 1955 immer wieder störten. Zudem hatte sie ihre Kollegen, vor allem den bulgarischen Bassisten Boris Christoff, dadurch verärgert, daß sie auf langen, sorgfältigen Proben bestand. Nach der Aufführung stellte sich der massige Sänger seiner Kollegin, die einen Solo-Vorhang bekommen sollte, in den Weg und hinderte sie, allein auf die Bühne zu gehen. Solche Episoden, eigentlich Lappalien, machten zu dieser Zeit schon fast mehr Schlagzeilen als ihre bis ins letzte verfeinerte »feurige, grelle, dämonische, wahrhaft stupende Charakterisierung der Rolle« (Giorgio Vigolo). Weiter hieß es in der Kritik: »Es ist kein Wunder, daß sie so viel Erfolg hat bei der Darstellung von Zauberinnen (Kundry, Armida, Medea). Da ist etwas seltsam Magisches in ihrer Stimme, eine Art von vokaler Alchimie.«

Als Maria Callas von den römischen Aufführungen nach Mailand zurückkehrte, war sie völlig erschöpft. Ein Furunkel, das sich an ihrem Nacken gebildet hatte, zwang sie, die Premiere von Vincenzo Bellinis *La Sonnambula* um zwei Wochen zu verschieben. Der Dirigent Leonard Bernstein gewann dadurch die Zeit, die Aufführung mit insgesamt 18 Proben vorzubereiten. Aus Chicago war Lawrence Kelly angereist, um die Details ihres Vertrags für die zweite Saison an der Lyric Opera zu besprechen. Nach den Triumphen der ersten Saison waren weitere Gastspiele unverzichtbar. Vielleicht aus der Unlust der Erschöpfung, vielleicht aus einer Primadonnenlaune – Maria Callas soll Kelly den Vorschlag gemacht haben, Renata Tebaldi zu engagieren: »Dann wird Ihr Auditorium die Chance haben, uns miteinander zu vergleichen, und Ihre Saison wird noch erfolgreicher sein.« Es kostete den Amerikaner endlose Mühe, das zweite Gastspiel zu sichern. Zu den Vertragsklauseln gehörte die Zusicherung der Lyric Opera, Maria Callas von ihrem früheren Agenten Edward Bagarozy und eventuellen Forderungen abzuschirmen. Nicola Rossi-Lemeni hatte sich mit der Zahlung von ein paar tausend Dollars freigekauft, während Maria Callas und Meneghini die Ansicht vertraten, daß nur eine erbrachte Leistung ihren Lohn verdiene. Obwohl die Anwälte der Meneghinis ihre Bedenken gegenüber dem Gastspiel nicht verhehlen konnten, unterzeichnete Maria Callas den Vertrag.

Die Verhandlungen mit Kelly wurden im Biffi-Scala-Restaurant geführt, in dem sich Visconti, Bernstein und die Sängerin trafen, um über die unmittelbar bevorstehende Premiere von *La Sonnambula* zu diskutieren. In dieser Aufführung setzte Visconti die neue Callas in Szene – als Reinkarnation der legendären Ballerina Maria Taglioni, einer Zeitgenossin von Giuditta Pasta, deren vokale Reinkarnation Maria Callas war. Dieses Bild ist zu einer Ikone geworden – sie zeigt die Sängerin als empfindsame *femme fragile*, als die sie nach ihrem Tod verklärt wurde. Mit Imitation oder Eklektizismus hatte dies nichts zu tun; vielmehr geriet der Abend zu einer grandiosen Demonstration von Kunst über Kunst, zu einer emphatischen Aktualisierung eines scheinbar überlebten Werks. Einmal mehr zeigen die Bilder der Aufführung, was das Singen, verstanden als Charakterdarstellung in Klangfiguren, hörbar und sichtbar werden läßt: eine unbeschreibliche Anmut, wie man sie in der Schwerelosigkeit einer perfekt sich bewegenden Ballerina erleben mag. Der Bühnenbildner Piero Tosi erinnerte sich, daß die Taille der Sängerin schlanker war als die von Gina Lollobrigida. »Sie rief nach unserer alten Garderobenfrau, ließ ihre Taille messen und sich in ein Korsett zwängen. Ich sage Ihnen, es hätte einen Filmstar getötet, und Callas hatte zu singen.« Tosi hatte den Eindruck, daß Maria Callas, obwohl groß und kräftig, auf der Bühne, seltsame Metamorphose, plötzlich klein und zierlich wirkte, daß sie sich mit den leichten und schwebenden Schritten einer Ballerina bewegte und im Stehen die »fünfte Position einer Tänzerin« einnahm. Im »akademischen Ballett« ist das eine der Grundstellungen der Füße. Sie stehen dabei parallel und, in entgegengesetzte Richtungen zeigend, exakt hintereinander, wobei Spitzen und Fersen der beiden Füße einander berühren.

Auch wenn die Idee auf Visconti zurückging, sie mußte in theatralische Aktion umgesetzt werden, und man mag sich fragen, was aus dieser Idee geworden wäre, wenn Joan Sutherland oder Montserrat Caballé sie hätten ausführen müssen. Oder wenn diese beiden Sängerinnen im zweiten Akt, während Aminas Traum vom Geliebten, durch die Berührung des Grafen, auf den Boden hätten fallen müssen wie Margot Fonteyn. Es war eine Aufführung mit einer Atmosphäre, welche die Realität eines Traumes evozierte – den Traum einer verlorenen, melancholischen Zeit. Es war, darüber hinaus, ein Abend theatralischer Magie. Als Maria Callas im Schlußakt als nachtwandelnde Amina über die Brücke zu gehen hatte und an der gebrochenen Planke ankam, wo sie zu fallen droht (Seufzer des Chors), schien sie, obwohl ganz ruhig stehend, in einen Abgrund zu stürzen.

Tosi hatte dies bei den Proben beobachtet und wollte herausfinden, wie sie dies bewerkstelligte. Bei der Premiere stand er seitlich in der Gasse und beobachtete, wie die Sängerin, über die Brücke gehend, ihre Lungen langsam mit Luft zu füllen begann und gleichsam vom Boden abzuheben schien. In dem Moment, da sie zu fallen hatte, atmete sie aus – und schien zu stürzen. »Was soll man sagen?« fragte Tosi. »Sie war eine theatralische Zauberin und kannte alle Kunststücke.« Im Finale löste Visconti, ein grandioser Regieeinfall, den Zauber der Evokation auf: In dem Augenblick, in dem Amina mit der jubilierenden Cabaletta – »Ah, non giunge« – erwacht, gingen alle Lichter der Scala an, und Maria Callas, nicht länger Amina, sondern Primadonna, stand, das von Leonard Bernstein ausgezierte *rondo* mit feurig-funkelnden *staccati* singend, mitten auf der Bühne – als Königin der Scala und vom Beifall umtost, noch bevor sie die Szene zu Ende singen konnte. »Es war Magie«, sagte Tosi, »sie machte das Publikum verrückt.«

Zwischen dem 5. und dem 30. März 1955 sang Maria Callas sieben Aufführungen von *La Sonnambula*, dann weitere drei am 12., 24. und 27. April. Dazwischen, am 15. April, feierte sie einen raren Triumph in einer komischen Rolle. Sie sang die Fiorilla in Gioacchino Rossinis *Il Turco in Italia* unter Gianandrea Gavazzeni und der Regie des am Beginn seiner Karriere stehenden Franco Zeffirelli, den es – in diesem Sinne wird der Regisseur von Gerald Fitzgerald zitiert – nicht wenig Mühe kostete, aus der Tragödin eine Komödiantin zu machen. Außerhalb des Theaters sei die Sängerin, sagte Zeffirelli, durchaus nicht komisch gewesen, und so habe er ihretwegen ein Stückchen zusätzlicher Komödie inszenieren müssen. Wissend, daß sie vernarrt war in Schmuck und daß sie nach jeder Premiere von Meneghini mit einem neuen *objet de vertu* beschenkt wurde, schmückte der Regisseur den Türken mit Juwelen und erklärte der Sängerin, daß Fiorilla diesen geschmückten Verrückten voller Faszination in Augenschein zu nehmen und, wann immer er ihr die Hand reiche, seine beringten Finger erstaunt und gierig zu begaffen habe. Die Szene sei unendlich komisch geraten. Doch um welche Art von Komik ging es? Um die des empfindsamen Lustspiels oder um die distanziertkühle der Commedia dell'arte?

Wenn die wundervolle Aufnahme, wie die Aufführung von Gianandrea Gavazzeni dirigiert, einen Rückschluß erlaubt, so war Maria Callas weit mehr als eine typisierte Figur aus der Commedia dell'arte; vielmehr ging sie empfindsam über das Als-ob der *buffa* hinaus.

Zeffirelli berichtete, daß die Sängerin während der Vorbereitungszeit für die Rossini-Oper den Film »Roman Holiday« sah und dabei den Entschluß faßte, so zart und fein auszusehen wie die Hauptdarstellerin

Audrey Hepburn. Schönheit und Schmuck, Eleganz und Schick wurden für sie eine »Obsession«, weil sie all das als »Waffe gegen eine feindliche Welt brauchte« (Arianna Stassinopoulos). Der Tenor Jon Vickers, der 1958 neben ihr den Jason in *Medea* sang, sprach von ihr immer als »little Maria«, aber nie ließ sie die Welt diese kleine Maria erleben. Nur in ihren Aufführungen war sie diese »little Maria«, als Amina, als Lucia, als Violetta.

Als Violetta in Giuseppe Verdis *La Traviata* beendete sie die Saison an der Scala, ihre erfolgreichste überhaupt, auch wenn der Verfasser der Ansicht ist, daß sie am besten in der Saison 1951/52 gesungen hat, als sie noch alle vokalen und expressiven Energien freizusetzen vermochte. Die Aufführung von Verdis Oper war eine *labour of love* von seiten Luchino Viscontis, von seiten Carlo Maria Giulinis und von seiten der Sängerin, die in einem Interview mit Derek Prouse sagte, daß sie Jahre gebraucht habe, um den Klang von Violettas Stimme gleichsam mit Krankheit zu tränken. »Das alles ist«, sagte sie, »eine Frage des Atems. Man braucht eine klare Kehle, um dieses ermüdete Sprechen und Singen durchzuhalten.« Später, in einer Londoner Aufführung der Oper, sang sie das hohe A am Ende von »Addio del passato« mit einer derart feinen Linie, daß der Ton für einen Moment brach. In einem Interview erklärte sie, daß dieses Ersterben ihre Absicht gewesen sei – mit ein wenig mehr Atemdruck wäre die Note sicherer und fester gekommen, die Wirkung indes vertan gewesen.

Nach der Premiere am 28. Mai 1955 wurde vor allem Lucchino Visconti sehr kritisiert. Zum einen, weil er die Geschichte zeitlich vor dem Hintergrund des *fin de siècle*, um 1875, spielen ließ, um Maria Callas in den Kostümen dieser Epoche auftreten zu lassen; zum anderen, weil Violetta vor »Sempre libera« ihre Schuhe von den Füßen schleudert; und endlich deshalb, weil Violetta nicht im Bett stirbt, sondern in Hut und Mantel. Solche kleinen Abweichungen vom Nebentext des Librettos galten vor gut drei Jahrzehnten als Sakrileg. Es dauerte nicht lange, und die Aufführung zählte zu den Theaterlegenden, vor allem durch das suggestive Portrait der Violetta. Giuseppe di Stefano ist ein akzeptabler Alfredo, Ettore Bastianini allerdings ein ausdrucksarmer Germont.[2] Schon während der Proben hatte der Tenor Schwierigkeiten gemacht, weil ihm die minuziöse Probenarbeit Viscontis, der jede Geste, jede Bewegung exakt einzustudieren versuchte, lästig war. Er kam zu spät oder gar nicht zu den Proben, und als Maria Callas nach der Premiere von Giulini für einen Solo-Vorhang auf die Bühne geschickt wurde, nahm di Stefano dies zum Anlaß, nicht nur sofort das Theater zu verlassen, sondern ganz aus der Produktion auszusteigen. In den drei Aufführungen am 31. Mai und am 5. und 7. Juni sang an seiner Stelle der tüchtige Giacinto Prandelli. Nicht nur die unmittelbar an der Produktion Beteiligten haben später über die Violetta der Callas voller Enthusiasmus gesprochen. Nicola Benois zählte sie, wie den Tänzer Nijinsky, zu jenen auserwählten Künstlern, die »von etwas Göttlichem berührt worden sind«. Sein Bühnenbildner-Kollege Piero Tosi bekannte, während der Aufführungen geweint zu haben; und wenn man den Mitschnitt hört und dazu die vielen Bilder sieht, mag man ähnlich ergriffen sein. Das Singen wie das Gesicht der Sängerin sind tiefster Schmerzensausdruck. Alexandre Sacharoff, der Lehrer des Regisseurs Sandro Sequi, konnte kaum glauben, daß es auf der Opernbühne eine Schauspielerin wie Maria Callas gebe, und sagte, daß sie ihn an die große Sarah Bernhardt erinnert habe. Die Bernhardt sei, die Marguerite Gautier des Theaterstücks spielend, in dem Moment, da Alfred ihr das Geld vor die Füße warf, zu einer Statue des Kummers gefroren. Callas spielte die Szene genauso.

Es ist schwer zu erklären, aus welchem Grund es in der dritten Aufführung (am 5. Juni) schon am Ende des ersten Aktes zu Äußerungen des Mißfallens kam. »Sempre libera« wurde von Pfiffen unterbrochen, und die Sängerin hatte alle Mühe, die Cabaletta zu Ende zu bringen. Als sie nach Ende des Aktes allein auf die Bühne kam, um der feindlichen Claque zu trotzen, wurde sie von der Mehrheit des Publikums umjubelt. Dennoch spürte sie das Gespenst der Feindschaft. Selbst im La Scala-Magazin war im Sommer zu lesen, daß »Callas zweifellos viele Feinde hat«. Ihre Kollegen, so hieß es dort weiter, seien der Ansicht, daß es genüge, eine schöne Stimme zu haben und zu singen, wie man vor fünfzig Jahren gesungen habe, den Blick fest auf den Taktstock des Dirigenten gerichtet. Diese Sänger seien unfähig, Mühen und Opfer auf sich zu nehmen. Müsse man betonen, daß Maria Callas über solche Angriffe triumphieren werde? Aber sei dies ein Trost für die Sängerin? »Eines ist sicher: Man zahlt einen hohen Preis, wenn man sich von der Herde absondert.«

Hat sie sich wirklich abgesondert? Wenn, dann durch eine als Sturheit mißverstandene professionelle Energie bei Proben; durch ihr Selbstbewußtsein gegenüber Theaterleitern; durch die Rigidität ihrer Ansprüche. Vor allem aber, und das war unverzeihlich, fielen alle Strahlen des Ruhms nur auf sie, und sie war nicht geschickt genug, den Stolz auf ihre Triumphe zu verbergen. Als geradezu aufreizend wurde es von ihren Kollegen empfunden, daß sie in die Proszeniums-Loge Ghiringhellis kam, um von dort aus ihren Kollegen Beifall zu zollen, Beifall, der als Anmaßung und Provokation gewertet wurde und kalte Wut erregte.

Damit betrat Maria Callas eine andere, eine viel gefährlichere Bühne, auf der sie nicht mehr selber agieren konnte. Sie wurde zum Star, zur Weltberühmtheit mit Unterhaltungswert, wobei die Tatsache, daß sie eine Sängerin war, kaum noch eine Rolle spielte, es sei denn, daß sie nicht sang oder eine Aufführung abbrach. Die Einrichtung ihres neuen Hauses in Mailands Via Buonarotti, ihre Einkäufe, ihre Garderobe, all dies gab Storys oder besser, gedruckten Unfug her.

Drei Wochen nach der letzten Scala-Aufführung von *La Traviata* sang sie am 29. Juni 1955 in Rom für die RAI unter Tullio Serafin einmal mehr die Norma. Im Juli studierte sie Giacomo Puccinis *Butterfly*, zunächst für die Aufnahme unter Herbert von Karajan, die in der ersten Augustwoche entstand, dann für drei Aufführungen in Chicago. Vier Tage nach der am 6. August abgeschlossenen Aufnahme der Puccini-Oper folgte, zwischen dem 10. und 24. August, Giuseppe Verdis *Aida*.

Bei dieser Aufnahme muß es, wie in Drakes Biographie Richard Tuckers ausgeführt, Kontroversen zwischen der Diva und dem Tenor gegeben haben. Tucker hatte in der zweiten Sitzung die Romanze »Celeste Aida« singen müssen. Schon der erste Take gelang perfekt, so daß selbst der als Gast anwesende Giovanni Martinelli (der eigentlich Tucker nicht gewogen war) Beifall zollte. Nach der Sitzung erhielt Tucker einen Anruf des aus Philadelphia gekommenen Industriellen Frederic R. Mann, dessen Liebe zur Musik mit dem Mann-Auditorium von Tel Aviv ein Monument der Architektur geworden ist. Mann, bekannt mit Dario Soria (dem Produzenten), befreundet mit Serafin und Tito Gobbi, wurde von Tucker sogleich zu einer der Sitzungen eingeladen.

Maria Callas wirkte bei den Proben und bei den ersten Aufnahmesitzungen nervös und angespannt, zumal sie nicht in bester Form war. Im Terzett nach der Romanze bestand sie auf immer neuen Takes, insgesamt sieben. Am neunten Tag kamen die Manns in die Sitzung, und Tucker hoffte, daß sie den größten Teil der Nil-Szene würden hören können. Callas befand sich nach der Aufnahme der Nil-Arie in galliger Laune, sprach kurz angebunden mit Fedora Barbieri, barsch und böse mit Serafin und war verärgert über den Amerikaner, der sie »Mary« zu nennen sich erdreistete. Als Tucker mit »pur ti riveggo« begann, lief sie auf der Bühne hin und her, so daß die Toningenieure wegen des Klapperns ihrer Absätze den Take abbrechen mußten. Dann erklärte sie: »Ich möchte, daß sich jeder in diesem Theater darüber im klaren ist, daß die Musik von *Aida* mir heilig ist.«

Ihre Kollegen nickten beifällig und begütigend, und sie fuhr fort. »Wenn ich eine Aufnahme dieser heiligen Musik mache, brauche ich die vollständige Kooperation in diesem Theater. Niemand darf mich zu irgendeiner Zeit ablenken.« Als Tucker sich arglos erkundigte, wer sie denn störe, sagte sie laut: »Jene Leute dort in der Loge. Sie müssen das Theater sofort verlassen.« Während der entsetzte Tenor seiner Kollegin noch zu erklären versuchte, wer die Gäste waren, drohte sie, das Theater zu verlassen. Es waren die Manns, die das Problem lösten, indem sie stillschweigend gingen. In angespannter Stimmung wurde die Nilszene aufgenommen. Die klimaktische Phrase des Finales – »Sacerdote, io resto a te« – mit den langgehaltenen hohen A's gehört dem Tenor. Callas beklagte sich über die schlechte Mischung der Stimmen und zwang ihre Kollegen zu zwölf Takes.

Später am Abend sprach Tucker den Dirigenten Tullio Serafin offen auf das rüde Verhalten der Diva an. »Manchmal muß sie einfach Ärger machen, um gut zu singen«, erklärte Serafin, »einige Sänger sind nun einmal so. Lauri-Volpi mußte diskutieren, mußte kämpfen. Maria Jeritza war auch so – Sie hätten die beiden hören sollen, wie sie einander verfluchten, als sie die erste Met-*Turandot* sangen. So ist es auch mit Callas. Manchmal muß sie Krach haben, das ist ihre Natur.« Als Tucker sich damit nicht zufriedengeben wollte, soll Serafin gesagt haben: »Sie müssen daran denken, Richard, daß Sie eine perfekte Technik haben, und sie weiß, daß dies bei ihr nicht der Fall ist. Auf der Aufnahme klingen Sie besser als sie, und das macht sie eifersüchtig. Was glauben Sie, warum sie Sie ›Sacerdote‹ so viele Male singen ließ?« Dem ratlosen Tenor erklärte er, daß die Sängerin ihn damit habe erschöpfen wollen. Nach einem Wutausbruch sagte Tucker, daß er »die gottverdammte Phrase bis zum nächsten Morgen« würde singen können, ohne zu ermüden.

Eine schöne Episode, und vielleicht ist sie nicht unwahr. Aber sie steht in einem Buch, das eine Hommage an Tucker ist, und der Erzähler unterschlägt auch wohl, daß ein Dirigent, der mit Sängersorgen vertraut ist, manches tun wird, um die in ihren Launen kindischen Stars zu besänftigen und deren Ego zu pflegen. Dennoch: Sie verrät viel über die Gefährdungen der Sängerin.

Gleich nach der Aufnahme von Aida folgte, vom 3. bis zum. 16. September, die des *Rigoletto* mit Giuseppe di Stefano als Partner. Die Querelen während der *Traviata*-Aufführung in Mailand waren zum Glück vergessen. Eine Woche später fand sich das Scala-Ensemble in Berlin ein. In der Städtischen Oper dirigierte Herbert von Karajan, kurz zuvor zum Chefdirigenten des Berliner Philharmonischen Orchesters bestallt, zwei Aufführungen von Donizettis *Lucia di Lammermoor*. Viele Musikfreunde standen zwei Tage und zwei Nächte um Karten an. »Miss Callas war, so muß ich sagen«, schrieb der englische Kritiker Desmond Shawe-Taylor, »grandios. Wie bei anderen Gelegenheiten auch erwies sie sich nicht als makellose Vokalistin, doch wenn sie in Höchstform sang, dann bereitete sie ein hinreißendes Vergnügen, wie es heute von niemandem sonst vermittelt werden kann. Selbst wenn sie uns aufschreckte mit einem jener rauhen Registerwechsel oder einen jener kavernösen Klänge produzierte oder beim abschließendem Es *in alto* zu hoch intonierte, war sie immer die noble, weltverlorene, unendlich leidende ›wahnsinnige Lucia‹ aus der Tradition des 19. Jahrhunderts. Ihre Aufführung endete nicht mit der abschließenden Wahnsinnsszene; während der zehn Minuten währenden Solovorhänge blieb sie, mit beherrscht-vollendeter Kunst, halb im Bühnencharakter: mit der Ausstrahlung verwunderter Einfachheit, mit ihrer makellosen Mimik von Unwürdigkeit, mit ihrem subtilen Tempo-Wechsel der weiteren Auftritte ... und dem kunstvollen Spiel mit den Rosen, die von der Galerie geworfen wurden – eine davon warf sie dem entzückten Flötisten zu. O ja, eine Künstlerin bis in die Fingerspitzen: die wahre Königliche. Ich wage zu sagen, daß sie nie besser singen wird, als sie es jetzt tut. Da ist das Harz griechischen Weins in ihrer Stimme, das nie ganz wird ausgefiltert werden können; sie wird uns nie mit dem runden, verführerischen Ton einer Muzio oder Raisa verzaubern. Aber sie bietet plötzliche Höhenflüge, dramatische Ausbrüche von atemberaubender Virtuosität, deren selbst diese reicher beschenkten Sängerinnen nicht fähig waren. Ganz sicher ist sie zur Zeit ohne Vergleich.«

Der Mitschnitt dieser Aufführung gilt weithin als das definitive Lucia-Portrait von Maria Callas. Callas gibt der gesamten Aufführung einen ganz anderen Ton als in der Aufnahme unter Serafin, die, wie John Ardoin schreibt, von »brütender Melancholie« erfüllt ist. In der Berliner Aufführung singt sie fast durchgehend mit ihrer »Kleinmädchenstimme«, mit schwebendem und stark nach vorn plaziertem Ton. Die Wahnsinnsszene malt sie in fahlen Pastellfarben und dramatisiert sie durch unnachahmliche Wortakzentuierungen – etwa auf »il fantasma«. John Ardoin geht in »The Callas Legacy« so weit zu sagen, daß er, könnte er nur eine einzige Callas-Aufnahme besitzen, diese wählen würde. Der gleichen Ansicht ist David A. Lowe. Er sieht in dieser Aufführung den »Höhepunkt von Maria Callas' Gesangskunst«.

In der Tat sind das schwebende *legato* in »Regnava nel silenzio« oder der mit feinster *mezza voce* gesungene Beginn von »Veranno a te« von berückender Wirkung. Es ist ein Singen, das, um es mit Emphase zu sagen, »in die Tiefe des Herzens dringt«, ein Singen gleichsam für liebende Ohren. Es gibt, um es noch persönlicher zu sagen, schwerlich eine Callas-Aufführung, die der Verfasser mit mehr Emotion hört, dies aber auch deshalb, weil in dieser grandiosen Darstellung die ersten Spuren des stimmlichen Verblühens zu spüren sind. Es ist nebensächlich, daß sie sich am Ende der Kadenz das Es *in alto* erspart und erst eines am Schluß der Arie singt; doch zeigt sich daran, daß sie nicht mehr alle vokalen Risiken auf sich nehmen konnte. Auch die fahle Tongebung und die Reduktion der Dynamik sind wohl eher eine Anpassung an den Zustand der Stimme als nur interpretatorische Absicht.

Wenn dies allzu kritisch wirken sollte, so sei noch einmal betont: Diese Berliner Aufführung der *Lucia* zählt zu den Sternstunden in der Laufbahn der Sängerin, aber in der Vollendung dieses Abends deutete sich auch ein Ende an, selbst wenn Maria Callas später noch einige Aufführungen singen sollte, in denen sie auch stimmlich an die kühne Brillanz der frühen Jahre erinnern konnte.

ACHTES KAPITEL

Der Abstieg in den Ruhm

Ich versuche immer noch herauszufinden,
was in New York geschehen ist.
Es tut mir leid, daß ich Ihnen nicht das geben konnte,
was andere Theater bekommen haben.
Maria Callas an Rudolf Bing

Skandal in Chicago

In der Musik kann es nie ein ruhiges Leben geben.
Carlo Maria Giulini

NACH einer vierwöchigen Ruhezeit eröffnete Maria Callas am 31. Oktober 1955 die zweite Saison der Lyric Opera in Chicago. Unter Nicola Rescigno sang sie die Elvira in Bellinis *I Puritani*. Charakteristisch für den Tonfall der Kritik war Roger Dettmers Hymne im »American«: »Die Stadt ist, wie wir alle wissen, seit einem Jahr Callas-verrückt, und keiner ist verrückter als ich. In der richtigen Rolle, und wenn sie gut bei Stimme ist, vergöttere ich diese Frau. Ich bin Sklave ihres Zaubers.« Ebenso begeistert schrieben die anderen Kritiker, auch wenn Howard Talley, der Rezensent für »Musica America«, nicht überhörte, daß ihr im zweiten Akt die interpolierten hohen D's aus dem Fokus gerieten.

Am zweiten Abend der Saison sang Renata Tebaldi Verdis *Aida*. Am 5. und 8. November folgten zwei Aufführungen von *Il Trovatore*. Daß es davon, trotz aller Gerüchte, keinen Mitschnitt gibt, wird weithin bedauert, weil Jussi Björling der Manrico der Aufführung war und mit Ebe Stignani und dem jungen Ettore Bastianini zwei weitere vorzügliche Rollenvertreter zu hören waren. Rudolf Bing schreibt in seinen Memoiren, daß im dritten Akt, bei Manricos Arie »Ah, sì ben mio«, die Art und Weise von Maria Callas' Zuhören es war, welche mehr dramatische Wirkung machte als das Singen des Tenors, der, nach George Jellinek, »ein vokal absolut unvergleichlicher Manrico« war. Björling selber sagte: »Ihre Leonora war schlechthin die Vollendung. Ich habe die Rolle oft gesungen gehört, aber ich habe nie eine bessere Interpretin gehört.« Zu erinnern ist daran, daß er den Manrico an der Met neben Zinka Milanov gesungen hat, die weithin als die ideale Leonora gilt. Milanov gebot sicher über die schöneren *acuti*, über die weicher gefluteten *mezza voce*-Phrasen, doch war ihr Portrait musikalisch-stilistisch nicht so ausgefeilt wie das der Callas.

Unmittelbar vor der zweiten Aufführung am 8. November 1955 gelang es Rudolf Bing endlich, die Sängerin an die Met zu verpflichten. Sie sollte am 29. Oktober 1956 als Norma debütieren. Dem Reporter, der sie nach ihrer Gage – deren Höhe ein Streitpunkt gewesen war – fragte, erteilte sie die Antwort, für Norma könne kein zu hohes Honorar gezahlt werden. Bing, dem der Charme des diplomatischen Weltmanns ebenso zu Gebot stand wie kalter Zynismus, wich auf die Fragen nach den Modalitäten elegant aus. Die Sänger der Met, sagte er, kämen um der Kunst willen an das Haus und freuten sich über einen Strauß schönster Blumen. Callas bekäme natürlich ein besonders schönes Bouquet.

Wenige Tage später kam es zum ersten großen Eklat in der Karriere der Sängerin. Am 11. November hatte sie, unter der Regie von Hizi Koyke, Puccinis Cio-Cio-San gesungen. In seinem Buch »The Last Prima Donnas« zitiert Lanfranco Rasponi verschiedene Sängerinnen der Cio-Cio-San mit dem Satz, bei dieser Rolle handle es sich um eine »Killer-Partie«. Die *tessitura* der Rolle ist sehr hoch, und vor allem muß die Sängerin ständig in der Übergangslage gegen ein volles Orchester ansingen. Was Strauss über seine Salome sagte, daß er sich eine Isolden-Stimme für eine 15jährige vorstellte, gilt auch für die Butterfly. Mit einem Wort, die meisten Sängerinnen, die die Stimme für die Butterfly haben, sind nicht in der Lage, mit dieser Stimme eine 15jährige Geisha darzustellen. Callas wollte nur das – und schaffte es. »Dies war eine intime Butterfly, vom ersten Moment an eingeschüchtert von der Tragödie, deren Opfer sie werden sollte. Nicht einmal das Liebesduett bot jene melodische Flut, die den Puls jagen läßt. Vielmehr kontrastierte es die wachsende Glut des Mannes mit der verhaltenen Ekstase der Frau«, schrieb Claudia Cassidy, die allerdings nicht verschwieg, daß ihr das Portrait nach zwei Aufführungen wie ein *work in progress* vorkam.

Eine dritte Aufführung war nicht geplant. Maria Callas wurde dazu von Lawrence Kelly und Carol Fox überredet, und dies fiel den beiden Managern um so leichter, als die Sängerin entzückt war vom glühenden Enthusiasmus des Publikums. Sie fand am 17. November statt und wurde mit endlosem Beifall belohnt. Nach vielen Solovorhängen – bei Callas Fortsetzung der Aufführung – suchte sie, erschöpft und von der Zuneigung des Publikums »zu Tränen gerührt« (Jellinek), ihre Garderobe auf. In diese drangen plötzlich Marshal Stanley Pringle und Deputy Sheriff Dan Smith ein. Sie sollten ihr die Klage Eddie Bagarozys aushändigen und agierten, wie George Jellinek schreibt, mit der »Ungerührtheit von Sansculotten während der Französischen Revolution«. Sie steckten der Sängerin das Papier in den Kimono.

Daß sie gesagt, geschrien, gekeift haben soll, sie besitze die Stimme eines Engels und keiner könne sie verklagen, steht bei Stassinopoulos und ist vermutlich eine der Wahrheit nahekommende gute Erfindung; daß

Maria Callas außer sich vor Wut war, bezeugt das Associated Press-Foto, das in den folgenden Tagen um die Welt ging und ihr Image auf verheerende Weise beschädigte. Jellinek deutet an, daß die ebenso peinliche wie lächerliche Episode ohne die Hilfe einer Callas-Fronde in der Lyric Opera nicht hätte stattfinden können. Stassinopoulos berichtet gar, daß Lawrence Kelly seine Kollegin Carol Fox im Verdacht hatte, die Aktion gesteuert zu haben, um seine Freundschaft mit der Sängerin zu stören, und bezeichnet dann diese Mutmaßungen als schlechthin hypothetisch.

Dario Soria und Walter Legge, beide Zeugen der Groteske, brachten die Sängerin aus dem Theater. Am nächsten Tag flog sie über Montreal nach Mailand zurück, wo sie am 7. Dezember 1955 die *prima* der Mailänder Scala zu singen hatte: Bellinis *Norma* unter Antonino Votto.

Kurz nach ihrem 32. Geburtstag eröffnete Maria Callas zum viertenmal die Saison der Scala. Unter den Besuchern des von Pierre Balmain üppig dekorierten Theaters war auch Staatspräsident Giovanni Gronchi. Jellinek berichtet, daß »Beobachter« eine »leichte Angestrengtheit« in ihrem Singen entdeckt hätten; Stassinopoulos erwähnt lärmende Demonstrationen der Anti-Callas-Fronde, doch ist auf dem Mitschnitt der Aufführung davon nichts zu hören. Es wäre auch verwunderlich, weil sie diese Aufführung, wie der Mitschnitt zeigt, in stimmlicher Bestform sang. Sie hatte keinerlei Mühe mit den klimaktischen B's in »Casta diva«, formte die Melismen zwischen den Stanzen sicher und bewältigte die *cabaletta* mit unangestrengter Verve. Ein unvergeßlicher Höhepunkt ist das mit schwebender Stimme gesungene »Così trovavo del mio cor la via«, schlechthin atemberaubend das *diminuendo* bei »Ah sì, fa core, abbracciami« auf einem hohen C – nach dem man das entrückte Publikum fassungslos nach Atem ringen hört. Schiere Frenesie am Ende des ersten Aktes, dessen Terzett Callas mit einem fulminanten hohen D krönt; wer da oder sonstwo eine »Angestrengtheit« gehört hat, hat sie hören wollen, oder er hat sie gebraucht, um seine eigene Version der Callas-Saga nach dem Skandal in Chicago würzen zu können.

Seit dieser Zeit jedenfalls verwandelte sich alles, was Callas tat oder auch das, was sie angeblich getan, in einen Skandal. Dazu gehört auch der Bericht Mario del Monacos, daß er, in einer der *Norma*-Aufführungen vom Januar 1956, nach dem dritten Akt plötzlich einen heftigen Tritt gegen das Schienbein erhalten habe. Während er noch gegen die Schmerzen kämpfte, habe Maria Callas den Beifall allein entgegengenommen. Das ist nicht gut erfunden, sondern schlechthin albern – und war gleichwohl nicht absurd genug, um Schlagzeilen zu machen, weil die öffentliche Phantasie nur bei der Gemeinheit keine Grenzen der Vorstellungskraft kennt. Der reale Hintergrund? Er bestätigt den Satz, daß ein Theater ein Irrenhaus ist und die Oper die Abteilung für die unheilbar Kranken.

Schon während der Proben hatte Mario del Monaco, nach dem Bericht von Jellinek, dem Intendanten Antonio Ghiringhelli mitgeteilt, daß er für keinen der Solisten Solovorhänge würde akzeptieren können. Dies entsprach der Praxis der Metropolitan Opera. In einer der drei Januar-Aufführungen des Jahres 1956 aber erhielt der Tenor nach seiner Arie im ersten Akt tumultuösen Beifall, den Meneghini, wenn's denn wahr, als Aktion einer Claque interpretierte und gegen die er beim Intendanten Protest einlegte. Meneghini soll in der Pause gar zu dem Oberhäuptling der Claqueure, Ettore Parmeggiani[1], gegangen sein, um sich zu beschweren. Parmeggiani wandte sich sogleich an del Monaco, um die Anschuldigung zurückzuweisen. Del Monaco soll, tobend vor Wut, Meneghini erklärt haben, daß er und seine Frau nicht die Besitzer der Scala seien und daß das Publikum demjenigen Beifall zolle, der Beifall verdient habe. Schwer wieder, sogar unmöglich, die Fakten und die Fiktionen voneinander zu trennen. Vielleicht muß man Episoden wie die oben erzählte, und seien sie auch fiktiv, als die »schaurige Wahrheit« (so das Wort im Prolog zu *Pagliacci*) des Lebens verstehen, das die Großen des Musiktheaters zu erleben und zu erleiden haben: Sie haben eine wundervolle Profession, mit der ein dreckiges Geschäft betrieben wird.

Die Frage, wem der Beifall zustand, ist nach Hören des Mitschnitts leicht zu entscheiden. Mario del Monaco singt wie immer mit massigem, metallischem Ton, aber ohne feinere Nuancen, ohne Schattierungen, und das ist in den Duetten mit Maria Callas kaum erträglich. Nach der Bellini-Oper folgten von Januar bis Mai 1956 nicht weniger als 17 Aufführungen von Giuseppe Verdis *La Traviata* unter Carlo Maria Giulini (und Antonino Tonini). Den Alfredo sang, statt di Stefano, der aufstrebende Gianni Raimondi, ein Tenor mit einer fabelhaften Höhe, dessen Stimme auf der Platte allerdings nicht so gut klingt wie auf der Bühne. Als Germont waren Ettore Bastianini, Aldo Protti, Carlo Tagliabue und Anselmo Colzani zu hören. Wieder kam es zu einem Zwischenfall, der von gewissen Zeitungen zum Skandal orchestriert wurde. Nach einer Aufführung wurden nicht nur Blumen, sondern auch ein Bund Radieschen auf die Bühne geworfen. Maria Callas soll, so wurde berichtet, das Gemüse wütend mit einem Tritt in den Orchestergraben befördert haben, soll aber auch, ganz souveräne Strategin, die Radieschen aufgehoben und an ihren Busen gedrückt haben, »als wären sie Orchideen« (Stassinopoulos), und erst in der Garderobe in Tränen ausgebrochen sein. Tagelang machte die läppische Begebenheit Schlagzeigen, und die Tatsache, daß das Gemüse importiert sein mußte, nährte den Verdacht einer hausinternen Intrige.

Mit ihrer nächsten Rolle – der Rosina in Rossinis *Il Barbiere di Siviglia* – hatte sie den einzigen wirklichen Mißerfolg an der Mailänder Scala, wo sie in 23 Opern aufgetreten ist. Die Produktion war bereits vier Jahre alt und schon bei der Premiere lediglich eine Routine-Arbeit gewesen. Carlo Maria Giulini, trotz einer Erkrankung für Victor de Sabata eingesprungen, sagte, daß er mit gesenktem Kopf dirigiert habe, nur um nicht zu sehen, was auf der Bühne vor sich ging. »Dieser *Barbiere*«, wird Giulini von Gerald Fitzgerald zitiert, »ist die schlimmste Erinnerung meines Lebens im Theater. Ich habe nicht das Gefühl, daß er ein Fiasco allein für Maria war, sondern für uns alle, die wir an der Aufführung beteiligt waren. Die Aufführung war ein künstlerischer Fehler, nichts, rein gar nichts als Routine, einfach zusammengestückelt und ohne gründliches Studium oder Vorbereitung.«

Noch eindringlicher und erschreckender lesen sich Giulinis Erinnerungen an die Atmosphäre, in welcher die Aufführungen stattfanden. Das Publikum der Scala, klagte der Dirigent, komme nicht mit der Erwartung, einen künstlerisch bedeutenden Abend zu erleben, sondern mit der Hoffnung auf einen Skandal. »In diesem feindlichen, kalten Klima fühlten sich die meisten Dirigenten, Sänger, Choristen und Orchestermusiker wie Gladiatoren im Circus Maximus, in dem Blut zu fließen hat, damit die Menge sich ergötzen könne. ... Erfolg an der Scala ist stets ohne Freude, ohne Liebe, ohne Dankbarkeit. Das Beste, was ein Publikum einem Sänger sagen kann, ist danke. Nicht bravo, damit ist schon ein Urteil impliziert.« Obwohl Maria Callas der Stolz des Theaters war oder auch weil sie es war, wählte das Publikum sie als Zielscheibe. Giulini deutete an, daß sie solche Reaktionen in einer gewissen Weise herausforderte, weil ihre Verbeugungen nicht frei waren von Indignation. Selbst ihre größten Triumphe waren erkämpfte, waren ertrotzte Triumphe und hinterließen, sagte Giulini, »einen bitteren Geschmack im Mund«.

Trotz Giulinis Verdikt, die Reaktionen auf den Scala-*Barbiere* waren nicht einhellig negativ. Im »Corriere della Sera« sprach Franco Abbiati von den »überraschenden stilistischen Metamorphosen der Maria Callas« und rühmte eine Darstellung, »die beinahe den Rang einer psychoanalytischen Studie« gehabt habe. Peter Hoffer notierte in »Music and

Musicians«, sie habe Rosina »als eine Kokette« gespielt und urteilte damit ähnlich wie Giulini, der gesagt hatte, sie habe »Rosina zu einer Art Carmen« gemacht. Luigi Alva, der mit dem Conte Almaviva sein Scala-Debüt gab, bemängelte, daß Maria Callas »zu viel Pfeffer« gebraucht und mit übertriebenen Gesten agiert habe, betonte aber, daß sie in der Gesangslektion des zweiten Akts brillant gesungen habe. Rossi-Lemeni, der Basilio der Aufführung, empfand die Kollegin als zu aggressiv. Giulini aber, betonte der Baß, habe wundervoll dirigiert, Alva sei glänzend, Gobbi unvergleichlich gewesen.

Der Mitschnitt macht deutlich, daß Maria Callas kein detailliert ausgearbeitetes Konzept für die Rolle hatte und oftmals zu viel versuchte. Sie hätte, wie Luigi Alva betonte, einen Regisseur wie Visconti oder den jungen Zeffirelli gebraucht, um sich nicht in Effekten zu verlieren.

Die Scala-Saison 1956 schloß sie ab mit sechs Aufführungen von Umberto Giordanos *Fedora*. Das Theaterstück von Victorien Sardou war vormals ein Vehikel für Sarah Bernhardt gewesen und mit ihr gestorben – nur die Großen machen vergessen, wenn Halbseide der Rohstoff eines Theaterstücks ist. *Fedora* ist das einzige Werk aus dem veristischen Repertoire, das Maria Callas an der Scala gesungen hat; in Puccini-Opern ist sie dort nicht aufgetreten. Wegen des historischen Hintergrundes – die Oper spielt am Ende des 19. Jahrhunderts im zaristischen St. Petersburg – verpflichtete die Scala Nicola Benois für die Bühnenbilder und Tatjana Pawlowa für die Regie. Benois erklärte später, daß die Sängerin die Elemente russischer Schauspielkunst sogleich erfaßte und die Rolle kongenial darstellte. Irritiert zeigten sich allerdings die musikalischen Kreise in Mailand. Selbst Teodore Celli, ein Bewunderer der Sängerin, meinte, daß Maria Callas sich auf das falsche Terrain begeben hatte, eine Ansicht, welcher Gianandrea Gavazzeni, der Dirigent der Aufführung, nachdrücklich widersprach. Keine Sängerin habe die Fedora so nuanciert, so farbenreich und so subtil gesungen, so geschickt auf die Ebene der theatralischen Künstlichkeit gehoben. Daß Peter Hoffer in »Music and Musicians« urteilte, Callas habe sich, wenn schon nicht als die größte Sängerin, so doch als eine der größten Schauspielerinnen der Welt erwiesen, mißversteht Stassinopoulos als Hinweis auf das Nachlassen der stimmlichen Kräfte. Viel wahrscheinlicher, daß Maria Callas nicht in die Fallen der veristischen Musik tappte, in die schreiende Exaltation, mit der viele Werke des *verismo* ästhetisch guillotiniert werden.

Nach dem Abschluß der Saison an der Scala ging das gesamte Ensemble im Juni 1956 nach Wien, deren Staatsoper ein halbes Jahr zuvor wiedereröffnet worden war. Unter Herbert von Karajan sollte Maria Callas Donizettis *Lucia* singen. Jellinek erwähnt, und Stassinopoulos schmückt breit aus, daß die Sängerin bei ihrer Ankunft im Hotel Sacher einen Talisman vermißte, das kleine Ölbild einer Madonna. Es war ein Geschenk Meneghinis aus dem Jahre 1947. Ein Freund hatte es von Mailand nach Wien zu bringen.

Das Debüt an der Wiener Staatsoper glich einem Staatsakt. Theodor Körner, der Präsident der Republik, befand sich unter den Zuschauern, die zwanzig Minuten lang Beifall klatschten, und beim Verlassen des Theaters mußte die Sängerin von Polizisten vor der Menge geschützt werden. Die österreichische Presse erging sich in hymnischen Kritiken, doch bei Claudia Cassidy konnte man zwischen den Zeilen lesen, daß die Beherrschung der Stimme mehr und mehr zu einem Akt der Willenskraft wurde. »Da ist wenig von der spontanen Brillanz, der scheinbar mühelosen Kühnheit, dem exquisiten Schattenspiel, die ihre Lucia an der Lyric Opera zu einem unauslöschlichen Glanzpunkt in der Geschichte des Singens machten. Aber es gibt da ein superbes Singen, das sich mit enormem Geschick hinwegsetzt über eine rauhe Kehle, die sich ein Besucher durch Wiens plötzlichen, heftigen und kühlen Regen zuziehen kann. An einer Stelle im Feuerwerk der Nachtwandelszene setzt ihre Stimme für einen Moment aus. Aus unserer hohen Loge können wir Karajans sofortige Aufmerksamkeit sehen, die sogleich gespitzten Ohren der Orchestermusiker. Doch Callas fängt sich im selben Moment. ... Man hätte diesen gefährlichen Moment glatt überhören können. Falls dem so ist, allein auf die Bühne gerufen, führt Callas ihre Hand ganz leicht an ihre Kehle. Die Orchestermusiker zeigen amüsierte Bewunderung.«

Den Juli verbrachte die Sängerin auf Ischia, um sich zu erholen und auf die neue Saison vorzubereiten. Im August und in den ersten Septemberwochen nahm sie an drei Opernaufnahmen teil. Zwischen dem 3. und 9. August sang sie die Leonora in Giuseppe Verdis *Il Trovatore* unter Herbert von Karajan – neben Giuseppe di Stefano, Fedora Barbieri und Rolando Panerai. Zwischen dem 20. August und dem 4. September entstand die Aufnahme von Giacomo Puccinis *La Bohème* unter Antonino Votto, der gleich darauf, zwischen dem 4. und 12. September, die Produktion von Giuseppe Verdis *Un Ballo in Maschera* dirigierte. Wieder war di Stefano der Tenor-Partner der Sängerin. Nach einem Konzert für die RAI am 27. September reiste sie in die Vereinigten Staaten – das Debüt an der Metropolitan Opera stand bevor.

Callas an der Met
oder Das glanzvolle Desaster

Es war eine nervöse Maria Callas, die da auf die Bühne kam – ein tremolöser Klang in der Stimme erinnerte einen an den Auftritt der Butterfly im vergangenen November in Chicago...

Roger Dettmer, »Chicago American«

Was ihr Singen angeht, zeigte Miss Callas einen Standard, den, wer sie in Italien gehört hatte, erwarten konnte.... Es ist eine verblüffende Stimme. Gelegentlich erweckt sie den Eindruck, daß sie mehr von der Willenskraft als aus natürlichen Mitteln geformt ist. Ihre Qualität ist unterschiedlich in der hohen, der mittleren und der tiefen Lage.

Howard Taubman, in »The New York Times«

Für all diejenigen, die Miss Callas andernorts (oder auf zahllosen Platten) gehört haben, stellte sich die neugierige Frage nach der Harmonie zwischen der Stimme und dem Haus: Würden beide zueinander passen, oder würde es Zeit brauchen, um sich aneinander zu gewöhnen? Bei der Hauptprobe wurden alle Zweifel und Bedenken ausgeräumt: Die Stimme, obgleich nicht riesig oder schwergewichtig, ist so gut gestützt und auf dem Atem geflutet, daß sie allzeit gut zu hören ist, ganz besonders aber in Piano- oder Pianissimo-Effekten, die uns zu geben Miss Callas höchste Freude bereitet. Soweit es um Norma geht, verzichtet die Sängerin darauf, Volumen um seines Selbstzweckes zu produzieren, und das ist auch dann deutlich zu hören, wenn sie, am Ende des Terzetts mit Adalgisa und Pollione, ein hohes D voll aussingt.

Irving Kolodin, in »Saturday Review«

EINES Künstlers Anerkennung muß schon über die Grenzen des Ruhms hinaus und in die Gloriole übergegangen sein, bevor er den Titel eines Magazins wie »Time« (oder »Spiegel«) schmücken darf. Nur darf er nicht damit rechnen, daß sich die Titelgeschichte strenger Sachlichkeit befleißigt und den Versuch unternimmt, die Qualitäten zu beschreiben, denen der betreffende Künstler seinen Ruhm verdankt. Diese Portraits, die mit ihrer eigenen Gewitztheit kokettieren, expedieren ihren Gegenstand gleichsam in die Pathologie, um ihn dort zu zerlegen. Der Künstler wird zum Helden – oder eher: zum Antihelden – einer Story, in der Mitteilung (oder Nachricht) und Meinung vermischt werden. »Die Story ist«, schreibt Hans Magnus Enzensberger in seinem Aufsatz »Die Sprache des Spiegel«, »eine degenerierte epische Form; sie fingiert Handlung, Zusammenhang, ästhetische Kontinuität. Dementsprechend muß sich der Verfasser als Erzähler aufführen, als allgegenwärtiger Dämon, dem nichts verborgen bleibt und der jederzeit, wie nur je ein Cervantes ins Herz des Don Quijote, ins Herz seiner Helden blicken kann. Während aber Don Quijote von Cervantes abhängt, ist der Journalist der Wirklichkeit ausgeliefert. Deshalb ist sein Verfahren im Grunde unredlich, seine Omnipräsenz angemaßt. Zwischen der simplen Richtigkeit einer Nachricht, die er verschmäht, und der höheren Wahrheit der echten Erzählung, die ihm verschlossen bleibt, muß er sich durchmogeln. Er muß die Fakten interpretieren, anordnen, modeln, arrangieren: aber eben dies darf er nicht zugeben. Er darf seine epische Farbe nicht bekennen. Das ist eine verzweifelte Position. Um sie zu halten, sieht sich der Story-Schreiber gezwungen, zu retuschieren; zwischen den Zeilen zu schreiben. Keine Publikation hat es in der Technik der Suggestion, des Durchblicken-Lassens, des Innuendo weiter gebracht als *Der Spiegel.*«

Vorbild des Hamburger Magazins war »Time« – und die Maxime des amerikanischen Magazins lautete: »Time ist so, als ob es von *einem* Mann für *einen* Mann geschrieben wäre.« (Kursivierung des Verfassers).

Mit der zwei Tage vor ihrem Debüt veröffentlichten Titelgeschichte in »Time« wurde der Ruhm der Sängerin global, und er wurde zugleich vernichtend beschädigt. Ihr Gegenstand war nicht länger die Kunst der Sängerin (über die, mit einem Wort von Irving Kolodin, mit dem »Vokabular der Ignoranz« geschrieben wurde), sondern das aus Fakten und Fiktionen synthetisierte Monstrum der Oper, das einem Typus von Leser zum Konsum vorgeworfen wurde, der, scheinbar informiert, nur Ressentiments aufnehmen konnte: Neid, Häme, Schadenfreude, Haß. Wo immer es in der »Time«-Story um Musik, um Gesangskunst, um das »Fachliche« geht, so liest sie sich wie eine unsichere Übersetzung – die Sache wird ans Talk-Show-Geschwätz verraten, an jene vage Allgemeinheit, die stets das Unwahre bedeutet.

Was soll man sich unter der folgenden Charakteristik der Stimme vorstellen? »Wenige schätzen die Stimme der Callas als die süßeste oder schönste der Oper. Sie hat ihre bezaubernden Momente. In ruhigen Passagen wärmt sie und schmeichelt dem Ohr. In Ensembles schneidet sie durch die anderen Stimmen wie eine Damaszener-Klinge, sauber und scharf. Doch nach der ersten Stunde einer Aufführung tendiert sie dazu, scharf zu werden, und später an einem harten Abend nimmt sie eine flackernde Klangqualität [wenn das mit ›reverberating quality‹ gemeint sein soll!?] an, als wäre ihr Mund voller Speichel. Doch die besondere Qualität der Callas-Stimme ist nicht der Ton. Es ist die außerordentliche Fähigkeit – wie bei keiner anderen Stimme –, die Inflektionen und Nuancen der Emotion auszudrücken, von schneidender Intensität zu verhaltener Feinheit. Callas' Singen scheint immer noch eine Überraschung in Reserve zu haben.«

Dies ist in der Tat das Vokabular der Ignoranz auf dem Zenit, ein vage fachlicher Jargon, welcher die Sache unkenntlich macht. Um so deutlicher und unmißverständlicher die zweideutigen, die hämischen, die zotigen, die ehrabschneidenden (und juristisch penibel abgesicherten) Hinweise, Anspielungen und geschickt, ach was: clever montierten Zitate. »Aufgewachsen in Manhattans Upper West Side, hatte Maria Callas New York als fettes, unglückliches Kind mit 14 verlassen. Sie kehrte zurück als schlanke, erfolgreiche Frau, Gattin eines italienischen Millionärs, als Diva, die von ihren Kollegen mehr gehaßt und von ihren Fans glühender bewundert wird als jede andere Sängerin. ... Maria Callas erfocht sich ihren Weg [›clawed her way‹ insinuiert blutiges Erkämpfen mit den Klauen einer Wildkatze] zu ihrer heutigen Vorrangstellung mit einer ruchlosen Wildheit, die ihren Feinden Furcht einflößt und ihr nur wenige professionelle Freunde belassen hat. ... Einmal begannen ihre Feinde mit einem Störmanöver, als sie zu den hohen Noten ihrer zweiten Arie in *La Traviata* kam. Callas riß ihren Schal herunter [Welche Arie kann da nur gemeint sein? Das ›Addio del passato‹? In der Literatur findet sich kein Hinweis auf einen solchen Abend]..., ging an die Rampe und blickte ihren Peinigern in die Augen. Mit unbekümmerter Kühnheit ging sie in eine der schwierigsten Arien der Opernliteratur. Wenn sie einen Fehler gemacht hätte, es wäre fatal gewesen. Statt dessen sang sie mit makelloser und unirdischer Schönheit. Fünfmal wurde sie vom bis zum Delirium beglückten Publikum zurückgerufen, fünfmal stand sie, kalt wie ein Stein und arrogant, bevor sie sich abwandte. Beim sechsten Hervorruf lenkte sie ein, verbeugte sich vor allen – nur nicht vor den

Störenfrieden. Dann schaute sie sie an, warf plötzlich die Arme empor wie mit einer Geste speiender Verachtung. ... Sie übertrug ihre Ressentiments auf die sie umgebenden Menschen. Ihr erstes Opfer war eine andere Sopranistin, Renata Tebaldi, lange Zeit eine Favoritin der Scala-Besucher, Besitzerin einer Stimme von sahniger Weichheit, einer Musikalität von delikater Sensibilität – und einem entsprechenden Temperament.«

An all diesen Zitaten ist nur wenig nachweislich falsch, aber noch weniger ist richtig oder erhellend oder von irgendeiner Bedeutung – es sei denn, daß die jedermännische Blödheit sich ein *monstre sacré* ausmalen konnte, dem auch der Brief an die Mutter mit der Bemerkung zuzutrauen war, sie möge sich doch aus dem Fenster stürzen, wenn sie mit ihrem Leben nicht zurechtkomme.

In seinen Memoiren erzählt Rudolf Bing in jener Weise, die in den USA als »candid« bezeichnet wird, von seinen Bemühungen um Maria Callas, von endlosen Briefwechseln, vom Feilschen um das Honorar, von seinem Canossa-Gang nach Chicago und vom Geschäftsgebaren Meneghinis, der sich, wie ein Krämer, die Honorare in bar auszahlen ließ und schließlich Bündel von Fünf-Dollar-Noten ausgehändigt bekam. Maria Callas erlebte, nach Bing, eine Behandlung wie kein anderer Künstler. Sie wurde von Francis Robinson, dem Assistant Manager, am Flughafen abgeholt, und ein Anwalt der Met war ebenfalls zur Stelle, um eine so mißliebige Affaire wie die in Chicago zu verhindern. Bing betonte aber auch, daß viele ihrer Härten nur kompensatorischer Art waren und daß er als hervorstechenden Charakterzug eine naiv-vertrauensvolle »Mädchenhaftigkeit« gespürt habe. Bing bestätigt auch, daß er es war, der den Bariton Enzo Sordello gefeuert hatte, nachdem dieser in der Aufführung von *Lucia di Lammermoor* »einen hohen Ton« – und nicht das ominöse hohe C, von dem im »Spiegel« gesprochen wurde – zu lange gehalten hatte.

Der Verfasser hält ein. Der biographische Faden scheint zu einem unentwirrbaren Knäuel verwickelt. Kritiken über ihre erste New Yorker Norma, sehr widersprüchliche dazu, als Motti... Kritische Anmerkungen über die Sprache der internationalen Magazine... Auszüge aus Rudolf Bings Erinnerungen – wo ist da der Zusammenhang? Er liegt nicht mehr in der Person der Sängerin selber. Im Spätherbst des Jahres 1956 war Maria Callas längst »in the public domain« – öffentlicher Besitz und als solcher ein Phantasiegebilde für vielfältigste Projektionen, die in einer Story wie der des »Time«-Magazins arrangiert wurden. Sie wurde längst auch nicht mehr als *Sängerin* gehört und nach strikt-sachlichen Kriterien beurteilt. In seinem Buch »The Opera Omnibus« hat sich Irving Kolodin, der über das Met-Debüt der Sängerin in der »Saturday Review« geschrieben hat, mit beißender Schärfe über »The vocabulary of ignorance« hergemacht – und all das, was Howard Taubman & Co. in der »New York Times« oder sonstwo verbockt und verbrochen haben, Satz für Satz zerlegt und widerlegt. »Wenn ich den Einwand lese«, so Kolodin, »der von dem Schreiber erhoben wurde, der die Stimme der Callas als ›verblüffend‹ [›puzzling‹] bezeichnet hat, müßte ich folgern, daß er eine kleinstimmige Sängerin beschreibt, die sich um die Lautstärke müht, um in einer so großen Umgebung gehört zu werden, und deshalb genötigt ist, zu ›forcieren‹. Callas konnte schwerlich bezichtigt werden, unhörbar zu sein, gleich in welchem Auditorium, in dem sie zu singen pflegte (dem Opernhaus von Chicago, der alten Met, der Carnegie Hall oder Covent Garden).«

Kolodin zeigte, daß Kritikerkollegen zwischen dem Färben der Stimme zwecks dramatischer Effekte und dem Forcieren, also dem Gebrauch muskulärer Energie zur Vergrößerung des Klangs, nicht zu unterscheiden wußten; er warf ihnen vor, daß sie kaum je wirklich relevante Fragen – »War da eine exzessive Anspannung der Nackenmuskulatur? War da zu viel Spannung in den Lippen? Wurde die Zunge gewaltsam nach unten gedrückt?. ... Sang sie zu tief? Sang sie zu hoch?« – gestellt hatten. Kolodin zitiert sodann William James Hendersons legendäre Kritik des Debüts von Luisa Tetrazzini an der Met als ein Beispiel dafür, daß wirkliche Kritik so etwas wie ein »vocalizing of singer's performance« zu sein habe: also ein Gesang über einen Gesang, eine Klangfigur über den Klang.

Diese Kritik sei in Auszügen wiederholt, um dem Leser einen Eindruck davon zu geben, wie sorgfältig vorbereitet W.J. Henderson in eine Opernaufführung ging, wie präzis er über die Sache selber und nur über die Sache schrieb – und wie kompromißlos scharf und hart sein Urteil formuliert wurde, so hart, wie es heute kein Kritiker wagen und kaum ein Fan-Publikum schlucken würde. Henderson: »Mme. Tetrazzini hat eine frische, klare Stimme von reiner Sopranqualität und ausreichendem Umfang, obwohl erst andere Rollen die weitesten Flüge über das System hinaus ans Licht bringen können. Der vollkommen unverbrauchte Zustand und das jugendliche Timbre der Stimme üben den größten Zauber aus; hinzugerechnet werden muß ein glänzender Reichtum in der hohen Lage. Der beste Teil der Stimme, wie wir sie gestern gehört haben, lag zwischen dem G über dem System bis zum C. Das B in ›Sempre libera‹

war ein Ton, auf den jede Sängerin stolz sein müßte. Das hohe D in derselben Nummer war keineswegs so gut, und das hohe Es, mit dem die Sängerin die Szene beendete, war ein Klopfton von dünner Qualität. Er weigerte sich, auf der korrekten Höhe zu bleiben.

Bei Koloraturen bestätigte Mme. Tetrazzini viel von dem, was über sie geschrieben worden ist. Sie sang *staccato* mit vollständiger Leichtigkeit, freilich nicht mit der anerkannten Methode des Atmens. Ihre Methode besteht darin, den Fluß lediglich anzuhalten, statt jede Note leicht und einzeln zu attackieren. Aber der von ihr erzeugte Effekt eines Detaché statt eines wirklichen *staccato* ist zauberhaft. Von ihrem Triller kann das kaum gesagt werden. Er war weder klar in der Emission, noch war er stetig, und das Intervall selber war zumindest fragwürdig.

Abfallende Skalen sang sie schön, mit perfekter Geschmeidigkeit und sauberer Artikulation. Ihre Umwandlung der einfachen Skala in der eröffnenden Kadenz von ›Sempre libera‹ in eine chromatische Skala war, wenn auch gleich eine Abweichung von der Partitur, keine Geschmacksverletzung, und in ihrer Ausführung lag ihre Berechtigung. Die aufsteigenden Skalen in derselben Nummer wurden in einer Weise gesungen, die ein renommierter Lehrer nicht einmal von einem Schüler mit einjähriger Ausbildung hätte tolerieren können. Sie begannen mit einer tremolösen und kehligen *voce bianca* und endeten mit dem Schwung in eine volle Stimme. Dabei wurde die Brust-Resonanz in widernatürliche Höhen hinaufgetrieben.

Der auffälligste Mangel von Mme. Tetrazzinis Singen, so wie wir es in der letzten Nacht hörten, war ihre ungewöhnliche Emission ihrer tiefen Mittelstimmen-Töne. Sie wurden mit einer gequetschten [›pinched‹] Glottis-Attacke gebildet und mit einer so fahlen Farbe und einem so ausgeprägten *tremolo,* daß sie oft auf eine gar nicht mal schlechte Imitation eines Kinderweinens hinausliefen... In der *cantilena* fiel der neue Sopran am tiefsten unter die Anforderungen supremer Vokalkunst. Ihr *cantabile* war uneben in der Tonqualität. Die Brüche zwischen der mittleren und der hohen Lage traten unangenehm hervor, und ihr Trick, in kurzen und spasmodischen Gruppen zu phrasieren, wobei leichtfertig und ohne Nachdenken über die Musik geatmet wurde, war ein ernsthafter Flecken in ihrer Wiedergabe. Zum Beispiel bildete sie zu Anfang von ›Ah, fors' è lui‹ eine Phrase bis zum ›u‹, nahm leicht Atem und sang das ›i‹ so, als gehörte es zum nächsten Wort.

Der fortgesetzte Gebrauch kalter Farben beim *cantabile* nahm jede Möglichkeit von Pathos bei ›Non sapete‹, alldieweil eine mitleidslose Beschreibung ihrer infantilen Wiedergabe von ›Dite alle giovine‹ sich lesen würde wie eine Grausamkeit.«

Ein Hörer mit der Fähigkeit des Horchens, mit vokaler Phantasie, wird Tetrazzini, sofern er sie einmal gehört, bei der bloßen Lektüre Hendersons noch einmal zu hören glauben – und wer Henry Fothergill Chorley oder auch Stendhal über Pasta, Grisi oder Malibran liest, kann sich ein genaues akustisches Bild machen vom Klang und der Singweise dieser Sängerinnen, weil jene Autoren ihre Sprache förmlich orchestrieren konnten: Sie besaßen nicht nur eine präzise, unmißverständliche, objektivierte Fachterminologie, sondern ihnen stand auch eine suggestive und nie willkürliche Metaphorik zu Gebot.

Nach Nietzsche muß, soll ein Ereignis Größe haben, zweierlei zusammenkommen: der große Sinn derer, die es vollbringen, und der große Sinn derer, die es teilnehmend erleben. Danach war das Debüt von Maria Callas an der Met, von Rudolf Bing als »die aufregendste Eröffnungsnacht meiner Ägide an der Metropolitan« erlebt, kein großes Ereignis. Die meisten der Zuschauer, die insgesamt 75 510 Dollar an der Abendkasse gezahlt hatten, waren wegen eines Stars gekommen und nicht wegen eines Werks wie *Norma*, das für einen solchen Gesellschaftsabend denkbar ungeeignet war. In seiner Geschichte der Met notiert Kolodin ironisch, daß diejenigen, die 35 Dollar für ihre Parkettplätze gezahlt hatten, nichts von den Fähigkeiten wußten, die eine *Norma*-Sängerin braucht, für ihr Geld aber entsprechende Unterhaltung erwarteten.

Zinka Milanov, die regierende Diva des Hauses, stilisierte den Gang zu ihrem Platz wie einen Bühnenauftritt und erhielt Beifall wie nach »Vissi d'arte«. Anders als in der Scala war die Aufführung nicht so vorbereitet, daß sie ein Ereignis hätte werden können: Es war eine ältere, von Kolodin als »schlampig« bezeichnete Produktion, die auch durch eine Überarbeitung nicht besser geworden war. Dennoch begann Callas die Aufführung »mit einer wohl-kontrollierten, ausdrucksvoll-schönen ›Casta diva‹«, für Kolodin das Resultat ihrer harten Schulung und ihrer guten Nerven. Der Chronist räumt ein, daß das Publikum nicht »die sanfteste ›Casta diva‹« gehört habe, doch während sich die meisten Sängerinnen mit einer schön klingenden Wiedergabe der ersten Arie begnügt hätten, sei es der Callas um »die Entwicklung eines Charakters« gegangen, um ein Portrait von jener Vollendung, wie es die Alceste von Kirsten Flagstad oder die Marschallin von Lotte Lehmann gewesen war. »Gerundete musikalische Phrasen, eines wahren Musikers Weise bei der Formung einer melodischen Linie, eines erstklassigen Vokalisten Sinn für Dynamik und Farben – all dies wurde vom Kunstverstand einer Tragödin einem einzigen Zweck untergeordnet: das zu realisieren, was Bellini in seine gequälte Heldin gegossen hatte.« Auch wenn sie stimmlich nicht in allerbester Form sang, konnten sich neben ihr Fedora Barbieri und Cesare Siepi nur bedingt und Mario del Monaco kaum behaupten. Die Kritiker suchten, wie Kolodin schreibt, »nach einer Meßlatte und urteilten lediglich über den Daumen« – das »ungewöhnliche Talent suchte vergeblich nach der ungewöhnlichen Anerkennung, die verdient gewesen wäre«.

Kolodin selber war der einzige, der die Stimme als »Verlängerung ihrer Persönlichkeit« sah, als Drama *sui generis*, und der zugleich die immense Disziplin erkannte, mit welcher Maria Callas dieses Drama unter Kontrolle zu halten versuchte. Zwischen der dritten und vierten Aufführung von *Norma* (am 10. und 22. November 1956) sang sie zweimal *Tosca* unter Dimitri Mitropoulos; ihre Partner waren Giuseppe Campora und George London. Daß sie stimmlich nicht (mehr) die üppigste Tosca war, wurde von den meisten Kritikern wahrgenommen, aber nur von Kolodin, daß sie »ihre Musik mit den Instinkten einer Schauspielerin sang und ihr Darstellen mit den Instinkten einer glänzenden Musikerin phrasierte«.

Dem Debüt der Primadonna an der Met folgten die ersten Auftritte des Weltstars im Café Society. Angel, die amerikanische Tochterfirma des EMI-Konzerns, hatte im Hotel Ambassador den Trianon-Room für einen großen Empfang reserviert, zu dem der griechische und der italienische Botschafter geladen waren, Marlene Dietrich und Elsa Maxwell und viele andere bunte Vögel aus der Gesellschafts- und Salonfauna. Callas trug Schmuck im Wert von einer Million Dollar, der ihr vom Juwelier Harry Winston zur Verfügung gestellt worden war. Am 25. November endlich erschien sie, an der Seite von George London, in der Ed-Sullivan-Show mit Szenen aus dem zweiten Akt von *Tosca*.

Claudia Cassidy entsetzte sich in der »Chicago Tribune« über das gräßliche Stückwerk (»butchered to a jigsaw of 15 minutes«), das all denen, die nie in die Oper gehen, ihre Vorurteile bestätigen mußte, und denen, die die Oper lieben, wie eine Travestie vorkommen mußte. Mehr Aufmerksamkeit als alle Kritiken fand endlich ein Brief von Renata Tebaldi mit der Antwort auf einen Callas-Satz aus der »Time«-Story: »Die Signora sagt, daß ich kein Rückgrat besitze. Ich habe dafür etwas Großes, was sie nicht hat – ein Herz.«

Nach der ersten Aufführung von *Lucia di Lammermoor*, für viele der Höhepunkt ihres Gastspiels, schrieb Elsa Maxwell eine vernichtende, bösartige Kritik. Für Aufsehen sorgte auch der Konflikt mit dem Bariton Enzo Sordello, der in der Aufführung am 8. Dezember am Ende eines Duetts ein hohes G länger als vorgeschrieben hielt und damit den Eindruck erweckte, als habe seine Partnerin nicht die Atemreserven gehabt, um ihren Ton entsprechend lang zu halten. Über den Konflikt zwischen der Diva und ihrem Provokateur kursierten alsbald zwei Geschichten, von denen eine in der Presse und in Teilen der biographischen Literatur deutlich den Vorzug bekam. Danach habe die Sängerin ihren Partner noch auf der Bühne beschimpft und nach der Aufführung dem Management – »er oder ich« – ein Ultimatum gestellt.

Kolodins Bericht ist weniger aufregend. Callas hat sich nach der Aufführung beschwert, daß ihr Partner sie habe aussingen wollen. Dessen Einwand, sie habe ihren hohen Ton nicht halten können, wurde vom Dirigenten Fausto Cleva entkräftet, »und Bing entschied, daß man auf die Talente Sordellos würde verzichten können« (Kolodin). Über die Aufführungen von *Lucia* – die vom 8. Dezember liegt als Mitschnitt vor – gab es keine unterschiedlichen kritischen Urteile. Maria Callas war in den Aufführungen nicht gut bei Stimme. Winthrop Sargeant hörte hohe Töne, die »gleich verzweifelten Schreien« ausgestoßen wurden, fand ihre Interpretation jedoch »interessant, zuweilen sogar erregend [›thrilling‹], ihre Koloratur außergewöhnlich agil und akkurat, die Qualität ihrer Stimme in *mezza voce*-Passagen warm und expressiv«.

Kolodin wies auf Ermüdungserscheinungen in »Spargi d'amore pianto« hin und verschwieg auch nicht, daß viele hohe Töne »Ausrufezeichen glichen und nicht ganzen Satz-Perioden«. Claudia Cassidy notierte ähnliche Problemstellen, betonte aber: »Ich weiß nicht, wo man sonst so exquisite Koloraturen, so seidig-fein gesponnene Fiorituren, so geschmeidige chromatische Skalen hören kann.« Auffällig jedenfalls, daß die bewundernden Anmerkungen von Kolodin, von Cassidy und auch von Paul Henry Lang im Tonfall von Apologien vorgetragen werden; gerade das ist ein Hinweis darauf, daß Maria Callas zu dieser Zeit stimmlich nicht mehr alle Erwartungen erfüllen konnte. Beim Hören des Mitschnitts vom 8. Dezember möchte man als Bewunderer der Sängerin wünschen, es gäbe dieses Dokument nicht – selbst sie setzt einer prosaischen Aufführung keine Glanzlichter auf.

Wenige Tage vor ihrer Rückkehr nach Mailand waren Maria Callas und Battista Meneghini zu einem Dinner Dance im Waldorf Astoria eingeladen. Gastgeber war der griechische Filmmagnat Spyros Skouras. Unter den Gästen war auch »das internationale Barometer des sozialen Klimas, Elsa Maxwell« (Stassinopoulos), die über die Begegnung mit der Sängerin folgende Erinnerung erzählt hat: »›Madame Callas, ich könnte mir vorstellen, daß ich die letzte Person auf Erden bin, der Sie hier begegnen wollten.‹ Callas erwiderte: ›Ganz im Gegenteil, Sie sind die Erste, der ich begegnen wollte, weil ich Sie, abgesehen von Ihrem Urteil über meine Stimme, als eine Dame von Ehre [›lady of honesty‹] ansehe, der es um die Wahrheit geht.‹« Elsa Maxwell druckte diese Antwort in ihrer nächsten Kolumne und rühmte die Sängerin, nach einem Blick in ihre ›glänzenden, schönen, hypnotischen Augen‹, als »eine außergewöhnliche Persönlichkeit«. Fortan öffnete die Maxwell ihrer neuen Freundin all jene Türen, hinter denen die Schätze der Welt lagen. In ihrer Autobiographie hat die Maxwell geschrieben: »Ich bin als Parasit diffamiert worden, weil ich die Großzügigkeit der Reichen genossen habe, aber ich habe mindestens so viel gegeben, wie ich genommen habe. Ich hatte Phantasie, sie hatten das Geld. Es war ein gerechter Austausch dessen, was beide Seiten im Übermaß hatten.«

Obwohl die Sängerin im Januar 1957 in Chicago vor Gericht zu erscheinen hatte, wollte sie die freien Weihnachtsfeiertage in Mailand verbringen. Am Tag ihrer Abreise, dem 21. Dezember, erschien sie vor dem höchsten New Yorker Gericht. Dort sollte die Klage Bagarozys verhandelt werden. Ihr Anwalt brachte vor, daß eine ähnliche Klage Bagarozy gegen Nicola Rossi-Lemeni 1954 durch die Zahlung von 4 000 Dollar beigelegt worden war und daß 300 000 Dollar, die der Ex-Agent von der Sängerin verlangte, maßlos seien. Die Verhandlung wurde auf den Januar vertagt. In Mailand plante sie den zweiten Teil der Saison mit den Auftritten an der Scala. Sie nahm auch ein Angebot der San Francisco Opera an und sicherte deren Manager, Kurt Herbert Adler, brieflich eine Reihe von Aufführungen im September und Oktober 1957 zu. Der Journalistin Anita Pensotti erzählte sie für »Oggi« ihre »persönliche Geschichte«. Ihre Schlußbemerkung ist vielsagend. »Ich werde bald an die Scala zurückkehren und in *La Sonnambula, Anna Bolena* und endlich in *Iphigenia in Tauride* singen. Ich weiß, daß meine Feinde auf mich warten, doch werde ich mit allen Kräften kämpfen. Ich werde mein Publikum, das mich liebt und dessen Wertschätzung und Bewunderung ich mir erhalten will, nicht enttäuschen.«

Drei Tage nach ihrer Rückkehr in die USA nahm sie in New York an einem Wohltätigkeitsball im Waldorf Astoria teil, der von einer PR-

Firma für kranke Alte inszeniert worden war. Sie erschien im Kostüm der ägyptischen Kaiserin Hatschepsut, das angeblich mit Smaragden im Wert von drei Millionen Dollar geschmückt war. Sie nahm diese gesellschaftlichen Auftritte inzwischen so ernst wie Premieren in der Scala. Elsa Maxwell kam als Katharina die Große.

In Chicago, wo sie vor Gericht erscheinen mußte, gab Callas am 15. Januar ein Konzert, um die unerwünschte Reise überhaupt erträglich zu machen. Ihr Honorar betrug 10 000 Dollar. Claudia Cassidys Bericht in der »Chicago Tribune« erfaßt ahnungsvoll die Richtung, in welche die Karriere der Sängerin gehen sollte: »Sie begann so leise, daß selbst der lärmendste Spätkommer zuhören mußte. Aus ihrem großen Arsenal von Heroinen, die an Koloratur-Wahn leiden, hatte sie die Nachtwandelszene der Sonnambula gewählt, die brütende Arie mit der lieblichen Bellini-Linie. Sie sang sie superb. ... Das war die Callas-Stimme mit der größten Magie, mit dem Oboenklang im Ton, eine dunkel lüstrierte, suggestive Stimme. ... Dann wählte sie die Schatten-Arie aus Meyerbeers *Dinorah*, deren Heldin so fröhlich mit jenen Schatten spielt, die erfreulicher sind als die Wirklichkeit. Es war in seiner übermütigen Weise fröhlicher als der Gesang einer Lerche, denn welche Lerche hat je für ein Konzert 10 000 Dollar erhalten. Und doch stieg der Gesang nicht bis ans Himmelstor. Er quälte sich hinauf, der Klang war harsch und schrill. Es war gut, daß Callas danach ihren Mut unter Beweis stellte. ... Sie sang ›In questa reggia‹ aus Puccinis *Turandot*. *Turandot* ist, wie alle Opernbesucher wissen, reines Dynamit. Die Sopran-*tessitura* ist gnadenlos hoch. Als sie das Werk vor drei Jahren aus ihrem Repertoire aussonderte, sagte Callas: ›Ich bin nicht so blöde.‹ Doch wird sie das Werk für Angel aufnehmen. ... Das Stück machte das Publikum jubeln, doch um welchen Preis? Es bedeutete, daß eine feine Sängerin, die zudem eine Künstlerin und aus diesem Grunde doppelt wertvoll ist, diese kalte, grausam schöne Arie mit jedem Quentchen Kraft sang, das sie aufbringen konnte; und sie trieb sie wie mit Nadeln ins Bewußtsein des Publikums. Es war nicht schön, denn es war forciert bis zu jenem Grad, der für eine mißhandelte Stimme lebensgefährlich ist. Aber es war, wegen des schieren Mutes und der Entschlossenheit, wegen des Siegen-Wollens um jeden Preis, grandios. ... Es war ein Triumph für Callas; es sei, wir schätzen sie so hoch, daß wir sie wiederhergestellt hören wollen mit dem, was sie am besten kann.«

Welch eine scharfe Kritik, und welch eine bewundernd-liebevolle! Mit wenigen Sätzen hat Claudia Cassidy das Dilemma einer Sängerin am

Scheidepunkt ihrer Laufbahn beschrieben und durch Kritik ihren Respekt, ihre Hochachtung und vor allem Fürsorge bezeugt. Maria Callas beendete das Konzert mit Normas Arie, mit Leonoras »D'amor sull'ali rosee« und der Schlußszene der Lucia.

Ihr Auftritt vor Gericht, Anlaß für die Reise nach Chicago und indirekt auch für das dortige Konzert, war kurz; der Prozeß wurde einmal mehr vertagt. Er sollte nunmehr im Herbst stattfinden, zur Zeit ihrer Gastspiele in San Francisco. Sie flog nach Mailand zurück und besuchte am 26. Januar die Uraufführung von Francis Poulencs *Dialogues des Carmélites*. Beim Empfang für den Komponisten war sie, geschmückt wie ein Filmstar, Mittelpunkt der Aufmerksamkeit. Vor ihren Scala-Aufführungen, mit denen die Saison 1956/57 zu Ende gehen sollte, reiste sie nach London und sang dort, am 2. und 6. Februar 1957, Bellinis *Norma*. Harold Rosenthal schreibt in seiner Chronik der Covent Garden Opera, daß die Intendanz sechs Aufführungen hätte verkaufen können. Doch hatte Maria Callas zwischen dem 7. und 14. Februar im Studio Rossinis Rosina zu singen und zwischen dem 3. und 9. März Bellinis Amina.

Damals begann jene Art von künstlerischer Planung, die sich nach dem Effekt richtet. Daß am Flughafen nicht die füllige Diva der Londoner Erinnerung, sondern eine schöne Figurine aus der »Vogue« ankam, machte Schlagzeilen – wieder einmal die Schlagzeilen *vor* der Aufführung, wieder einmal das Geraune über den Star, und auch darüber, ob sie mit den 60 Kilo Gewicht auch an stimmlichem Volumen und an Brillanz verloren habe. Da es von diesen Aufführungen keinen Mitschnitt gibt, ist diese Frage kaum zu beantworten, zumal die Kritiken widersprüchlich sind.

Rosenthal schreibt, ihre Stimme sei »in keiner Weise beeinträchtigt [gewesen], im Gegenteil besser verbunden und ganz gewiß schöner als zuvor«. Die Aufführung habe ihr »einen der größten Triumphe ihrer Karriere« beschert, der Beifall sei stürmischer gewesen als jemals, und ihre Solo-Vorhänge am Ende der Aufführung habe sie »zu einer Aufführung in sich« stilisiert. In der zweiten Aufführung am 6. Februar 1957 mußte der Dirigent John Pritchard ein *da capo* der *cabaletta* des Duetts zwischen Norma und Adalgisa zulassen; es war das erste Encore, das die Londoner Oper nach dem Krieg erlebte. Der Jubel war maßlos, und ein paar kritische Untertöne in vereinzelten Kritiken wurden offenbar überhört. »Es kann nicht behauptet werden«, hieß es in der »Times«, »daß die Stimme schöner geworden wäre. Die hohen Töne klangen manchmal gequetscht [›pinched‹], manchmal hart und ausdruckslos, und die Intonation der Sängerin war unsicher – ›Casta diva‹ endete sehr scharf [›very sharp‹ = zu hoch]«.

Erst nach diesen Einschränkungen folgen die Eulogen auf ihre pathetische Intensität, ihre Atemkontrolle, ihr *legato,* ihre dramatische Beseelung der *fioritura*, ihre fabelhaften chromatischen Skalen. In »Opera News« merkte Frank Granville-Barker an, daß die Stimme an klanglichem Reichtum eingebüßt hatte. Auch er hatte »vereinzelt schrille Töne und eine neue Schärfe« in der Stimme wahrgenommen.

Im März sang sie an der Scala unter Antonino Votto sechs Aufführungen von Bellinis *La Sonnambula*; in der gleichen Zeit entstand für EMI die Studio-Aufnahme. Claudia Cassidy stellte fest, daß die Stimme wieder in bester Verfassung war und wagte die Prognose: »Ich bin sicher, daß sie für die nächsten zwanzig Jahre oder noch länger eine große Sängerin sein wird.«

Währenddessen bereitete sich Callas auf die für den 14. April 1957 geplante Premiere von Gaëtano Donizettis *Anna Bolena* vor. Das Werk war am 26. Dezember 1830 am Teatro Carcano (Mailand) uraufgeführt worden. Die Titelrolle wurde von Giuditta Pasta gesungen, der Percy von Giovanni Battista Rubini. Schon im Juli 1831 brachten diese Interpreten die Oper auch nach London, wo sie, wie auch in Paris, einige Jahrzehnte lang mit großem Erfolg im Spielplan blieb (Giuditta Pasta wurde von Giulia Grisi, Rubini von Mario abgelöst). Das erste Revival fand 1956 in Bergamo statt, bevor Visconti und Callas sich des Werks annahmen. Gianandrea Gavazzeni, der Dirigent dieser Aufführung, erinnerte sich, daß ihm sein bedeutender Kollege Gino Marinuzzi gesagt hatte, daß die Oper in dem Augenblick wieder lebensfähig wäre, sobald es die richtige Interpretin für die Titelpartie geben würde.

Visconti und Nicola Benois hatten die Bühne nur in Schwarz-, Grau- und Weißtönen ausgestattet. Anna Seymour (Giulietta Simionato) trug vor diesem düsteren Hintergrund ein rotes Kostüm, Maria Callas Roben in allen Blau-Schattierungen und dazu majestätische Juwelen, die auf ihre Augen, ihren Gesichtsschnitt, ihre Statur abgestimmt waren – »und auf der Bühne, glauben Sie mir«, sagte Visconti, »auf der Bühne hatte sie Statur.« Benois erzählte, daß er der Sängerin die Roben auf den Körper zuschnitt – und alle waren inspiriert von Holbeins Portrait der Anna Boleyn. Dennoch suchte Visconti nicht nach historischer Realität, sondern nach stilistischer Authentizität.

Nach der umjubelten Premiere waren vor allem Theaterleute sich einig, daß die Aufführung einen neuen Standard für Inszenierungen romantischer Gesangsopern gesetzt hatte. Der Beifall dauerte 24 Minuten; Maria Callas war auf dem Höhepunkt ihrer Scala-Karriere. »Ein einzigartiger Erfolg«, das war das Urteil von Claudia Cassidy. Desmond Shawe-Taylor, der anerkannte englische Connaisseur des Singens, schrieb, daß das Werk mit seinen Vorklängen auf Verdis *Macbeth* an die internationalen Bühnen würde zurückkehren können, aber nur mit einer Callas in der Titelpartie. Für eine der Aufführungen kam Elsa Maxwell nach Mailand. Sie wurde von Maria Callas, die auch ihre Auftritte jenseits des Theaters sorgfältig zu inszenieren begann, am Flughafen abgeholt. »Ecco i due tigri«, spottete eine Zeitung, und die Maxwell beklagte in ihrer Kolumne »das böse Netz von Invektiven, das um Maria Callas gewoben« werde.

Es gab Anlaß, die Sängerin in Schutz zu nehmen. Sie hatte ein Gastspiel bei den Wiener Festwochen abgesagt, das zwischen Herbert von Karajan und ihr in der berauschten Stimmung des Erfolges nach dem *Lucia*-Gastspiel von 1956 mündlich abgesprochen (oder in Erwägung gezogen) worden war. Doch wollte Meneghini das Honorar des Vorjahres – 1600 Dollar – nicht mehr akzeptieren. Vertreter der Wiener Oper erklärten, daß Callas 500 Dollar mehr verlangt hatte, stritten aber ab, daß es zwischen der Diva und dem dirigierenden Divo zu einem heftigen Streit gekommen sei. Die kleine Affaire machte, ausgeschmückt wie eine barocke Arie, die Runde nicht nur in der Opernwelt. In einem »Report« war von einem enragierten Herbert von Karajan zu lesen, der den Kontrakt, der nie existiert hatte, vor den Augen der Diva zerriß; daß Elsa Maxwell als Verteidigerin der Sängerin auftrat, gab der Geschichte ihre ganz eigene Würze.

Die Scala-Saison sollte mit einer dritten Callas-Aufführung unter Visconti zu Ende gehen – *Iphigenia in Tauride*. Es war die fünfte, leider auch die letzte Zusammenarbeit mit dem Regisseur, der das Werk im 18. Jahrhundert und vor Rokoko-Kulissen ansiedeln wollte. Für das Bühnenbild hatte sich Benois von den Architekten der legendären Bibiena-Familie, die – in stilistischer Übereinstimmung – vom Beginn des 17. bis Ende des 18. Jahrhunderts gearbeitet hatten, inspirieren lassen, für die Kostüme von den Bildern des Tiepolo. Visconti wie Benois argumentierten, daß die zeitliche Verlagerung der Geschichte ins 18. Jahrhundert gerechtfertigt sei durch die Musik. Benois: »Meine Kardinal-Regel als Gestalter der Szene.« Zum erstenmal mußte Visconti erleben, daß die Sängerin auf seine Ideen nur mit Reserviertheit einging; sie wollte – »ich bin Griechin« – wie eine antike Figur der griechischen Mythologie aussehen.

Dennoch folgte sie schließlich, künstlerisch unbedingt zuverlässig, den Direktiven des Regisseurs.

Visconti bezeichnete später die Produktion der Gluck-Oper als die ästhetisch schlüssigste, die er mit Callas erarbeitet hatte. Wie genau sie das bei den Proben Erarbeitete auf der Bühne realisierte, geht wiederum aus Viscontis Erinnerungen hervor. In einer Szene mußte sie eine Treppe hinaufsteigen und dann hastig herunterlaufen, wobei ihr langer Mantel im Wind zu wehen hatte. Bei jeder Aufführung sang sie ihre hohe Note exakt auf der achten Stufe der Treppe – Bewegung und Musik waren stets perfekt aufeinander abgestimmt.

Drei Jahre später sollte Visconti mit ihr an der Scala Donizettis *Poliuto* herausbringen. Doch wurden kurz zuvor ein von ihm inszeniertes Theaterstück und der Film »Rocco und seine Brüder« zensiert. Der Regisseur weigerte sich, fortan noch einmal für ein vom Staat unterstütztes Theater zu arbeiten. Die Opern, die er danach gern mit ihr inszeniert hätte, wollte sie offenbar nicht singen. Vor Carmen scheute sie zurück, weil sie Angst vor den Tänzen hatte. Salomé wollte sie nicht singen, weil sie davor zurückschreckte, sich beim Schleiertanz auszuziehen, obwohl Visconti sie in der *Parsifal*-Aufführung als Kundry »schön wie eine Odaliske« empfunden hatte. Die Marschallin im *Rosenkavalier* lehnte sie wegen der deutschen Sprache ab.

Die Gluck-Aufführung, Callas' zwanzigste Produktion an der Scala, erwies sich als triumphaler Erfolg; dennoch wurde die Oper nur viermal gespielt. Am 21. Juni wurde die Sängerin von Staatspräsident Gronchi mit dem Titel des »Commendatore« ausgezeichnet, für den sie vom Erziehungsminister Aldo Moro vorgeschlagen worden war. Danach genoß sie, eingeladen von Elsa Maxwell, das Gesellschaftsleben in Paris: den Besuch von exklusiven Modesalons, Cocktails bei der Baronesse Rothschild, Teestunde bei den Windsors, Rennen mit Ali Khan. Anfang Juli gastierte sie mit zwei Aufführungen des Scala-Ensembles in Köln und sang Bellinis Amina in *La Sonnambula*, eine Aufführung, die ausdrucksvoller und poetischer ist als die von Votto nur routiniert dirigierte Studio-Aufführung. »Stimme, Technik und Intentionen«, schreibt John Ardoin, »befanden sich in mirakulöser Balance.«

In Mailand folgten unmittelbar nach ihrer Rückkehr die Aufnahmen von Puccinis *Turandot* und *Manon Lescaut*. Dirigent war wieder Tullio Serafin, mit dem sich die Sängerin endlich ausgesöhnt hatte. Beide Portraits sind nuancierter, detaillierter, reicher als die aller anderen

Sängerinnen, doch zeigen sich in der Höhe beträchtliche stimmliche Probleme, vor allem in der Aufnahme von *Manon Lescaut*.

Ihr erster Besuch in Griechenland nach zwölf Jahren stand unter einem bösen Stern. Ihre Mutter Evangelia hatte sie in das denkbar schlechteste Licht gesetzt, und die Opposition warf der Regierung Karamanlis vor, daß die exorbitanten Gagen (sie sollte für zwei Konzerte 9 000 Dollar erhalten) unerträglich für ein notleidendes Land seien. Das erste der beiden geplanten Konzerte im Herodes Atticus mußte sie, weil erschöpft und erkältet, absagen, und weil diese Absage dem Publikum aus schierer Angst der Veranstalter erst eine Stunde vor Beginn mitgeteilt wurde, sah sich die Sängerin einem Sturm der Entrüstung ausgesetzt. Das zweite Konzert am 5. August fand unter Polizeischutz statt, doch obsiegte sie über das zunächst feindlich gestimmte Publikum durch ihre Willenskraft und Energie. Ein kurzer Urlaub auf Ischia brachte ihr nicht die Erholung, die notwendig gewesen wäre.

Als sie nach Mailand zurückkam, stellte ihr Arzt Arnoldo Semeraro eine nervöse Erschöpfung fest. Er riet ihr dringend zu einer vierwöchigen Erholungspause. Doch sollte sie mit dem Ensemble der Scala in Edinburgh gastieren und die Amina in *La Sonnambula* singen. Meneghini gelang es nicht, Luigi Oldani von der Scala zu überzeugen, daß sie die Reise nicht würde unternehmen können. Der Generalsekretär der Scala argumentierte, die Rolle werde mit Callas identifiziert; das Theater könne es sich zudem nicht leisten, mit einer anderen Sängerin zu dem Festival zu fahren, obwohl mit der jungen Renata Scotto ein Talent ersten Ranges zur Verfügung gestanden hätte.

NEUNTES KAPITEL

Primadonna ohne Heimat

Immer ein Kampf – das war der ständige Ärger mit meiner Karriere, immer habe ich nur kämpfen müssen. Ich mag es nicht. Ich liebe diese Kämpfe und Streitigkeiten nicht. Mir sind die nervösen Zustände, in die man dadurch gerät, zuwider. Doch wenn ich zu kämpfen habe, werde ich eben kämpfen. Bisher habe ich immer gewonnen, doch niemals mit dem Gefühl einer inneren Befreiung. Es sind schale Triumphe.

Maria Callas

Giudici! Giudici ad Anna oder Die Rolle des Skandals

Die Geschehnisse begannen mit *La Sonnambula*, und in der Star-Rolle war La Divina, Maria Meneghini-Callas, aufgeboten, doch nicht in ihrer göttlichsten Stimme. Die Premiere hatte unausgeglichene Augenblicke. Als die dritte Aufführung kam, drohte jede gehaltene Note in der Region um das F zu brechen oder zu kollabieren. ›Ah, non credea‹ war für jeden im Theater eine schmerzliche Erfahrung, und dennoch gab es bewegende Momente in ihrer Darstellung. Nach der vierten Aufführung flog die Diva (›erschöpft‹) nach Mailand zurück, Renata Scotto übernahm die Partie.« Das berichtete, sachlich und ohne bösartigen Unterton, Andrew Porter in »High Fidelity« über das Edinburgh-Gastspiel der Scala im Sommer 1957. Nicht anders der Bericht von Harold Rosenthal in »Musical America«. Die erste Aufführung sei schwach, die zweite und dritte unausgewogen gewesen, während die vierte, die er hatte hören können, die Sängerin »in exzellenter Form« zeigte. Voller Bewunderung schrieb Rosenthal indes über »das Musikertum, die Intelligenz und die Intensität« der Sängerin, die sich aus Pflichtgefühl zu den vier Abenden hatte überreden lassen.

Schon nach der ersten Aufführung hatte ihr ein englischer Arzt den Rat gegeben, das Gastspiel abzubrechen. Sie kämpfte sich dennoch durch die zweite Aufführung, deren Erfolg Luigi Oldani dazu mißbrauchte, dem Festival eine fünfte Aufführung zu versprechen. Nach der dritten Aufführung, die sie mit den Resten ihrer fast verbrauchten Kräfte gerade noch überstand, erklärte sie dem Theatermanager, daß sie die fünfte Aufführung nicht singen würde. Es waren wenige, die ihre Abreise so sympathetisch kommentierten wie Albert Hutton in »Music and Musicians«: »... man mußte ihretwegen froh sein, als sie in den warmen Süden zurückfuhr.« Die vereinzelte Stimme eines Musikkritikers ging im Chor der Skandal-Schreie unter. Die »tabloids« vermeldeten einen weiteren »Callas walkout«, und als sie in Italien ankam, stimmten die italienischen Blätter ein. Maria Callas habe, so hieß es, Italiens erstes Operntheater entehrt. Noch übler genommen wurde ihr, daß sie in Venedig an einem von Elsa Maxwell inszenierten Ball teilnahm und dort, von der Klatsch-Diva am Klavier begleitet, einen Blues sang: »Stormy weather«. (Elsa

Maxwell hatte in Stummfilmzeiten als Kino-Pianistin begonnen und später bei Partys pianistische und sängerische Einlagen geboten.) Auf das stürmische Wetter folgte ein Orkan, und der blies der Sängerin ins Gesicht, zumal Elsa Maxwell, in einem Ausbruch schwer verständlicher Egozentrik, berichtete: »Ich habe in meinem Leben viele Geschenke bekommen. ... Aber ich habe nie einen Star erlebt, der eine Aufführung in einem Opernhaus absagt, um nicht das einer Freundin gegebene Wort zu brechen.« Es scheint, als ob Maria Callas die ruinösen Konsequenzen dieses Kompliments nicht abzusehen vermochte; sie war offenbar nicht in der Lage, ihre Persönlichkeit, um die Worte Dwight McDonalds zu wiederholen, dem Publikumsgeschmack anzupassen.

Zu den Gästen der Party – Maxwell: »Ich habe nie in meinem Leben ein besseres Dinner, einen schöneren Ball gegeben« – gehörte auch der Reeder Aristoteles Onassis, der seit langer Zeit »ein großer Bewunderer seiner griechischen Landsmännin« (Jellinek) war. In der Umgebung dieses Mannes gesehen zu werden bedeutete damals für viele so etwas wie gesellschaftliche Anerkennung – für eine Sängerin jedoch, zumal nach einem »walkout« wie in Edinburgh, eine Art von Stigmatisierung. Sie hatte verletzt, was – beispielsweise in Hollywood – als »rules of conduct« galt. In seinem Buch »Stardom« hat Alexander Walker dem gigantischen Hollywood-Mythos »Skandal« ein ausführliches Kapitel gewidmet. Fast allen Stars wurden fast drei Jahrzehnte lang, seit Beginn der zwanziger Jahre, vertraglich festgeschriebene Verhaltensformen oktroyiert, die sie zu einem Doppelleben, zur Verzerrung ihrer realen Existenz, zwangen. Maria Callas wurde zum Opfer einer ähnlichen Bigotterie. Der Ruhm der Diva, der Primadonna, der höchstbezahlten Sängerin der Welt, hatte sich abgelöst von ihrer Existenz als Sängerin, zumal diejenigen, die über sie klatschten und sie zur Hauptdarstellerin von Skandalstücken machten, nicht die geringste Vorstellung von den Fährnissen des Sängerberufs hatten. Was jedem Sportler zugestanden wird, die Verletzung und damit die Absage eines Spiels, wurde einer Sängerin längst nicht mehr zugebilligt. Selbst Antonio Ghiringhelli, der Intendant der Scala, weigerte sich, eine öffentliche Erklärung für seinen Star, dem die Scala ihre größten Aufführungen in den fünfziger Jahren verdankte, abzugeben, obwohl er hätte wissen müssen, daß sie in Edinburgh ihren Vertrag nicht gebrochen hatte.

Fortan wurde jede Absage, jede Erkrankung, jedes Versagen zum Vergehen. Konnte eine Sängerin wirklich krank sein und außerstande zu singen, wenn sie bei den Partys der Reichen und Neureichen gesehen wurde? Als sie auf Rat nicht nur ihres Arztes, Dr. Semeraro, sondern auch eines Spezialisten ihre für den September 1957 geplanten Auftritte in San Francisco absagte, kündigte Kurt Herbert Adler sogleich ihren Vertrag, obwohl sie zugesagt hatte, ihre Gastspiele, die für den Oktober geplant waren, zu geben. Mehr noch, er übergab den »Fall« an die American Guild of Musical Artists, weil er Sanktionen gegen die Sängerin erreichen wollte. Ihr Name war fortan nicht nur Synonym für die *assoluta*, sondern für Skandal – und jeder neue bedeutete eine Übergipfelung des vorhergegangenen.

Der Eklat vom 2. Januar 1958 sorgte für Schlagzeilen wie sonst nur ein weltpolitisches Ereignis. Nach fünf Aufführungen von Verdis *Un Ballo in Maschera*, worin sie die Scala-Saison 1957/58 eröffnet hatte, sollte sie die römische Saison mit Bellinis *Norma* beginnen. In der Neujahrsnacht hatte sie im Fernsehen »Casta diva« gesungen, dann in einem römischen Nachtclub ins neue Jahr gefeiert – und 36 Stunden vor der Aufführung war sie ohne Stimme wach geworden, nachdem sie die Generalprobe noch in bester Form gesungen hatte. Nach dem Bericht Jellineks hatte Meneghini größte Schwierigkeiten, am ersten Tag des neuen Jahres einen Arzt herbeizuholen. Kein Zweifel, daß sie krank war, verbürgt auch, daß sie den Theaterchef sogleich bat, einen Ersatz zu suchen. Selbst wenn die Patti oder die Pasta aus dem Grabe geholt worden wären, sie wären als Ersatz nicht akzeptiert worden. Eine Callas-Gala war angesagt (Risiko inklusive), und der Staatspräsident würde sich unter den Gästen befinden, die 40 Dollar für einen Parkettplatz bezahlt hatten. Selbst Meneghini fügte sich dem Zwang, den der Ruhm seiner Frau ausübte. Sie sollte, sie mußte, sie würde singen, und am nächsten Morgen schien es in der Tat so, als hätte sich der Zustand ihrer Stimme gebessert. Doch schon nach wenigen Stunden zeigte sich, daß diese Besserung nur das kurzfristige Ergebnis medikamentöser Behandlung war.

»Sediziose voci, voci di guerra avvi chi alzar s'attenta« – so beginnt Normas Rezitativ vor jener Arie, von der es heißt, daß die meisten Primadonnen eine Hand opfern würden, gelänge ihnen nur einmal eine vollkommene Wiedergabe: »Aufrührerische Stimmen, Stimmen des Krieges erheben sich hier frech am Altar des Gottes«. Maria Callas, die ihre Stimme so oft schon durch reine Willenskraft hatte versammeln und durch höchste Kunstfertigkeit zum Klingen bringen können, hörte schon bald kriegerische Stimmen aus dem Publikum. Am Ende des ersten Aktes, das sie kaum noch erreicht hatte, führten sich feindselige Fanatiker im Publikum, ohne Gespür für die Tragödie auf der Bühne, wie die Bestien auf.

Sie tat das, was sie 36 Stunden zuvor hätte tun sollen und nicht hatte tun können: Sie brach die Aufführung ab. Alles Zureden des Dirigenten, Gabriele Santini, der Bühnenbildnerin, Margherita Wallmann, des Theaterchefs, Carlo Lantini, war vergeblich: Sie war nicht in der Lage, auf die Bühne zu gehen. Eine »understudy«, die für den Fall eines solchen Unglücks die Partie parat gehabt hätte, gab es nicht. Das Publikum, darunter Präsident Gronchi und Gattin, mußte nach Hause geschickt werden.

Was Schlagzeilen machte, war nicht etwa die Sorge um die Sängerin, sondern der vermeintliche Affront gegen den Staatspräsidenten, als wäre eine gerechtfertigte Absage deshalb ein Skandal, weil irgendein Prominenter im Theater war. Tags darauf paradierte eine wütige Meute vor dem Hotel Quirinale, in dem die Sängerin wohnte.

Was alles geschah und wie, ist nur schwer zu eruieren, da sich der Skandal im nachhinein in eine tragikomische Legende verwandelt hat. Selbst der Reporter des römischen »Messagero« war sich, als Zeuge der Aufführung, nicht klar darüber, welche Rufe durch das Haus gebrüllt worden waren. War es »Via la Callas« – weg mit der Callas – oder »Viva la Callas«? Eindeutig, daß »Evviva l'Italia« gerufen wurde und »Viva le Cantanti italiane«, dies vor allem zur Begrüßung von Anita Cerquetti in der zweiten Aufführung, die zwar zu Recht, aber auf falsche Weise berühmt wurde.

Das Magazin »Opera« kommentierte schon damals, daß Maria Callas sich zwar selber vom Podest geholt, indes mehr für die italienische Oper getan habe, als sich die römischen Chauvinisten vorstellen konnten. Es war erstaunlich, daß selbst Fußballergebnisse und politische Ereignisse von dem Opernkrach in den Schatten gestellt wurden. Die Besonnenen wiesen darauf hin, daß vom ersten Augenblick erkennbar war, in welch desolater Verfassung die Sängerin hatte auftreten müssen. Der Mitschnitt zeigt, daß sie während des Rezitativs ihre Stimme noch hatte versammeln können, doch schon bald nach dem fein gesponnenen Beginn von »Casta diva« war ihr Sopran hart und die Klangqualität scharf und grell geworden. Ob sie die Aufführung bis zu Ende hätte singen oder, wie vorgeschlagen wurde, rezitieren können, ist nicht schlüssig zu beantworten.

Die Reaktionen einzelner Zeitungen verstiegen sich zu maßlosen Beschimpfungen. »Diese zweitklassige griechische Künstlerin«, so hieß es in »Il Giorno«, »Italienerin durch ihre Heirat, Mailänderin auf Grund der nicht gerechtfertigten Bewunderung bestimmter Gruppen im Mailänder

Publikum, international wegen ihrer gefährlichen Freundschaft mit Elsa Maxwell, hat seit einigen Jahren den Weg melodramatischer Ausschweifungen verfolgt. Diese Begebenheit zeigt, daß Maria Meneghini-Callas auch eine unangenehme Künstlerin ist, der selbst der elementarste Sinn für Disziplin und angemessenes Verhalten abgeht.«

Aus dieser Invektive geht allenfalls hervor, daß zum Skandal Vorurteile gehören, die zum Haß gebündelt werden. Daß jedwedes Gefühl für moralisches und kritisches Maß verlorengegangen ist. Es ist einfach nicht zu ermessen, welche Wirkung solch ein Haßausbruch auf einen Künstler haben muß; auf einen Künstler, der, wie immer gefährdet durch Launen oder Eigenwilligkeiten, den Ehrgeiz hat, das Beste zu geben und die Vollkommenheit anzustreben. Welche Wirkung vor allem auf eine Künstlerin mit einem – nach Legge – kaum zu bewältigenden Minderwertigkeitskomplex. Die Sängerin schickte dem Präsidenten und seiner Gattin einen Entschuldigungsbrief. Signora Gronchi reagierte sogleich mit einem verständnisvollen Anruf, doch das öffentliche Bild der Sängerin war zu einer Fratze geworden. Selbst im italienischen Parlament wurde der »Fall Callas« zu einem Thema. Die Sängerin wurde vorgeführt wie das schöne wilde Tier im Zirkus – als Ungeheuer, das allein durch Zwinger und Peitsche zu bändigen ist.

Die Geschichte hatte eine dramatische Coda. Als Maria Callas drei Monate später, am 9. April, zum erstenmal wieder in Italien sang – Anna Bolena an der Scala –, als sie antreten mußte wie ein Gladiator im Circus Maximus vor einer Menge, die, nach dem Wort Giulinis, Blut sehen wollte, als Polizisten ihren Weg ins Theater und auf die Bühne hatten sichern müssen, als der Beifall gezielt nur für ihre Partner gespendet wurde, da wehrte sie sich auf ihre einzigartige Weise. Wenn Anna am Ende des ersten Aktes unter Arrest genommen wird, schleudert sie den Häschern die Worte entgegen: »Giudici! Ad Anna! Giudici!« (»Richter! Gegen Anna! Richter!«) Callas stellte sich für diese deklamatorische Phrase an die Rampe und sang sie direkt ins Publikum. Und das Publikum ergab sich, jubelte ihr zu, jauchzte über ihren Mut und zugleich über seine eigene Jämmerlichkeit.

Welch schrecklicher Triumph! Es heißt, daß in den, der lange in den Abgrund geschaut hat, der Abgrund hineinblickt. Es war einer jener Abende, von dem sich die Nerven der Sängerin schwerlich erholt haben können.

Im Herbst 1957 hatte sie ihre letzten vertraglichen Verpflichtungen für Cetra – mit der Firma waren drei Gesamtaufnahmen abgesprochen –

erfüllen müssen. Cherubinis *Medea* nahm sie im September auf, die danach geplanten Gastspiele in San Francisco hatte sie abgesagt. Kurt Herbert Adler, der sich über den vermeintlichen Vertragsbruch empört hatte, sah in den Aufnahmen einen der Beweise dafür, daß sie hätte singen können. Wäre sie dem Ratschlag der Ärzte gefolgt, auch die *Medea*-Aufnahmen abzusagen, ihr Schwarzbuch wäre um eine weitere Affaire reicher gewesen.

Als sie nach der Aufführung von *Anna Bolena* – die sie zum Tribunal für ihre Ankläger hatte verwandeln können – in die Via Buonarotti zurückkam, waren die Türen, Wände und Fenster des Hauses mit Dreck und Kot beschmiert. Gleich nach Abschluß der Aufführungsserie floh sie in den Urlaub am Gardasee. In Sirmione bereitete sie sich auf die letzte Premiere der Scala-Saison vor: Bellinis *La Pirata*. Während der Proben vor der Premiere am 9. Mai wurde sie von Ghiringhelli ignoriert. Im Magazin »Life« erklärte sie: »Wenn ein Theater, in dem man zu Gast ist, die Anspannung einer Aufführung durch ständige Schikanen und Grausamkeiten verstärkt, wird die künstlerische Arbeit physisch und moralisch unmöglich. Zu meinem eigenen Schutz und wegen meiner persönlichen Würde blieb mir keine andere Wahl, als die Scala zu verlassen.« Am 31. Mai 1958, nach der fünften Aufführung von Bellinis Oper und der 157. Scala-Aufführung ihrer Laufbahn, verließ sie das Haus. Als sie im Dezember 1960 für fünf Aufführungen von Donizettis *Poliuto* zurückkehrte, war der Vulkan – jener Vulkan, der in der letzten *Pirata*-Aufführung noch einmal Flammen gespuckt hatte – erloschen. In der großen Schlußszene imaginiert Imogene sich den Galgen, an dem der Geliebte sterben muß: »La ... vedete ... il palco funesto.« »Palco« bedeutet aber auch »Theaterloge«. Callas sang diese Phrase mit einer Geste unmißverständlicher Verachtung in die leere Loge des Intendanten hinein. Das Publikum begriff, daß es eine Geste des Abschieds war, und rief die Sängerin ein um das andere Mal vor den Vorhang. Ghiringhelli beendete den Abend damit, daß er den Eisernen Vorhang niederfahren ließ. Die Sängerin verließ, diesmal umjubelt, das Theater. Ghiringhelli kommentierte kalt: »Primadonnen kommen und gehen, die Scala bleibt.« Wo ist die Scala geblieben seither?

»Verflucht sei das Herz, das sich nicht mäßigen kann«, heißt es in Heinrich von Kleists *Penthesilea*. Maria Callas hat sich nicht mäßigen, sich nicht dazu erniedrigen können, jenes Spiel zu spielen, das selbst die rebellischen Hollywood-Diven – Bette Davis wohl ausgenommen – gespielt haben. Sie hat es wohl auch nicht spielen können, weil eine Aufführrung auf der Bühne mit all den Risiken des Augenblicks eine noch größere Herausforderung ist als das Spiel vor der Kamera. Damit hat sie sich auch nicht einpassen lassen in die Bilderwelt der Frau, weil sie selbst zu dem Zeitpunkt, da sie als die verwandelte Schönheit Titel- und Magazin-Bild werden konnte, nicht den Frauen auf den Titel- und Magazin-Seiten glich. Sie war eine Ausnahme, ein Skandal in Permanenz. Ihr Leben ist, nach einer Formel von Hans Mayer[1], »phänotypisch« zu deuten. Als Primadonna fiel sie heraus aus der nivellierten Kunstwelt, als Lebensgefährtin eines Entrepreneurs verriet sie die Kunst an die Gesellschaft, und erst als sie die Bühne verlassen hatte und von Onassis verlassen worden war, konnte sie als Idol aufgebaut werden.

Verurteilt zum Erfolg

Den größten Genuß vom Dasein einzuernten heißt:
gefährlich leben.
Friedrich Nietzsche

SOBALD die turbulente Maria Callas erschien« – muß man eine Kritik weiter zitieren? Es war der neue Tonfall, der auch in Fachmagazine wie »Opera News« eingewandert war, der Tonfall nach einer ihrer herrlichsten Verdi-Aufführungen am 7. Dezember 1957. Sie hatte, unter der Regie von Margherita Wallmann und dem Dirigenten Gianandrea Gavazzeni, die Amelia in *Un Ballo in Maschera* gesungen, dramatischer und spontaner als in der Gesamtaufnahme, die schon im September des Vorjahres (1956) entstanden war. »Auf Platten«, so hat sie, nach Ardoin, gesagt, »muß man alles auf ein Minimum reduzieren, damit der Klang nicht übertrieben wirkt«, doch auf der Bühne konnte sie, ohne in histrionische Übertreibung zu verfallen, markantere Akzente setzen. Das Liebesduett des zweiten Aktes bebt, wie der Mitschnitt zeigt, vor Spannung. Callas'-Amelias »Ebben, sì, t'amo« gehört zu den unvergeßlichen Klanggesten der Sängerin. Doch war schon diese Aufführung belastet durch ein feindseliges Klima in der Scala.

Nach dem römischen Desaster war Maria Callas eine andere Frau. Arianna Stassinopoulos zitiert sie: »Wenn man jung ist, dann liebt man es, die Stimme bis an die Grenzen zu dehnen; man liebt es, zu singen. Es ist keine Sache der Willenskraft, es hat nichts zu tun mit drängendem Ehrgeiz. Man liebt einfach seine Arbeit – diese schöne, unantastbare Sache, die wir Musik nennen. Und wenn man aus Vergnügen singt und aus Spaß, dann kommen die Dinge auch schön heraus. Es ist so, als ob man langsam trunken wird – trunken nur aus Freude, aus der Freude, etwas gut zu tun. So wie ein Akrobat, der sich in Form fühlt und die Glückseligkeit des Publikums spürt und sich deshalb zutraut, immer kühnere Kunststücke vorzuführen.«

Ihre Kunststücke führte sie fortan immer häufiger bei sogenannten Gala-Konzerten vor. Im Januar 1958 reiste sie zu einem solchen Konzert nach Chicago. Beim Zwischenaufenthalt in Paris wurde sie von Journalisten umdrängt. Als das Stichwort Rom fiel, erwiderte sie, inzwischen eine *virtuosa* auch des diplomatischen Umgangs, daß sie dort wenigstens »die Zahl der Freunde« habe zählen können. Als sie die Stadt, die ihr, so der »Figaro«, einen Empfang bereitet hatte, der ansonsten »gekrönten Häuptern vorbehalten ist«, verließ, war sie sicher, einen neuen Hafen gefunden zu haben. In Chicago wurde sie vor dem Konzert am 22. Januar mit einer Ovation empfangen, die zehn Minuten dauerte. Claudia Cassidy schrieb wieder über ihre »wundervolle Technik, ihren schürfenden Sinn für das Drama und den größten Umfang aller Sänger« und schloß mit den Worten: »War alles perfekt? Natürlich nicht. Große Dinge sind selten perfekt. Aber das war Callas auf dem Gipfel – einmal abgesehen von einigen Tönen, die eher kühn als schön waren, und selbst jene hatten die Schönheit des Mutes und des unbedingten Willens, zu obsiegen.«

Das ist eine aus Liebe geborene euphemistische Umschreibung für jene Probleme, die Roger Dettmer im »Chicago American« deutlich benannte: »Maria Callas klingt so, als wäre sie in argen stimmlichen Nöten – und wie ernst diese sind, wird sie selbst am besten beurteilen können. Gestern abend war ihre Stimme, die wir zum erstenmal nach zwölf Monaten wieder hören konnten, oftmals flackrig, unstet und tonlich unsicher. Sie scheint in einem einzigen Jahr um ein Dezennium gealtert ...« Nur durch »reine Musikalität« habe sie sich retten können. Wenig später hatte sie sich vor dem Ausschuß der American Guild of Musical Artists wegen der Absage in San Francisco zu verantworten. Drei Tage vor dieser Verhandlung, bei der sie zwar nicht verurteilt, aber ernsthaft abgemahnt wurde, hatte sie in der »Person to Person«-Show von Edward R. Murrow eine neue Rolle zu spielen versucht: Sie präsentierte sich als die ernsthafte, nachdenkliche, humorvolle Künstlerin, die nichts gemein hatte mit dem Bild der meisten Magazine.

Am 6. Februar konnte sie, dank des Urteils der Guild, wieder an der Met auftreten. Sie sang Verdis Violetta, eine Rolle, in der weder Renata Tebaldi noch Victoria de los Angeles hatten überzeugen können. »Das dramatische Sänger-Portrait dieser Saison war ohne Zweifel die Violetta der Callas«, heißt es bei Kolodin. »Absagen und nicht zu Ende gebrachte Aufführungen hatten einen Schatten der Unsicherheit auf ihre Ankunft geworfen, doch sammelte sie ihre Kräfte und absolvierte ihre Aufführung mit Stolz und mit stets sich steigernder dramatischer Intensität.« Taubman sagte in der »Times«, daß sie besser sang als in jeder Aufführung der Vor-Saison. Winthrop Sargeant bezeichnete ihre Darstellung in »The New Yorker« als »das mit Abstand feinste Rollenportrait, dem ich jemals in der Met oder sonstwo in all den Jahren, in denen ich in die Oper gehe, begegnet bin«. Die »bläserhafte Tonqualität« [»reedy tone quality«] begriff er nicht länger als Fehler, sondern als Charakteristikum der Stimme. Am genauesten und differenziertesten einmal mehr der analytisch präzise Bericht Kolodins in der »Saturday Review«: »Maria Callas steht nicht jene Klangschönheit zu Gebot, um in irgendeiner Rolle die Idealinterpretin zu sein, doch ihre Violetta ist die abgewogenste Darstellung, die hier in Jahren zu erleben war. Trotz der kehlig-gedeckten Tonqualität macht sie ihre Stimme vom ersten bis zum letzten Augenblick zu einem Instrument des dramatischen Sinns. Trotz allen Gewichtes des mittleren Registers sang sie den ersten Akt in der richtigen Tonart, präzis und mit einem emphatischen hohen Des. Und obwohl sie ihre Linie eloquent für ›Amami, Alfredo‹ verbreitern konnte, verstand sie es auch, die schöne Phrase ›Alfredo, Alfredo, di questo core‹ mit der klanglichen Entsprechung der ›voce debolissima e con passione‹, wie von Verdi verlangt, vorzutragen. Diejenigen, die über den Abend berichteten, ohne den vierten Akt gehört zu haben, konnten ihren Lesern nichts berichten über ein denkwürdiges ›Addio del passato‹. Zaubrische Effekte mit der halben Stimme, Gradierungen vom *piano* zum *pianissimo* und die textgetreue Bildung des abschließenden A's mit einem *fil di voce*, so wie es die Partitur verlangt, waren Exegesen dessen, was Kunst in der Oper ist...« Dem Vorwurf, sie produziere gelegentlich häßliche Töne, hielt Kolodin entgegen, man könne vor der Venus von Milo stehen und entdecken, daß ihr die Arme fehlen. Für den größeren Teil des Publikums ging es nicht um solche Nuancierungen; es genoß seine eigene Anwesenheit bei einem Callas-Abend. Den hysterischen Beifall kommentiert sie, die einstige Kämpferin, mit dem Eingeständnis von Unsicherheit und Angst: »Ich fühle mich [zum Erfolg wie zum Kampf] verurteilt. Je berühmter man ist, desto mehr Verantwortung liegt auf einem und desto kleiner und hilfloser fühlt man sich.«

Im Anschluß an die beiden Aufführungen von *La Traviata* sang sie drei von *Lucia di Lammermoor* (mit Bergonzi und Fernandi als Edgardo) und zwei von *Tosca* (unter Mitropoulos und mit Tucker als Cavaradossi). Die Donizetti-Aufführung sah sie in weit besserer Form als im Vorjahr. Die Stimme war »reicher und reaktionsfähiger« (Kolodin), und zum Schluß erhielt sie acht Solo-Vorhänge. Dennoch war sie enttäuscht. Bing hatte nicht einmal versucht, ihr eine neue Produktion anzubieten, so daß sie weder musikalisch noch darstellerisch ihr Bestes hatte zeigen können. Anders als in der Scala, wo sie stets im Mittelpunkt eines Ensembles gestanden hatte, mußte sie in New York in einem schäbigen szenischen Ambiente den Star spielen. Ihr blieb nicht einmal die Zeit zu gründlichen Proben mit Partnern, mit denen sie noch nie zusammen gesungen hatte.

Ihren Rang der Primadonna assoluta konnte sie weniger auf der Bühne beweisen, als daß sie deren Rolle spielen mußte – nicht zuletzt mit Auftritten im Fernsehen. Sie wurde in einer Talk Show von Hy Gardner vorgestellt, der sie dann auch in einer Kolumne in der »New York Herald Tribune« als »warmherzige, aufrichtige, attraktive und mit beiden Beinen auf der Erde stehende Frau« bezeichnete; wenn sie alles war, eben das war sie nicht. In diese neue Rolle der öffentlichen Frau wurde sie mehr und mehr von Elsa Maxwell gedrängt, die sich darin überbot, für die »diva divina« oder »die größte Primadonna der Welt« Auftritte bei Partys und in den Salons der Reichen und Mächtigen zu arrangieren; und in den Zeitungen gab sie zum Besten, was der Sängerin nur schaden konnte. »Warum muß eine Frau, die solch nobler Expression in den klassischen Künsten fähig ist, von einem Schicksal gepeinigt werden, das für sie das Glück unmöglich macht? Daran ist, wie ich fest glaube, allein ihre Mutter schuld.«

Evangelia Callas bekam dadurch jene Popularität, die von den Klatschblättern genutzt werden konnte, so daß Hy Gardner die Sängerin gar fragte, warum sie sich nicht einen PR-Agenten zur Verbesserung ihres Images engagiere. Sie erwiderte, daß sie das, was sie zu sagen habe, nur singen könne. Gewiß eine geschickte Antwort, doch wäre es für sie besser gewesen, sie hätte sich solchen Fragen erst gar nicht stellen müssen.

Die Gespräche mit Rudolf Bing über ihr nächstes Gastspiel an der Met verliefen unglücklich. Callas bestand darauf, in einer neuen Produktion zu singen, und der Manager und die Sängerin einigten sich schließlich auf Verdis *Macbeth*. Uneinig blieben sich die beiden hinsichtlich der anderen

Partien. Nach dem Bericht von Arianna Stassinopoulos soll Bing der Sängerin sogar die Königin der Nacht in Mozarts *Die Zauberflöte* vorgeschlagen haben. Ohne eine Einigung erreicht zu haben – was sich als Fehler mit fatalen Folgen herausstellen sollte–, flog Maria Callas nach Madrid. Dort gab sie ein Konzert. Dann nahm sie an einer Gala-Saison des São Carlos von Lissabon teil und trat zweimal, unter Franco Ghione, als Violetta in *La Traviata* auf. Eine der Aufführungen, in denen der junge Alfredo Kraus den Alfredo sang, liegt als Mitschnitt vor. Die fünf Scala-Aufführungen von Vincenzo Bellinis *Il Pirata* im Mai 1958, dirigiert von Antonino Votto und mit Franco Corelli (in der Rubini-Rolle) und Ettore Bastianini als Partner, brachten Triumphe, obwohl die szenische Einrichtung (Piero Zuffi) wie die Regie (Franco Enriquez) eher mittelmäßig waren. Nach der abschließenden Wahnsinns-Szene applaudierte das Mailänder Publikum 25 Minuten. Daß die Stimme zuweilen »harsch und forciert« (Peter Dragadze in »Musical America«) klang, machte sie einmal mehr wett durch Musikalität, Persönlichkeit und brillante technische Fähigkeiten. Es war der letzte Abend nach sieben Spielzeiten, die zu den glanzvollsten in den Annalen der Scala zählen. Nur an der Scala aber hat sie die Arbeitsbedingungen gefunden, ohne die ihr genialisches Talent sich nicht hätte so reich entfalten können.

Und doch darf ihre kurze Kometenbahn nicht einfach verklärt werden. Maria Callas hat auch, wie keine andere Sängerin dort, für Unruhe gesorgt. Sie hat Eifersucht und Neid provoziert, oft auch Mißverständnisse. Nicht alle ihre Kolleginnen waren so einsichtig und so generös wie Toti dal Monte. Toscaninis Lucia der zwanziger Jahre war nach der Aufführung der Donizetti-Oper in die Garderobe ihrer Rollen-Nachfolgerin gegangen und hatte unter Tränen erklärt, in dieser Aufführung begriffen zu haben, daß sie selber nichts von der Rolle verstanden hatte.

Einige andere Diven haben sich in Gesprächen mit Lanfranco Rasponi kritisch, zuweilen auch abfällig über Maria Callas geäußert, wobei der Neid ein Vergrößerungsglas für oftmals nicht falsche Argumente war. Elena Nicolai berichtete über die zunächst »nicht vorhandene Mittellage der Stimme«. Hilde Konetzni spielte ihre Wiener Kollegin Maria Nemeth gegen Callas aus, weil die Nemeth nie die Register habe wechseln müssen. Lina Pagliughi erklärte, daß viele Callas bewundert hätten, keiner sie aber geliebt habe. »Wie auch?« fragte sie. »Sie lohnte Freundlichkeit mit Schärfe und endete im Gefängnis ihres teuren Appartements in Paris. In gewisser Weise ist es gut, daß ihr das Alter erspart blieb, denn sie war immer so sarkastisch und bitter, als sie auf der Höhe des Ruhms war. ...

Was ist schon das Leben, wenn man nicht umgeben ist von menschlicher Wärme?« Gina Cigna, die 17 Jahre vor Callas Bellinis Norma auf Platten gesungen hatte, spielte eine andere Diva gegen die Griechin aus: »Callas kam an (Claudia) Muzio nicht heran. Bei der Muzio erlitt man die Agonien der Heldinnen, bei Callas nie. Ich spreche der Griechin nicht ab, daß sie ›beaucoup de chien‹ besaß, aber bei Gott, sie sang mit drei Stimmen.« Erstaunlich fair und sachlich äußerte sich Renata Tebaldi. Sie weigerte sich nicht nur, nach dem Weggang der Callas den leeren Thron zu besteigen – »meine Rückkehr würde sicherlich mißverstanden werden, ich singe nur aus künstlerischen Gründen und schon gar nicht *gegen* jemanden« –, sondern sie betonte auch, daß die Griechin »eine Ära geprägt hat.... Sie bestand darauf, alles zu singen, und sie tat es. Heutzutage versucht eine jede das gleiche, leider, nur klappt es nicht...« Augusta Oltrabella, die bedeutende *verismo*-Diva, sah Callas aus der Perspektive der eigenen Rollen: »Warum nur ist sie nicht im Koloratur-Repertoire geblieben? Darin war sie einfach sensationell, doch der übrige Teil der Stimme war einfach manipuliert [›manufactured‹].« Giulietta Simionato sagte: »Ich habe viele Künstler bewundert, doch ist es unmöglich, alle zu erwähnen. Es kann keinen Zweifel daran geben, daß Callas etwas Neues in unsere Profession gebracht hat – eine andere Dimension sozusagen. Maria hat sich mir gegenüber nicht nur untadelig verhalten, sie war auch fair. Wenn wir *Norma* zusammen gesungen haben, habe ich immer... das C im Duett gesungen.... In einem Interview hat Maria ihre Verwunderung darüber zum Ausdruck gebracht, daß die Kritiker mir dafür nicht Anerkennung ausgesprochen haben. Sie war eine *prima donna* durch und durch, und sie konnte ungemein schwierig sein, doch auch empfindsam und vernünftig. ... Ihre Interpretationen fand ich immens dramatisch, doch niemals bewegend.«

Die *verismo*-Diva Gilda dalla Rizza stellte Simionato gar über Callas: »Es hat viele große Sänger gegeben, aber nur wenige werden in der Geschichte der Oper einen Platz halten. Aus der Gruppe derer, die nach mir kamen, würde ich Simionato an die Spitze stellen, nicht Callas. Man redet unentwegt darüber, daß Callas alles gesungen habe; gewiß, aber wie? Mit drei Stimmen, doch war nur die Koloratur, und dies auch bloß für wenige Jahre, beeindruckend. Aber Simionato hat alles gesungen, mit einer einzigen, wundervollen Stimme. Sie wurde ein leuchtender Stern nicht durch Publicity, sondern durch exzeptionelle Verdienste.« Auch Mafalda Favero äußerte die Ansicht, daß Callas, »keine Weiblichkeit« ausstrahlte und »zwar dramatisch, nie aber bewegend« gewesen sei.

In solchen Kommentaren werden Ressentiments und Neidgefühle spürbar, gewiß, doch sorgen solche Gefühle auch für einen besonderen Scharfblick. Die Simionato hat tatsächlich ein riesiges Repertoire mit »einer einzigen Stimme« gesungen – aber was ist »eine einzige Stimme« im registertechnischen Sinne, verglichen mit den vielen Stimmen, die Callas als Farbe, als Ausdruck, als Charakter für all ihre Rollen anzubieten hatte. Richtig auch, daß Mafalda Favero in veristischen Rollen einen herzbewegenden Klang herstellen konnte, welcher den Hörer mitleiden machte, während Callas' Darstellungen gleichsam künstlerische Kopfgeburten waren, die man zunächst als Artefakte bewunderte. Bei näherem Zusehen aber sind jene Einwände nur Bestätigungen ihres Rangs.

Die *verismo*-Diven gehen nämlich allein von ihren eigenen, historisch bedingten Vorstellungen über die Gesangskunst aus. Sie reduzieren sie, wie auch die Formung und die Technik der Stimme, auf das Ausdrucksideal der veristischen Oper; sehen nicht, daß die Oper selbst bei ihrem Versuch, realistisch zu sein, künstlich bleibt, erkennen vor allem nicht, daß die Annäherung des Singens an die Affekt- und Effektmittel der Sprache zu einer Verarmung und Vergröberung führen muß. Anders als die Sänger haben die Regisseure, die Dirigenten, die Bühnenbildner, mit denen Callas an der Scala gearbeitet hat, klar erkannt, daß sie ein Sonderfall war: nicht nur eine »*voce isolata*« (Lauri-Volpi), sondern eine Reformatorin der Gesangskunst überhaupt.

Jahre nach ihrem Rückzug hat sich Maria Callas in einem Interview mit Kenneth Harris als Opfer dargestellt. »Ich bin passioniert, doch mit Blick auf meine Arbeit und Gerechtigkeit. ... Sie sagen, daß viele Menschen diese oder jene Ansicht über mich haben auf Grund dessen, was sie in den Zeitungen gelesen haben. ... Doch bin nicht *ich* es, der in den Zeitungen geschrieben hat. Vieles von dem, was ich in den Zeitungen über mich lese, ist falsch. ... Oftmals erkenne ich die Frau nicht wieder, über die in den Zeitungen geschrieben wird. ... Ich bin vielleicht eine viktorianische Frau. Ich glaube an Selbstdisziplin und an ein gewisses Maß an Zurückhaltung. ... Allgemein gesagt, finde ich, daß unsere Gesellschaft allzu permissiv wird. Heutzutage kritisieren junge Leute zu viel an ihren Eltern herum. ... Reputation und Anerkennung sind in der Oper über alle Maßen von Bedeutung. Mein Krönungsjahr an der Scala war 1954. Dort sang ich Medea, Lucia und Elisabeth von Valois. Der Erfolg war weder leicht noch schnell gekommen. Ich hatte schon mit 14 Jahren große Rollen gesungen – Tosca mit 15 –, und man sprach von mir als einer erfolgreichen Sängerin in Italien und in anderen Ländern. ...

1953, 1954, da war ich angekommen, wie man sagt, da war ich an der Spitze. Danach hatte ich eine große Reputation. Und augenblicklich versuchten die Agenten, die andere Sänger herausstellen wollten, mich zu stürzen. Das ist nicht nur mir widerfahren, das ist ein Teil des Kampfes ums Überleben auf diesem Schlachtfeld.«[2]

Im Interview mit Harris hat sich Maria Callas besonders dankbar des englischen Publikums erinnert. Seit ihren *Norma*-Aufführungen von 1952 habe sie mit dem Publikum der Covent Garden Opera eine »Liebesaffaire« gehabt. Als sie zehn Tage nach dem Abschied von der Scala nach London kam, um an der Gala zum 100. Jubiläum des Hauses teilzunehmen, erhielt sie nach »Qui la voce« aus Bellinis *I Puritani* allein acht Vorhänge. Das Management behandelte die Sängerin nicht mit der diplomatischen Höflichkeit, welche die Ansprüche von eitlen Primadonnen befriedigen soll, sondern aufmerksam und warmherzig. An der Gala waren Margot Fonteyn, Joan Sutherland, Blanche Thebom und Jon Vickers beteiligt und damit mehr Stars, als es erstklassige Garderoben gab. Lord Harewood, einer der Direktoren, löste das Problem, indem er sein privates Büro räumte und der Sängerin als Garderobe zur Verfügung stellte. Nach der Gala wurde sie der englischen Königin vorgestellt. Eine Woche später, am 17. Juni 1958, stellte sie sich dem englischen Fernseh-Publikum vor; sie sang »Vissi d'arte« und »Una voce poco fà«.

Ab 20. September sang sie fünf Aufführungen von *La Traviata* unter Nicola Rescigno, seit den späten fünfziger Jahren ihr bevorzugter Dirigent im italienischen Fach, und das endete »in einem Sturm von Kontroversen« (»Opera News«). Die kritischen Einwände richteten sich, wie es seit 1956 in zunehmendem Maße geschah, gegen stimmliche Schwankungen und Schwächen. »Einige von uns«, schrieb Philip Hope-Wallace, »waren nur zu 50 Prozent hingerissen. Ich persönlich habe sehr gelitten.« Die meisten ergingen sich im Tonfall hymnischer Bewunderung und zeigten sich zugleich auffällig apolegetisch. »Und dann *singt* Maria Callas wirklich«, hieß es bei Peter Heyworth im »Observer«. »Sie mag es am Freitag nicht mit Tonschönheit getan haben, doch ansonsten war es fast in jeder Hinsicht eine Aufführung von herausragender Distinktion und Musikalität, reich an Details, die wieder und wieder die Rolle erleuchteten, so, als erlebte man sie zum erstenmal. Ihre Zurechtweisung gegenüber Germont père – ›Donna son' io, e in mia casa‹ – trug sie mit der selbstsicheren Autorität in Stimme und Geste vor, welche eine große Schauspielerin verrieten. Doch der vielleicht wundervollste Moment der Aufführung war das lange gehaltene B, bevor Violetta mit der Phrase

›Dite alla giovine‹ beginnt. ... Durch eine Art von Wunder läßt Callas diese Note frei schwebend in der Luft hängen; unverziert und ungestützt füllt sie den Ton mit allen widersprüchlichen Gefühlen, von denen sie gequält wird. ... Es gibt keinen anderen Sänger in der italienischen Oper, der solch eine poetische Magie entfalten kann. Und selbst wenn man einwendet, daß die magischen Momente nur gelegentlich und für flüchtige Augenblicke sich einstellen, so bleiben sie für mich doch der zaubrische Schatten jener Vollkommenheit, um welche die Oper kämpft und die sie doch so selten erreicht...«

In einer langen, auf viele Details eingehenden Rezension führte auch Harold Rosenthal in »Opera« aus, daß der zweite Akt »operatic singing and acting at its greatest« gebracht habe. Wie Heyworth hob er das schwebende B vor »Dite alla giovine« heraus, die Autorität von »Donna son' io«, die »schier erschreckende Intensität des Ausrufs ›Ah! Gran Dio! Morir sì giovine‹« und die »geradezu entsetzliche Todesszene« mit dem »in unirdischer Stimme gesungenen letzten ›È strano!‹«.

Daß es sich bei diesen Aufführungen um Triumphe der Willenskraft und des Kunstverstandes über die immer schwächer werdende Stimme handelte, geht aus den Kritiken hervor, und daß sie verschiedentlich von dem Arzt, der in jeder Aufführung für sie zur Verfügung stand, Spritzen erhalten mußte, verrät den Zustand ihrer Nerven und ihres Körpers. Am 23. September, dem Tag ihrer zweiten *Traviata*-Aufführung, erschien sie kurz im Fernsehen und sang »Un bel dì« aus *Madama Butterfly* und »Casta Diva« aus *Norma*. Nach ihrer Konzeption der Violetta befragt, erwiderte sie, es sei ihr darum gegangen, Violetta von der Aura der Opernsängerin zu befreien und eine an Tuberkulose sterbende Frau darzustellen. Sie sagte auch, daß das winzige Brechen der Stimme am Ende von »Addio del passato« in ihrer Absicht gelegen habe. Das war sicher keine billige Rechtfertigung eines stimmlichen Aussetzens, nicht die übliche Entschuldigung eines »Fehlers«, wohl aber eine Erklärung, die nur ein Interpret geben kann, der im Moment des Singens selbst leidet, selbst Agonien empfindet, selbst die Angst und das Ensetzen vor dem eigenen Absturz spürt – den vielleicht schrecklichsten Augenblick im Leben.

In der Zeit der *Traviata*-Aufführungen nahm sie in London unter Nicola Rescigno ihr erstes Verdi-Recital mit Arien und Szenen aus *Macbeth, Ernani* und *Don Carlo* und ein weiteres Recital mit Szenen aus *Anna Bolena, Hamlet* und *Il Pirata* auf.

Bruch mit der Met

Lassen Sie sich nicht irreführen – hinter diesem kalten, strengen, nüchternen Äußeren schlägt ein Herz aus Stein.
Cyril Ritchard über Rudolf Bing

NACH dem Londoner Gastspiel konnte sie sich drei Monate lang erholen. Ihren Urlaub verbrachte sie wieder in Sirmione am Gardasee. Die Herbstsaison 1958 sollte im Oktober mit einer Konzerttournee durch den nordamerikanischen Kontinent beginnen. An der Dallas Civic Opera standen Aufführungen von *La Traviata* und *Medea* auf dem Programm; und Rudolf Bing wollte nicht weniger als 26 Callas-Auftritte in *Macbeth, Tosca* und entweder *Lucia di Lammermoor* oder *La Traviata*. Die beiden Verdi-Opern hätte sie innerhalb eines kurzen Zeitraums und ohne längere Ruhepausen singen müssen. Sechs, sieben Jahre früher hätte sie sich das zumuten können, doch die Stimme war nicht mehr unbegrenzt dehnbar und dynamisch belastbar, ihre Traviata nicht länger der vokale Glutstrom eines dramatischen *soprano d'agilità*, sondern ein zartes, intimes, gleichsam pastellenes Gebilde, eine Meisterleistung stimmlicher Ökonomie und dramatischer Darstellung.

Am 7. Oktober reiste sie nach New York, vier Tage später sollte die Konzerttournee in Birmingham, Alabama, beginnen. Sie erfuhr, daß sie an der Met zum erstenmal wieder am 16. Januar 1959 die Tosca singen sollte. Die lange geplante Premiere von Verdis *Macbeth* sollte am 5. Februar stattfinden. Am 13. und 17. Februar sollten zwei *Traviata*-Aufführungen folgen, am 21. Februar eine weitere von *Macbeth*.

Mit der Wahl der Opern zeigte sie sich sogleich einverstanden, nicht aber mit der Abfolge der Aufführungen. Sie fürchtete, nicht länger in der Lage zu sein, sich so rasch zwischen der dramatischen und einer (zumindest im ersten Akt) verzierten Partie umstellen zu können. Sie glaubte auch, Anspruch auf ein gewisses Maß an Rücksicht zu haben. Doch die Praxis an der Met war längst eine andere als an der Mailänder Scala, wo eine Oper fünf- oder sechsmal wiederholt wurde, so daß sich die Sänger problemlos auf eine neue Rolle einstellen konnten. In New York hingegen wurden Stars aufgeboten, die die Tristesse eines Routine- und Repertoirebetriebs kompensieren sollten. Rudolf Bing konnte den längst festgelegten Spielplan nicht mehr ändern; er bot der Sängerin lediglich an, statt Violetta die Lucia zu singen. Eine Verschlimmerung der Situation ins Absurde, weil Donizettis Heroine von der Lady in *Macbeth* noch weiter entfernt ist als die Violetta. Es kam hinzu, daß Maria Callas schon in der vorausgegangenen Saison erklärt hatte, in der schäbigen Produktion von Donizettis Oper nicht länger auftreten zu wollen. Sie reiste ab, ohne eine Einigung mit dem Impresario erzielt zu haben. Das Theater war in Alarmstimmung.

Die Konzerttournee war von der Agentur Sol Hurok arrangiert worden. Das Programm bestand aus Arien und Szenen aus Cherubinis *La Vestale*, Verdis *Macbeth*, Rossinis *Il Barbiere*, Boitos *Mefistofele*, Puccinis *La Bohème* (keine Arie der Mimi, sondern Musettas Walzer) und Thomas' *Hamlet*. Es war ein strategisches Programm. Sie sollte, wollte und sie mußte sich bei diesen Shows in der Rolle der *assoluta* präsentieren: mit verzierter, dramatischer und lyrischer Musik. All das begab sich in jener luxuriösen Zirkusatmosphäre, die seit den Tagen des legendären P.T. Barnum typisch war für den amerikanischen Amüsierbetrieb. Zu den Stars des Zirkusveranstalters hatten auch Jenny Lind und Adelina Patti gehört. Maria Callas wurde umgeformt in einen »Superstar« und damit herausgelöst aus ihrer Kunstwelt.

Wo immer sie auftrat – ob in Birmingham oder in Atlanta, in Montreal oder Toronto –, erhielt sie Telegramme mit den Anfragen Rudolf Bings, ob sie sich entschieden habe und wie, und jede dieser Anfragen steigerte ihre nervöse Anspannung. Fraglich, ob sie die Triumphe und die enthusiastischen Kritiken nach den Konzerten wirklich genießen konnte – wer hatte gejubelt? wer wirklich *kritischen* Beifall gezollt?

Am 24. Oktober kam sie in Dallas an. Sie hatte eine Woche Zeit, sich auszuruhen und sich auf zwei Aufführungen von *La Traviata* und von *Medea* vorzubereiten, mit denen die im Jahr zuvor gestartete Civic Opera für Aufmerksamkeit sorgen wollte – ein wohlbedachter Schachzug des jungen Managers Lawrence Kelly, der genau wußte, daß er in Texas eine Sensation anbieten mußte, damit die Ölquellen auch für die Kunst sprudeln würden. In einer dritten Aufführung sollte die junge Teresa Berganza in Rossinis *L'Italiana in Algeri* herausgestellt werden. Für die Inszenierung der *Traviata* war Franco Zeffirelli verpflichtet worden, für die von *Medea* der bedeutende Regisseur Alexis Minotis vom griechischen Nationaltheater – mehr, als die Met zu bieten hatte. Auch die Nebenrollen waren gut bis erstklassig besetzt: In der Verdi-Oper sollten Nicola Filacuridi und Giuseppe Taddei, führende Sänger der Mailänder Scala, singen, in *Medea* der damals aufstrebende Jon Vickers und Teresa Berganza.

Das Arbeitsklima erwies sich als wundervoll. Maria Callas spürte den Elan, den Ehrgeiz, die Freude aller Beteiligten: Es ging um das Glück des Gelingens. »In Dallas we are doing art«, sagte sie nicht ohne einen kritischen Unterton gegenüber der Met, deren Saison am 27. Oktober mit einer *Tosca*-Aufführung begann, in der Renata Tebaldi, Mario del Monaco und George London unter Dimitri Mitropoulos sangen. Noch immer wartete Bing auf eine Antwort. Am 31. Oktober, kurz vor der Premiere von *La Traviata* in Dallas, erhielt Callas ein Telegramm mit Glückwünschen – und der irritierten, besorgten (oder auch drohenden?) Frage: »Aber warum in Dallas?« Er erhielt keine Antwort. Aus den Kritiken ist schwer herauszulesen, ob das riesige Auditorium der State Fair Music Hall – es faßt 4 100 Besucher – dem Ruhm der Sängerin oder ihrer Kunst applaudiert hat. Sie errang einen Triumph, obwohl sie vermutlich stimmlich nicht in bester Form antreten konnte.

Die Premiere von Cherubinis Oper war für den 6. November angesetzt. Am Tag vor der Aufführung hatte sie ein Ultimatum von Rudolf Bing erhalten. Die Met erwartete ihre Antwort bis zum nächsten Morgen – »nicht später als 10 Uhr«. Sie war schockiert und verärgert über die Härte, mit welcher das New Yorker Management das Telegramm formuliert hatte, und sie entschloß sich, auf die »preußischen Methoden« Bings nicht einzugehen. Sie absolvierte die Generalprobe, die bis in die späte Nacht andauerte, und zog sich danach, vollkommen erschöpft, zurück. Am nächsten Nachmittag um 14.20 Uhr erhielt sie Bings drittes Telegramm. Darin teilte der Manager ihr mit, daß ihr Vertrag annulliert worden sei.

Zugleich hatte Bing, gewiefter Taktiker wie nur irgendeiner, eine Verlautbarung an die Presse herausgegeben, die, wie immer gerechtfertigt man seine Entscheidung auch finden mag, an zynischer Infamie schwerlich zu überbieten war: »Ich bin nicht willens, mich auf eine öffentliche Auseinandersetzung mit Mme Callas einzulassen, weil ich nur zu genau weiß, daß sie auf diesem Gebiet die beträchtlich größere Kompetenz und Erfahrung besitzt als ich.« Hat seit Marc Anton, den Mörder Caesars – Brutus – anklagend, ein Rhetor geschickter diffamiert als der Impresario? »Obwohl die künstlerischen Qualifikationen von Mme Callas Gegenstand heftigster Kontroversen zwischen ihren Freunden und ihren Feinden sind, ist es allgemein und weithin bekannt, daß sie ihre unbestreitbaren histrionischen Talente in ihr geschäftliches Gebaren einzubringen versteht. Dies und ihr insistentes Beharren auf dem angemaßten Recht, einen abgeschlossenen Kontrakt nach Belieben zu verändern oder abzubrechen, hat zu dieser Situation geführt. Es handelt sich lediglich um eine Erfahrung, die jedes Opernhaus hat machen müssen, das mit ihr verhandeln wollte. Wollen wir alle dankbar sein, daß wir zwei Spielzeiten hindurch ihr Künstlertum erleben durften; doch aus Gründen, welche von der Musikpresse wie vom Publikum sicher verstanden werden, ist die Metropolitan Opera dennoch dankbar, daß die Beziehung beendet ist.«

Keine Aufführung der Sängerin hat mehr Schlagzeilen gemacht als dieser Bruch mit der Met, durch den Maria Callas aus dem Opernleben so gut wie exiliert wurde. Sie konnte nicht mehr in Mailand singen, nicht mehr in Wien, nicht mehr in San Francisco, nicht mehr in New York. Sie hatte nicht einmal die Chance, sich zu erklären und zu rechtfertigen. Stundenlang gab sie – die eherne Regel verletzend, vor einer Aufführung nicht zu sprechen – Erklärungen ab: »Ich kann nicht von Stimme zu Stimme wechseln. ... Meine Stimme ist kein Aufzug, der einfach auf- und niederfährt. ... Mr. Bing sagt also einen Vertrag über 26 Aufführungen nur wegen drei *Traviata*-Abenden ab. ... Das könnte meine Medea (des heutigen Abends) ruinieren. Betet für mich in dieser Nacht.«

Das Leben der Sängerin war Melodram geworden. Sie feuerte Salven mit kritischen Anmerkungen gegen die Met: »Wenn ich nur an die lausigen *Traviata*-Aufführungen denke, die er mich singen ließ, ohne Proben, sogar ohne meine Partner zu kennen. Ist das Kunst? ... Und all diese Aufführungen stets mit einem anderen Tenor oder Bariton. ... Ist das Kunst?« Eine sachliche Diskussion war fortan unmöglich. Der Kritiker B.H. Haggin wies, und dies zu Recht, darauf hin, daß Absagen oder Programmänderungen, wie sie von Maria Callas erbeten worden waren, zur Alltags-Routine eines jeden führenden Opernhauses gehörten und solche Kontroversen in der Regel stillschweigend zwischen den Vertragsparteien beigelegt würden. Gerade der Tonfall von Bings öffentlichen Kommentaren zeigte an, daß hier ein Machtkampf ausgefochten wurde, und es gab wenige, die wie Bing im Namen der Met sagte, »dankbar« waren, eine Künstlerin wie Maria Callas verloren zu haben.

Des Impresario rhetorisch gestellte Frage, wer ein Opernhaus leite, das Management oder die Stars, kommentierte Kolodin in seiner Met-Chronik lapidar: »Geschwätz!« Kolodin führte an, daß Bing sich auf wichtigere künstlerische Fragen nicht eingelassen habe: »Wer welche hohen Noten sang; die Transposition von Arien nach Belieben der Darsteller, die Nachlässigkeit und Willfährigkeit selbst eines Mitropoulos gegenüber den Launen eines del Monaco.« Kolodin sah durchaus, daß Callas unentschieden und unentschlossen gehandelt hatte; doch das Ultimatum auf den 6. November, den Tag einer Aufführung, auszustellen, sei ein kalkulierter Affront gewesen, weil die in Frage stehenden Aufführungen erst drei Monate später stattfinden sollten. Für Kolodin war eindeutig, daß sich Bing auf Kosten der Sängerin in die Star-Rolle gedrängt hatte, zumal er mit Leonie Rysanek in *Macbeth* eine neue Diva lancieren konnte. Nach wie vor hält sich das Gerücht, daß Bing in der *Macbeth*-Premiere bezahlte Claqeure nach den Solo-Szenen der glänzend debütierenden deutschen Sängerin »Brava, Callas!« rufen ließ, um dadurch das Mitleid für den Ersatz zu erzeugen. Die Rechnung, wenn sie denn gemacht war, ging auf: Leonie Rysanek errang einen triumphalen Erfolg, wenn auch nicht unbedingt bei einem Connaisseur wie Kolodin, der die Schwäche ihrer unteren Oktave bemängelte.

Daß Elsa Maxwell sogleich verkündete, die Met sei nicht Mittelpunkt der Welt, konnte die Kenner der Szene nur kommentieren lassen, daß in der Welt der Oper die Meinung der Maxwell so gut wie nichts zählte, sondern als bloße Meinung eine Variante von Wahn war. In Dallas sang Maria Callas ihre beiden letzten Aufführungen von *La Traviata*. Und sie sang Aufführungen von *Medea* mit jenem Furor, der sie zu Höchstleistungen anstacheln – und wiederum Energien verbrennen konnte. John Ardoin schreibt in seinem Buch (»The Callas Legacy«), daß für alle, die Zeugen der Aufführungen waren, »ihre vitriolischen Klänge ebenso gegen Bing wie gegen Jason gerichtet waren«. In wenigen ihrer späten Aufführungen, wenn überhaupt in irgendeiner, singt sie so frei, so sicher, so konzentriert, so spontan, so dramatisch wie hier – und sie hat in Jon Vickers einen wahren Musiker als Tenor-Partner.

Vickers selber berichtete, daß sie, nachdem er sich ihrem Versuch eines Härtetests widersetzt hatte, mit großer Energie und Hingabe gearbeitet habe. »Sie war«, sagte er, »eine superbe Kollegin. Nie versuchte sie, jemandem den Platz im Rampenlicht zu stehlen oder jemanden auszuspielen. Die enorme Revolution in der Oper der Nachkriegszeit ist zwei Künstlern zu verdanken: Wieland Wagner ... und Maria Callas, die ihre Gaben auf fast masochistische Weise quälte, um ihrer Arbeit zu dienen und die Bedeutung eines Werks herauszufinden.«

Nach den weltweiten Schlagzeilen – »Bing fires Callas« – erschien bei den Konzerten im Public Music House oder der Masonic Hall oder der Constitution Hall oder dem Civic Auditorium fortan ein Fabelwesen mit der Aura des Skandalösen, und es half wenig, daß sie eine neue Rolle darzustellen suchte, nämlich die der charmanten, liebenswürdigen, höflichen und nur der Kunst verpflichteten Sängerin.

Bing unternahm noch einmal einen halbherzigen Versuch, Callas an die Met zu holen. Wieder bot er ihr die alten Aufführungen von *Lucia* und *Norma* und dazu Rossinis *Il Barbiere di Siviglia* an. Es waren nicht die Aufgaben, die Callas hätten interessieren können. Sie schlug statt dessen Donizettis *Anna Bolena* vor, doch bezeichnete Bing das Werk als »an old bore of an opera«. Das war mehr als nur eine persönliche Idiosynkrasie oder ein ästhetisches Defizit des Impresario. Die Met war nie, weder unter Bing noch unter Johnson oder Gatti, ein Opernhaus gewesen, das, wie die Scala unter Toscanini, den Ehrgeiz gehabt hätte, ein kultureller Mittelpunkt des Landes zu sein. Bings Ehrgeiz richtete sich nicht auf die Revivals scheintoter Opern von Bellini und Donizetti und auch nicht auf die Aufführung neuer Werke; er hatte vor allem für lange Schlangen am *box office* zu sorgen. Daß der in Washington publizierende Kritiker Paul Hume schrieb, man solle den Mann, der Callas gefeuert hatte, feuern, hatte den Wert, den Zeitungspapier zwei Tage nach dem Druck besitzt.

Müßig zu fragen, wer sich in dieser unseligen Kontroverse richtig und wer sich falsch verhalten hat. Maria Callas war, vor allem durch das perspektivenlose Management ihres Mannes Meneghini, ein schwieriger, manchmal auch unzuverlässiger Verhandlungspartner, und sie war auf Grund ihrer immer deutlicher spürbaren Schwächen noch unsicherer und unzuverlässiger geworden. Der Opernbetrieb aber, längst auf dem Wege zu einem Markt mit strikten, selbst kruden ökonomischen Regeln, brauchte einen neuen Typus von Interpreten: den modernen Star mit Stamina, Ehrgeiz, Rücksichtslosigkeit und einem Blick, der Noten wie Geldnoten lesen konnte.

Der »Skandal Callas« stellt sich, aus der Retrospektive betrachtet, als etwas völlig anderes heraus als der individuelle Skandal einer wie immer ambivalenten Persönlichkeit: Es war der Skandal des modernen Opernlebens schlechthin, war die Ablösung einer kapriziösen, launischen und zugleich magnetischen und brillanten Interpretin durch einen schillernden, aufwendigen, luxuriösen Betrieb, der in festivalischen Veranstaltungen vor dem Publikum aus altem Adel und *nouveaux riches* zelebriert wurde und wird. Durch einen Betrieb mit dem allmächtigen Manager-Impresario-Dirigenten im ökonomischen Hintergrund und dem sich selbst feiernden Publikum im Mittelpunkt. Maria Callas ließ sich in diese Welt hineinziehen. Sie beendete die Tournee mit Konzerten, die ihren Abschluß fanden bei Dinners in New York (zu Ehren Herbert von Karajans) oder in Washington, bei denen Berühmtheiten wie Ali Khan oder Noël Coward zu Gast waren.

Konnte das entschädigen für ein künstlerisch geradezu desaströses Jahr? Es hatte im Januar mit der abgebrochenen *Norma* in Rom begonnen. Der Februar und der März hatten ganze sieben Abende an der Met gebracht, dazu zwei in Lissabon. An der Scala hatte sie immerhin zehn Aufführungen gesungen, an der Covent Garden Opera fünf, in Dallas schließlich vier. Dazu jene Konzerte, die mit 10 000 Dollar entlohnt und schalen Triumphen belohnt worden waren. Es war ein Jahr, in dem sie ihren Thron an der Scala verloren hatte und auch die Kraft, den Kampf mit dem Gespenst des Ruhms zu bestehen. Was ihr verblieb, das waren Londons Covent Garden Opera und Paris. In Paris sang sie am 19. Dezember 1958 zum erstenmal. Sie sang zwar in der Opéra, aber nicht in einer Oper, und sie sang vor Charlie Chaplin und Brigitte Bardot, vor Emile de Rothschild und Juliette Greco, vor den Windsors und Françoise Sagan, vor Jean Cocteau und Aristoteles Onassis: vor einem Publikum, das nicht eine Maria Callas hören wollte, sondern den Ruhm einer Callas brauchte, um überhaupt in die Oper zu gehen.

Es war eine Gala für die Ehrenlegion unter dem Patronat des Ministerpräsidenten, gesponsort vom Magazin »Marie-Clair« und inszeniert von Lucchino Visconti, beendet schließlich mit einem Dinner für 450 geladene Gäste, die der »L'impératrice du bel canto« huldigten, und glücklich bestätigte die Sängerin den Franzosen, daß sie und nur sie allein versucht hätten, sie wirklich zu verstehen. Der Abend wurde vom Fernsehen nicht nur in Frankreich übertragen, sondern auch in England, Italien, der Schweiz, in Belgien, Holland, Österreich, Dänemark und der Bundesrepublik. Sie sang »Casta Diva«, Leonoras Arie aus dem vierten Akt von *Il Trovatore* mitsamt dem Miserere, Rosinas »Una voce« und schließlich, mit Albert Lance und Tito Gobbi, den zweiten Akt von *Tosca*. Die Szene aus *Norma* war schlampig vorbereitet, die Szenen aus dem *Trovatore* gelangen passabel, Rosinas Arie zeigte ihre Kunst auf einstiger Höhe. Die szenische Aufführung des zweiten Aktes von Puccinis *Tosca* – Gobbi war zum erstenmal ihr Bühnenpartner – geriet zu kaum mehr als zu einer Skizze, obwohl sie stimmlich hier am meisten zu überzeugen vermochte. Der Erfolg war überwältigend; die Sängerin wurde fanatischer umjubelt und umschmeichelt als nach ihren gloriosen Darstellungen in der Scala. Impresario A. M. Julien von der Opéra bot ihr für die Saison 1959/60 Aufführungen von *Medea* an, und auch Sir David Webster von der Londoner Covent Garden Opera gehörte zu den Getreuen der Sängerin.

Paris, das nach den Worten von Everett Helm (»Saturday Review«) »seit den Tagen der legendären Malibran nicht mehr so viel Spaß gehabt hatte«, sollte zur Wahlheimat der Sängerin werden.

Das Erlöschen der Stimme

Es gibt zwei Arten von schlechtem Singen –
das hauchige und das gutturale.
Giovanni Battista Lamperti

DAS Jahr 1959 bedeutet den Wendepunkt in der Karriere der Sängerin. Pierre-Jean Rémy spricht gar vom Erlöschen der Stimme zwischen 1959 und 1965. Das ist durch einige Zahlen leicht zu belegen. 1959 gab Maria Callas 14 Konzerte, sang aber nur noch neunmal in der Oper. In London sang sie in fünf Aufführungen von Cherubinis *Medea*, in Dallas je zwei von *Lucia di Lammermoor* und von *Medea*. 1960 schaffte sie zweimal *Medea* im griechischen Epidaurus und fünf Scala-Aufführungen von *Poliuto*. 1961 folgten zwei *Medea*-Abende in Epidaurus und drei in Mailand. Zwei *Medea*-Aufführungen waren die einzigen Opernauftritte im Jahr 1962. 1963 sang sie gar nicht. 1964 flackerte die Stimme noch einmal auf. Im Januar und Februar sang sie sechs Toscas in London, im Mai und Juni folgten acht *Norma*-Abende an der Pariser Oper, die nicht nur einer ermüdeten Stimme, sondern einer völlig erschöpften Physis abgetrotzt werden mußten. 1965 endlich sang sie in zwölf *Tosca*-Aufführungen: in Paris, New York und die letzte am 5. Juli in London. Hinzu kamen jene Gala-Konzerte, in denen viele Hörer und offenbar auch manche Kritiker zum erstenmal auf die Sängerin trafen – und die Irritation darüber nicht einzugestehen wagten, daß das, was sie hörten, nicht dem Ruhm der Sängerin gerecht wurde.

Nur wer die Sängerin kritiklos bewundert, kann die Tatsache bemänteln, daß sie nur zwölf oder dreizehn Jahre ohne stimmliche Probleme singen konnte, wenn man die wenigen Aufführungen vor Kriegsende ausnimmt, über die zu urteilen nicht möglich ist. Damit hat sie eine der kürzesten Karrieren unter allen Sängerinnen von Rang gemacht. Giuditta Pasta war 34 Jahre lang aktiv, Henriette Sontag 34 Jahre, die Schröder-Devrient 26 Jahre, die Grisi 32 Jahre, Rosina Stolz 17 Jahre, Pauline

Viardot 33 Jahre, die Patti 29 Jahre, Lilli Lehmann 42 Jahre, Marcella Sembrich 32 Jahre, Ernestine Schumann-Heink 54 Jahre, Emma Calvé 38 Jahre, Nellie Melba 39 Jahre, Emmy Destinn 28 Jahre, Birgit Nilsson 35 Jahre, Rosa Ponselle 18 Jahre – allein Maria Malibran sang nur 11 Jahre bis zu ihrem frühen Tod mit 28 Jahren. Maria Callas war mit 35 Jahren stimmlich und wohl auch psychisch ausgebrannt. Das verhaltene Glühen in späteren Auftritten und Aufnahmen kann nur bewundern, wessen Einbildungskraft sich an die Glut der jungen Stimme zu erinnern vermag.

Während die Stimme schon in Agonie lag und der Ruhm der Sängerin – Ruhm nicht als abstrakte Größe, sondern als bewußte, sachliche, bewundernde Anerkennung – im Schwinden begriffen war, wuchs die Weltgeltung des Stars. Im Januar 1959 gab Maria Callas Konzerte in den USA, erneut arrangiert von Sol Hurok. Zuvor trat sie in einer von Edward R. Murrow moderierten Show auf, in der auch der Dirigent Thomas Beecham und der dänische Musik-Komiker Victor Borge zu Gast waren. Diskutiert wurde – mit großer Sachlichkeit – über die Beziehungen von Künstlern und Publikum, die Verantwortlichkeit eines Künstlers, die Vor- und Nachteile von Studioaufnahmen und Live-Mitschnitten, das Opernleben, Claques. Während Beecham seine sprichwörtlichen Pointen versprühte und Borge jovial Witzchen riß, gab sich Callas ernst, formell und »gelegentlich sogar zeremoniell« (Jellinek). Zum Abschluß schlug der Dirigent der Diva vor, die Partie der Deianira in Händels *Hercules* zu singen; nur sie sei in der Lage, dieser leidenschaftlichen Musik gerecht zu werden.

Am 27. Januar 1959 nahm sie in der Carnegie Hall an einer konzertanten Aufführung von Bellinis *Il Pirata* teil. Veranstalter war die American Opera Society, Dirigent Nicola Rescigno und das Publikum eine Gemeinde von Anbetenden, die von der Diva »durch die Einbildungskraft ihrer Kunst und die Stärke ihrer Charakterisierung verzaubert wurde« (Jellinek). Callas stand in einem strengen, weißen Gewand, angestrahlt wie vormals nur Leopold Stokowski, im Zentrum der Bühne, und ihre Partner traten diskret in den Schatten.

Dies wird keiner der Zuhörer bedauert haben, denn in schlechterer Umgebung hat Callas selten gesungen. Der Tenor Pier Mirando Ferraro und der Bariton Constantino Ego erwiesen sich als unfähig, selbst einfache Zierfiguren auszuführen – und die Stimmen sind, wie der Mitschnitt zeigt, drittklassig. In der Literatur heißt es allgemein, daß sie »stimmlich in guter Form« (Jellinek) gewesen sei. Schon bei der Probe hatte sie viel

Selbstvertrauen gezeigt. Ardoin zitiert eine Erinnerung Rescignos, der eine *stretta*-Passage am Ende des ersten Aktes mit ungewöhnlich raschem Tempo nahm und Callas zu vier Takten rasanten Skalen-Singens zwang. »Ein Maschinengewehr hätte so schnell feuern können, nicht eine Stimme. Maria blickte mich ein wenig ängstlich an, als die Passage kam, und sie schaffte sie nicht. Ich sagte ihr, daß ich beim nächsten Mal vor ihrem Einsatz die Bremse ein wenig anziehen würde. ›Nein, mach das nicht‹, sagte sie, ›ich liebe dieses Tempo sehr, es ist sinnvoll, und ich will nicht, daß du mir hilfst.‹ – ›Gut‹, erwiderte ich, ›aber was, wenn du es in der Aufführung nicht packst?‹ – ›Das ist meine Angelegenheit, nicht deine‹, erwiderte sie. Dank ihres phantastischen Willens kam dieses erstaunliche Ding in der Aufführung – und alles saß.«

In der »New York Times« urteilte Howard Taubman (der ihre Stimme einst als »puzzling« bezeichnet und als »Produkt ihrer Willenskraft« verstanden hatte) so vage wie früher: »Miss Callas wuchs an der Herausforderung. Man blickte nicht länger auf ihr weißes Satinkleid im Empire-Stil... und auch nicht auf die rote Stola, die sie während der Aufführung mit dem Geschick einer Künstlerin, die Effekt zu machen weiß, ins Spiel brachte. Ihre Partner verschwanden von der Bühne, als hätten sie ihre Pflicht getan. Nun stand sie allein in einem Spot-Licht, eine schlanke, gespannte Gestalt, und sie strahlte die Magie des Theaters aus. Sie sang das einleitende Rezitativ und dann die Arie ›Col sorriso d'innocenza‹ mit beherrschten künstlerischen Mitteln. Sie war den ganzen Abend hindurch gut bei Stimme, obwohl ihre Attacke zu Beginn, vielleicht aus Angespanntheit, den Impact einer elektrischen Säge hatte. Sie hatte mit einem Gespür für den Stil Bellinis und mit enormer Überzeugungskraft gesungen. Gelegentlich war ihre Stimme einschmeichelnd, dann und wann hatte sie Ecken. Die Spitzentöne glichen einem Hazard – entweder waren sie schrill oder brillant im Fokus. Doch nun, am Ende der Aufführung, versagte sie nicht. Dies war Miss Callas, die ihrem Ruhm gerecht wurde. Dann brach ein Tumult aus und der Sturm des Beifalls...«

Nach dieser im Lob nichtssagenden, im Tadel höflichen Kritik das differenzierte Urteil von Irving Kolodin: »Ohne eine Sängerin mit Miss Callas' besonderen Gaben und erarbeiteten Möglichkeiten würde *Il Pirata* schon bei Imogenes erstem Auftreten scheitern. ... Sie hatte den Test eines unbegleiteten Rezitativs in der Form einer Kadenz zu bestehen, gefolgt von einer Arie, die mit einem hohen D zu Ende geht. Ihre Stimme war zu diesem Zeiptunkt gewiß noch nicht locker und leicht, wohl aber ganz Leidenschaft [›fervor‹] und Solidität. Sie machte sehr viel aus den

Extremen des Umfangs, mit denen sie eindrucksvoll fertig wurde; doch fanden sich mehr Kunst und Ausdruck in ihrer feinen Entfaltung der *legato*-Linie und der Verzierungen, die ihrem Gespür für die tragischen Akzente, die den Worten und ihrer Bedeutung gerecht wurden. ... Während des zweiten Aktes und, beim Höhepunkt der abschließenden ›Wahnsinnsszene‹ (die sie auf verdunkelter Bühne, im Licht eines Scheinwerfers stehend, sang), gebot Miß Callas über stimmliche Kräfte, die ihr zuvor in New York noch nicht zur Verfügung gestanden haben. Das bittende ›Tu m'apriasti in cor ferita‹ ... war ein Exempel warmen, kolorierten *cantabile*-Singens. Es zeigte, daß sie emotionale Wirkung erzeugen kann ohne bravouröse Effekte oder andere exhibitionistische Elemente.«

Vor ihrer Abreise nach Mailand wurde die »hochgeschätzte Tochter der Stadt, deren gloriose Stimme und superbe Künstlerschaft den Musikliebhabern allenorts Freude geschenkt hat«, vom Bürgermeister der Stadt New York, Robert Wagner, geehrt. Den Februar 1959 verbrachte sie in Mailand. Ihr Terminkalender war frei, erst im März stand in London die zweite Aufnahme von *Lucia di Lammermoor* auf dem Programm. Meneghini hatte für die nächsten Monate mit horrenden Gagenforderungen lediglich Konzerte in Madrid und Barcelona sowie in Hamburg, Stuttgart, Wiesbaden und München, sodann in Amsterdam und Brüssel ausgehandelt. Im Juni trat Maria Callas wieder in London als Medea auf die Bühne. In der Donizetti-Aufnahme sind, weitaus auffälliger als in der New Yorker Bellini-Aufführung, stimmliche Unsicherheiten und Schwächen spürbar. Selbst die Mittellage klingt angestrengt, in der klanglichen Textur gleichsam aufgerauht und farblich fahl, und sicher attackierte und sauber gehaltene hohe Töne sind rar.

ZEHNTES KAPITEL

Callas und die Folgen

Die meisten Nachahmer lockt das Unnachahmliche.
Marie von Ebner-Eschenbach

Das artifizielle Singen

Wir verdanken ihr viel. Sie hat uns die Tür zu einer *terra incognita* aufgestoßen.
Montserrat Caballé über Maria Callas

Es ist seltsam und doch mehr als nur eine historische Koinzidenz, daß die Covent Garden Opera kurz vor der Aufnahme die Donizetti-Oper in einer Neuinszenierung von Franco Zeffirelli herausbrachte – mit der australischen Sopranistin Joan Sutherland, die 1952, beim Debüt der Callas als Norma, die kleine Partie der Clotilda gesungen hatte. Daß dieses Werk in London überhaupt wieder auf Interesse stoßen konnte, führten die Kommentatoren auf den Einfluß von Maria Callas zurück; nur sie hatte die italienische Oper der Zeit vor Verdi zu aktualisieren verstanden. Mit der Aufführung der Sutherland – von der Maria Callas gesagt haben soll: »Sie hat meine Arbeit um ein Jahrhundert zurückgeworfen« – begann zwar nicht, wie durch Callas, eine neue Ära des Singens, aber eine neue Differenzierung.

Der englische Literaturwissenschaftler John B. Steane schreibt in seinem Buch »The Grand Tradition – Seventy Years of Singing on Record«, daß es in den fünfziger Jahren »für Mozart und Wagner, Verdi und Puccini, selbst für Bellini und Donizetti ziemlich gute Sänger gab«.

Der Verfasser teilt diese Ansicht nicht ganz. Bis in die fünfziger Jahre hinein wurde, wie im Einleitungskapitel ausgeführt, Verdi weithin von Interpreten gesungen, die stilistisch wie technisch vom *verismo* geprägt waren. Es war erst Maria Callas, die Partien wie Abigaille, Leonora und Violetta wieder in ihrer *formalen* Gestaltenvielfalt darzustellen begann; die vor allem die romantischen Heroinen dramatisch vorzubilden vermochte. Gerade in den Opern von Donizetti und Bellini hat sie kaum je adäquate Partner gehabt, wenn man einmal von den Tenören Cesare Valletti und Alfredo Kraus absieht, mit denen sie jedoch im Studio nie hat singen können. Es sei ein unerfüllter Rest geblieben, fährt Steane fort: »Man muß sich nur die Musik ansehen, die Giacomelli, Riccardo Broschi und andere für Farinelli und seine Zeitgenossen geschrieben haben, um zu erkennen, was virtuoses Singen in Wahrheit ist und wie himmelweit entfernt von dessen Errungenschaften wir mit unseren heutigen Sängern sind. Die Partituren der Opern Händels geben in reichstem Maße Zeugnis von den sängerischen Standards der damaligen Zeit. Wir wissen zudem, daß das, was geschrieben stand, nichts war im Vergleich mit dem, was bei den Aufführungen tatsächlich gesungen wurde, denn die Sänger pflegten frei auszuzieren, und dies mit einer Brillanz, die uns heute unbekannt ist.«

Nicht zuletzt durch Joan Sutherland hat sich die Situation seit Ende der fünfziger Jahre beträchtlich verändert. Nachdem Callas die »Kanarienvogelmusik« durch dramatisch-gestisches Singen rehabilitiert hatte, konnten für die Beurteilung der verzierten Musik – auch der des 18. Jahrhunderts – neue Parameter der Interpretation gefunden werden. Ohne das durch Maria Callas geweckte Interesse hätte Joan Sutherland vermutlich nie auf das Stil-Arsenal der *bel canto*-Musik zurückgreifen und damit eine andere Ausdrucks-Dimension des Singens aufzeigen können, nämlich den artifiziellen Formenreichtum dieser Musik. Wie sehr dies bis auf den heutigen Tag mißverstanden wird, zeigt ein Beitrag über die »Donizetti-Renaissance«[1], als deren Initiatorin Maria Callas bezeichnet wird. Sie habe ein »so künstliches Stilmittel wie die Koloratur (als) Medium des dramatischen und psychologischen Ausdrucks« rehabilitiert. Das ist gut gemeint (als Votum für Callas), und doch im Ansatz falsch. Deshalb falsch, weil mit dem Wort vom »künstlichen Stilmittel« die Koloratur als etwas Oberflächliches hingestellt wird. Maria Callas hat nicht etwa das »artifizielle Singen«, wie der Autor meint, überwunden, sondern zu ihm zurückgefunden. Wenn es später heißt, daß sich Sängerinnen wie Sutherland, Caballé und Sills »in deutlicher Abkehr von der noch jungen Callas-Tradition ... eher dem artifiziellen Singen verpflichtet« sahen, so ist die darin implizierte Kritik tatsächlich ein Lob. Sutherland und Caballé ist nicht vorzuwerfen, daß sie »artifiziell« gesungen haben, sondern höchstens daß sie viele der vokalen Formeln nicht mit der Spontaneität und Dramatik erfüllt haben, wie es Callas demonstriert hatte; daß sie vor allem den *Worten* nicht jenes Gewicht gegeben haben, das schon die alten Theoretiker des *bel canto* verlangt hatten.

Die Leistung von Joan Sutherland und vor allem auch von Marilyn Horne liegt darin, daß sie, geführt von Richard Bonynge, nach dem Studium von Partituren und anderen relevanten Quellen »eine neue Aufmerksamkeit auf die Fähigkeiten der alten Sänger lenkten – vor allem hinsichtlich Tonumfang und Flexibilität« (Steane).

In programmatischer Weise demonstrierten Sutherland und Horne diesen Rückgriff mit den beiden Alben »The Age of Bel Canto« und »Souvenirs of a Golden Era« (darin Horne die Rollen der Malibran und der Viardot singt). Die Aufnahmen sind höchstwertige Beispiele, ja Plädoyers für das »artifizielle Singen« – für die Erlösung des sängerischen Ausdrucks von jener »Psychologie«, die in der Exaltation sich auszudrücken versucht. Durch Flexibilität und exemplarische Virtuosität zeigten sich Sutherland und Horne, aber auch Caballé und andere Sängerinnen dem Reichtum sängerischer Formensprache gewachsen. Insofern liegt auch im Rückgriff ein Fortschritt, in jenem dialektischen Sinne, wie es Verdi ausdrückte: »Torniamo all'antico – e sarà un progresso.« (»Kehren wir zum Alten zurück, und es wird ein Fortschritt sein.«)

Maria Callas hatte ihre Arbeit getan, als Joan Sutherland – die in den frühen fünfziger Jahren in London zunächst lyrische und *spinto*-Rollen gesungen hatte – mit der Spezialisierung auf die *bel canto*-Musik im kompositorischen (und damit gesangstechnischen) Sinne begann; hatte, wie Montserrat Caballé später sagte, die »Tür zu einer *terra incognita*« aufgestoßen. Daß sie Maßstäbe neuer Art gesetzt hatte, steht auf einem anderen Blatt.

Bei den Konzerten, die sie im Mai 1959 nach Madrid und Barcelona, dann in die Bundesrepublik und schließlich nach Amsterdam und Brüssel führten, war sie durchweg gut bei Stimme. Doch zeigen die von David A. Lowe zitierten Kritiken, daß die bekannten Schwächen und Unsicherheiten – vor allem bei gehaltenen Tönen in der hohen und höchsten Lage – immer wieder auftraten. Antonio Fernandez-Cid (»ABC«) erwähnte nach dem Madrider Konzert ein »unebenes, unangenehm hartes und harsches hohes Register« und bewunderte »im nächsten Moment fallende chromatische Skalen aus dem Lehrbuch des Singens«. Hier und dort erhoben sich auch kritische Stimmen wider den falschen Glanz solcher Gala-Konzerte und die bloß ökonomische Ausbeutung des Ruhms. Wer hätte damals schon erkennen können, daß auch damit neue Zeichen gesetzt wurden und zugleich an alte Zeiten angeknüpft wurde. Bei aller Idiosynkrasie gegen den Kult mit der Stimme: Auch Jenny Lind, Adelina Patti, Nellie Melba, Enrico Caruso haben Konzerte gegeben und ihren Ruhm ökonomisch genutzt. Wer das, mit kulturkritischer Attitüde, als »Vermarktung« kritisiert, verkennt, daß nichts billiger verschleudert wird als derlei Kritik. Wer wollte einem ausübenden oder darstellenden Künstler verweigern, was jeder Produzent in der modernen Warenwelt für sich in Anspruch nimmt. Nicht zu erkennen, daß auch die geistigen Gebilde Waren geworden sind, zeugt von nichts als Ignoranz.

Am 17. Juni 1959 kehrte Maria Callas an die Londoner Covent Garden Opera zurück und sang die erste von fünf Aufführungen von Cherubinis *Medea* unter Nicola Rescigno; zu ihren Partnern gehörten Fiorenza Cossotto und Jon Vickers. Irving Kolodin, für die Aufführung nach London gereist, schrieb in der »Saturday Review«, daß ihr die Zeit »relativen Nichtstuns« gut bekommen war, weil der Klang ihrer Stimme »frisch, ansprechend und unendlich expressiv« wirkte. Ähnlich urteilten Frank Granville-Barker in »Opera News« und George Louis Mayer in »American Record Guide«.

Die Reiche dieser Welt und ihre Herrlichkeit

> Wie lange leben Sie hier schon? Zehn Jahre? Ununterbrochen? Kaum unterbrochen? C'est étonnant! Oh, sehr begreiflich! Und dennoch bin ich gekommen, Sie zu entführen, Sie zu vorübergehender Untreue zu verführen, Sie auf meinem Mantel durch die Lüfte zu führen und Ihnen die Reiche dieser Welt und ihre Herrlichkeit zu zeigen, mehr noch, sie Ihnen zu Füßen zu legen. ... Verzeihen Sie meine pompöse Ausdrucksweise! Sie ist wirklich ridiculement exagerée, besonders was die Herrlichkeit betrifft.
>
> *Thomas Mann, Doktor Faustus*

Am 21. April 1959 hatte Maria Callas einen ihrer größten Auftritte. Er begab sich im Pariser Maxim's. Dort feierte sie ihren zehnten Hochzeitstag mit Battista Meneghini, feierte ihn mit einem Aufwand, welcher der Ostentation nahe kam. Die Chronisten berichten über die Telegramme aus aller Welt, die Blumenbouquets, die Sträuße roter Rosen, die Folge der Speisen und ihren Satz: »Ich bin die Stimme, er ist die Seele.« Knapp zwei Monate später lud Onassis nach der Londoner Premiere von Cherubinis *Medea* zu einer Party ins Hotel Dorchester. Es war keine der Premierenfeiern, wie sie üblicherweise nach Opernaufführungen stattzufinden pflegen. Mr. und Mrs. Aristoteles Onassis hatten 5 000 Gäste um »das Vergnügen Ihrer Gegenwart« gebeten. Darunter waren Randolph Churchill und Margot Fonteyn, Cecil Beaton und John Profumo und das

Ehepaar Meneghini-Callas – und sie alle bestaunten, was dieser Mann, in dem sich das heckende Geld selber zu verkörpern schien, zu bieten hatte.

Der »Ballroom« des Dorchester war ganz in Pinkfarben dekoriert und mit Rosen, ebenfalls pink, gefüllt. Mit der ausschweifenden Inszenierung traf er die offenkundigen Neigungen der ihm wahlverwandten Gesellschaft und anscheinend die geheimen von Maria Callas, für die das luxuriöse Fest allein veranstaltet ward. Drei Stunden nach Mitternacht verließ sie die Party, und sie wurde natürlich fotografiert, als sie von ihrem Mann und von Onassis umarmt wurde. Onassis lud die beiden ein, im Sommer an einer Kreuzfahrt auf der Luxusjacht *Christina* durch das Mittelmeer teilzunehmen. Als wären sie dabeigewesen, als hätten sie die Komplimente gehört, als hätten sie die Verstörung des Ehemannes gespürt, berichten die Biographen, daß sich die Sängerin wie ein kleines Mädchen in den Weltmann verliebt habe.

Am 30. Juni 1959 sang sie die letzte ihrer fünf *Medea*-Aufführungen in London, am 11. und 14. Juli beendete sie in Amsterdam und Brüssel ihre Konzerttournee. Vor allem bei dem Konzert in Holland sang sie in exzellenter Verfassung und mit beispielhafter musikalischer Konzentration. Nach dem Konzert wurde für sie ein großer Empfang gegeben. Arianna Stassinopoulos berichtet, daß sie während des Festes an Peter Diamond herantrat, den Direktor des Holland Festivals, und ihn um ein Gespräch unter vier Augen bat. Während eines Mittagessens habe sie ihn ersucht, ihr Honorar zunächst zurückzuhalten. »Es wird in meinem Leben in den nächsten Monaten viele Veränderungen geben«, soll sie Diamond gesagt haben, »all meine Instinkte sagen mir das. Sie werden viel hören. ... Bitte, bleiben Sie mein Freund.« Diamond habe – »Maria, che melodramma« – lachend protestiert und dann den Satz gehört: »Nicht Melodram, Peter – Drama.«

Glauben wir, weil es in das Drama paßt, daß Meneghini voll düsterer Vorahnungen am 22. Juli mit nach Monte Carlo flog, daß er voller Angst den schwimmenden Palast betrat, daß Maria Callas, von Madame Biki mit einer glanzvollen Garderobe für die Kreuzfahrt ausgestattet, sich fühlte wie Alice im Wunderland. Unter den Gästen befanden sich Sir Winston und Lady Churchill mitsamt Sekretär und Privatarzt und Fiat-Chef Umberto Agnelli mit seiner Frau, und es war das Oberhaupt der Grimaldis, Fürst Rainier von Monaco, der das 1 640-Tonnen-Schiff, angefüllt mit venezianischen und byzantinischen Kunstschätzen, mit einem Bild El Grecos im Studio des Schiffseigners, mit goldenen Wasserhähnen in den Badezimmern und einem Swimmingpool mit Mosaiken, die denen im Palast von Knossos nachgebildet waren, im Hafen verabschiedete. Die Kreuzfahrt ist oft geschildert worden. An Bord befanden sich nach Jellinek 43 Masseure und Köche, Diener und Kellner, die sich in den 20 Jahren, da Stassinopoulos die erotische Odyssee neu erzählte, auf 60 vermehrt hatten. Bei Jellinek waren die ersten Tage der Reise ruhig, bei Stassinopoulos »schwierig«, weil Meneghini, des Französischen und des Englischen nicht mächtig, sich isoliert fühlte und in Lethargie versank. Onassis war nur neun Jahre jünger als der Italiener, ließ ihn jedoch wie einen Großvater erscheinen, wie den törichten und geprellten Alten aus einer italienischen Opera buffa.

Am 7. August setzte die *Christina* vor dem Berg Athos Anker, jenem heiligen Berg, der für orthodoxe Griechen seit jeher eine Pilgerstätte ist. Tags darauf wurden die Familien Onassis und Meneghini vom Patriarchen von Konstantinopel empfangen. Mit südlicher Beredsamkeit ehrte er »die größte Sängerin der Welt« und den »größten Seemann der Neuzeit, den neuen Odysseus«, und dankte ihnen für die Ehren, die sie ihrem Heimatland gebracht hatten. Später erklärte Meneghini, er sei Zeuge eines »nationalistischen Ausbruchs« geworden, der seine Frau »sichtbar in Erregung« versetzt habe; »sie war nicht länger dieselbe Frau. Und wie hätte ich mich gegen den neuen Odysseus verteidigen können?« Es scheint so, als ob die Sängerin, nach einem Jahrzehnt fast ausschließlicher Konzentration auf ihre Arbeit, von den Gefühlen erfaßt wurde, von denen sie bisher nur gesungen hatte. Am 8. August 1959, kurz vor dem Besuch eines Festes im Hilton-Hotel von Istanbul, eröffnete sie ihrem Mann, daß sie sich in Onassis verliebt habe und ihre Ehe beenden wolle.

Am 17. August, einige Tage nach dem Ende der Kreuzfahrt, erschien Onassis in Sirmione, und drei Stunden später verließ er zusammen mit Maria Callas den Landsitz der Meneghinis. Die Sängerin fuhr nach Mailand und hielt sich, wie ihre Freunde berichteten, einige Tage lang in ihrer Wohnung in der Via Buonarotti versteckt. Madame Biki erzählte, daß sie selbst engste Freunde und Bekannte gemieden habe, offenbar aus Scham. Da setzte ein, was Rémy treffend als »den griechischen Chor« bezeichnet hat: Die Presse begann, die Affaire auszuweiden, und jede Äußerung, jede Erklärung sowohl der Sängerin als auch des Reeders diente der Vulgär-Psychologie zu dem, was im Magazinjargon »Psychogramm« genannt wird. »Ich hatte das Gefühl, lange Zeit in einem Käfig gehalten worden zu sein«, so wird Callas bei Stassinopoulos zitiert, »daß ich eine ganz andere Frau wurde, nachdem ich Aristo getroffen hatte.«

Sie soll durch die Begegnung so viel weicher und umgänglicher geworden sein, daß auch der Versöhnung mit Antonio Ghiringhelli von der Mailänder Scala nichts mehr im Wege stand.

Zwei Jahre lang hatte sie ihre Platten nur in London aufgenommen. Nun sollte, am 5. September, die Neuaufnahme von Ponchiellis *La Gioconda* in Mailand stattfinden. Am 2. September fuhr sie allein zur Scala und mußte, wie Peter Diamond berichtete, vor zudringlichen Fotografen abgeschirmt werden. Diamond gab sich, nach seiner Identität befragt, als »der ägyptische Friseur« der Sängerin aus und fand sich – »Parla il parrucchiere della Callas« – alsbald in einem Magazin zitiert: Das Haar der Sängerin werde, wann immer sie die Violetta singe, weich und sanft und kräusele sich wild, wenn sie als Medea auf die Bühne gehe.

Am 3. September 1959 wurden Maria Callas und Onassis bei einem Abendessen in Mailand gesichtet. Alsbald tauchten die Fotografen auf. Bilder gingen um die Welt und mit ihnen Gerüchte. Am 4. September belagerten Reporter die Wohnung in der Via Buonarotti. Wenig später erklärte die Sängerin, daß der Bruch mit Meneghini endgültig sei, doch habe dies nichts mit der Kreuzfahrt auf der *Christina* zu tun. »Die Rechtsanwälte sind mit dem Fall beschäftigt und werden eine Erklärung abgeben. Ich bin jetzt meine eigene Managerin. Ich bitte in dieser schmerzlichen persönlichen Situation um Verständnis. ... Zwischen mir und Herrn Onassis gibt es nur eine tiefe Freundschaft, die schon einige Zeit zurückreicht. Ich unterhalte geschäftliche Beziehungen zu ihm. Ich habe Angebote von der Opera Monte Carlo erhalten, und es gibt zudem Filmpläne.« Am selben Tage, dem 8. September 1959, wurde Onassis von Reportern in Venedig, in Harry's Bar, gestellt. Er erklärte: »Natürlich, wie hätte es mir nicht schmeicheln können, wenn eine Frau von der Klasse einer Maria Callas sich in jemanden wie mich verliebt? Wer hätte nicht reagiert?«

Jeder dieser Sätze ist auf die Waage der moralischen und pseudo-psychologischen Urteile und Vorurteile gelegt, jeder mit Ressentiments beantwortet worden: Der Parvenü aus Smyrna mit dem märchenhaften Erfolg, der sein Ego mit dem Ruhm der größten Diva bestätigen wollte. Die Sängerin mit dem gewaltigen Minderwertigkeitskomplex und der lange unterdrückten Sehnsucht nach Liebe. Der betrogene und zutiefst enttäuschte Ehemann, der zunächst verhalten, dann immer bitterer seine Empörung in die Schlagzeilen der Presse diktierte. »Ich habe Callas geschaffen. ... Sie war eine fette, ungeschickt gekleidete Frau, arm wie eine Zigeunerin, als ich sie traf. Und nun muß ich hören, daß ich sie ausgebeutet habe. ... Sie besaß gar nichts. Jetzt müssen wir den gemeinsamen Besitz aufteilen.«

Evangelia Callas sang eine Begleitstimme: »Meneghini war Vater und Mutter für Maria. Jetzt benötigt sie ihn nicht mehr. Doch wird Maria niemals glücklich sein; mein Herz sagt mir das. Frauen wie Maria werden die wahre Liebe niemals kennenlernen.« Selbst Elsa Maxwell, besser: Auch Elsa Maxwell, noch kurze Zeit zuvor ein parasitärer Proselyt der Diva, ergriff im Namen der Moral Partei für Tina Onassis. Meneghini sah alle Beteiligten »als Figuren in einem Drama«, und er regte damit das Magazin »Time« zu einer Satire auf dem Niveau einer Schülerzeitung an. In einer Oper unter dem Titel »Love and Money« träten folgende Charaktere auf:

Maria Meneghini-Callas, eine berühmte Diva .... Sopran
Giovanni Meneghini, alternder Ehemann .... Baß
Elsa Maxwell, ihre Vertraute .... Bariton
Evangelia Callas, ihre entfremdete Mutter .... Alt
Aristoteles Onassis, ein reicher Schiffsbesitzer .... Tenor
Anthena Onassis, seine schöne junge Frau .... Mezzo

Wochenlang stand die Sängerin in den Schlagzeilen als Heldin von Geschichten, welche die Aufhebung des Privaten dokumentieren, den Verlust der Intimität und der Menschenwürde. Dabei war etwas ganz und gar Alltägliches geschehen: Eine junge Frau hatte sich zum erstenmal in ihrem Leben leidenschaftlich in einen erfolgreichen und attraktiven Mann verliebt.

ELFTES KAPITEL

Abgesang

Ihr Bruch mit Meneghini ging einher mit dem Niedergang ihrer künstlerischen Mittel – oder er verursachte ihn. Ihr Leben mit ihm ruhte auf gemeinsamen Interessen, auf wechselseitigem Respekt, spartanischer häuslicher Ökonomie, rigoroser Selbstdisziplin und harter Arbeit. Die verschwenderische Party, die Onassis für sie nach ihrer ersten Londoner *Medea* gab, und der Luxus der Kreuzfahrt auf der *Christina* mit Sir Winston und Lady Churchill öffnete ihr neue Perspektiven – und neue Wünsche. Dies erschien ihr plötzlich als die Welt, nach der sie sich gesehnt hatte.

Walter Legge, La Divina

Angst vor dem Trapez

»Ho dato tutto a te«
Cherubini, Medea

ZWISCHEN dem 5. und 10. September 1959 hatte Maria Callas in Mailand ihre zweite Aufnahme von Ponchiellis *La Gioconda* gesungen, die tragische Geschichte einer Sängerin. Gesungen nicht mehr mit der wilden, flammenden Stimme der Cetra-Einspielung von 1952, in welcher die Stimme selber noch Drama gewesen war, sondern mit dem Kunstverstand, welcher Produkt der Erfahrung ist und Reaktion auf abnehmende stimmliche Möglichkeiten. Weniger kann mehr sein. John Ardoin merkt an, daß sie ihre Höhe, die oftmals Schwankungen unterworfen war, besser unter Kontrolle hatte. Die letzte Seite der drei Platten hat sie gegenüber Ardoin als eine ihrer besten Aufnahmen bezeichnet; der texanische Kritiker zitiert sie mit dem Satz: »Für jemanden, der verstehen will, wie ich mich damals gefühlt habe, ist da alles zu hören.«

Gleich nach der Aufnahme wurde sie von einem Privatflugzeug, das Onassis gechartert hatte, nach Venedig gebracht. Eine neue Kreuzfahrt begann. Bilder von dieser Reise zeigen eine völlig veränderte, eine fröhliche, entspannte und zuweilen kokett posierende Frau. Von Athen aus flog sie für ein Konzert nach Bilbao (am 17. September), bei dem sie, offenbar unkonzentriert und indifferent, vier Arien aus *Don Carlo, Ernani, Hamlet* und *Il Pirata* sang. Kühler ist sie selten empfangen, gleichgültiger und enttäuschter kaum je kritisiert worden. Nach Athen zurückgekehrt, bezeichnete sie den Abstecher als »ein blödes kleines Engagement« (»a silly little engagement«) und setzte ihre Reise fort. Am 22. September passierte die *Christina*, wie ein mythologisch inspirierter George Jellinek schreibt, jene Meerenge zwischen Scylla und Charybdis, die dem modernen Odysseus nicht habe gefährlich werden können, weil er seine Sirene im Arm hatte und den Fotografen vorführen konnte. Maria Callas aber erklärte der Presse: »Es gibt keine Romanze. Herr Onassis und seine Frau sind gute Freunde. Ich hoffe, daß Sie unsere Freundschaft nicht antasten werden.« Zur gleichen Zeit befand sich Tina Onassis mit ihren zwei Kindern in New York und war dabei, die Scheidung einzureichen.

Am 23. September gab die Sängerin ein Konzert in London. Das Programm war fast identisch mit dem des Konzerts in Bilbao; nur sang sie statt der Arie aus *Ernani* die Nachtwandelszene der Lady aus Verdis *Macbeth*. Daß sie sich nicht sicher fühlte, erhellt aus ihrer Bitte, die sie gleich bei ihrer Ankunft in London äußerte: »Seien Sie nachsichtig mit mir. Ich befinde mich in einer delikaten Situation. Ich muß für meinen Lebensunterhalt arbeiten.« Sie sang, nach Jellinek, fast in Bestform und erhielt Kritiken, die mit Kritik so gut wie nichts mehr zu tun hatten. Obwohl sie ein zweites Konzert am 29. September zu singen hatte, flog sie nach Mailand, um mit Rechtsanwälten die Trennungsvereinbarung von Meneghini zu regeln; zudem war Nicola Rescigno, ihr bewährter Partner, erkrankt und hätte nicht dirigieren können. An seiner Stelle leitete Sir Malcolm Sargent das auf den 3. Oktober verschobene Londoner TV-Konzert. Auch in Berlin sang sie nur ein einziges Konzert; zwei waren geplant gewesen. Danach reiste sie in die USA, sang ein Konzert mit vier Arien – darunter auch, wie in Berlin, Donna Annas »Non mi dir« aus *Don Giovanni* – und zwei Aufführungen von *Lucia di Lammermoor* an der Civic Opera von Dallas. Die Aufführung war aus London – wo Joan Sutherland die Titelheldin gesungen hatte – in die Vereinigten Staaten gebracht worden. Bevor sie auftreten konnte, hatte man sie schon auftreten lassen. Elsa Maxwell hatte mit Leonard Bernstein über die Ankunft von »that much-heralded diva« in den USA gesprochen.

Bernstein: »Was denken Sie über sie?«

Maxwell: »Ich fühle gar nichts.«

Bernstein: »Aber Sie müssen doch irgendeinen Standpunkt beziehen.«

Maxwell: »Meinen Sie moralisch oder musikalisch?«

Bernstein: »Beides.«

Maxwell: »Musikalisch ist sie, kann ich nur sagen, die größte Künstlerin der Welt.«

Um bei der Moral nicht der Künstlerin zu bleiben, sondern bei der jener, die über die Moral der Künstlerin wachten, seien zwei Berichte über die Party zitiert, die am 28. Oktober 1959 nach dem Konzert im Loew's Midland Theatre von Kansas City stattfand. Im New Yorker »Journal American« war zu lesen: »Maria Callas wurde ihrem Ruf, kapriziös zu sein, gerecht. Sie ließ den Gouverneur von Missouri und 800 Ehrengäste aus der Elite von Kansas City warten. Die temperamentvolle Diva war zu müde, um eine Champagner-Party, die zu ihren Ehren gegeben wurde, zu besuchen. Gouverneur James T. Blair, seine Gattin und die Gattin des Bürgermeisters von Kansas warteten vergebens auf das Erscheinen der Großen Einen.« Der Reporter des Magazins »Time« hat hingegen folgendes erlebt: »Nach dem Beifallsorkan begrüßte Callas

Harry S. Truman mit einem höflichen ›Ich fühle mich geehrt‹, erwies Kansas' Gouverneur George Docking ihre Ehrerweisungen und nahm sogar an einer Party nach dem Konzert im River Club teil, wo sie mit den Millionären der Umgebung tanzte und Kaviar-Snacks kaute...«

Gleich danach begannen die Vorbereitungen für die dritte Stagione der Civic Opera von Dallas. Callas sollte am 6. und 8. November Donizettis Lucia und am 19. und 21. November Cherubinis Medea singen. Dazwischen waren Aufführungen von Rossinis *Barbiere* mit Teresa Berganza geplant. Die Spanierin mußte die Aufführungen absagen, weil sie schwanger war. Lawrence Kelly bat Maria Callas, für die junge Kollegin einzuspringen. Doch sie hatte am 14. November in Brescia wegen ihrer Scheidung vor Gericht zu erscheinen.

Ohnehin konnte sie sich nur noch schwer auf ihre künstlerischen Aufgaben konzentrieren; die einstigen Energien waren nicht länger zu versammeln oder nur für wenige Aufführungen und für kurze Momente in diesen Aufführungen. Es scheint, als wäre die erste der beiden *Lucia*-Aufführungen – mit Gianni Raimondi und Ettore Bastianini als Partnern – beinahe ein Fiasco gewesen. Die von David A. Lowe zitierten Kritiken zeugen von grenzenloser Bewunderung und höflicher Reserve. »Sobald sie mit der *mezza voce* und im mittleren Register sang«, schrieb John Rosenfield in den »Dallas Morning News«, »produzierte sie einen überwältigenden [superlative] Klang. Die gekreischten [screeched] hohen Töne mußte man hinnehmen. ... Insgesamt war es eine bessere Wahnsinnsszene, als New York in ihren Tagen an der Met gehört hat.« Auch die Kritik von George Saxe im »Musical Courier« zeigt, daß da ein Bewunderer der Sängerin auf die Phrasen, auf die Akzente, auf die Nuancen hörte, die Callas ins Bewußtsein gebracht hatte – und daß die Erfüllung solcher Momente wichtiger genommen ward als das *tremolo* in der hohen Lage.

In dieser Aufführung geschah etwas Furchtbares, etwas, wovon sich nur ein junger Sänger erholt. In der Wahnsinnsszene versuchte sie, wie fast immer, das hohe Es zu singen. Sie patzte. Kaum war der Vorhang gefallen, sagte sie in panischer Irritation: »Ich hatte die Note, ich hatte sie. Was ist geschehen? Ich weiß einfach nicht, was geschehen ist.« Und um zu beweisen, daß nichts geschehen war, sang sie, auf dem Weg zu ihrer Garderobe, fünfmal das Es *in alto*. Zwei Abende später, bei der zweiten Aufführung, war sie besser bei Stimme, doch ließ sie die hohen Es aus. Sie wagte sich nicht länger auf das Trapez. Doch was ist, mag der Bewunderer der Sängerin, mag der musikalische Hörer, mag der sympathetische Kritiker fragen, schon ein hohes Es? Zeugt es nicht von fetischistischem Hören, überhaupt auf eine verpatzte hohe Note auch nur hinzuweisen? Was ist schon ein mißglückter einzelner Ton, wenn ...?

Das sind, leider, leider Fragen, die sich wundervoll einfügen in einen Essay über den »Kult der schönen Stimme« oder über den »Fetischcharakter in der Musik und die Regression des Hörens«, nicht aber beitragen zur psychischen Entlastung einer Sängerin, die, wann immer möglich, das hohe Es, ob vorgeschrieben oder einfach interpoliert, gesungen hatte; die mit vokalen Stunts verblüfft und ihr Publikum überrumpelt hatte. Gewiß, ein kühn attackiertes Es *in alto* ist kein musikalischer Wert an sich; doch das Gefühl oder die Angst, eine *cabaletta* nicht mehr mit einem Es krönen zu können, muß für die Sängerin die Niederlage im Kampf um die Stimme bedeutet haben. Maria Callas hatte ihre Stimme nie geschont, sie nie eingesetzt, sie nie geführt, nie mit ihr »gespielt« wie Adelina Patti, und nie war sie, wie die Patti, die »vollendete Künstlerin« (Verdi) im Sinne der fehlerlosen Lieferantin schöner Töne gewesen. Schon in jungen Jahren hatte sie, das hohe Es am Ende des zweiten Aktes von *Aida* interpolierend, *va banque* gespielt und ihrer Stimme Töne, Klänge, Akzente, Gefühle, Erregungszustände abgetrotzt, die den Maximen sängerischer Vernunft zuwiderliefen: Sie hatte die Regel verletzt, die da lautet, daß ein Sänger stets im Rahmen seiner stimmlichen Möglichkeiten singen soll, hatte stets die vokale *tour de force* gewagt, hatte sich immer wieder jenem Rausch überlassen, der die Grenzen nicht sieht. Mit einem Wort: Ein verpatztes Es bedeutet, vor allem im Spätsommer einer sängerischen Laufbahn, mehr als ein verpatztes Es. Es ist nichts anderes als der Absturz bei einem Salto mortale.

Am 9. November, da sie Rossinis Rosina hätte singen sollen (sie wurde von Eugenia Ratti ersetzt, die in der Aufnahme des *Ballo in Maschera* den Oscar gesungen hatte), flog Maria Callas nach Italien zurück, um die Modalitäten ihrer Scheidung zu regeln. Beim Zwischenaufenthalt in New York wurde sie von Reportern gestellt, und sie überraschte sie mit der Andeutung, daß sie mit Rudolf Bing Frieden geschlossen habe. Doch auf alle Fragen – sei es nach neuen Auftritten an der Met oder nach ihrer Beziehung zu Onassis – erteilte sie unverbindliche, ausweichende Antworten.

Am Morgen des 14. November 1959 erschien sie in Brescia vor Richter Cesare Andreotti, der zunächst Battista Meneghini und dann sie anhörte. Nach der sechsstündigen Verhandlung wurde der Sängerin das Haus in Mailand und ihrem Mann die Villa in Sirmione zugesprochen. Sie behielt ihren wertvollen Schmuck und, vor allem, die Rechte an den Lizenzen für ihre Aufnahmen. Meneghini, der zunächst eine schuldhafte Scheidung seiner Frau verlangt hatte, begnügte sich schließlich mit einer Trennung im beiderseitigen Einvernehmen. Am nächsten Morgen flog die Sängerin zurück in die USA, entging in New York den Reportern, erreichte Dallas am Tag der Generalprobe für *Medea* und überbot sich bei der Aufführung. Nach der Wiederholung am 21. November 1959 flog sie nach Italien zurück.

Neun Monate lang sollte sie nicht mehr singen, erst am 24. und 28. August 1960 in Epidaurus wieder auf die Bühne gehen. Die für den 11. Dezember 1959 geplante Pariser Aufführung von *Medea* sagte sie ab. Die Saison an der Mailänder Scala war mit Giuseppe Verdis *Otello* – Mario del Monaco in der Titelpartie, Leonie Rysanek als Desdemona und Tito Gobbi als Jago – eröffnet worden. Am 9. November sang Renata Tebaldi, nach fünfjähriger Abwesenheit, Puccinis Tosca, und der Kritiker von »L'Italia« schrieb schwärmerisch: »Wir haben Tosca nie so schön gesungen gehört.« Zu einem neuen »Kampf« der Primadonnen konnte es nicht mehr kommen. Maria Callas machte Frieden nicht nur mit Rivalinnen, sondern auch mit Antonio Ghiringhelli und mit Rudolf Bing. In einem Interview mit dem Kritiker Eugenio Gara sagte sie: »Nun, da Renata Tebaldi an die Scala zurückkommt, sollte sich das öffentliche Interesse auf dieses bedeutende Ereignis richten – ohne direkte oder indirekte Anspielungen jedweder Art. Ich habe in diesem Jahr viele Kapitel abgeschlossen, und es ist mein aufrichtiger Wunsch, daß auch dieses Kapitel abgeschlossen sein möge.«

Auch in Interviews zeigte sich eine neue Callas, sanft, lächelnd, freundlich. Zu lesen war, daß sie sich ein Kind wünsche, daß sie die Freude am Singen verloren und keine Energie für Kämpfe irgendwelcher Art habe. »Ich habe keine Lust mehr, zu singen. Ich möchte leben, leben wie eine ganz gewöhnliche Frau.« Meneghini sah sie plötzlich als Mann, der eigentlich »ein Impresario« gewesen war und sich durch ihren Ruhm Vorteile verschafft hatte. Sie verlangte nach dem »wirklichen Leben, dem privaten Leben«. Selbst wenn die Vermutung nicht von der Hand zu weisen ist, daß viele dieser öffentlichen Äußerungen zum Rollenspiel gehörten und den erzwungenen Verzicht auf die Fortsetzung der Karriere zur Erfüllung eines langgehegten Wunsches verklärten, so finden sich in diversen Interviews schon 1958 Hinweise auf die ungeheure psychische Belastung durch ihre Karriere und deren Begleitumstände. Ihre Stärken waren immer überwundene Schwächen gewesen. Anfang 1960 geriet sie zum erstenmal in eine bedrohliche stimmliche Krise. Sie befand sich nervlich in einem desolaten Zustand, litt an schweren Erkältungen und Nasennebenhöhlen-Entzündungen, die ihr beim Singen starke Schmerzen bereiteten. Zwar wollte sie nicht singen, doch wollte sie sicher sein, singen zu können. Ob sie das wirkliche Leben ihrer Sehnsucht gefunden hatte – wer sollte diese Frage beantworten? Das »private Leben« fand sie nicht, nicht mehr den Schutzraum, dessen gerade der öffentliche Mensch bedarf. Auf nahezu zwanghafte Weise wurde sie zu einer Selbstoffenbarung gezwungen, genötigt, ja vergewaltigt. Wo immer sie erschien, die Fotografen hielten jeden Moment fest, die Klatschreporter warfen sie in die Untiefen ihrer Gesellschaftsnachrichten und beuteten das Buch aus, mit dem ihre Mutter alte Rechnungen zu begleichen versuchte, und selten entging sie der Frage, ob sie Onassis heiraten werde. Sie gehörte nicht länger in die Welt der Musik.

Neue Anläufe

Nicht meine Stimme ist krank, meine Nerven sind es.
Maria Callas

ERST im Juli 1960 unternahm sie einen zaghaften Versuch, wieder zu singen. In London nahm sie unter Antonio Tonini Arien aus Rossinis *Semiramide* und aus Verdis *I Vespri Siciliani* auf. Die Platten fielen so unbefriedigend aus, daß sie die Freigabe verweigerte, erneut eine Beeinträchtigung ihres Selbstbewußtseins. Dennoch fuhr sie nach Ostende, um ein Konzert zu geben. Am Morgen wachte sie ohne Stimme auf. Peter Diamond erinnerte sich, daß er am Telefon die heisere Stimme der Sängerin für die eines Freundes hielt. Das Konzert wurde abgesagt: ein böses Vorzeichen für die beiden Aufführungen von *Norma*, die sie während der letzten Augustwoche in Epidaurus singen wollte, auch für Onassis.

Das Paar verbrachte die ersten Augustwochen in Monte Carlo. Sie wurden verschiedentlich in einem Nachtclub – Maona – gesehen, dessen Name als anagrammatisch (MAria-ONAssis) »gedeutet« wurde. Dort erklärte sie am 10. August, daß sie Onassis heiraten werde. Am nächsten Tag tat der Reeder die Ankündigung als Schmeichelei ab, eine öffentliche Demütigung. Die für den 22. August geplante *Norma*-Aufführung in Epidaurus mußte wegen heftigen Regens abgesagt werden. Rémy merkt an, daß sich niemand beschwerte. »Zwei Jahre zuvor«, kommentiert er süffisant, »hätte man sie bezichtigt, den Sturm mit bösen Zauberkräften heraufbeschworen zu haben.« Am 24. August sang sie die erste Aufführung. Schon bei ihrem Auftreten wurde sie jubelnd begrüßt. Da es keinen Mitschnitt von dieser oder der zweiten Aufführung gibt, die sie trotz Fieber sang, ist es schwer, den Zustand ihrer Stimme zu beurteilen. Daß das Publikum und auch die Kritiker euphorisch reagierten, besagt nicht allzuviel – ihr Gastspiel war ein Ereignis eigener Art; es zählte, daß es stattfand.

Der Erfolg der Aufführung stärkte das Selbstvertrauen der Sängerin, die im September in Mailand unter Tullio Serafin ihre zweite Gesamtaufnahme der Bellini-Oper *Norma* zu singen hatte. Ihre Partner waren Franco Corelli und Christa Ludwig. Es ist nicht ganz einfach, ein abgewogenes Urteil über diese bemerkenswerte Einspielung, von Tullio Serafin schlechthin meisterlich dirigiert, abzugeben. John Ardoin spricht von einer Interpretation, deren »musikalische Bewußtheit und vokale Kontrolle« erstaunlich ist, vor allem aber von einer »Expressivität, die weit über technisches *finish* hinausgeht«. Eine gute Voraussetzung für ihre Rückkehr an die Scala in Donizettis *Poliuto*. Unmittelbar vor Beginn der Proben aber kündigte Regisseur Lucchino Visconti seinen Vertrag. Sein Film *Rocco und seine Brüder* und das Theaterstück *Araldia* waren von der Regierung zensiert worden. An die Sängerin schickte er ein Telegramm und erklärte ihr, wie sehr er es bedauere, nicht mit ihr arbeiten zu können, »weil es die Arbeit mit Dir war, die mir die größte Erfüllung gewesen ist. Obwohl ich mich bei Dir zu entschuldigen habe, bin ich sicher, daß Du meine Verfassung verstehen wirst und meine Entscheidung billigst. Ich umarme Dich wie immer mit aller Bewunderung und tiefster Zuneigung.«

Maria Callas erwiderte, daß sie die Stunden bis zur neuerlichen Arbeit mit dem Regisseur gezählt habe, doch noch mehr bekümmere es sie, daß er gepeinigt werde. An Viscontis Stelle übernahm Herbert Graf die Inszenierung – und dafür, daß sie auch gesellschaftlich in Szene gesetzt wurde, sorgten Onassis und die Mitglieder der Gesellschaft. Fürst Rainier und Gracia Patricia, die Begum und Elsa Maxwell besuchten die von Pierre Balmain mit 16 000 Nelken dekorierte Scala.

Der Dirigent, Antonino Votto, hatte den Eindruck, daß ihre Aufführung »ganz ausgezeichnet« gelang, zumal die Partie der Paolina keine Ausbrüche wie die der Norma und der Medea verlangte und keine technischen Anforderungen stellte wie Lucia oder Amina. Auch Franco Corelli, der Tenor der Titelpartie, äußerte sich ähnlich wie der Dirigent, rühmte ihr wundervolles *legato* und ihre kontrollierte Tongebung. Anders die meisten Kritiker.

»Callas ist nicht mehr«, schrieb H.C. Robbins Landon in »High Fidelity«, »was sie einmal war. Eine glänzende Bühnenpräsenz, gewiß: Sobald sie erscheint, versengt sie förmlich die Nerven derer, die um sie herum sind, dramatisch betrachtet. Sie ist eine überwältigende Darstellerin. ... Doch wenn sie sich dem B oder dem hohen C näherte, wurde ihre Stimme eng, metallisch, unangenehm. ... Es war ein denkwürdiges Comeback, doch kein makelloses.«

Fedele d'Amico urteilte in »Opera News«: »Zwei Jahrzehnte Singen mit einem außergewöhnlich breiten Repertoire haben Narben an der Stimme der Callas hinterlassen; vor allem bei ihren hohen Noten, die nicht mehr so fest und sicher sind wie vordem. ... Doch ihre Qualitäten als Interpretin erwiesen sich einmal mehr als suprem. Die Kraft ihrer Phrasierung bleibt wunderbar; alle Koloraturen wurden ausdrucksvoll gesungen ...«

Peter Heyworth schrieb in der »New York Times«: »Am ersten Abend war sie deutlich nicht gut bei Stimme. Sie ist natürlich eine vielgeplagte Sängerin, und die schier fieberhafte Erregtheit um diesen Abend kostete ihren Preis. Ihre Stimme klang abgespannt. Ihre Bewegungen, ihre Gesten, ihr Geschick auf der Bühne waren natürlich so vollkommen wie eh und je. Welche Schauspielerin setzt ihre Hände ein wie Mme. Callas? Und es gab Momente, in denen sie eine Eindringlichkeit erreichte, mit der sich kein anderer Sänger vergleichen kann.«

In »Opera« kommentierte Harold D. Rosenthal den Abend grundsätzlich. Er merkte an, daß *Poliuto*, von Donizetti 1838 auf Anregung von Adolphe Nourrit für das San Carlo von Neapel geschrieben, eigentlich die Oper des Tenors sei und der Sängerin keine Chance biete, eine Charakterstudie zu geben wie in *Lucia* oder *Anna Bolena*. In der dritten Aufführung sei die Sängerin nicht gut bei Stimme gewesen, und selbst in der fünften, da sie besser in Form war, habe die Stimme vor allem im ersten Akt »leer und hohl« geklungen. Doch es seien, dann und wann, »einige Minuten sicheren und exquisiten Singens gefolgt, Momente, die dem Hörer Schauer über den Rücken rieseln ließen«. Doch insgesamt habe er den seltsamen Eindruck gehabt, eine Aufführung zu erleben, die völlig gekünstelt war: »Von einer Callas, die Maria Callas imitiert, welche Paolina ist.«

Andrew Porter hingegen, der sie bei einer Matinee erlebte, hörte sie »faszinierend, sicher, voller Selbstvertrauen und Vertrauen inspirierend«. Im nachhinein zeigt sich, daß fast alle Beteiligten – die Kollegen wie die Kritiker – der Sängerin gewogen waren, daß sie vor allem das hören wollten, was ihr gelang, kurz, daß sie zu einem Phänomen jenseits der Kritik geworden war.

Trügerische Hoffnungen

Das Seltsame am Schicksal einer Sängerin ist, daß
man alles für das Singen hergeben muß – und dann ist
alles in einem Augenblick vorüber.
Lisa della Casa

NACH der fünften Aufführung war sie, so Arianna Stassinopoulos, »körperlich und psychisch ein Wrack«. Aus Unsicherheit, Angst und Schwäche sang sie immer weniger Aufführungen, so daß die wenigen, die sie sich zumuten oder abverlangen konnte, zu spektakulären Ereignissen gerieten und damit zu neuen inneren Spannungen führten. 1964 brauchte sie Tabletten und Injektionen, um in Paris – als Medea – überhaupt noch auf die Bühne gehen zu können. Nach den Mailänder Aufführungen der Donizetti-Oper *Poliuto* sang sie nur noch drei Rollen: Medea, Norma und Tosca.

Um so länger wälzte sie Pläne. Sander Gorlinsky aus London, seit dem Ende ihrer Ehe exklusiver Agent der Sängerin, verhandelte mit der Scala über die Titelrolle in Bellinis *Beatrice di Tenda* und mit der Civic Opera von Dallas über Glucks *Orfeo*. Die Monte Carlo Opera Company trat an die Sängerin heran. Onassis dachte über Filmofferten nach, seit Carl Foreman – einer der Gäste auf der *Christina* – ihr eine Rolle in dem Kriegsfilm »Die Kanonen von Navarone« (mit Gregory Peck) angeboten hatte. Sie sollte die Hauptrolle in einem Film nach Hans Habes »Die Primadonna« spielen. Nach der Darstellung von Arianna Stassinopoulos wäre das nach Onassis' Geschmack gewesen, wäre Callas, der Filmstar, ein Wesen aus seiner Welt gewesen. Doch »mystifiziert und verwirrt von ihrer Kunst«, habe er begonnen, sie herabzusetzen und öffentlich bloßzustellen.

Anfang 1961 mietete die Sängerin in der Pariser Avenue Foch 44 ein Appartement. Die französische Metropole, in der sie so warmherzig empfangen worden war, sollte ihre Wahlheimat werden. Das wurde begünstigt durch ihre Arbeit. Die *Norma*-Aufnahme von 1960 war noch unter der Obhut von Walter Legge entstanden. Seit 1961 wurde Michel Glotz von Pathé Marconi, später Produzent auch Herbert von Karajans, ihr Partner. Er betreute zwischen dem 28. März und dem 5. April ihre erste französische Platte, ein Recital mit Arien aus *Carmen, Orphée et Euridice, Alceste, Samson et Dalila, Roméo et Juliette, Mignon, Le Cid* und *Louise*. Dirigent war Georges Prêtre, der sie später auch bei Tourneen und ihren letzten Opern-Aufnahmen – von *Carmen* und *Tosca* – begleitete. Über die Platte urteilte Roger Dettmer, ihr alter Bewunderer aus Chicago, daß sich hier die »supreme Carmen seit den Tagen der Calvé« ankündige, die »definitive Dalila« und die Sängerin, die Gluck »humanisiert« – eine vielleicht doch zu emphatische Hymne auf die »wiedergeborene Königin«.

Doch bekam das Publikum die neugeborene Königin der Oper kaum mehr zu sehen. Ihre Engagements richteten sich nur noch nach ihren Reisen. Am 30. Mai 1961 sang sie, begleitet von Sir Malcolm Sargent am Klavier, im Londoner St. James's Palace vier Arien und ging sogleich wieder auf Kreuzfahrt. Stassinopoulos berichtet, daß Fürstin Gracia Patricia am Ende einer mehrwöchigen Kreuzfahrt erstaunt feststellte: »Sie haben nicht ein einziges Mal geübt«, und daß Callas darauf erwiderte: »Ich brauche das nicht, ich kann einen Monat darauf verzichten.«

Am 6. und 13. August 1961 standen zwei weitere Aufführungen von Cherubinis *Medea* auf ihrem Terminkalender – zwei von insgesamt fünf Aufführungen des Jahres 1961. Die vier letzten Probentage arbeitete sie wie besessen. Gäste der ersten Aufführung waren der griechische Ministerpräsident, Mitglieder des Kabinetts, Antonio Ghiringhelli von der Scala, wo sie die Rolle im Dezember wieder singen sollte, Sir David Webster von der Covent Garden Opera und Wally Toscanini. Ihren Triumph in Epidaurus, wo sie, nach dem Urteil von Trudy Goth in »Opera News«, sich in besserer Form präsentierte als bei allen anderen Auftritten dieser Jahre, verpaßte nur einer: Onassis. Er war, wie er sagte, aus »geschäftlichen Gründen« nach Alexandria gefahren. Daß seine männliche Eitelkeit ihre Triumphe nicht mehr ertrug, daß er Gratulationen zu ihrem Erfolg nicht mehr hören mochte, wie Arianna Stassinopoulos sein Fernbleiben deutet, klingt plausibel im Rückblick auf die schließlich gescheiterte Beziehung.

Derweilen versuchte Meneghini, seinen »Namen wieder weißzuwaschen«, indem er gerichtlich die Annullierung der Scheidung zu erreichen versuchte. Härter als seine Vorwürfe, Ausbrüche aus verletztem Stolz, müssen sie die Feststellungen Lucchino Viscontis getroffen haben: »Ich verehre Callas, aber ich glaube nicht, daß sie wieder singen wird, es sei denn einmal im Jahr. Sie weiß nur zu gut, daß sie vor zwei Jahren sehr groß war, und sie weiß, daß ihr großer Augenblick vergeht. Als Frau ist sie immer noch jung, doch als Sängerin ist sie nicht mehr so jung. Und die Stimme ändert sich mit dem Alter. Zudem ist sie mit privaten Angelegenheiten befaßt. Das ist nicht gut für sie.«

In London wollte sie eine neue Platte aufnehmen, Arien von Rossini, Bellini und Donizetti. Nur »Sorgete, è in me dover« aus Vincenzo Bellinis *La Pirata*– begleitet vom Philharmonia Orchestra und Chor unter Antonio Tonini – gelang halbwegs zufriedenstellend; die Szene wurde elf Jahre nach der Aufnahme zusammen mit Verdi-Aufnahmen von 1964 veröffentlicht, und es war diese Edition, die zum erstenmal anzeigte, daß es »unveröffentlichte Callas-Aufnahmen« gab. Walter Legge berichtete, daß bei diesen Aufnahmesitzungen eigentlich Verdis *La Traviata* hätte aufgenommen werden sollen. Nach der Absage, zurückzuführen allein auf den labilen Zustand ihrer Stimme, mußte EMI das einmal engagierte Orchester beschäftigen, eine Verlegenheitslösung, die schwerlich irgendeinem der Beteiligten gedient hat. Gleich nach den Plattenaufnahmen, die am 15. November begonnen hatten, fuhr sie nach Mailand, um sich auf *Medea* vorzubereiten. Es war keine neue Produktion, sondern die Wiederaufnahme der von Alexis Minotis inszenierten Aufführung aus Dallas.

Minotis galt als einer der bedeutenden Erneuerer des griechischen Theaters, insbesondere der klassischen Tragödie. Mit seiner Frau, Katina Paxinou, hatte er Werke wie *König Oedipus, Elektra* und *Agamemnon* aufgeführt und dabei versucht, den Ausdruck und, vor allem, die Gesten und Posen des antiken Theaters zu aktualisieren. Eines Tages sah der Regisseur bei den Proben in Dallas, wie Maria Callas, als Medea die Götter anrufend und beschwörend, mit den Händen auf den Boden schlug. Es war eine Geste, die er mit seiner Frau, auf alte Bilddarstellungen zurückgreifend, diskutiert hatte. Er fragte Callas, wie sie auf diese Geste verfallen sei, und sie erwiderte, es sei ihr in diesem Moment als dramatisch überzeugend und richtig vorgekommen. Sie konnte diese Gesten nicht gesehen haben, weder in ihrer Jugend in Griechenland noch später in New York. Minotis folgerte, daß sie die klassisch-dramatische

Ausdrucksweise »im Blut« gehabt habe. Selbst diese Erklärung mag zu kurz greifen: Es war ein Instinkt für einen gestischen Archetypos, für eine mythische Pose.

In den drei Aufführungen des Dezembers 1961 – denen zwei weitere am 23. Mai und am 3. Juni 1962 folgten – erkämpften sich der Kunstverstand und die Darstellungskraft der Sängerin einmal mehr den Respekt und die Bewunderung der Kritiker und auch der Kollegen. Im »Corriere della Sera« schrieb Franco Abbiati, daß über Callas zu schreiben wie ein Gang über heiße Kohlen sei, weil sie eine allzu kontroverse Gestalt geworden war – Objekt fetischistischer Bewunderung und zugleich von haßvoller Verachtung. »Für uns«, so Abbiati, »ist ihre Medea einzigartig wegen der psychologischen Durchdringung des Charakters.« Doch überhörte Abbiati nicht, daß die stimmlichen Mittel reduziert waren. Die gleichen Hinweise finden sich in den Urteilen von Trudy Goth in »Opera News« (»ihre Stimme ist zeitweilig ein wenig schwach und tremolös«) und von Claudio Sartori in »Opera« (»die jugendliche Wildheit, die beinahe ungezähmte Leidenschaftlichkeit, welche Maria Callas der Figur der Medea gab…, sind im Verlauf der Jahre ein wenig sanfter geworden«).

Der Mitschnitt zeigt, daß die Sängerin damals von der Kritik mit großem Wohlwollen beurteilt worden ist. Im ersten Akt klingt sie angestrengt, stimmlich unsicher, sogar fahl. Als sie im Duett mit Jason, gesungen von Jon Vickers, den Abschnitt »Dei tuoi figli« begann, kam von der Galerie ein lautes, aggressives Zischen.

Scheinbar ungerührt sang sie weiter, bis zu dem an Jason gerichteten »Crudel!«. Diesem Ausruf folgten zwei Forte-Akkorde des Orchesters, diesen dann ein zweites Mal »Crudel!«. Thomas Schippers, der Dirigent, behielt in »unauslöschlicher Erinnerung«, daß Maria Callas nach dem ersten Ausruf zu singen aufhörte und dann, in der Stille der spannungsvollen Pause, den Blick ins Publikum richtete, lange und unerbittlich, als wolle sie jeden einzelnen fixieren. »Nun, seht her. Dies ist meine Bühne und wird meine Bühne bleiben, so lange ich nur will. Wenn Ihr mich jetzt haßt, ich hasse Euch noch viel mehr!« Das war es, was Schippers »spürte, fühlte«. Danach sang sie das zweite »Crudel!« direkt ins Publikum, hinein in die Stille, mit beißender Schärfe. Dann setzte sie mit den Worten ein »Ho dato tutto a te« (Ich habe dir alles gegeben) und schüttelte die Faust wider die Feinde auf der Galerie. Schippers sagte, daß er in seiner gesamten Theatererfahrung kein einziges Mal eine vergleichbare Geste, einen ähnlichen Mut erlebt habe, und es gab keinen im Publikum, der zu protestieren gewagt hätte.

Arianna Stassinopoulos schreibt, daß sie sich vor der dritten *Medea*-Aufführung am 20. Dezember einer Operation der Nasennebenhöhlen unterziehen mußte und nur unter quälenden Schmerzen singen konnte. Sie reiste nach Monte Carlo und verbrachte Weihnachten und den Beginn des Jahres 1962 mit Onassis, der ihre Hoffnungen auf Heirat und Familienleben wiederum enttäuschte. Es scheint, als ob sie in dieser Zeit zu ahnen begann, daß sie, aus der idealischen Welt der Oper fliehend, nicht in die reale Welt gelangt war, sondern in eine von schlechten Fiktionen erfüllte, daß sie in der Welt der Glitterati nichts verloren hatte. Sie verließ diese Welt in dem Augenblick, als sie von Onassis verlassen worden war.

Das Jahr 1962 war künstlerisch unergiebig. Sie sang nur wenige Konzerte und zwei Aufführungen von *Medea* in Mailand (am 23. Mai und am 3. Juni). Auffällig, mit welch eleganter Höflichkeit John Warrack in »Opera« über das Londoner Konzert berichtete: »Solche Recitals sind vielleicht Mme. Callas' neue Visitenkarte: Auf ihnen steht nicht mehr zu lesen, ›Prima soprano assoluta: alle Rollen studiert, Rivalen überwunden, Managements kurzerhand brüskiert‹, sondern sie zeigen eine sanftere Künstlerin, deren Stimme sich dem Wechsel des Temperaments anpaßt und ihre wahre Lage findet – auf einer weniger hohen Gravitationsebene. Ihr *Cenerentola*-Finale spiegelte nicht atemlose, jubelnde Freude, sondern die zögernde Annahme des Glücks: die Skalen und Läufe waren nicht länger ein exuberanter Ausbruch, sondern eine Art von ausgearbeiteter vokaler Zärtlichkeit, wobei die Töne leicht touchiert wurden in einer Art von Glissando. ... Am Ende zeigte ein plötzlicher Kreischer... an, mit wieviel Sorgfalt sie hatte zu Werk gehen müssen; ebenso ging dem schön gebetteten Klang von ›O mia regina‹ in Ebolis Arie ein heftiges Register-Schnarren voraus...«

In der »Times« stand hingegen unverblümt, daß ihre Stimme »nunmehr ziemlich häßlich ist«. Übel vermerkt wurde vor allem, daß das Konzert in einer der Sängerin »unwürdigen« Atmosphäre stattgefunden hatte, mit einer Beleuchtung, die einer Pop-Show angemessen gewesen wäre.

In Deutschland hatte die Sängerin bis dahin nur selten gesungen: 1955 die Lucia in Berlin unter Herbert von Karajan, 1957 *La Sonnambula* in Köln, 1959 zwei Konzerte in Hamburg und Stuttgart. Als sie 1962 zu der kleinen Konzerttournee kam, war sie den meisten Kritikern der Tageszeitungen offenbar fast unbekannt. Es finden sich zwar aus jener Zeit einige Schallplatten-Kritiken, die ihr, dem Sonderphänomen, gerecht werden, aber keine einzige systematische Beschäftigung mit ihr als Interpretin.

Höchst aufschlußreich denn der Bericht von Joachim Kaiser vom 14. März 1962 in der »Süddeutschen Zeitung«[2]: »Der Callas Weltruhm ist kein Zufall.« Zunächst die Verwunderung des Kritikers über die Leute, die für »35 Minuten Gesangskultur 100 Mark zu entrichten imstande sind«, dann das Amüsement über die wechselseitig sich taxierenden Damen, darauf der Spott über den »schmallippigen Manager« mit seiner Entourage von »nicht weniger als drei bitter dreinschauenden Damen«, endlich die Charakteristik: »Wer Frau Callas nur aus der Illustrierten-Perspektive kennt, der muß ihren Weltruhm für ein typisch abendländisches Armutszeugnis halten: Milliardärs-Jachten, Weinkrämpfe, Skandale statt Kunst. (Eine seltsame Allensbach-Umfrage hat sogar ergeben, daß eben deshalb jeder dritte Bundesbürger die Callas ›nicht leiden‹ kann.) Hört man ihr jedoch zu, dann stellen würdigere Perspektiven sich her – und man empfindet sogar Hochachtung vor einer musikalischen Öffentlichkeit, die diese Callas zu ihrem Idol machte. Denn an Frau Callas ist offenbar nicht hauptsächlich eine jeden Widerstand niederlegende Perfektion zu bewundern. Sie verkörpert keineswegs jenen amerikanischen Künstlertypus, dem vor allem nichts mißlingt. Was an ihr besticht, ist die unvergleichliche Wahrheit des Ausdrucks. Keine Sängerin versteht es wie sie, sich zum durchglühten Objekt eines Gefühls zu machen. Es ehrt die Welt, daß sie sich davor verbeugt und nicht nur nach Perfektion fragt.« *Da capo* für Violetta in *La Traviata*: »E strano.« Hat sich die Welt damals wirklich vor der *Sängerin* verbeugt, die mit glühender Emphase singend darstellte? War die von Kaiser geschilderte Welt nicht gerade neugierig auf das seltsame Monster, das für Skandale gesorgt hatte?

Weiter Kaiser: »Was die Stimme ›an sich‹ betrifft, so hat Frau Callas gegenwärtig manchmal eine zu scharfe Höhe. Sie setzt das hohe B und das H keineswegs immer sauber an, der Ambitus der Schwingungen ist oben zu groß, auch die Parlando-Leichtigkeit steht ihr nicht von vornherein zu Gebote. Der Stimme nach ist Frau Callas ein fast lyrischer Mezzosopran mit Alt-Neigungen.[3] Vor einigen Jahren fiel ihr die Höhe offenbar leichter (›Tosca‹-Aufnahme der Columbia); inzwischen hat sie wohl anfangen müssen, zu forcieren.[4] ... Alle diese Einschränkungen mache ich ungern – und sie sollten nur zusammen mit der Voraussetzung gelesen werden, daß es sich um die berühmteste Sängerin der Erde handelt. Bestrickend schön die Mittellage, überraschend brillant die Koloraturen, glänzend die Aussprache und Nuancierung. Aber mögen solche Einzelheiten die Gesangslehrerinnen interessieren; man braucht ihrer nicht zu achten, weil ›die Callas‹ da erst einzigartig wird, wo die Sphäre des Vortrags, des Ausdrucks, ja man darf sagen: der Seele beginnt. Die Größe von Frau Callas triumphiert da, wo von Gesang und Mimik nicht mehr die Rede ist.«

Wieder sei der Kritiker mit Fragen unterbrochen. Sind wirklich nur Gesangslehrerinnen an der bestrickend schönen Mittellage und überraschend brillanten Koloraturen interessiert – und nur Klavierlehrer an einem schönen Ton oder perfekt gegriffenen Oktaven? Bilden nicht Klangschönheit, saubere Tongebung, brillante Koloraturen die Voraussetzung für den sängerischen Ausdruck? Mit einem Wort: Wirkt hier nicht, wie so oft, Wagners ebenso suggestives wie mißverständliches Diktum über die Schröder-Devrient verheerend nach? Oder anders: Aus der Kritik geht, wie aus den anderen, die in der Bundesrepublik veröffentlicht wurden, nicht hervor, wie Maria Callas im März 1962 bei ihren Konzerten gesungen hat.

Der Mitschnitt des Hamburger Konzerts beweist, daß ihr Singen uneben war. Der elegischen Arie der Cimène aus *Le Cid* fehlen die schmerzlichen Farben, der Arie aus *Ernani* gar die *cabaletta* – offenbar wäre diese virtuose Herausforderung eine zu hohe Hürde gewesen. Cenerentolas »Nacqui all'affanno« gerät zu einer Etüde, und in der Habanera aus *Carmen* unterlaufen der Sängerin sogar diverse Gedächtnisfehler. Grandios hingegen die Eboli-Arie, auch wenn man in deren *stretta* den Kampf um die Bewältigung der höchsten Noten deutlich spüren kann.

Die beiden Arien aus *Carmen* sang sie auch bei einem Konzert in New York; doch war dies kein Callas-Abend, sondern eine Gala zum 44. Geburtstag des amerikanischen Präsidenten John F. Kennedy, zu dessen Ehren auch die Berühmtheiten der Pop-Musik sangen. Einen Tag nach diesem Konzert fuhr sie nach Mailand, wo sie am 23. Mai in *Medea* zu singen hatte. Schon bei den Proben waren die Schmerzen in den Nasennebenhöhlen unerträglich. Vor allem hohe Töne verursachten stechende und schneidende Schmerzen.

Sie hätte absagen sollen, absagen müssen. Aber konnte sie, die Callas der Skandale und Abgänge, noch einmal absagen? Konnte sie es riskieren, noch einmal einen Skandal zu provozieren? Sie ging das Wagnis ein – und sie verlor. In der Eingangsszene stand sie, in einen dunklen Mantel gehüllt, vor zwei antiken Säulen, stand da in einer beherrschenden, drohenden, geheimnisvollen Pose, stand da wie eine Botin des Schreckens – und sie hatte die Worte zu sagen: »Io? Medea!«

Zum Entsetzen der Kollegen auf der Bühne und des gesamten Auditoriums brach die Stimme. Danach kämpfte sie sich mit einer schier übermenschlichen Anstrengung durch die Aufführung. Nur wenige Kritiker sahen sich noch in der Lage, über ihre stimmlichen Schwächen hinwegzuhören. Geblieben war nur noch, was Rémy als den »Geist dieser Stimme« bezeichnet hat.

Die zweite Aufführung gelang besser. Es war – das Datum sei wiederholt: 3. Juni 1962 – ihre letzte Vorstellung im Teatro alla Scala. Alle Pläne, die sie später mit dem Theater diskutierte, schlugen fehl: Aufführungen von Giacomo Meyerbeers *Les Huguenots*, von Wolfgang Amadeus Mozarts *Le Nozze di Figaro*, von Claudio Monteverdis *L'Incoronazione di Poppea*, von Richard Wagners *Tristan und Isolde*. Diskutiert wurde auch eine neue Produktion von Giuseppe Verdis *Il Trovatore* an der Covent Garden Opera unter der Regie von Lucchino Visconti; auch dieses Projekt scheiterte. Schon die Vorstellung, auf die Bühne gehen zu müssen, geschweige denn die Strapazen wochenlanger Proben auf sich zu nehmen, erfüllte sie mit Angst, und doch setzte sie die Verhandlungen unter immer neuen Voraussetzungen fort, weil allein das ihr das Gefühl gab, daß man noch mit ihr rechnete. Sie diskutierte über die Gage, und sobald ihre Forderungen akzeptiert worden waren, diskutierte sie über den Tenor, über den Dirigenten, über die Probenzeit.

Sir David Webster ging auf all das ein, weil er spürte, daß da nicht eine Primadonna ein eitles Spiel spielte, sondern weil diese Manöver nur aus der Angst kamen. 1962 sang sie nur noch ein einziges Mal: drei Arien in einem Fernseh-Konzert der BBC. Es war ihr Beitrag zu einem »Golden Hour«-Programm der Covent Garden Opera. Sie sang, tonlich unsicher, die Arie der Elisabetta aus dem *Don Carlo*, danach zwei Arien aus Georges Bizets *Carmen*. Sir David Webster kündigte ihren Auftritt mit den Worten an: »Wenn mir morgen irgend jemand ein Telegramm schickt und mir das Geheimnis verrät, wie ich Miss Callas bewegen kann, in diesem Haus die Carmen zu spielen, werde ich ein glücklicher, ein sehr glücklicher Mann sein.« Sie sang die beiden Arien – »Habanera« und »Séguedille« – suggestiver und tonlich feiner schattiert als auf der Studioplatte der EMI. Doch auch das war nur ein kurzes Aufflackern. Denn sie befand sich in der schwersten stimmlichen Krise ihrer Laufbahn; abgesehen von der Londoner Viertelstunde hat sie zwischen dem 3. Juni 1962 und dem 3. Mai 1963 nicht gesungen, und auch den Versuch, wieder anzufangen, unternahm sie in den vielleicht doch etwas sichereren Mauern der EMI-Studios und mit einem neuen Repertoire: Arien aus französischen Opern.

Das Leben mit Onassis, für sie gleichsam die Hoffnung auf die Befreiung vom Joch der Stimme, verschaffte ihr keine Entlastung. Er mäkelte an ihr herum, daß sie »gewöhnlich« aussehe, wenn sie eine Brille trug, und sie, die mit Kontaktlinsen nicht zurechtkam, war ängstlich bemüht, ihm nicht mit einer Brille unter die Augen zu kommen. Auch wenn sie ihre exquisite Garderobe mit einer Eleganz zu tragen verstand, die den wenigsten Modellen gegeben ist, fühlte sie sich unsicher. Es gibt von ihr eine Reihe von Fotos an Bord der *Christina*, die sie im Badeanzug zeigen – und in der ängstlich-angespannten, posierenden Haltung einer Frau, die weiß, daß ihre Beine kurz sind und nicht so schlank wie die eines Modells. Zu spüren ist, daß sie sich unwohl fühlt, obwohl sie in die Kamera lächelt. Onassis wiederum, später von seiner Frau Jackie (Kennedy) verspottet ob seiner modischen Einfallslosigkeit, gab dem Salon von Madame Biki Anordnungen über die Kleider, die sie tragen sollte. Er sah sie am liebsten in Schwarz, obwohl sie selber lieber Rot und Türkis trug. Er schickte sie gar nach Paris, wo Alexandre, der Star-Coiffeur, ihre langen Haare kürzen mußte. Sie fügte sich und spürte gleichwohl, daß sie Spielball seiner Launen wurde. Sie, die »die perfekte Beziehung angestrebt hatte wie zuvor die perfekte Aufführung« (Stassinopoulos), mußte merken, daß sie mit dem Kopf durch die Wand gewollt hatte und in die Nachbarzelle gelangt war.

Nur wenige Freunde – darunter Michel Glotz von Pathé Marconi und der Dirigent Georges Prêtre – versuchten, ihr wirklich zu helfen. Zwischen dem 2. und 7. Mai 1963 nahm sie ihr zweites französisches Recital auf, und es zeugt schon von einiger Verzweiflung, daß sie in einem Interview sagte: »Ich muß meine Freude wieder in meiner Musik finden.« Noch schrecklicher, noch verzweifelter eine andere Äußerung: »Wenn ich nicht meine Arbeit habe, was soll ich dann tun von morgens bis abends? … Ich habe keine Kinder, habe keine Familie. Was soll ich tun, wenn ich meine Karriere nicht mehr habe? Ich kann nicht einfach herumsitzen und schwatzen oder Karten spielen, ich bin nicht dieser Typ von Frau.«

Und in dieser Zeit, da ihr Ex-Ehemann Meneghini, der aus ihrem Ruhm wahrhaft Kapital geschlagen hatte, die Modalitäten der Trennung erneut zu ihren Ungunsten ändern wollte, da Onassis, wie schon früher, sich mit weiblichen Schönheiten und Berühmtheiten wie der Prinzessin Radziwill zeigte, mußte sie versuchen, ihre Karriere wiederaufzunehmen.

Zehn Tage nach der Aufnahme ihres zweiten Recitals mit französischen Arien startete sie ihre zweite Tournee mit Konzerten in der Bundesrepublik. Sie begann am 17. Mai in der Deutschen Oper Berlin, führte über die Düsseldorfer Rheinhalle (20. Mai) nach Stuttgart (23. Mai), von dort nach London (31. Mai in der Royal Festival Hall) und schließlich nach Kopenhagen (9. Juni). Sie sang »Bel raggio« aus *Semiramide*, »Casta diva« aus *Norma*, »Ben io t'invenni« aus *Nabucco*, Musettas Walzer aus *La Bohème*, Butterflys »Tu, tu, piccolo iddio« und »O mio babbino caro« aus *Gianni Schicchi*.

Werner Oehlmann schrieb im »Berliner Tagesspiegel« eine gleichsam sordiniert-höfliche Kritik, aber Harold Rosenthal, Chefredakteur von »Opera« und lange Zeit ein bekennender Callasianer, mochte Vorbehalte nicht länger unterdrücken: »›Casta diva‹ wurde durchweg mit einem equisiten Klang gesungen, doch die *cabaletta* war nur ein fernes Echo dessen, was einmal gewesen ist. Erinnern Sie sich, wie kristallklar jede Note in der fallenden Skala einmal war?« Nach dem Konzert in Paris am 5. Juni schrieb Claude Rostand in »Le Figaro Littéraire«: »Maria Callas hat zu den großen Entzückungen unseres Zeitalters gehört; sie hat die Bedeutung des längst ermüdeten Belcanto erneuert und einen Stil der dramatischen und sängerischen Interpretation geschaffen, der einen Meilenstein setzen wird, aber...« Die Kritik muß nicht weiter zitiert werden – sie war ein Epitaph. Nichts schlimmer, wenn hinter jeder bewundernden Feststellung ein Aber steht, ein Aber, das der Stimme galt, die unstet, unsicher, zittrig, grell, harsch geworden war, wenn also das, was zu loben, nur noch ein Festspiel der Intelligenz, des Charmes und der Schönheit war. Aber das Konzert war ein Erfolg: Die Sängerin wurde umjubelt, wie Maurice Chevalier umjubelt wurde, als er im Champs-Élysées seinen Platz einnahm. Es war wie in einer modernen TV-Show, in welcher sich die Prominenten wechselseitig bestätigen, daß sie wunderbar und unvergleichlich und einzigartig sind.

Doch was hatte das Jahr 1963 gebracht? Sechs Konzerte und eine Recitalplatte. Vor allem aber immer quälendere Zweifel am Fortgang ihrer Laufbahn, die um so wichtiger geworden war, als Onassis auf der Bühne, die Gala-Aufführungen für sein Ego geben konnte, neue Hauptdarstellerinnen auftreten ließ. Die wichtigste hieß Jacqueline Kennedy, die im Spätsommer 1963 Gast einer der verführerischen Kreuzfahrten auf der *Christina* war – noch vor der Ermordung des amerikanischen Präsidenten am 22. November 1963. Onassis gehörte zu den Gästen der Kennedy-Familie nach den Trauerfeierlichkeiten. Von Washington aus flog der Grieche nach Paris, um den 40. Geburtstag von Maria Callas zu feiern – »der shuttle von der einen Frau zur anderen hatte begonnen« (Stassinopoulos).

ZWÖLFTES KAPITEL

Die Primadonna, die Künstlerin, die Frau

Vissi d'arte oder Quäle die Heldin

> So umgab die Interpretation der Berma das Meisterwerk mit einem zweiten, gleichfalls vom Genius lebendig durchhauchten Werk. ... Die Berma wußte in jene großartigen Visionen von Schmerz, von Seelengröße, von Leidenschaft einzuführen, die ihre eigenen Meisterwerke waren und in denen man sie immer wieder erkannte.
>
> *Marcel Proust, Die Welt der Guermantes (I)*

DAS Jahr 1963 beendete die Sängerin mit Schallplattenaufnahmen in Paris. Begleitet vom Orchestre de la Société des Concerts du Conservatoire unter der Leitung von Georges Prêtre sang sie die Ozean-Arie aus Carl Maria von Webers *Oberon*, Donna Annas »Or sai chi l'onore« und »Non mi dir« sowie Elviras »Mi tradì« aus Mozarts *Don Giovanni* und die erste Arie der Gräfin aus *Le Nozze di Figaro*, »Porgi amor«. Sie hatte mit großer Energie an ihrer Stimme gearbeitet, hatte die Höhe, welche während der Tournee im Spätfrühling 1963 unsicher gewesen war, ausgeglichen, und sie brachte den Mut auf, energisch auszusingen. »Sie gewährt uns«, schreibt John Ardoin, »eine machtvolle Demonstration von Willenskraft, Technik, Intellekt und, im mittleren Register, von stimmlicher Schönheit.« Gleich danach sang sie ein Verdi-Recital: die Szene der Desdemona aus dem vierten Akt des *Otello*, sodann Arien aus *Aroldo* und Ebolis »O don fatale« aus *Don Carlo*, schließlich Elisabettas kurze Szene »Non pianger«.

Im Januar 1964 erlebte die Musikwelt etwas völlig Unerwartetes: die Rückkehr der Primadonna. Die Aufnahmen im Dezember, die sie ohne Schmerzen hatte machen können, waren Balsam für ihre verwundete Seele gewesen; und die Unsicherheit ob ihrer Zukunft an der Seite von Onassis bekämpfte sie mit einer erstaunlichen Willensanstrengung. Sie schrieb an Sir David Webster, daß sie bereit wäre, an der Covent Garden Opera Puccinis *Tosca* zu singen. Der Direktor des Opernhauses hatte zunächst auch an andere Opern gedacht, an Verdis *Il Trovatore* oder *La Traviata*, doch wären das Rollen mit technischen Problemen gewesen, denen die Sängerin aus dem Wege gehen mußte.

Für *Tosca* aber gilt, was Rodolfo Celletti in seiner Studie über den *bel canto* schreibt, daß nämlich diese Rolle auch von einer dramatischen

Darstellerin mit durchschnittlichen stimmlichen Mitteln überzeugend verkörpert werden kann. Franco Zeffirelli, der in London eine Premiere von Verdis *Rigoletto* vorbereitete, war bereit, innerhalb von sechs Wochen auch die Neueinstudierung von *Tosca* zu übernehmen. Der Regisseur, endgültig aus dem Schatten Lucchino Viscontis herausgetreten, erklärte, daß er bis dahin alle Einladungen, *Tosca* zu inszenieren, abgelehnt hatte, weil ihm niemals die richtige Besetzung angeboten worden war. Insgeheim habe er immer nur an Maria Callas gedacht.

Die sechs Aufführungen im Januar (21./24./27./30.) und im Februar (1./5.) und zusätzlich Akt II am 9. Februar für das Fernsehen der BBC wurden – so stellvertretend Harold D. Rosenthal für den Chor der Kritiker – als »unvergeßlich« bezeichnet. Liest man, nach mehr als einem Vierteljahrhundert, die ausführliche Kritik Rosenthals, so ist auffällig, daß nur acht Zeilen dem Singen gelten und 44 der Darstellung, der Kunst der musikalischen Gestik. Dies ist, wohlgemerkt, nicht mißzuverstehen als Kritik der Kritik. Über die Stimme war nur zu sagen, daß sie in diesen Aufführungen »besser war als in allen anderen seit 1957, doch ist die Stimme so sehr Teil der Einheit einer Callas-Aufführung, daß man sie vom Darstellen [acting] nicht loslösen kann. Sie koloriert ihre Stimme so, wie es ein Maler mit seiner Leinwand tut.«

Nur zu verständlich, daß sich die fast gleiche Beschreibung der Aufführung, wenn nicht aus sympathetischer Perspektive geschrieben, anders liest: »Es ist das Kennzeichen eines großen Künstlers, seine Defekte in Tugenden zu verwandeln, und es ist eher ehrenhaft als abträglich für Maria Callas und Tito Gobbi, einzuräumen, daß sie Tosca und Scarpia kühl und intelligent darstellten, weil keinem mehr die rein vokalen Fähigkeiten wie früher zu Gebote stehen. Maria Callas kommt ohne allen Mummenschanz, ohne alle Manierismen der Diva aus dem 19. Jahrhundert aus. Gekleidet und geschminkt wie Mlle. Mars, die große französische ›*tragédienne*‹, verbindet sie die natürlichen Akzente, den Tonfall und die Gesten einer Frau, die einfach verliebt ist. Sie vollzieht dies mit den Gesten der Hände und den Bewegungen der Arme, wie es nur eine große Ballettänzerin kann. An ihr und um sie ist alles ausdrucksvoll; selbst ihr Schweigen ist ausdrucksvoll. Der einzige Moment einer schweren Enttäuschung war ihr ›Vissi d'arte‹. Gewiß, sie war mit einer heftigen Erkältung angekommen, und es hieß, daß sie die Premiere mit einer Bronchitis und mit hohem Fieber gesungen habe. Was auch immer der Grund gewesen sein mag, ihr gebundenes *legato*-Singen war nur dann und wann wirklich schön. Die ganze Spannung ihrer Aufführung lag in ihrem *parlando*- und *arioso*-Gesang, doch insonderheit in ihrer Darstellung.«

Dieser Kritik von Martin Cooper (in »Musical America«) entsprechen die Kommentare von Desmond Shawe-Taylor in »Opera News«, für den ebenfalls die »erstaunliche Intensität und Subtilität der singenden Darstellerin« der Ausgleich waren für »ein so fehlerhaftes und in Momenten schmerzliches Vokalisieren«. Zeffirelli hat später erzählt, daß die Sängerin ihre Einwilligung, Puccinis gequälte Heldin zu singen, nur unter der Voraussetzung erteilt hatte, mit ihm arbeiten zu können: »Franco, ich werde es machen, wenn du mir hilfst.« Nach seiner Vorstellung sollte Tosca eine »exuberante, warmherzige und ziemlich schlampige [sloppy], alltägliche Frau sein, eine Art Magnani ihrer Zeit. Sie sollte nicht *sophisticated* und elegant sein. Wie ich die Posen-Lady, die Große-Diva-Tosca hasse, die mit vier Dutzend Rosen im Arm erscheint, mit einem Spazierstock und einem großen Hut voller Federn und Handschuhen – so makellos gekleidet, als wolle sie die Königin besuchen oder gar den Papst. Tosca war niemals so.«

Doch wie war Tosca? Wie verträgt sich die sängerische Darstellung der Rolle mit den unbestreitbaren und von allen Kritikern betonten Defekten und Schwächen der Stimme? Anders: Ist das Lob der Darstellung nicht recht eigentlich ein Euphemismus? Eine allzu großherzige Entschuldigung von Schwächen, die man einer Montserrat Caballé, einer Kiri te Kanawa nie hätte durchgehen lassen? Grundsätzlicher gefragt: Was hat es auf sich mit dem Singen von sogenannter veristischer Musik, dem Maria Callas, wie mehrfach erwähnt, abhold gewesen war – jedenfalls so lange, wie sie stimmlich und technisch die ungleich differenziertere und reichere Musik Rossinis, Donizettis, Bellinis und Verdis hatte singen können?

Den Fragen ist ausführlicher nachzugehen, um die Bedeutung von Maria Callas für singendes Darstellen und darstellendes Singen – und damit für die Opernkunst schlechthin – noch einmal genau zu umkreisen. Dabei ist auf die Komposition von *Tosca* zu blicken, selbst auf das Drama von Victorien Sardou aus dem Jahre 1887. »Wenn jemand anders damit betraut wird«, schrieb Maurice Baring über die Darstellung der Rolle durch die französische Schauspielerin Sarah Henriette Rosine Bernhardt (1845–1923), »so existiert die Rolle nicht.« Als theatralisches Meisterwerk, das selbst einen Marcel Proust begeisterte, reiste die Rolle, reiste die Bernhardt um die Welt. Auch Puccini gehörte zu den glühenden Bewunderern der Tragödin, und er, der sich als »Augenmensch« begriff und als »Mann des Theaters« empfand, bekannte einmal, daß er »keine Note schreiben konnte«, wenn er nicht jede Szene deutlich vor sich sah.

Die Dramatik von Sardous Reißer, diese im wörtlichen Sinne sensationelle Dramatik mit ihren sadistischen Implikationen – seine theatralische Rezeptur faßte Sardou in die Formel: »Quäle die Heldin« – hat der Komponist durch die Darstellung der Bernhardt kennengelernt. Als er an die Vertonung des Textes ging, vertonte er mehr als nur eine literarische Vorlage, nämlich deren theatralische Realisation. Anders als viele Werke in der zweiten Hälfte des 19. Jahrhunderts, die dem Schema der Grand Opéra folgten, ist die Handlung von *Tosca* mit lediglich mechanistischer Präzision konstruiert. Psychologische Darstellung oder eine Entwicklung der Charaktere ist nicht gefragt; es geht um nichts anderes als um Bühneneffekte, so daß das Wort vom »shabby little shocker« gar nicht einmal so unangebracht ist.

Puccini nahm dem Sujet alle politischen Anspielungen und Aspekte, weil ihn nichts mehr interessierte als »der große Schmerz in kleinen Seelen«, wie er gegenüber dem Dichter Gabriele d'Annunzio äußerte. Von Wagner hatte Puccini gelernt, motivische Partikel mit dem Fortgang der Geschichte zu verknüpfen.[1] Er hat daraus spezifische vokale Gesten von ausgesprochen illustrativer Energie entwickelt, hat die Gestik sogar – etwa im Liebesduett des ersten Aktes – zum dramatischen und musikalischen Thema gemacht. Wenn Cavaradossi auf die Frage »Non sei contento?« zerstreut und gedanklich abwesend »tanto!« sagt, verlangt Tosca: »Tornalo a dir!« (Sag das noch einmal!). Auf das nunmehr mit falscher Emphase wiederholte »Tanto!« sagt sie: »Lo dici male... Lo dici male« (Das sagst du schlecht). Es ist die Schauspielerin, und zugleich die eifersüchtige Frau, welche die schlechte Darstellung tadelt. Puccini hat, nach Ansicht von Julian Budden, die ursprüngliche literarische Figur durch die leitmotivische Technik gestisch differenziert.

Doch die erste Transformation ins Exaltiert-Theatralische – oder auch, im heutigen Sinne, ins Opernhafte – hatte die Bernhardt geleistet. Es gibt von ihren Aufführungen, abgesehen von einem nach ihrer Ansicht mißglückten Stummfilm, nur literarische Dokumente. Diese sind jedoch von außergewöhnlicher Prägnanz. Sie verraten, daß die Bernhardt den hohen Ton des klassischen französischen Versdramas mit dem sentimentalischen Pathos des Melodrams verband und dadurch eine stilisierte Kunstsprache entwickelte – jenen Ton, der, seit Brecht, von der Sprechbühne weitgehend verschwunden ist. Sie selbst notierte: »Ich habe mir, ohne mir dessen bewußt zu sein, eine ganz persönliche Technik geschaffen, um die *klingende Musik der Verse, die Melodie der Worte* so fühlbar zu machen wie die Musik und die Melodie des Gedankens.« [Hervorhebung des Verfassers]

Der Theaterchronist Jules Lemaître berichtete, sie habe ganze Sätze und selbst längere Tiraden »ohne Veränderung auf einer einzigen Note (!) ablaufen« lassen und bestimmte Sätze »eine Oktave höher aufgenommen«. Der Komponist Reynaldo Hahn, der als Melomane vom Sänger eine unendliche Palette von Farben verlangte, schwärmte von ihrer »Stimme aus Bronze« und »bewegenden Noten aus der Tiefe der Brust«. Den Kontrapunkt zur empfindsamen Musikalität des Sprechens bildete ihre suggestive, ja exzentrische mimische Kraft. Hahn beobachtete auf ihrem Gesicht im Verlauf einer Aufführung »furchtbare Veränderungen«, Hugues Le Roux konnte in ihren »verzerrten Zügen« wie in einem Spiegel die gräßliche Folterungsszene ablaufen sehen.

Puccinis Librettisten haben diese Mimik der Bernhardt gleichsam als Regie-Anweisungen aufgegriffen und in den extensiven Nebentext der Oper übertragen. Dazu gehört etwa die Pantomime nach der Erdolchung Scarpias mit ihren Kino-Effekten. Die Partie weicht von den Pfaden der konventionellen vokalen Ästhetik beträchtlich ab. Von den 780 Takten Musik, die Tosca zu singen hat (etwas über 250 Takte im ersten Akt, über 230 im zweiten und knapp 200 im dritten), sind viele von Affektgesten, von Schreien und Ausrufen, von Bedeutungsimplikationen und Indirektheiten des Ausdrucks durchsetzt. Es gibt kaum längere *cantabile*-Passagen, schon gar nicht endlose Melodiebögen wie bei Bellini, Donizetti oder Verdi, und die eben 200 Sekunden des kantablen »Vissi d'arte« folgen unmittelbar auf die Exaltationen der Folterungsszene mit den schier in den Schrei getriebenen hohen B's und C's.

Nach einem pointierten Diktum von William James Henderson sind viele Sängerinnen, und er dachte an Emma Eames, schon nach wenigen Aufführungen an »Toscalitis« erkrankt. Mit einem Wort, Tosca läßt sich nicht allein »sängerisch« bewältigen. Die Partie muß gleichsam als dramatische Aktion in Gesten, in Klanggestalten, in Modulationen entfaltet werden. Keine andere Sängerin hat wie Maria Callas diese rhetorisch-gestischen, sentimental-pathetischen Elemente der Partie mit soviel Energie, Erregung, Feuer, Wut und Verzweiflung erfüllt: »E l'Attavanti!«, »Assassino!«, »Quanto? ... Il prezzo!«, »Muori, muori dannato« oder das legendäre »E avanti a lui tremava tutta Roma«. Welch ein Pathos in dem nur eben angedeuteten, erstickten Seufzer nach dem Oktavfall am Ende des Gebets. Welch schmerzlicher Klang in der Phrase »Dio mi perdona. Egli vede ch'io piango«, wenn Tosca, von Scarpia in Zweifel gestürzt, aus der Kirche taumelt. Die meisten Diven nehmen den Text wie eine Szenenanweisung und durchsetzen den Gesang mit Schluchzen. Callas aber singt mit einer Stimme, die in Tränen wie erstickt ist, das Schluchzen – man hört, man sieht, man spürt Tränen im Klang.

Blicken wir jetzt, mit der zweiten *Tosca*-Aufnahme der Sängerin unter Georges Prêtre (von 1964) im Ohr, zurück auf die Kritik Rosenthals, so wird verständlich, aus welchem Grunde sich der englische Kritiker weniger damit beschäftigte, *wie sie sang* oder wie ihre Höhe funktionierte, sondern sich detailliert mit der vokalen Gestik auseinandersetzte, mit der Melodie der Worte, mit der klingenden Musik der Verse. Diese Tosca ist, anders als die Norma, als die Lucia, als die Gilda, als die Violetta der Callas, weniger ein gesangliches Portrait als eine theatralische, eine mimische Darstellung. In Zeffirellis Erinnerungen an diese Darstellung taucht verschiedentlich das Wort »real« oder auch »realistisch« auf – und das meint jenen Realismus, jene Gestik, jenen Ausdruck, an den wir uns durch die Oper jener Zeit und dann vor allem durch den Film gewöhnt haben. Es ist ein Realismus, der auf alle Elemente der Stilisierung – der Vermittlung – verzichtet. Von der Londoner Aufführung und der Wiederholung 1965 gibt es, neben dem Filmmitschnitt des zweiten Aktes, viele, viele Fotos. Dem aufmerksamen, mit Einbildungskraft begabten Betrachter müssen sie die ganze Aufführung lebendig werden lassen – jedes dieser Bilder hat eine fast szenische Spannung, jedes ist auf eine filmische Weise »thrilling«. Jedes Bild erzählt, weist über sich selbst hinaus.

Am Morgen der dritten Aufführung, am 27. Januar 1964, veröffentlichte Sir Neville Cardus, der Doyen der englischen Musik-Kritiker, im »Guardian« einen offenen Brief an die Sängerin. Darin schrieb er: »Wirklich, verehrte Madame Callas, Ihre Bewunderer sind Ihre schlimmsten Feinde. Sie betonen allzusehr, daß Ihre Stimme besser als jemals zuvor ist. Was mich angeht, so möchte ich fast wünschen, daß sie schlechter geworden wäre. Dann nämlich bestünde die Hoffnung, daß Sie sich befreien könnten von einigen mehr oder weniger hirnlosen Partien der italienischen Oper. Ein hoher Kreischer ist fatal für eine Sängerin, die als Norma, Elvira, Lucia oder in einer Rolle dieser Art auftritt. Doch könnte ein hoher Schrei eine histrionische Errungenschaft sein, wenn Sie mit dem Körper, mit den Augen, mit dem Temperament ebenso agieren wie mit der Stimme, Kundry in *Parsifal* oder Elektra. ... Oper sollte für Sie die Welt von Wagner, Strauss und Berg und anderer Komponisten sein, die Ihrer Intelligenz etwas geben könnten, in die Ihre Intelligenz sich verbeißen kann...«

Cardus' Brief war sicher gutgemeint, zu verstehen als Kompliment an eine Künstlerin, die – typische Kritiker-Meinung – für etwas »Höheres« geboren. Nur ist prätentiöser Unsinn noch schlimmer als naive Idolatrie. Es muß hier nicht diskutiert werden, ob einige der italienischen Partien der Callas »hirnlos« waren, aber der Vorschlag an die Sängerin, die nur unter größter Anspannung die Tosca gerade noch bewältigen konnte, Kundry oder Elektra oder vielleicht die Lulu und die Marie von Alban Berg zu singen, zeugt nicht nur von intellektueller Indolenz, sondern auch von wenig Gespür für die Qualitäten und die Möglichkeiten einer Stimme. Schon die junge Callas besaß eigentlich nicht die Stimme für Brünnhilde, für Isolde, für Turandot; sie hat diese Rollen durch bloße Willenskraft bewältigt, obwohl sie, als ein Interviewpartner sie darauf ansprach, sagte: »Nicht Willenskraft. Liebe!«

Kurz nach den Londoner Aufführungen ging sie in Paris wieder ins Studio. Sie beendete das zweite Verdi-Recital und begann ein drittes, schloß sodann eine Rossini-Donizetti-Platte ab. Die Verdi-Aufnahmen wurden erst acht Jahre später veröffentlicht. Selbst wer als Bewunderer nach großen Momenten, nach feinen Nuancen sucht und Schwächen generös überhört, wird die Aufnahmen schwerlich zu ihren besten zählen.

Interessant eine Episode im Studio. Während einer Erholungspause, bedingt durch die fast hysterische Nervosität der Sängerin, spielte Michel Glotz eine Aufnahme von Aidas »Ritorna vincitor« mit Régine Crespin. Rescigno beobachtete an Callas eine jähe Veränderung. »Das ist nicht Verdi, und das ist nicht Aida«, rief sie, »das ist ja wie ein Trauermarsch. Los, Nicola, laß uns das mal versuchen.« Sie nahm das Stück in einem einzigen Take auf – mit einem dramatischen Feuer, das an frühere Glanztage erinnerte.

Es hatte den Anschein, als könnte die Sängerin noch einmal zu ihrer wahren Profession zurückkehren. Doch was sie aufzubringen vermochte, war nur Willenskraft und nicht mehr, mit ihrem eigenen Wort, »die Liebe« für das Singen. Es reichte für acht Aufführungen von Bellinis *Norma* an der Pariser Oper, drei im Mai, fünf im Juni 1964; danach verstummte die Sängerin wieder für ein halbes Jahr. In Paris, ihrer Wahlheimat, war sie bis dahin nur ein einziges Mal in der Oper aufgetreten: 1958 bei der Gala für die Ehrenlegion. Sechs Jahre hatte sie in der Stadt gelebt, aber weniger als Sängerin denn als Ehrengast in den Salons der Reichen oder der Couturiers.

Insofern ist ihre erste Norma am 22. Mai 1964 als ihr eigentliches Debüt in Paris anzusehen. Regisseur war, wie in der Londoner *Tosca*, Franco Zeffirelli; Marcel Escoffier schuf die Kostüme, Georges Prêtre dirigierte. Der Regisseur zeigte sich als der beste Helfer und, später, als der eloquenteste Anwalt der Sängerin. Für ihn spielte es keine Rolle, daß ihr in der Höhe – vor allem gleich über dem System – dann und wann einige Töne brachen; er wußte, daß die wenigsten Besucher es auch nur gemerkt hätten, wenn sie »optional notes« gesungen, also heikle Passagen transponiert hätte. Manchen Kritikern – und selbst Dirigenten – gilt dies als unzulässig. Im 19. Jahrhundert indes war das Transponieren – von konzertierter Musik abgesehen – selbstverständlich. Kein Komponist hätte erwartet, daß eine für einen hohen Sopran geschriebene Partie von einer tieferliegenden Stimme in der originalen Höhe gesungen wurde.

Zeffirelli schlug ihr sogar vor, »unvernünftigen vokalen Herausforderungen« aus dem Weg zu gehen. Doch erklärte sie ihm: »Franco, ich kann das nicht. Ich werde nicht das tun, was Anna Moffo in *La Traviata* tut. Ich werde nicht durch meine Musik schlittern. Ich habe meine Chancen zu ergreifen, selbst auf die Gefahr eines Desasters hin, selbst wenn es das Ende meiner Karriere bedeutet. Ich muß versuchen, alle Noten zu singen, auch wenn ich eine verpasse.«

In einer der Aufführungen geschah ebendies. Im letzten Akt mißlang ihr ein hohes C – es brach ihr in einer Weise, wie es Zeffirelli »niemals sonst in meinem Leben« erlebt hatte. Das Publikum ächzte förmlich vor Entsetzen auf, das Orchester hörte, wie in Panik, zu spielen auf. Sie aber, erschrocken und ärgerlich mit sich selber, begann, die bösen Zwischenrufe und das Zischen einiger gefühlloser Fanatiker mißachtend, die Szene von neuem und schaffte das C. In der Pariser Oper brach ein Pandämonium aus. Schreie der Empörung, des Protestes – und Schreie der Verteidigung für die Sängerin. Eine würdevoll aussehende ältere Dame soll einem Gegner die Brille abgerissen haben. Yves St. Laurent trat, schreibt Stassinopoulos, einem der Beleidiger vor Wut gegen das Schienbein. Schließlich mußte die Republikanische Garde herbeigeholt werden, um die Streitigkeiten und Handgreiflichkeiten zu schlichten; und während der Theaterkrieg draußen tobte, wurde die Sängerin von Fürstin Gracia Patricia, von den Chaplins, von Onassis und von Rudolf Bing beglückwünscht. Bing sagte später, daß er hinter der Bühne zunächst nicht wußte, ob er auf die vokale Panne eingehen sollte oder nicht. »Es ist wie bei einer Frau, die ein tief ausgeschnittenes Kleid trägt – man weiß nicht, ob es taktloser ist, hinzusehen oder wegzuschauen.« Bing schaute weg, und die Sängerin erwähnte die dramatische Episode mit keinem Wort.

Einmal mehr ergibt sich aus der Summe von sachlichen, kritischen Berichten ein deutliches Bild. Harold Rosenthal schrieb im August 1964 in »Opera«, daß es für die Pariser High-Society im Mai und Juni 1964 einfach als Fauxpas galt, nicht in der Oper gesehen zu werden. Auch wenn die Callas-Norma das »Ereignis« war – gespielt wurden auch *Don Giovanni* mit Nicolai Ghiaurov, Verdis *Don Carlo* mit Ghiaurov, Rita Gorr und Franco Corelli, *Tosca* mit Régine Crespin, Franco Corelli und Gabriel Bacquier.

Dem Publikum konnte nicht bewußt sein, daß die Norma zu singen etwas völlig anderes war, als die Tosca darzustellen. Von diesem Publikum war auch nicht zu erwarten, daß es sich auf harsche und selbst häßliche Töne über dem F und G hätte einstellen können. Von ihm war nicht zu erwarten, daß es mit den Ohren – mit dem Kunstsinn, mit der Musikalität – eines Andrew Porter gelauscht hätte. »Ich ging in die zweite Aufführung, und ich entdeckte, daß es zu den raren musikalischen Offenbarungen gehört, zu erleben, wie Callas eine Bellini-Melodie formt – vergleichbar ist es der Art und Weise, wie Casals Bach spielt. Eine eloquente musikalische Linie kann niemals schöner geformt worden sein. Callas besitzt eine überragende Technik, um solch eine subtile, flexible melodische Linie zu ziehen, sie exquisit zu kontrollieren. Sie ist hinreißend im Wechsel der Timbrierung zwischen weichem Mitgefühl [compassion] ... und Heftigkeit. Nur bei Höhepunkten oberhalb des Systems wird diese Linie mit einem grauen Stift gezogen. Die Stimme erträgt heute keinen Druck mehr; sie kann nicht mehr wie einstmals ausladen, um die großen Höhepunkte der Finales zu beherrschen, und der Versuch, ein kühnes, heftiges hohes C herauszuschleudern (›e di sangue roman scorgeran torrenti‹), mündete in Momenten des Desasters. Doch mir tut es leid um jeden, der nach 99 perfekten Noten, die eine sublime Phrase geformt haben, der Ansicht ist, daß ein schrecklicher, oder ein fast schrecklicher, Ton alles verdorben haben soll.«

Alle, wirklich alle Kritiker und Kenner waren sich einig, daß »die häßlichen Noten häßlicher waren als zuvor« (Porter), und alle, wirklich alle waren sich auch darin einig, daß sie »trotz ihrer fehlerhaften Technik mehr aus der Bellini-Rolle herausholen konnte als jede andere Sängerin« (Rosenthal), daß sie, wie keine andere, jedem Wort Bedeutung, jedem Akzent Gewicht, jeder Melodie Form, jedem Laut Farbe geben konnte. Aus den Kritiken geht hervor, daß sie, anders als früher, nicht mehrere

Aufführungen auf einem gleichbleibenden Niveau singen konnte, sondern daß sie großen Formschwankungen unterworfen war.

Knapp vier Wochen nach der letzten *Norma* (24. Juni 1964) begann sie, unter der Leitung von Georges Prêtre, mit der Aufnahme von Georges Bizets *Carmen*. Ihre Partner waren Nicolai Gedda als Don José, Andréa Guiot als Micaëla und Robert Massard als Escamillo. Es ist ihre einzige Aufnahme einer französischen Oper, für welche leider die Standard-Version mit den Rezitativen von Ernest Guiraud gebraucht wurde. Erst Leonard Bernstein, Sir Georg Solti und Claudio Abbado haben, gut ein Jahrzent später, die von Oeser und Dean erarbeiteten Fassungen mit gesprochenen Dialogen eingespielt.

Die Guiraud-Fassung beraubt eine phantasievolle Darstellerin der Möglichkeit, die Figur auch durch dialogische Nuancen lebendig werden zu lassen. Stimmlich ist sie in akzeptabler Form, auch wenn die Höhen hart sind und der Klang der Stimme bei den Versuchen dynamischer Abstufungen immer wieder gefährdet ist.

Am 3. Dezember 1964 begann sie in Paris mit ihrer zweiten Aufnahme von Puccinis *Tosca*. Dirigent war wieder Georges Prêtre. Tito Gobbi sang, wie schon bei der ersten Aufnahme, den Polizeichef Scarpia, Carlo Bergonzi den Maler. Die Aufnahme sollte als Soundtrack für den *Tosca*-Film dienen, den Franco Zeffirelli seit langem geplant hatte. Zunächst hatte sich die Sängerin geweigert, in das ihr fremde Medium zu gehen, und als sie endlich eingewilligt hatte, stellte sich heraus, daß das Haus Ricordi, die Verleger Puccinis, die Rechte an eine deutsche Firma verkauft hatten. Die Aufnahme, mit gewaltigem Werbe-Aufwand – der den ebenfalls erheblichen Produktionskosten entsprach – lanciert, fällt im Vergleich mit der ersten ab. Victor de Sabata war nicht nur der subtilere, differenziertere Dirigent, sondern auch der mit mehr dramatischem Theater-Sinn. Viele der in der ersten Aufnahme spontanen Gesten, vor allem die in der Auseinandersetzung zwischen Scarpia und Tosca im zweiten Akt, wirken hier kalkuliert, manieriert und sogar outriert. Auch Tito Gobbi entgeht nicht der Gefahr, aus dem Polizeichef einen grimassierenden Bösewicht wie aus einem B-Movie zu machen.

Mit neun *Tosca*-Aufführungen ging sie in das neue Jahr. Die Londoner Zeffirelli-Einstudierung war von der Pariser Oper übernommen worden, und so überwältigend war der Erfolg, daß sie, statt der acht vertraglich verabredeten Abende, neun sang – zwischen dem 19. Februar und dem 13. März 1965. Gleich danach flog sie nach New York und sang an der Met zwei weitere Aufführungen von Puccinis Oper, einmal mit Franco

Corelli, dann mit Richard Tucker als Cavaradossi und mit Gobbi als Scarpia. Es war immer noch die Inszenierung, die schon 1958, bei ihrem letzten Met-Auftritt am 5. März, schäbig und sorglos gewesen war.

Sie bekam nicht einmal eine einzige Bühnen- oder Kostümprobe, und dennoch protestierte sie nicht. Kurz bevor sich der Vorhang öffnete, rauschte der Beifall auf. Jacqueline Kennedy, die Frau des ermordeten Präsidenten, paradierte zu ihrem Platz. Als Maria Callas nach den drei »Mario«-Rufen auf die Bühne kam, brandeten die Wogen des Beifalls so hoch, daß die Aufführung minutenlang unterbrochen werden mußte. Nicht für eine Sekunde ging die Sängerin aus dem darzustellenden Charakter heraus; sie lächelte nicht, verbeugte sich nicht, dankte nicht. Sie blieb Tosca.

Nach Stassinopoulos haben die Kritiker *unisono* Lob gesungen; doch dem ist nicht so. Alan Rich schrieb in der »New York Times«: »Die Stimme, die ich am gestrigen Abend hörte, klang nicht wie die einer Frau, die in irgendeiner Weise in vokalen Nöten steckt. Sie hatte eine sahnige Leichtigkeit, die an ihre frühesten Aufnahmen erinnerte. Sie hat das, irgendwie, erreicht, ohne ihre verblüffende Fähigkeit einzubüßen, die Stimme zur Dienerin des Dramas zu machen. ... Es war – nur als Singen – eine der erstaunlichsten Leistungen in meiner Erinnerung ...«

Harold Schonberg hingegen schrieb in der »New York Times«: »Kommen wir zu den vokalen Fragen, ist die Geschichte weniger erfreulich. Miss Callas operiert in diesen Tagen nur noch mit den Überbleibseln einer Stimme. Ihre Höhe, immer unsicher, ist nur noch ein verzweifelter Anlauf zu den hohen Tönen. Sie singt fast gänzlich ohne Stütze, und ihre Töne sind gequetscht, schrill und nicht zentriert.« Wem ist zu glauben? Die Kritik von Alan Rich ist, mit Hinsicht auf die Beschreibung vokaler und technischer Parameter, vage. Doch da es von beiden Aufführungen Mitschnitte gibt, läßt sich genau feststellen, daß sie bei den exponierten Passagen des zweiten Aktes in argen Nöten ist, daß die C's schrill klingen, daß die klimaktische Phrase von »Vissi d'arte« völlig mißlingt – nach Ardoin ersetzt »ein Stoßwind« das hohe B; dennoch singt sie in dieser Aufführung spontaner als in der Aufnahme unter Prêtre.

All das zeigt, daß sich der Ruhm längst von seiner Trägerin abgelöst hatte und die Sängerin behandelt wurde wie eine *sacred cow*. Doch die Nachrichten von den New Yorker Triumphen, die in der Fachpresse durchaus relativiert wurden (wie etwa der Bericht im Juli-Heft von »Opera« zeigt, zu einer Zeit, da sie die Opernbühne für immer verlassen haben sollte), fachten in Paris die Erwartungen einmal mehr an.

Im Mai wollte sie, beginnend am 14., fünf Aufführungen von *Norma* singen. In der fünften konnte sie den vierten Akt nicht mehr durchstehen. Sie war in einem Zustand totaler Erschöpfung zurückgekehrt und konnte nur nach verschiedenen Injektionen überhaupt auf die Bühne gehen. In einem Gespräch mit John Ardoin (von Stassinopoulos zitiert) hat sie, offenbar in Erinnerung an den Kreuzweg dieser und anderer Aufführungen, gesagt, nein, fast geweint: »Kannst du vor sie treten und ihnen sagen, daß ich ein menschliches Wesen bin und mit meinen Ängsten kämpfe?« Vor der ersten Aufführung, in der Giulietta Simionato ihre Partnerin war, ließ sie sich, weil indisponiert, entschuldigen. Die beiden ersten Aufführungen bewältigte sie, auch dank der fairen Partnerschaft der Simionato.

In der dritten Aufführung ersetzte Fiorenza Cossotto die ältere Kollegin. Nach dem ersten Akt mußte sich Maria Callas eine Injektion mit Coramin geben lassen. In den Pausen lag sie, am Ende ihrer Kräfte, auf der Liege in ihrer Garderobe. Und Fiorenza Cossotto nutzte die Schwäche der berühmten Kollegin, die selbst mit den Resten ihrer Stimme richtiger und ausdrucksvoller gesungen hat als die Mezzo-Sopranistin je in ihrem Leben, als Gunst der Stunde. Sie sang voll aus, hielt vor allem hohe Töne stets länger als Maria Callas.

Die Aufführung am 29. Mai wurde zu einer Art von Hinrichtung. Zeffirelli: »Im Duett singen Norma und Adalgisa in enger Harmonie. Sie hielten sich bei den Händen. Sobald Maria signalisierte, daß sie eine Phrase beenden wollte, ignorierte Cossotto das Zeichen und hielt die Schlußnoten ein paar Sekunden länger. Welch ein Mangel an Generosität. Maria war verletzt. Ich ging hinter die Bühne und schwor Cossotto, daß ich nie wieder mit ihr arbeiten würde. Ich habe es nie mehr getan.« In der Aufführung vom 29. Mai verwandelte Cossotto das Duett in einen Zweikampf. Callas versuchte, dagegen anzukämpfen, ging am Ende des dritten Aktes wie in Trance von der Bühne und kollabierte. Bewußtlos wurde sie in ihre Garderobe getragen, die Aufführung konnte nicht fortgesetzt werden.

Eine Stunde später wurde die Sängerin aus dem Theater geleitet, wisperte Entschuldigungen in die Menge der Wartenden, doch wiederholte sich nicht, was in Rom geschehen war. Ebenso nachsichtig verhielten sich die Kritiker. Jacques Bourgeois, ein alter Bewunderer, kommentierte in »Arts«, es sei bewunderungswürdig und Ausdruck »eines raren professionellen Pflichtbewußtseins«, daß sie trotz einer Erkrankung gesungen habe, und er betonte überdies, daß sich im Singen nicht im geringsten gezeigt habe, wie schwach die Stimme geworden war. Wenn es für den mehrfach zitierten Satz Wagners über Wilhelmine Schröder-Devrient, nach dem diese Sängerin keine Stimme hatte, aber so schön mit dem Atem umgehen und eine wahrhaft weibliche Seele ausdrücken konnte, je eine Bestätigung gegeben hat, dann wird sie von diesen Aufführungen, die teilweise mitgeschnitten worden sind, geliefert.

Gewiß, sie schenkt sich – anders als in Zeffirellis Erinnerung – das C am Ende der *cabaletta* im ersten Akt, singt in »Ah! sì fa core« statt des C ein A. Doch im letzten Akt bricht das C aus ihr heraus wie Lava aus einem Vulkan. Und dann, welch ein *legato,* welch eine Linienbildung, welch ein sirenenhaftes Cantabile in der mittleren Lage – Belcanto in der reinsten, der schönsten, der ausdrucksvollsten Form. Joachim Kaiser hat dazu eine wundervolle Kritik geschrieben: »Doch wie hat sie gesungen? ... Die Antwort lautet: Es gehört zum Phänomen und Problem Callas, daß man eben diese Frage nicht sogleich aufwirft, wenn man die Künstlerin sieht und hört. Und die Antwort darauf, wie hoch Maria Callas zu schätzen sei, hängt genau damit zusammen, wann man sich genötigt fühlt, ihre Stimmqualitäten zu erwägen. Für Frau Callas stellt, nach jahrelanger, musikalisch wohl unkluger Opernpause, das Singen nur eines von vielen Mitteln darstellerischen Ausdrucks dar. Und da dieser Ausdruck glühender, ja totaler scheint als so ziemlich alles, was man auf den Opernbühnen der Welt erleben kann, ist eine Welt von Kunstfreunden – die doch sonst nur zu rasch dazu neigen, auf Perfektion zu achten, falsche Töne zu verübeln, auszupfeifen, wo sie sonst anbeteten – erst ganz spät oder überhaupt nicht bereit, die Callas beim Ton zu nehmen. Diese erstaunliche Frau, Heroine, Künstlerin kämpft mit aller körperlichen und stimmlichen Ausdrucksmacht, die sie besitzt, gegen die Stimmanforderungen der Großen Oper. Man spürt sympathisierend, daß sie unsicher ist, abhängig vom Zufall, fehlbar. Lange möchte man das alles der Callasschen Verkörperungskunst unterordnen, möchte man der falschen Töne nicht achten, sich der Kraft dieser unzeitgemäßen Eleonora Duse überlassen. Plötzlich aber ist zu spüren, daß man beginnt, sich selbst zu beschwindeln. Die Stimme genügt nicht mehr. Doch die Callas-Faszination führt dazu, daß ein Publikum (von dem es heißt, es sei grausam) mit ihr leidet, ihr alle Umwege, alle schlauen Ausweichmanöver klopfenden Herzens zugesteht, bei falschen oder unüberhörbar wegbleibenden Tönen nicht etwa pfeift, sondern stöhnt. Voller Mitleid stöhnt, als sähe man eine gelähmte, schöne Märtyrerin sich gegen mehrere Löwen zugleich wehren.« Danach folgen einige detaillierte Hinweise auf

Schwächen, auf Brüche der Stimme und die Folgerung: »Ihre Persönlichkeit fasziniert gewiß auch heute noch. Doch die Unsicherheit der Stimme, der Unterschied zwischen einer relativ herben Tiefenlage, einem ganz anderen Timbre in der Mitte, einer zwar trefflichen Koloraturtechnik, aber einer allzu angestrengten Höhe stören sehr. ... Das Wunder Callas ist jetzt fast ein Antistimmwunder geworden.«[2]

Nach dem Zusammenbruch in Paris blieben ihr vier Wochen Zeit zur Erholung auf der *Christina*; danach standen vier Aufführungen von *Tosca* in London in ihrem Auftrittskalender. Dort sollte sie am 28. Juni 1965 ankommen. Doch ihr Gesundheitszustand verbot die Fahrt nach England. Am Abend vor der ersten geplanten Aufführung mußte sie Sir David Webster anrufen und ihm mitteilen, daß ihr der Arzt dringend von einem Auftritt abgeraten hatte. Natürlich waren die Aufführungen, in denen neben ihr Renato Cioni und Tito Gobbi unter Georges Prêtre singen sollten, ausverkauft; Callas-Fans hatten tage- und nächtelang um Karten angestanden, und die Aufführung am 5. Juli – die vierte – sollte eine Königliche Gala sein.

Nach langen Gesprächen willigte sie ein, wenigstens eine Aufführung zu singen, um dem seit jeher treuen und fairen englischen Publikum zu beweisen, daß sie nicht aus einer Caprice heraus handelte. Dennoch wurde ihre Absage von einem Teil der Londoner Presse bitterböse kommentiert. Die ersten drei Aufführungen wurden von Mary Collier gesungen. Maria Callas traf am 3. Juli in London ein. Im »Daily Express« war zu lesen, daß ein kanadischer Geschäftsmann, der im Hotel Savoy den Nebenraum bewohnte, eine Nacht durchwachte und sie Musik aus *Tosca* singen hörte. Nach seiner Aussage soll sie gut bei Stimme gewesen sein. Am 5. Juli 1965 hörte das Publikum der Wohltätigkeits-Gala eine mit größter Vorsicht geführte Stimme. Vom Feuer früherer Aufführungen war fast nichts mehr zu spüren. Dennoch, selten hat sie »Vissi d'arte« bewegender und ausdrucksvoller gesungen als in dieser, ihrer letzten Opern-Aufführung. Zu erleben und erleiden ist hier ein ganz und gar inwendiges Singen von fast liedhafter Innigkeit und Zartheit.

Maria Callas dachte wohl kaum daran, daß diese Aufführung ihr Abschied von der Opernbühne sein würde. Geplant waren Auftritte als Norma in London, als Violetta und als Medea in Paris. Doch all diese Pläne scheiterten; die Künstlerin verschwand in einem Schattenreich. Den Sommer verbrachte sie auf Skorpios. Sie schmiedete Pläne, suchte nach neuen Wegen, ihre Karriere fortzusetzen, und dies um so verzweifelter, als die Beziehung zu Onassis zunehmend überschattet wurde von seinen Launen und Bösartigkeiten, die ein Mann nur dann an den Tag legt, wenn er den Respekt vor der Frau verloren hat. »Was bist du schon? Nichts!« soll er ihr ins Gesicht gesagt haben. »Du hast nur noch eine Pfeife im Hals, die nicht mehr funktioniert.« Der Grieche verhielt sich zuweilen so beleidigend, daß Franco Zeffirelli ihn – ohne jeden Erfolg – wegen seines unverschämten Benehmens zur Rede stellte. Auch Sander Gorlinsky, der Londoner Agent der Sängerin, hörte mit an, wie Onassis die Sängerin anschrie: »Halte den Mund. ... Du bist nichts als eine Nachtclubsängerin.« Gorlinsky sagte weiter: »Ich hoffte nur, daß sie die nächstbeste Flasche nehmen und ihm an den Kopf werfen würde. Aber nein, sie stand lediglich auf und ging aus dem Zimmer. Sie stand vollkommen unter seiner Fuchtel.« Sie brachte nicht einmal, wie wir von Arianna Stassinopoulos erfahren, das Kind auf die Welt, das sie sich lange Zeit gewünscht hatte – wenn denn der auch öffentlich ausgesprochene Wunsch nicht Ausdruck der Angst war, eine Karriere fortzusetzen, fortsetzen zu müssen, deren Herrin sie nicht mehr war.

Ora posso morir

FRAUEN von besonderer Schönheit sind zum Unglück verurteilt«, schreibt Theodor W. Adorno in seinen »Minima Moralia«[3]. »Auch solche, denen alle Bedingungen günstig sind, denen Geburt, Reichtum, Talent beistehen, scheinen wie verfolgt oder besessen vom Drange zur Zerstörung ihrer selbst und aller menschlichen Verhältnisse, in die sie eintreten. Ein Orakel stellt sie vor die Wahl zwischen Verhängnissen. Dann zahlen sie mit dem Glück für dessen Bedingungen; wie sie nicht mehr lieben können, vergiften sie die Liebe zu ihnen und bleiben mit leeren Händen zurück. Oder das Privileg der Schönheit gibt ihnen Mut und Sicherheit, den Tauschvertrag aufzusagen. Sie nehmen das Glück ernst, das in ihnen sich verheißt, und geizen nicht mit sich, so bestätigt von der Neigung aller, daß sie ihren Wert nicht erst sich dartun müssen.«

Maria Callas war eine Märtyrerin ihrer Karriere geworden und danach eine des ersehnten und versagten Glücks. Ihr Charakter und das Ideal der Weiblichkeit, nach dem er geformt ward und nach dem sie sich formte – beide waren Hervorbringungen der männlichen Gesellschaft.

Die züchtet, noch einmal Adorno, »in den Frauen souverän ihr eigenes Korrektiv und zeigt sich durch die Beschränkung als unerbittlicher Meister«. Wie Svengali, der dämonische Gesangslehrer, hatten Serafin und Meneghini und Legge aus dem Talent, aus dem Ehrgeiz, aus dem Minderwertigkeitskomplex, aus der Musikalität eines jungen Mädchens eine einzigartige Kunst-Figur geformt. Eine Kunstfigur, auf die Weltruhmesglanz fallen sollte. Die Kehrseite dieser Karriere, dieser zugleich grandiosen und grotesken, dieser – nicht durch ihr Verschulden – fragwürdigen Karriere, zeigte sich in dem Moment, da die Sängerin ein anderes Ideal von Weiblichkeit verkörpern wollte: das der schönen, der umschwärmten Frau. Als sie sich anzupassen begann, zuerst an die modischen Imagines der schönen Frau, danach an die der begehrten Geliebten, stürzte sie ins Unglück.

Über die letzten Jahre der Maria Callas ist viel, ist unendlich viel geschrieben worden. Nach der Scheidung von Battista Meneghini blieb nichts mehr privat, nichts mehr persönlich, nichts länger intim. Im Gegenteil, das Intime und das Persönliche wurden, wie David A. Lowe ebenso kurz wie treffend schreibt, ins »Obszöne« verwandelt: »Man liest das Buch mit Faszination«, so kommentiert er den Blick »Behind the legend«, »und begibt sich nach der Lektüre unter die Dusche.« Nicht nur das Buch von Arianna Stassinopoulos, auch das von Nadia Stancioff oder das ihrer Schwester Jackie Callas, wirbelt, wie Scheidungsprozesse, Staubwolken auf, die alles überziehen und verfärben und vergiften.

Die letzten zwölf Jahre der Maria Callas – zwischen dem 5. Juli 1965, da sie zum letztenmal auf der Opernbühne auftrat, und dem 16. September 1977, da sie in Paris starb – haben mit der Geschichte der Sängerin und mit ihrer Wirkung nur noch wenig zu tun. Es waren zwölf Jahre eines ständigen, eines verzweifelten Scheiterns. Der große Regisseur Joseph Losey wollte sie in einem auf Tennessee Williams beruhenden Film *Boom!* eine alternde Schauspielerin darstellen lassen, einen vergessenen Star, der nur noch in seinen Erinnerungen lebt und von einem Todesengel heimgesucht wird. Maria Callas mochte ihre Filmkarriere, von welcher die Rede ging, seit Carl Foreman sie in »The Guns of Navarone« hatte auftreten lassen wollen, nicht mit der Darstellung einer alten Schauspielerin beginnen.

Visconti wollte sie in einem Film über Puccini auftreten und eine Sängerin darstellen lassen, die Ähnlichkeit gehabt hätte mit Maria Jeritza – auch dieser Plan scheiterte. Beständig blieb allein die Unbeständigkeit der Sängerin, aber es war keine Unbeständigkeit aus Laune und Willkür, sondern eine aus Angst und Unsicherheit. Eine Unbeständigkeit, die genau der Unbeständigkeit der Stimme entsprach, die, wie Rémy schreibt, einmal den schönsten Klang und im nächsten Augenblick den harschen Schrei hervorbrachte. Bis 1967 versuchte Michel Glotz immer wieder, sie auf die Bühne und ins Studio zurückzuholen. Es war vergeblich. Visconti sollte und wollte mit ihr an der Pariser Oper Verdis *La Traviata* herausbringen; doch verlangten der Regisseur und die Sängerin Arbeitsbedingungen, die damals angeblich nicht mehr zu bezahlen waren. Sie wollte »zwanzig bis dreißig Tage für die Proben mit Orchester und Chor«, und weil sie das nicht bekam, so sagte sie 1970, sei das Projekt gescheitert.

Man muß diese Aussage nicht bezweifeln, und doch verbirgt sie den wahren Grund für das Scheitern des Projekts: Es gab keinen Impresario, keinen Regisseur, keinen Dirigenten mehr, der auf sie gesetzt hätte, selbst wenn sie diese zwanzig oder dreißig Tage gehabt hätte – für eine Callas-Aufführung hätte vermutlich jedes Theater selbst 1970 das Unmögliche möglich gemacht. Noch 1968 hatte die EMI eine Aufnahme von Giuseppe Verdis *La Traviata* projiziert, doch konnte sie nicht stattfinden, weil sie sich bei einem Sturz Rippen gebrochen hatte; hätte sie wirklich, anno 1968, die Violetta noch singen können? Sie war, nach dem Ende ihrer Verbindung mit Onassis, begierig, noch einmal anzufangen. Sie hatte noch einmal mit ihrer alten Lehrerin Elvira de Hidalgo gearbeitet, um die Probleme und Schwächen zu überwinden, die sie dazu gezwungen hatten, noch vor der Vollendung ihres 42. Lebensjahres die Bühne zu verlassen.

Doch als sie im Februar 1969 in Paris ins Studio ging und unter Nicola Rescigno Arien aus Verdis *I Vespri Siciliani, Il Corsaro, I Lombardi* und *Attila* aufnahm, mußte sie eine Reihe von hohen Noten auslassen – sie sollten nachträglich eingefügt werden. Rescigno berichtete später, daß sich die Sängerin »Zoll um Zoll« vorwärts bewegte, also kaum mehr in der Lage war, mehrere Phrasen, geschweige denn eine ganze Arie durchzusingen. Für ihn war es eine »nervenaufreibende« Arbeit, weil er spürte, daß Callas jede Selbstsicherheit eingebüßt hatte. Die Aufnahme einer einzigen Arie stellte sich dar als eine Art von »patchwork« – und damit als diejenige Art von Manipulation, deren die Schallplatte immer wieder, und dies zu Unrecht!, geziehen wird. Nichts, rein gar nichts ist einzuwenden dagegen, daß ein mißglückter Ton herausgeschnitten und verbessert wird; nichts dagegen, daß eine wichtige Phrase wieder und wieder aufgenommen wird, bis das »Ideal« erreicht ist. Auch bei den Proben, die einer

Aufführung vorangehen, geht es um diese Annäherung an die virtuelle Vollkommenheit. Doch ging es in diesen späten Aufnahmen letztlich nur noch um die Suggestion eines längst erloschenen sängerischen und künstlerischen Vermögens, obwohl es die Beteiligten ehrt, daß sie den Kampf nicht aufgegeben haben.

»Wäre der Film ein Erfolg gewesen, er hätte sie nicht nur aufs Trokkene gebracht, sondern einen neuen Anfang ihrer Karriere bedeutet« – das schreibt Arianna Stassinopoulos über den Versuch der Sängerin, als Schauspielerin eine neue, eine andere Karriere zu beginnen. Unter der Regie von Pier Paolo Pasolini hatte sie Medea gespielt, nicht die Medea der Oper von Cherubini, sondern die der klassischen Mythologie »für die modernen Empfindungen«; doch hatten die modernen Zeiten wenig Empfindungen für die »klassische Mythologie« oder für archaische Tragik. Der Film war kein Erfolg, und wahrscheinlich war es sogar gut und richtig, zeitgemäß und konsequent, daß er kein Erfolg war, weil er durch und durch unzeitgemäß war – unzeitgemäß wie die Ästhetik, wie die künstlerische, wie die politische Moral des Autors Pasolini. Der Film, weitgehend ohne Dialog, bringt die Kunst der Callas zurück auf den Mimus. Er wurde am 28. Januar 1970 in der Pariser Oper gezeigt – im Rahmen einer Gala, in welcher nichts gefeiert wurde als der Mythos Maria Callas. Die *beau monde* war anwesend und feierte – aber wen und was und warum? Sie huldigte nicht der Sängerin, und wenn sie die Darstellerin feierte, so in Erinnerung an die Sängerin, die sich, obwohl von Lucchino Visconti wieder und wieder eingeladen, weigerte, als Darstellerin weiterzumachen, als hätte sie geahnt, daß ein weiterer Film den Mythos beendet, ihn endgültig zerstört hätte.

Und doch wurde der Mythos, mit einer seltsamen und konsequenten inneren Logik, perpetuiert. 1971 und 1972 gab Maria Callas einige »master classes« in den USA. Der erste Versuch in Philadelphia, am berühmten Curtis Institute of Music, wurde nach der zweiten Stunde abgebrochen, weil die Schule nicht in der Lage war, Studenten anzubieten, die so viel konnten, daß sie die Sängerin hätten interessieren können. So steht es bei Rémy. Doch was heißt das? Es ging nicht wirklich um eine neue Aufgabe für die Sängerin, nicht um den Berufswechsel vom Singen zum Unterrichten, sondern um die Möglichkeit einer Selbstdarstellung mit anderen Mitteln, um die Perennierung des Mythos. Wenige Monate später wiederholte sie das Experiment an der New Yorker Juilliard School. Ein Teil dieser Unterrichtsstunden ist aufgenommen worden, und John Ardoin hat darüber hinaus ein Transkript dieser Meisterklassen vorgelegt.[4]

In seinem Vorwort schreibt der Dirigent Nicola Rescigno: »Dies ist ein Buch über Tradition – über eine Weise der Aufführung von Opern, die sich nicht nur an die gedruckte Partitur hält. Es ist eine Art und Weise, die uns mündlich und durch die Theaterpraxis überliefert worden ist, oftmals durch die Komponisten selbst. Zum erstenmal wird uns dieses mündliche Erbe, abgesehen von Luigi Riccis bedeutender Sammlung von Kadenzen und Verzierungen, im Druck übermittelt, so wie es von Maria Callas, einer der bedeutendsten Vertreterinnen, praktiziert worden ist. Dieses Buch ist nicht nur wichtig wegen Maria Callas und all der Dinge, für die sie stand, sondern weil wir Gefahr laufen, dieser Traditionen verlustig zu gehen. Diese Traditionen sind den Sängern zugänglich; doch ist ›Tradition‹ so etwas wie ein dreckiges Wort geworden.« Damit sagt Rescigno, wenngleich indirekt, daß Callas in ihren Meisterklassen keine Methodik oder Technik der Stimmbildung praktiziert, sondern Lektionen über sängerische Darstellung, über Ausdruck, über Verzierungen, über Wortbehandlung, über Stil zu geben versucht. Bei der Lektüre kann der empfindsame und phantasievolle, vor allem aber der mit der Musik vertraute Hörer förmlich spüren, welch unendliche Mühe sie sich als Sängerin gemacht haben muß, nicht nur jedem Wort sein Gewicht, sondern selbst jeder Silbe ihren Akzent und ihre Farbe zu geben – es gleicht einem gleichsam mikroskopischen Blick in ihre Technik. Besser: in die Werkstatt ihres Könnens und ihres Kunstverstandes.

Plötzlich merken wir, daß selbst das Atmen etwas anderes war als das Einsaugen von Luft: Es konnte, wie Rescigno sagt, »ein Seufzer, ein Lachen, ein Stöhnen oder ein Kichern sein«; erkennen wir, daß sie, trotz allen Talents oder auch wegen dieses Talents, sich nicht auf die Möglichkeiten der Stimme verließ, sondern unermüdlich und diszipliniert, ja fanatisch arbeitete; wird uns deutlich, daß Singen sich aus Hunderten von Details addiert, die es mühsam zu erlernen und stets wieder zu üben gilt, und daß es nicht damit getan ist, nur zu singen, sondern im Singen jene Limitationen aufzuheben, die dem Darsteller durch das Singen aufgenötigt werden. Callas hat gezeigt, auch das geht aus diesen Lektionen hervor, daß man sich beim Singen auf der Bühne bewegen, daß man Geste und Klang koordinieren kann.

Ihre Meisterklassen an der Juilliard School, zu denen sie von Peter Mennin, dem Präsidenten des weltberühmten Instituts, eingeladen worden war, gab sie im Oktober und November 1971 und im Februar und März 1972. Sie standen unter dem Motto »The Lyric Tradition«. Aus rund 300 Bewerbern waren 25 Sängerinnen und Sänger ausgesucht worden. Das musikalische Spektrum der Klassen war weit. Es reichte von Mozart-Arien aus *Don Giovanni* (»Non mi dir«), *Così fan tutte* (»Come scoglio«) und *Die Zauberflöte* (Paminas »Ach, ich fühl's« und die Arien der Königin der Nacht) über Beethovens »Ah! perfido« und »Abscheulicher« zu Cherubinis *Medea* und Spontinis *La Vestale*, von Rossinis *Il Barbiere* und *La Cenerentola* zu Bellinis *Il Pirata, La Sonnambula, Norma* und *I Puritani*, von Donizettis *Lucia, Anna Bolena* und *Don Pasquale* zu 13 Opern Verdis. Aus dem französischen Repertoire behandelte sie Arien aus *La Damnation de Faust, Faust, Roméo et Juliette, Carmen* und *Werther*. Hinzu kamen Arien oder Szenen aus italienischen Opern der Jahrhundertwende: *La Gioconda, Mefistofele, Pagliacci, Cavalleria Rusticana, Manon Lescaut, La Bohème, Tosca, Madama Butterfly, Andrea Chenier* und *Adriana Lecouvreur*.

Dabei beschränkte sich die Sängerin nicht nur auf Sopran-Arien, sondern verwandelte sich selbst – es ist auf einem der Tondokumente zu hören – in Verdis Rigoletto. Sie versuchte nicht, wie Ardoin betont, junge Kolleginnen zur Imitation zu veranlassen, sondern mühte sich, ihre Vor- und Ratschläge zu begründen, technisch und stilistisch, damit musikalisch. Es spricht für sich, daß nicht nur Sängerinnen und Sänger wie Placido Domingo, Tito Gobbi, Elisabeth Schwarzkopf und Bidu Sayão diese Lektionen besuchten, sondern auch Franco Zeffirelli, der Pianist Alexis Weissenberg, die Schauspielerin Lillian Gish und ihr Kollege Ben Gazarra. Jedem hatte Callas etwas zu sagen und zu geben, den jungen Sängern vor allem das, was sie selber von »Giganten wie Tullio Serafin und Victor de Sabata gelernt hatte« (Ardoin).

Es ist durchaus keine Übertreibung, wenn Ardoin anmerkt, daß diese Lektionen auch für Instrumentalisten von höchstem Interesse sein könnten, sein müßten. Pianisten wie Vladimir Horowitz und Claudio Arrau haben zeitlebens ihre Liebe zum Singen bekannt und gesagt, daß sie ihren »Ton« nach dem Klang der menschlichen Stimme und ihre Phrasierung nach dem »Atem« des Singens modelliert haben. Es sei nicht vergessen, daß Frédéric Chopin seinen Klavierschülern den Rat gab, die Aufführungen von Henriette Sontag oder Giuditta Pasta zu erleben und aus diesen Aufführungen zu lernen. Zu erleben ist mithin Callas über Callas, aber auch, aber vor allem Callas über die Kunst der dramatischen Darstellung durch das Singen. Es gab, wieder durch die beiden Platten nachzuerleben, Momente, in denen Callas mit zunächst heiserer und dann jäh sich entzündender Stimme Phrasen und Sequenzen sang, wie es keiner der Schüler vermochte.

Als weniger erfolgreich erwies sich ihr Versuch, Regie zu führen. Im April 1973 brachte sie am Teatro Regio von Turin Verdis *I Vespri Siciliani* heraus, das Werk, mit dem sie an der Scala ihr eigentliches Debüt gegeben hatte. Daß sie darauf bestand, Giuseppe di Stefano als »Co-Direktor« dabei zu haben, veranlaßte den Dirigenten Gianandrea Gavazzeni dazu, sich aus der Produktion, die wenig Beifall fand, zurückzuziehen. Franco Zeffirelli konstatierte nüchtern, daß man nur das vermitteln, nur das weitergeben kann, was man gelernt hat, und daß sie nie gelernt hatte, wie man »die Bühne im physischen Sinne beherrscht und kontrolliert«. Offenbar war sie der Aufgabe, eine Produktion zu planen und die Bühnen-Aktion zu reflektieren, nicht gewachsen. Man kann mit Intuition singen und darstellen, nicht aber singen und darstellen machen.

Ihre Intuition versagte auch, als sie sich von Giuseppe di Stefano, der seine Gaben nicht, wie sie, verbraucht und verbrannt, sondern vergeudet und verspielt hatte, überreden ließ, im September 1973 ein Comeback zu versuchen. Der Tenor hat gesagt, daß er nichts mehr wünschte, als »Maria Callas ins Leben zurückzuholen, weil sie ohne Bühne, ohne Musik ein lebendig begrabener Mensch war«. Sie ließ sich, verstrickt auch in eine späte Affaire mit ihrem früheren Partner, auf ein Abenteuer ein, das mit tollkühn noch vorsichtig umschrieben ist. Ließ sich darauf ein, mit einem Partner zu singen, dessen Stimme nur noch unter Maximalspannung ansprach, während sie ihre Stimme behutsam reduzieren mußte; ließ sich auf die Form des klavierbegleiteten Recitals ein, bei dem jede Unsicherheit doppelt deutlich spürbar wird; ließ sich auf ein Hazardspiel ein, obwohl sie genau wußte, daß ihr Singen immer den dramatischen Kontext – durch Szene und Orchester – gebraucht hatte. Als das Londoner Konzert, mit dem die Tournee beginnen sollte, angekündigt wurde, trafen in der Royal Festival 25 000 Vorbestellungen aus aller Welt ein. Die BBC wollte das Ereignis übertragen, die EMI einen Mitschnitt sichern. Drei Tage zuvor mußte Maria Callas absagen. Es geschah offiziell auf Rat ihres Augenarztes. Vielleicht geschah es auch aus Klugheit.

Die Tournee begann am 25. Oktober 1973 in Hamburg. Für den Verfasser war es die erste Begegnung mit der Sängerin. Es war eine schreckliche Erfahrung, und sie haftet schmerzlicher in der Erinnerung als der 16. September 1977. An diesem Tag erfuhr eine respektvoll erschütterte Welt die Nachricht von ihrem Tode.

Die Janusköpfige

Kein Schmerz ist größer,
als im Unglück sich der Zeit des Glückes zu erinnern.
Dante, Die Göttliche Komödie

MARIA Callas hat sich in dem Bild, das von ihr gemalt worden ist, nicht wiedererkannt. Es war ein durch Gerede und Gerüchte, durch Kritik und Publicity, durch Skandale und Affairen, durch Bewunderung und Verachtung verfremdetes, verzerrtes Bild. Und doch gibt es eine Vernünftigkeit des Wirklichen, gibt es gute Gründe für die Verfremdungen und Verzerrungen. Sie liegen in ihrem existentiellen und in ihrem künstlerischen Außenseitertum. Als sie Ende der vierziger und zu Beginn der fünfziger Jahre die Bühne betrat, reinkarnierte sich in ihr der Archetyp der Primadonna, wie sie zum letztenmal in Adelina Patti, Nellie Melba, Mary Garden und Maria Jeritza zu bewundern, zu bestaunen, zu verehren gewesen war. Eine Primadonna ist notwendig Außenseiterin. Sie ist ein Wesen, das aus Anmaßung und Arroganz, aus Einbildung und Talent, aus Flamboyance und Disziplin besteht. Sie muß, wenn sie nicht eine überwältigend schöne und technisch makellos beherrschte Stimme besitzt, dramatisches Talent entfalten können und magnetisch wirken. Sie kann ihr Leben nicht auf dem Level des Lebens, des Lebens im Sinne der Normalität, leben; die Wonnen der Gewöhnlichkeit sind ihr versagt. Versagt durch Eitelkeit und Stolz, versagt ebenso durch Selbstbewußtsein und nervöse Sensibilität. Die Kraft, ein solches Leben zu führen, speiste sich – wie bei vielen anderen genialischen Menschen – aus einer Energie, die, nach Voltaire, dämonisch ist. In ihr steckten auch kompensatorische Elemente. Maria Callas war als Kind häßlich, wurde von einer ehrgeizigen Mutter besessen angetrieben, litt unter Ängsten – vor allem vor der Menge, der Meute: dem Publikum –, und sie mußte ungeheuren Mut aufbringen, um nicht nur die konkrete Furcht vor Hindernissen und Hemmnissen zu überwinden, sondern eine tiefe Angst. Ihr Leben stellt sich dar als Kampf. Es gab wenig, fast nichts, was ihr keine Schwierigkeiten bereitete, nichts, was ihr leichtfiel.

Als sie sich den Platz an der Spitze, den sie selber stolz als Thron bezeichnete, erkämpft hatte, erging sie sich nicht in jener falschen Bescheidenheit, die, nach Goethe, das Verhalten von Lumpen ist. Sie reagierte spontan, heftig, aggressiv, stolz, unnachsichtig und manchmal arrogant.

Doch ist Arroganz nicht auch zu definieren als das verärgerte, neidvolle Unterlegenheitsgefühl derer, die den Überlegenen, den Besseren, den Größeren als überheblich oder eben als arrogant bezeichnen? Viele ihrer Skandale sind, näher besehen, nichts anderes als die Konsequenz ihrer Entschiedenheit und Aufrichtigkeit, seltener ihrer Impulsivität, kaum je die einer bloßen Caprice. Maria Callas ist berühmt, selbst berüchtigt gewesen wegen angeblich launenhafter Absagen. Wie verträgt sich das mit der Tatsache, daß sie bis 1960 an der Scala 157 Aufführungen gesungen und nur zweimal abgesagt hat? Richtig ist, daß sie, wie Carol Fox einmal sagte, schwierig war, wann immer es um die Unterzeichnung eines Vertrags ging, aber sobald sie eine Verpflichtung eingegangen war, fanden die Theater, die Veranstalter, die Kollegen in ihr eine unbedingt zuverlässige Künstlerin und eine Musikerin von unvergleichlicher Ernsthaftigkeit.

Nicht nur der im Studio harte, manchmal gnadenlose und selbst grausame Produzent Walter Legge fand in ihr einen »fellow perfectionist«; es waren die Großen, die Giganten, die sie bewunderten, sei es Tullio Serafin oder Victor de Sabata, Lucchino Visconti oder Franco Zeffirelli, Leonard Bernstein oder Herbert von Karajan. Bei ihrer Arbeit zeigte sie sich selbstkritisch bis zur Selbstzerfleischung, und sie hat Kräche, unter anderem mit Boris Christoff und Giuseppe di Stefano, nur dadurch provoziert, daß sie länger, härter, sorgfältiger proben wollte als diejenigen, die es nötiger gehabt hätten. Es ist nicht bekannt, daß sie je unvorbereitet zu einer Probe gekommen wäre; dies wäre in der Tat ein Skandalon gewesen und ist heute, ohne daß dies je diskutiert würde, ein Skandal in Permanenz. In ihren Gefühlen und in ihrer Haltung gegenüber Kollegen, Freunden, Partnern verhielt sie sich manichäisch. Liebe und Haß waren bei ihr, wie Visconti sagte, absolut.

Mit ihrer Sachlichkeit, oftmals ein dominanter Charakterzug humorloser Menschen, verprellte sie diejenigen, die von ihr freundliche Schmeichelei erwarteten. Diese Sachlichkeit erwies sich, vor allem im Umgang mit der Öffentlichkeit und insbesondere mit Journalisten, als Fehler, als Mangel an diplomatischem Gespür. Sie antwortete freimütig auf Fragen, oft auch überdeutlich und selbst verletzend; reagierte also so, wie es Journalisten lieben, und fand sich wegen ihrer Offenheit getadelt und angeprangert. All diese Eigenschaften wären bei einem Politiker, bei einem Unternehmer, einem Manager geschätzt worden, nicht aber bei einer Künstlerin, vor allem nicht bei einer Künstlerin in einer Epoche der sozialen, der ästhetischen, der moralischen Nivellierung. Daß sie kostbaren Schmuck trug, ihre Kleider in den Salons der besten Couturiers fertigen ließ, 150 Paar Schuhe besaß, reichte aus, sie der Salon-Fauna zuzurechnen: Konnte das zur größten Sängerin der Welt passen, zu der Kunstpriesterin, die Lucia und Medea, Norma und Violetta verkörperte?

Auch als Künstlerin, als Sängerin war sie eine Außenseiterin. Woher kam sie? Wer hat sie geformt? Was hat sie geprägt? Nicola Rescigno hat im Vorwort zum Transkript der Meisterklassen, wie zitiert, geschrieben, daß Callas bei ihren Lektionen die Geheimnisse der großen sängerischen Tradition weitergegeben habe.

Das ist richtig und, einmal mehr, nur die halbe Wahrheit. Richtig insofern, als sie das, was sie von Elvira de Hidalgo, von Tullio Serafin, von Victor de Sabata oder durch das Studium der Vokalisen von Concone und Panofka gelernt hatte, an ihre Schüler weitergab oder in ihren Aufnahmen verewigte. Teil der Tradition aber kann nur sein, wer die Arbeit von Kollegen oder Vorbildern fortsetzt und Nachfolger, Schulen und Schüler findet, und zu fragen wäre sogar, ob ihre Stimme in irgendeine Tradition paßte: ihre Stimme als Klang, als Trägerin von Empfindungen und als Objekt von Gefühlen.

Es ist mehr als seltsam und befremdlich, daß die Sängerin, die wie keine andere die italienische Oper erneuerte, durch und durch unitalienisch war: durch ihre Herkunft, ihre musikalische Schulung, den Klang ihrer Stimme. Der Herkunft nach war sie eine emigrierte (und dadurch letztlich eine sozial entwurzelte) Griechin, unterprivilegiert, unattraktiv und gehemmt, arm an Chancen und besessen von Hoffnungen. Sie nutzte die Chancen, die sich ihr boten, ließ sich formen von Serafin, von Legge – und sie formte sich selber nach einem erträumten Image: dem der schönen Frau, die sie Mitte der fünfziger Jahre wurde.

Sie hatte das Talent, den Ehrgeiz, den maßlosen Ehrgeiz, der vielleicht noch größer war als der von Walter Legge erwähnte »Minderwertigkeitskomplex«. In dem Augenblick, als sie die erkämpfte Schönheit nicht mehr – wie unter der behutsamen Führung Viscontis – in den Dienst ihrer Kunst stellte, sondern zum Display des Stars machte, wurde sie den Mitgliedern der *beau monde* ähnlich, deren Nähe sie suchte und in deren Nähe sie sich nie restlos wohl, weil nämlich immer unsicher, fühlte.

Ihre Selbststilisierung – ihre elaborierten Posen, die sorgsam geformten Gesten – war überwältigend auf dem Theater: als grandiose Verfremdung, als Kunst-Natur, als imaginäre Wirklichkeit. Doch die Pose der Tänzerin Taglioni, die heftigen, verzerrten, strahlenden und schmerzlichen Mienen der Tosca, unvergeßlich wie die schneeige Maske der Greta

Garbo, wirken fremd und befremdlich auf der Straße – oder eben in den Bildern der Magazine. Die *images* der Callas, das sind die Bilder aus zwei Welten: Bilder der Kunstfigur – schön, voller Autorität, reich an Ausdruck, zart, bewegend. Aber die Bilder der Star-Personality – übertrieben, grell, falsch, fassadenhaft. Adelina Patti hatte auf den Vorwurf, sie verdiene mit einem Konzert mehr als der Präsident der Vereinigten Staaten, erwidern können: »Let him sing.« Nellie Melba war nicht nur Gast des englischen Königshauses, sie war eine Königin und konnte sich benehmen wie eine Monarchin. *Sie* konnte die Primadonna nicht mehr im alltäglichen Leben spielen.

Callas konnte sich individualisieren nur mittels ihrer Stimme, sich emanzipieren, sich durchsetzen nur als Star. Die Stimme hatte die Wurzeln in keiner Tradition. Sie lernte das Singen auf einer einsamen Insel – wie Robinson das Leben und die Kunst des Überlebens. Sie hatte nie die Chance, in ein Ensemble hineinzuwachsen wie Rosa Ponselle, die, Amerikanerin der Geburt nach und Italienerin der Herkunft, an der Met in den Umkreis, den Bannkreis eines Caruso, Mardones, Martinelli kam. Es heißt, daß sie durch Elvira de Hidalgo mit dieser Tradition bekannt gemacht wurde. Doch wenn man die Platten der Hidalgo hört, kann man nur verwundert, irritiert, ja perplex fragen: Wie soll diese Sängerin auf Maria Callas eingewirkt haben? Die spanische Sängerin mag Callas in der Formensprache des Singens unterwiesen, ihr die Notwendigkeit von Flexibilität und Agilität erklärt haben, mit einem Wort: die Mechanik des Singens. Sie hat lediglich einige technische Voraussetzungen geschaffen, damit aus dem New Yorker Griechenmädchen Maria Callas werden konnte.

Was danach geschah, in den Jahren zwischen 1947 und 1950, war ein Bruch der Tradition, war ein Sonderweg, war eine emphatische Aktualisierung des *bel canto* für die Empfindungsweisen unserer Zeit. André Tubeuf hat in einem Essay »Callas, die Stilistin«[5] geschrieben, daß sie die ungeheuerlichen Visionen der Isolde gleichsam rückprojiziert habe auf die seelischen Irrungen und Wirrungen einer Elvira in *I Puritani*. Bis Callas kam, seien die »Wahnfrauen« Bellinis und Donizettis von blonden und glitzernden Stimmen gesungen worden – Toti (dal Monte) oder Lily (Pons). Doch wie, fragt der Franzose, hätten diese Blondchen die blutigen Königinnen theatralisch erretten können – Anna Bolena, Maria Stuarda?[6]

Entscheidend aber, daß Callas Partien wie La Vestale oder Sonnambula oder Lucia von Anfang an gesungen hat, als hätten sie das dramatische, das musikalische, das gedankliche Gewicht einer Wagner-Partie. Noch wichtiger, daß sie zur Gestaltung die Energie der Gefühle, die Vielfalt der Timbres, der instrumentalen Farben gebraucht habe, wie sie erst seit dem Orchester Wagners existieren. »Sie verdankt ihre musikalische Imagination dem Orchester, wie es sich zum Ende des 19. Jahrhunderts hin ausbildete.« (Tubeuf) Im modernen Orchester zwischen Hector Berlioz und Claude Debussy kommt es, wie Pierre Boulez in seinen Annotationen zu seinen Debussy-Aufnahmen schreibt, zur Individualisierung orchestraler Timbres. Die herkömmliche Orchester-Einkleidung weiche der Orchestrierungs-Erfindung. Die Imagination des Komponisten sei nicht eingeengt dadurch, daß er erst den musikalischen Text aufschreibe und dann mit Instrumentations-Wundern einkleide, sondern die Orchestrierung reflektiere nicht nur die musikalischen Ideen, sondern in ihr manifestiere sich die Schreibweise.

Das ausdifferenzierte Orchester gab der Sängerin die Klangvorstellungen für die Stimme. Callas konnte eine lyrische *legato*-Linie mit der Bindung einer Viola singen, eine dramatische mit der Attacke eines Cello. Sie hatte die Farben der Oboe und der Flöte in der hohen Lage und die dunkle Farbe der Klarinette in der tiefen. Sie konnte den Klang verschatten, ihm opaque Farben geben oder auch schärfen und gleißend intensivieren. Tubeuf geht so weit zu sagen, daß Callas eine Sängerin ohne Wurzeln gewesen sei – und als Musikerin eine Deutsche. Das mag daran liegen, daß nach Ansicht der Franzosen die Deutschen den »Tiefsinn« gepachtet haben.

Mit Tubeuf sei die Frage gestellt, wie es möglich war, daß Maria Callas einen Stil »diktiert« hat, daß sie selber ein Stil war. Zunächst einmal war sie ein Sonderfall, da sie weder aus einer Tradition kam noch eine Tradition initiierte. Sie kam auf die Bühne wie ein Komet, der sich, nach dem Wort von Teodore Celli, in ein fremdes Planetensystem verirrt hat, sorgte für Aufsehen, für Furore, für Irritation, für Skandal und schließlich, nach ihrem Abschied, für einen Kult.

Mehr als all ihren Auftritten im Theater verdankt sie, ohne jeden Zweifel, der Schallplatte: dem imaginären Theater, der Klangbühne. Daß die Platte für den Künstler so etwas bedeutet wie eine zweite Existenz, ist ein Truismus. Doch ist mit der Platte längst keine Karriere mehr zu steuern, wenn ihre ästhetischen Möglichkeiten nicht umfassend genutzt werden. Callas hat, unter der klugen Steuerung durch Walter Legge, die Schallplatte zum Theater der sängerischen Performance gemacht. Tubeuf vertritt die Ansicht, daß die Bühnen-Darstellerin Callas nur von den wenigsten verstanden worden sei; das ist eindeutig falsch. Sie wurde, einmal *regina* der Scala, vom Publikum umjubelt und von den meisten Kritikern bewundert, zumal in den Inszenierungen Viscontis. Doch die Schallplatte verschaffte ihr die Möglichkeit, das Orchester der Stimme in allen Nuancen und Farben spielen zu lassen; physiognomisch präsent zu sein und doch unsichtbar, vor allem entzogen dem Ritual um die »Personality« Callas.

Die Platte zwang sie zu minimalen, zu infinitesimalen Nuancierungen, zu feinsten Inflektionen des Wortes und zur höchsten, unbedingten Konzentration auf die Musik. Ihre Aufnahmen sind von jener raren Art, die man wieder und wieder hört und immer wieder so, als hörte man sie zum erstenmal. Sie haben, vor allem, emotionale Intensität und Präsenz, deren Aura sich auch beim wiederholten Hören nicht auflöst.

Als sie von der Bühne verschwand, geschah das wie unbemerkt, zumal dieses Verschwinden sich über einige Jahre hinzog. Denn als Künstlerin wurde sie immer präsenter, lebendiger, für die Nachfolgerinnen sogar bedrohlicher. Tubeuf weist darauf hin, daß sie sich auf der Bühne kaum bewegt und doch den Eindruck großer Mobilität erweckt habe. Die Schallplatte unterstreicht das: Ihr Singen hat zwar nicht die rapide Agilität einer Sutherland, aber eine gespannte Mobilität, wie man sie nur bei den besten Tänzern erleben kann. Sie liegt in der Möglichkeit, ein Wechselspiel von Bewegung und Entspannung herzustellen oder auch: eine Architektur der Zeit. Vor allem die Rezitative der Callas sind architektonische Gebilde, und selbst bei der wiederholten Reproduktion, durch die viele *rubato*-Effekte sich verschließen, bewahren sie ihre Spannung.

Die Sängerin mag von ihrer Lehrerin, Elvira de Hidalgo, viel gelernt haben – Technik, Agilität, die Grammatik des Singens. Auffällig aber, daß es so gut wie keine Ähnlichkeiten zwischen de Hidalgo und Callas in Aufnahmen identischer Repertoires gibt. Allein bei den Variationen »Deh torna, mio ben« von Heinrich Proch gibt es Parallelen in Fragen der Phrasierung und der Verzierung.

Der »vecchio lupo« Tullio Serafin mag ihr alle Bühnenfinessen erklärt haben. Keinem »Lehrer« aber verdankt sie so viel wie dem Produzenten Walter Legge. Der Brite zeigte sich nicht nur kompromißlos bei seiner Arbeit im Studio, besaß nicht nur das Gespür für die Möglichkeiten eines Interpreten, die virtuell weit über das hinausgehen, was die meisten Produzenten schon zufriedenstellt; er besaß die Einbildungskraft für die akustische *mise en scène*, für den phantasievollen Umgang mit der Schallplatte, für das Singen in Gebärden – für den visuellen Klang. Maria Callas selber hat gesagt, daß die Oper in ihre Endphase gelangt sei. Ohne die Sängerin, ohne ihre Wiederentdeckung des Singens hätte die altersschwache Kunstform nicht jene vitalisierende Transfusion bekommen, die sie heute noch am Leben erhält.

Der Diagnose, daß die Oper in einer Krise stecke oder gar in Agonie liege, wird von den Verteidigern der Oper, also von deren Interessenvertretern, entgegengehalten, daß das Wort von der Krise so alt sei wie die Oper selber. Das ist vielleicht eine geschickte, schwerlich eine gescheite Verteidigung. Die Oper existiert nicht länger als lebendige, als aktuelle Kunst-Form, sondern als ein nicht einmal mehr luxurierendes Begleitphänomen des Kulturbetriebs, und sie geht die wenigsten an, die hingehen. Wenn es aber gilt, das Musiktheater ohne Bühne – also das der Imagination – zu erleben, werden ihre Aufnahmen als Werkzeuge der Erinnerung vielen eine Vorstellung davon geben, was und wie die Oper sein kann. Möglich also, daß Maria Callas ihr Auditorium auch dann noch finden wird, wenn die Oper, nach vier Jahrhunderten, von der Furie des Verschwindens verzehrt sein wird.

Wird es die ganze Maria Callas sein? Liegt nicht in der Reduktion auf die Schallplatte eine Begrenzung des ästhetischen Urteils? Oder anders: Erlaubt die Schallplatte wirklich die vollständige Beurteilung oder Würdigung eines Interpreten? Diese Fragen haben die niederschmetternde Gewalt von Gemeinplätzen. Auch eine Aufführung erlaubt kein Urteil über den Rang eines Sängers, weil die Anforderungen oder die Unterforderungen oder die Überforderungen durch den Dirigenten, den Regisseur, die Partner seine Leistung steigern wie beeinträchtigen können. Viele Sänger leben mit der festen Überzeugung, daß sie an den Tagen, an denen sie singen müssen, nicht bei Stimme sind, und an den Tagen, an denen sie gern singen würden, nicht aufzutreten haben. Darüber hinaus bleibt festzuhalten, daß die Suggestivität von schauspielerischen Qualitäten zwar ein Komplement sängerischen Könnens sein kann – und zwar ein wesentliches –, schwerlich aber eine Kompensation für sängerisches Unvermögen.

Vielmehr muß die darstellerische Ausdruckskraft zur Seele des Singens werden. Zur Konkretisierung: Interpreten wie Astrid Varnay oder Gerhard Stolze haben auf der Bühne gewiß als Darsteller überzeugt, so daß die sängerischen Defizite erträglich wurden, doch fällt es beim Hören schwer, diese Toleranz aufzubringen. Wer sich überhaupt auf die Schallplatte einläßt, sie als Werkzeug der Erinnerung nutzt und als ästhetisches Medium ernst nimmt, kommt nicht umhin, nach der Möglichkeit eines *darstellenden* Singens zu fragen. Es gibt heute keinen Hörer, keinen Kritiker mehr, der aus eigener Anschauung etwas über die Darstellerin Adelina Patti oder Lilli Lehmann, über die Schauspielkunst eines Maurel, eines Tamagno, eines Battistini, eines Caruso sagen könnte. Wir sind angewiesen auf die Werkzeuge der Erinnerung, und wir müssen, was wir hören, ergänzen durch die Lektüre literarischer Dokumente und vielleicht auch durch das Betrachten, das imaginative »Lesen« von Bildern. Ohne solche Dokumente wüßten wir nichts, rein gar nichts über die Kunst der Kastraten oder die dramatischen Darstellungen einer Schröder-Devrient, Pasta oder Malibran. Seit der Erfindung der Zeitmaschine, der Schallplatte, ist uns der von Emil Berliner beschworene »Dialog mit der Ewigkeit« möglich, sind wir in der Lage, die literarischen Beschreibungen anhand der Tondokumente zu überprüfen. Es heißt, daß angelsächsische Melomanen etwa bei der Lektüre von Henry Fothergill Chorleys Opernkritiken die beschriebenen Sänger zu hören vermeinen.

Dem ist so. Zumindest, dem kann so sein. Wer sich lange, gründlich und sorgfältig auf den Dialog mit der Ewigkeit eingelassen, wird bei den Kritiken eines Henry Krehbiel, eines George Bernard Shaw, eines Reynaldo Hahn, eines William James Henderson, eines Desmond Shawe-Taylor oder eines Andrew Porter all das hören, was die Platten bewahrt haben. Nur der Film aber und die Video-Aufnahme können die körperhafte Gestik und Ausstrahlung eines Darstellers konservieren. Maria Callas ist nicht oft gefilmt worden. Zwar gibt es viele eindringliche und prägnante Beschreibungen ihrer Darstellungskunst, vor allem von Visconti, Zeffirelli und Sequi, aber diese Zeugnisse werden lebendig nur für den, der die Sängerin hört. Wer aber die darstellende Sängerin – im Gegensatz zu Felsensteins Wort vom Sänger-Schauspieler – hört, gewinnt durchaus ein *Bild*. Die Beschränkung auf die musikalische, die vokale, die klangliche Darstellungsfähigkeit erlaubt sogar eine Konzentration, die im Theater kaum je aufgebracht wird und schon gar nicht von einem durchschnittlichen Festivalpublikum. Erst das konzentrierte Hören erlaubt die Wahrnehmung jener Nuancen und Details, die im Theater oft, sogar meistens gar nicht wahrgenommen werden.

Es ist kein Zufall, daß der Ruhm der Sängerin Maria Callas in dem Maße gewachsen ist, wie sie sich von der Bühne – auch von der gesellschaftlichen – zurückgezogen hat. Der Ruhm, der ihrem Können und ihrer Bedeutung galt und eine Zeitlang verzerrt wurde durch ihre Weltgeltung als Star und als Personality, lebte weiter in ihren Aufnahmen. Jeden, der hören will und kann, zieht sie hinein in die akustische Inszenierung der Oper. Noch einmal: Wie von Schröder-Devrient hören wir von Maria Callas ein Singen, welches »das Auge depotenziert« und vor dem Auge der Einbildungskraft »das innerste Wesen der menschlichen Gebärde« aufscheinen läßt. Maria Callas gehört zu den wenigen darstellenden Sängern, die man um so deutlicher vor sich sieht, wenn man sie nur hört. Ihr Singen war Darstellung.

DREIZEHNTES KAPITEL

Gesang für die Einbildungskraft

Wer den Ernst einer Melodie empfindet, was nimmt der wahr? –
Nichts, was sich durch die Wiedergabe des Gehörten
mitteilen ließe.
Ludwig Wittgenstein,
Philosophische Untersuchungen II.

Maria Callas und ihre Schallplatten

Die Kultur kann nicht neben der Apparatur konserviert,
sie kann nur in sie hineingerettet werden.
Arnold Gehlen, Die Seele im technischen Zeitalter

Maria Callas gehört zu den ersten Künstlerinnen und Künstlern, deren Laufbahn und musikalische Arbeit durch die Schallplatte umfassend dokumentiert ist – genauer: durch die Möglichkeiten der Tonaufzeichnung. Denn es waren die Entwicklung des Tonbandes und später von Transistorgeräten, dank deren die Aufführungen zahlreicher Künstler, in welcher Qualität auch immer, festgehalten werden konnten. Die ersten Studio-Aufnahmen von Maria Callas, produziert von Cetra im Jahre 1949, kamen noch auf 78er-Platten heraus, doch vier Jahre später wurde die Sängerin zu einer der Protagonistinnen der Langspielplatte, deren technische Möglichkeiten eine neue Form und eine neue Ästhetik der Opernproduktion zeitigten.

Folgt man dem Buch von John Ardoin – »The Callas Legacy« –, so umspannt die Discographie der Sängerin einen Zeitraum von 24 Jahren, von kurzen Ausschnitten einer *Turandot*-Aufführung in Buenos Aires bis hin zu solchen aus ihrer Abschiedstournee von 1973/74. Rein quantitativ bilden die Studio-Aufnahmen nur den Kern dieser Discographie. Im Studio hat Maria Callas 16 Opern aufgenommen – darunter Werke, die sie, wie *La Bohème, Manon Lescaut, Pagliacci* und *Carmen*, nie auf der Bühne gesungen hat; auf Mitschnitten liegen insgesamt 34 ihrer 47 Rollen vor. Hinzu kommen zahlreiche Recitals und Mitschnitte ihrer Konzerte. Nicht nur weil Studiomikrophone anders hören als die im Opernhaus (oder vor dem Radio), müssen die Mitschnitte und die Platten nach unterschiedlichen Parametern beurteilt werden und nicht bloß mit der kritiklosen Bewunderung von Fans, für die es, wie David A. Lowe es formuliert, eine »uninteressante Callas-Aufnahme nicht geben kann«. Auch der Verfasser steht nicht an, zuzugeben, daß ihn jede – oder fast jede – Aufnahme interessiert, aber er räumt ein, daß er viele nur mit Irritation, unter Schmerzen und selbst mit Unbehagen hören, einige sogar kaum ertragen kann. Zu leugnen, daß es schon aus der mittleren Zeit der Sängerin – etwa seit 1954 – Aufnahmen mit verstörenden Unsicherheiten, mit tremulösen Spitzentönen, harschen Klängen und Vokalverfärbungen gibt, wäre Indiz für fetischistische Bewunderung. Wer endlich Maria Callas noch nie gehört hat und den Initiationsritus mit »Maria Callas: The Legend – The Unreleased Recordings« versuchen würde, müßte die ganze Legende für ein Lügengebilde halten.

Als Maria Callas 1953 für die EMI ins Studio zu gehen begann, lag ein bedeutender Abschnitt ihrer Karriere schon hinter ihr. Es war gewiß nicht der künstlerisch wichtigste oder ergiebigste, wohl aber der ihrer stimmlichen Glanzzeit. Nur zwischen 1947 und 1952 war sie jene *assoluta,* die dramatische, lyrische und verzierte Partien hatte singen können. Zwar gibt es technisch nur mäßige Mitschnitte von *Parsifal, Nabucco, I Vespri Siciliani* und *Macbeth*, nicht aber von *Walküre, Tristan und Isolde* und *Turandot.* Daß es keine sorgsam produzierten Aufnahmen insbesondere von *Vespri, Macbeth, Nabucco, Don Carlo* aus der Frühzeit der Sängerin gibt, muß als schmerzliche Lücke in ihrer Studio-Discographie angesehen werden. Im Studio hat Maria Callas, von wenigen Ausnahmen abgesehen (*Medea, Il Turco in Italia*), nur das konventionelle Repertoire singen können, ohne allerdings konventionell zu singen: Rossinis *Barbiere*, Bellinis *Norma, Puritani* und *Sonnambula*, Donizettis *Lucia*, Verdis *Rigoletto, Trovatore, Traviata, Forza, Ballo* und *Aida*, Puccinis *Manon, Bohème, Tosca, Butterfly* und *Turandot*, die Einakter von Leoncavallo und Mascagni und Ponchiellis *La Gioconda*. Nicht aufnehmen konnte sie ferner Werke wie *Die Entführung aus dem Serail*, Rossinis *Armida*, Glucks *Alceste* und *Iphigénie en Tauride, Anna Bolena, Il Pirata* und *Poliuto* – Partien, die sie zwischen 1952 und 1960 auf der Bühne gesungen hat.

Eine müßige Überlegung? Gibt es nicht genügend Mitschnitte, die, wie es vielerorts zu lesen steht, »den Genius der Callas im Bühnenzusammenhang« aufklingen lassen? Und zeigen diese Mitschnitte nicht auch, wie es weiter heißt, die wahre Callas, die fanatische, alles riskierende Kämpferin? Als Bewunderer der Sängerin wie als Chronist der Gesangsgeschichte wird man diese Aufnahmen nicht missen wollen, doch entbindet dies nicht von kritischem Hören. Viele dieser Aufnahmen sind, wegen erheblicher und nicht nur technischer Mängel, höchst ambivalente, problematische Gebilde. Man mag sich damit abfinden, daß bestimmte Defizite auf technische Unzulänglichkeiten zurückzuführen sind: die schlechte klangliche Balance, schwere und schwerste Verzerrungen, Senderüberschneidungen, *drop-outs*. Schlimmer, daß diverse Opern in zu hohen Überspielungen auf den (grauen) Markt geworfen sind, daß Passagen fehlen oder fehlende Passagen durch »Takes« aus anderen, selbst aus kommerziellen Aufnahmen ersetzt worden sind. Es ist auch nicht sehr vergnüglich, in den mexikanischen Aufführungen eine vokal brillante (gewiß nicht immer »fertige«) Maria Callas in Ensembles und mit Orchestern von provinzieller Dürftigkeit zu erleben. Anders steht es um spätere Mitschnitte aus Mailand, London, Berlin oder Dallas, dank deren gute und sogar exemplarische Aufführungen bewahrt sind.

Falsch wäre es, diese Mitschnitte gegen die Studioproduktionen auszuspielen, weil, wie Maria Callas selber betont hat, die Aufführung unter anderen Gesetzen steht als die Aufnahme. Maria Callas gehörte zu den Sängerinnen, die auf der Bühne größere Risiken eingehen und eigene Grenzen versetzen konnten. Auf der anderen Seite finden sich in einigen Studio-Aufnahmen – etwa von *Tosca*, von *Lucia di Lammermoor* (1953), *Forza, Aida, Turandot, Bohème* – einzigartige Nuancierungen und Feinheiten: »Die Callas hat eine Art, ein Wort auszusprechen«, sagte die Bachmann, und die Platte ist das ideale Medium für derartige Hörspiel-Kunst. Die Mitschnitte beweisen auch, daß die Studioperfektion des Singens – der *staccati*, der steigenden und vor allem der fallenden Skalen, das »timing« oder »pacing« der Phrasen, die sichere Bewältigung selbst schwieriger und weiter Intervalle – nicht Ergebnis von Schnitten war; sie hat auf der Bühne vielleicht dann und wann einmal einen Fehler gemacht, bei einer hohen Note gepatzt oder einen Atem nicht richtig eingeteilt, doch waren das keine Fehler der Technik, sondern einzig Folgen der Bereitschaft, um des Ausdrucks willen alles zu riskieren. Noch einmal sei daran erinnert, daß Maria Callas gegenüber Walter Legge gesagt hat, in den frühen Jahren habe sie »wie eine Wildkatze« gesungen. Eine ambivalente Äußerung. Aus ihr spricht zum einen der Stolz auf die Energie und Risikobereitschaft, zum anderen aber künstlerische Skepsis und Selbstkritik: die Einsicht, daß sie das Publikum mit Mitteln erobert hat, die sie als Künstlerin fragwürdig finden mußte. Es sei denn, daß sie die Fragwürdigkeit vokaler *stunts* in dem Augenblick erkannte, da sie nicht länger die zähe Energie einer Wildkatze besaß.

Wie problematisch manche Mitschnitte aber auch sein mögen, für den kritischen Hörer und vor allem für den Historiker sind sie von bedeutendem Wert. Sie dokumentieren nicht nur eine individuelle Laufbahn in ihrer Entwicklung, mit ihren Höhepunkten und Hürden, ihren Fährnissen und Katastrophen, sondern verraten viel über Aufführungstraditionen, über das Niveau der Theater in den fünfziger Jahren und den Standard der Ensembles. Sie halten nicht nur die glückhaften Momente fest, in denen die Sängerin über sich hinausgewachsen ist, sondern auch jene erregenden, da sie das höchste und, nach Heinrich Mann, reinste artistische Risiko eingeht: den Seiltanz. Um das Publikum in Bann zu schlagen, hat die junge Maria Callas *altissimo*-Töne interpoliert – das Des und D und Es –, die für das Werk nicht von Bedeutung waren, wohl aber für die Spannung der Aufführung und den Platz in den Rängen des Ruhms, den nur erobert, wer alles wagt. Daß dies ein schweres, ein gefährliches Wagnis war, auch das halten diese Aufnahmen fest. Wen könnte es stören, daß sie dann und wann einen Ton nicht versammeln oder im Fokus halten kann, daß sie eine Phrase, wegen eines falsch abgeschätzten Atems, nicht zu Ende zu führen vermag? Von Bedeutung ist nur die Unbedingtheit des Einsatzes, das Ringen um das Absolute.

Dank der Energie und Autorität ihres Singens stand schon die ganz junge Sängerin immer im Mittelpunkt der Aufführungen. Selbst als sie 1950 in Mexico City die Leonora in Verdis *Il Trovatore* sang – und zwar ohne die gewünschte Vorbereitung mit Tullio Serafin –, beherrschte ihr artistisches Gespür die Aufführung. Deutlich erkennbar ihr Versuch, den Formenreichtum von Verdis mittlerem Werk zu entfalten und es in der Tradition des *bel canto* zu situieren. Das ist bewunderungswürdiger als die Verve der umjubelten interpolierten Spitzentöne in den Arien des ersten und des vierten Aktes. Da einige Werke – *Trovatore, Norma, Lucia, Traviata, Medea* – in drei, vier und mehr Mitschnitten oder Aufnahmen vorliegen, läßt sich zudem die künstlerische Entwicklung, fast immer eine gegenläufige zur rein stimmlich-physischen, studieren; und manchmal erlebt man jene einzigartigen Momente, in denen die Stimme noch und der Kunstverstand schon funktioniert: in der *Traviata* unter Giulini, der Scala-*Norma* unter Votto, dem Scala-*Ballo* unter Gavazzeni, der *Anna Bolena* unter Gavazzeni oder der Dallas-*Medea* unter Nicola Rescigno.

Diese Mitschnitte und die meisten Studio-Aufnahmen sind, dies ist noch einmal zu betonen, in einer Zeit mit Zeit und im Umfeld von intakten Ensembles entstanden. In den fünfziger Jahren, da die Stimme eines Künstler-Produzenten wie Walter Legge (oder auch John Culshaw) das gleiche Gewicht hatte wie die eines Managers, galt die Produktion einer Oper als Herausforderung und nicht als die Erfüllung einer vertraglichen Verpflichtung gegenüber einem Star. Selbst in den Aufnahmen, in denen Maria Callas mit durchschnittlichen Partnern gesungen hat – etwa dem Pollione von Mario Filippeschi, dem Arturo von Giuseppe di Stefano, dem Elvino von Nicola Monti, dem Kalaf von Eugenio Fernandi –, wirkt sich das kaum auf die Geschlossenheit und ästhetische Integrität der Aufnahme aus. Anders ist es nicht zu erklären, daß viele ihrer Aufnahmen auch nach mehr als drei Jahrzehnten unerreicht, zumindest nicht übertroffen sind. Ebenso verraten die Mitschnitte vor allem der Mailänder Aufführungen, mit welchem Ehrgeiz all die de Sabata, Bernstein, Karajan, Gavazzeni, Visconti und andere Operntheater gemacht haben. Ein künstlerisches Talent selbst vom Rang einer Callas konnte nur unter bestimmten sozio-kulturellen Voraussetzungen und nicht im grellen Glanz des Star-Theaters aufblühen. Im Opernbetrieb der sechziger und siebziger Jahre hätte sie schwerlich sich entfalten können.

Nach einem Satz von Maggie Teyte[1] hängt der Standard des Singens von der Qualität der Lehrer ab. Wie muß einem verantwortungsvollen Lehrer zumute sein, wenn er erlebt, daß gerade besonders begabte und gut geschulte Zöglinge alle Warnungen in den Wind schlagen und Rollen singen, von denen die Lehrer abgeraten haben? Es ist nun einmal so, daß selbst die beste Technik Tag für Tag durch die sängerische Praxis gefährdet wird – durch Indispositionen, lange Reisen, kollegiales Einspringen, aber auch durch die Zumutungen von Impresarios, Theaterleitern und Dirigenten, denen es um den Erfolg ihres Theaters und ihrer Aufführungen geht, nicht aber um den der Sänger. Wie sagte Lisa della Casa: »Nimm die Zitrone, presse sie aus – und wirf sie weg.« Maria Callas hat sich, um des Erfolges willen, nie geschont, hat in den ersten Jahren viel – und zu schwere Rollen – gesungen, aber ihren Rang nur erreicht durch die höchste Konzentration auf ihre Rolle, auf die Musik, auf die Qualität der Aufführung, und daraufhin sollte man ihre Aufnahmen und die Mitschnitte ihrer Aufführungen hören. Hören ferner mit offenen Ohren für den langsamen Verfall der Stimme, besser vielleicht: für den Kampf der Kunstanstrengung mit den Schwächen des Instruments, die seit Mitte der fünfziger Jahre immer deutlicher spürbar werden, selbst wenn Maria Callas bis in die späten Fünfziger Aufführungen gesungen hat, die, mit einem angelsächsischen Ausdruck, »head and shoulders« über denen aller ihrer Kolleginnen oder Rivalinnen oder vermeintlichen Nachfolgerinnen stehen. Größe liegt nicht nur im Glück des Gelingens, sondern auch im Niveau des Scheiterns.

Ah, quale voce

Die früheste derzeit zugängliche Aufnahme datiert vermutlich vom 20. Mai 1949. Sie stammt aus Puccinis *Turandot*, aus einer von Tullio Serafin betreuten Aufführung im Teatro Colón von Buenos Aires. Maria Callas hat die Partie in der Saison 1949/50 zum letztenmal gesungen und sich damit vom schweren dramatischen Fach, sieht man einmal von fünf römischen *Tristan und Isolde*-Aufführungen im Februar 1950 ab, verabschiedet. Damals sah sie sich als dramatischen Sopran. Wenn sie auch nicht die ausladenden stimmlichen Mittel einer Nordica, einer Flagstad, einer Leider besaß, so doch die dramatische Veranlagung und die brennende Ausdrucksenergie. Daß Tullio Serafin sie im Januar 1949 die Elvira in Bellinis *I Puritani* hatte singen lassen, war schwerlich der Versuch, ihrer Karriere eine neue Richtung zu geben, sondern eine praktische Notwendigkeit; doch daß es mehr war als eine Notlösung, eröffnete ihr neue Perspektiven. Im Dezember 1949 bewies sie auch in Verdis *Nabucco*, daß sie allen Anforderungen an die stimmliche *agilità* gewachsen war. Die Jahre 1950 und 1951 brachten schließlich die neuen, die verzierten Partien: in *Norma, Il Turco in Italia, Il Trovatore, La Traviata, I Vespri Siciliani* und erneut *I Puritani*. Bis 1952 – vielleicht das Jahr mit den brillantesten Aufführungen ihrer Karriere – gab es für Maria Callas keine Grenzen, und es endete mit der Apotheose der von Victor de Sabata dirigierten Aufführung des *Macbeth* in der Scala.

Wer die Bestätigung sucht für Tito Gobbis Satz, er habe von der jungen Callas Klänge gehört, wie man sie nur einmal im Leben erleben könne, findet sie im erwähnten Ausschnitt aus *Turandot*: »In questa reggia«. Ihr Partner ist Mario del Monaco, der zwar dann und wann um eine Schwebung unter der korrekten Tonhöhe bleibt – schmerzlich bei der Engführung der Stimmen –, aber einen Klangstrom von erstaunlicher Fülle und metallischer Brillanz produziert. Dennoch obsiegt Maria Callas durch die große Energie und tonliche Konzentration ihres Singens, das den Vergleich mit der legendären Aufnahme von Eva Turner durchaus aushält. Ja, Maria Callas vermag den Beginn der Arie subtiler zu schattieren als die englische Sängerin, den Klang ausdrucksvoller zu färben. Ihre Phrasierung ist expansiv, die Attacke kühn, die Autorität des Vortrags eindrucksvoll, die Selbstsicherheit bei der Entfaltung der sich hochschraubenden klimaktischen Phrasen atemberaubend, und doch gewinnt man nicht den Eindruck jenes willkürlichen und lauten Kraft-Singens, das, wie Rosa Raisa einmal sagte, in Südamerika so beliebt war und ist.

Kurz vor den Aufführungen in Buenos Aires – *Turandot, Norma* und *Aida* – hatte Maria Callas in Turin unter Francesco Molinari-Pradelli ein von der RAI übertragenes Konzert gesungen. Auf dem Programm hatten Isoldes Liebestod und Aidas Nil-Arie sowie Normas »Casta diva« und Elviras »Qui la voce sua soave« gestanden. Eine kluge Selbstdarstellung: Sie zeigte damit, daß sie eine Assoluta im ursprünglichen Sinne war, eine Sängerin für das dramatische und das verzierte Fach. Acht Monate später nahm sie das Programm, abgesehen von der Nil-Arie aus *Aida*, für Cetra auf. Den drei 78er-Platten kommt für ihre Karriere keine geringere Bedeutung zu als den zehn Titeln von 1902, die Carusos Ruhm begründeten. Und hat es je eine vollkommenere Erstlingsplatte gegeben als Callas' Interpretation von Elviras »Qui la voce sua soave« aus Bellinis *I Puritani*? Sie allein müßte, gäbe es keine andere Callas-Aufnahme, den Nachruhm der Sängerin sichern, und sie würde es als Zeugnis früher Vollendung – zudem als Versprechen, daß die Zukunft noch vieles mehr bergen werde. Bellini hat seine letzte Oper für Paris geschrieben. Bei der Uraufführung am 24. Januar 1835 sang Giulia Grisi (1811–1869), die in der Uraufführung von *Norma* bereits die Adalgisa gesungen hatte, die Elvira. Grisi war, wie aus den Schriften eines Théophile Gautier oder eines Henry Fothergill Chorley hervorgeht, eine Sängerin des Übergangs: Sie beherrschte den verzierten Stil Rossinis und Donizettis, wurde aber auch den dramatischen Anforderungen Verdis und Meyerbeers gerecht.[2] Wenn sie auch nicht, wie es heißt, das darstellerische Genie und die sängerische Expressivität einer Pasta oder einer Malibran besaß, sprach man ihr doch eine bedeutende sängerische und schauspielerische Kraft zu. Für die Malibran, die im letzten Akt die Bühne »mit ihren wahnwitzigen emotionalen Schreien füllte« (Bellini), die »unerhört waren für die Bühne unserer Zeit«, komponierte Bellini »Son vergin vezzosa«.

Daraus erhellt, daß die Elvira vom Komponisten für einen dramatischen Sopran mit *agilità* konzipiert worden war. In diesem Jahrhundert aber war die Rolle, wie sich durch die Schallplatte leicht zeigen läßt, den lyrischen Koloratursopranen anheimgefallen, von denen nur wenige die Cantilena »Qui la voce« mit Sinn und noch weniger mit dramatischem Feuer erfüllen konnten. Um so mehr haben sie die *cabaletta* in einer Weise vorgeführt, die den englischen Kritiker Richard Fairman stöhnen ließen: »Empty of sense and full of notes.« Und man muß diese dramatisch domestizierten, sanft gebeteten oder auch nur sinnentleert gezwitscherten Aufnahmen von Frieda Hempel, Lily Pons, Mado Robin und anderen hören, um zu erkennen, welchen Eindruck Maria Callas 1948 machen *mußte*: Sie sang die als leicht und dekorativ mißverstandene Musik mit einer dunklen und vollen, mit einer geradezu archaisch expressiven Stimme und mit *tutta del desperazione del dolore* – so, wie Bellini es verlangt hatte.

Schon in dieser Aufnahme erklingt der spezifische Ton der Sängerin, jene Mischung aus Klarinette und Oboe, die Claudia Cassidy beschrieben hat, ein Ton von melancholisch-dunkler, von leidvoller Farbe, ein Ton zudem, der den innermonologischen Charakter des Traumstücks als Klangfigur erfaßt, weil alle Vokalfarben geradezu kaleidoskopisch aufscheinen.

Da capo für einen Satz von André Tubeuf, demzufolge die Klangvorstellung der Sängerin vom Orchester Wagners geformt worden sei. In seinem theoretischen Hauptwerk – »Oper und Drama« – hat der Komponist im Abschnitt »Wortvers und Stabreim« ausgeführt, daß der Vokal nichts anderes sei als »der verdichtete Ton: seine besondere Kundgebung bestimmt sich durch seine Wendung nach der äußeren Oberfläche des Gefühlskörpers, der dem Auge des Gehörs das abgespiegelte des äußeren, auf den Gefühlskörper wirkenden, Gegenstandes darstellt; die Wirkung des Gegenstandes auf den Gefühlskörper selbst gibt der Vokal durch unmittelbare Äußerung des Gefühls auf dem ihm nächsten Wege kund, indem er seine, von außen empfangene Individualität zu der Universalität des reinen Gefühlsvermögens ausdehnt, und dies geschieht im musikalischen Ton. Was den Vokal gebar und ihn zu besonderer Verdichtung zum Konsonanten nach außen bestimmte, zu dem kehrt er, von außen bereichert, als ein besonderer zurück, um sich in ihm, dem nun ebenfalls Bereicherten, aufzulösen: dieser bereicherte, individuell gefestigte, zur Gefühlsuniversalität ausgedehnte Ton ist das erlösende Moment des dichtenden Gedankens, der in dieser Erlösung zum unmittelbaren G e f ü h l s e r g u s s e wird.« (Hervorhebung von Richard Wagner).

Mag sein, daß diese ästhetische Reflexion manchem modernen Leser – oder manchem, der sich für einen modernen qua fortgeschrittenen Leser hält – pathetisch oder gar verblasen vorkommt, doch sie trifft ins Herz der Sache: die Behandlung nicht nur der dunkel pathetischen Vokale in »la voce sua soave«, sondern auch der Aufhellung in den Worten »voce« und »sospir«, wo Maria Callas, wie Ardoin, und nicht nur er, beobachtet hat, ihre Kleinmädchenstimme einsetzt. Rein technisch handelt es sich dabei um eine Plazierung des Tons gleichsam vor die Lippen, doch ist der Effekt mit einer technischen Erklärung nicht zu erfassen und zu beschreiben. Es ist ein Ton, der die Grazie, die Feinheit, die sylphenhafte Bewegungseleganz einer Ballerina, einer gleichsam entmaterialisierten und dennoch sichtbaren Bewegung hat. Dieser Ton ist von einem einzigartigen Atemstrom getragen und von der Kunst des *portamento* und des *rubato* bewegt. Es ist nicht das *portamento* der veristischen Sänger, nicht das unsaubere Herangleiten an den Ton, sondern das korrekte »Tragen« des Tons auf dem Atem und zugleich die innere Strukturierung der musikalischen Bewegung. Es ist ein *portamento,* das die feinsten Übergänge zwischen den Tönen findet und nie aus der Not des »scooping«, des Angleitens zum Ertasten des Tons, geboren wird. Es verhilft zu einem spannungsvollen, atmenden *legato.*

Der musikalische Sinn kann nur erfaßt werden durch die Illuminierung des Textes, der Wörter und selbst der einzelnen Silben. Maria Callas verweilt, wie es nur ein großer Rhetor vermag, auf jedem Moment des Affekts und ergibt sich niemals dem Effekt, erfaßt mit reinen musikalischen Mitteln – der Vokalfarbe und der *rubato*-Nuancierung – den inneren Sinn einer Phrase und die expressive Bedeutung eines jeden Worts. Damit erfüllt sie die wichtigsten Forderungen an expressiven Gesang, die Charles Gounod wie folgt formuliert hat: »Bei der Aussprache sind zwei Dinge grundsätzlich zu beachten. Sie muß klar, sauber, distinkt und exakt sein. Will sagen: Für das Ohr darf es, was das ausgesprochene Wort angeht, keine Unsicherheit geben. Es muß ausdrucksvoll sein, und das heißt: Es muß für die Vorstellungskraft den Gefühlsgehalt des ausgesprochenen Wortes evozieren. Was Klarheit, Sauberkeit und Exaktheit angeht, hat Aussprache die Bedeutung von Artikulation, und deren Aufgabe liegt darin, die äußere Form des Wortes getreu wiederzugeben. Der Rest ist Sache der Expression. Sie erfüllt das Wort mit dem Gedanken, mit dem Sentiment, mit der Leidenschaft. Mit einem Wort: Die Domäne der Artikulation sind Form und das intellektuelle Element. Artikulation sorgt für Reinheit, Expression für Eloquenz.«

Bei Maria Callas ist die Wiedergabe einer Arie mehr als die Aneinanderreihung von gut geformten, klangvollen Phrasen. Sie folgt – in jedem Rezitativ, jeder Arie, in der Anlage einer jeden Rolle – einem Plan. Einem Plan der dramatischen und musikalischen Progression.

Eine künstlerische Leistung ist stets mehr als die bloße Summierung von Details, doch ohne Beschreibung von Details ist der Reichtum einer künstlerischen Darbietung nicht zu erfassen. Maria Callas verblüffte ihre damaligen Hörer nicht nur durch die dunkle Fülle ihres Soprans, nicht nur durch ihre rhetorische Eloquenz, nicht nur durch einen *rubato*-Sinn (wie man ihn sonst nur von Heifetz kennt), sondern auch durch die phantastische Agilität ihres Singens. Durch eine Agilität, die weit hinausgeht über bloße Beweglichkeit, wie man sie von Sängerinnen früherer Epochen kennt, von Luisa Tetrazzini, Frieda Hempel oder Selma Kurz. Maria Callas singt im ersten Teil der *Puritani-cabaletta* eine diatonische, im zweiten eine chromatische Skala – präzis, rasch, mit perfekter Definition; und trotz des Tempos hat man den Eindruck, als erlebe man die Skalen so wie Bilder in einem Zeitraffer, weil jeder Ton perfekt geformt, geprägt ist. John Ardoin sagt zu Recht, daß es in der Geschichte des Singens wenige Beispiele gibt, da eine so vollständige Beherrschung der Stimme gepaart ist mit solcher Agilität und Autorität des dramatischen Ausdrucks. All das wird gekrönt, wird übergipfelt mit einem hohen Es von atemberaubender und, vor allem, unangestrengter Brillanz; und liegt nicht in der mühelosen Bewältigung der höchsten Schwierigkeiten der herrlichste, wenn auch nicht tiefste Zauber des Singens?

Auch die Aufnahme der Norma-Arie bestätigt den Ausnahmerang der jungen Sängerin, die zu diesem Zeitpunkt die Partie erst sechsmal gesungen hatte. Insgesamt hat sie die Rolle 89mal verkörpert. Die ersten sechs Aufführungen – zwei in Florenz 1948 und vier im Juni 1949 in Buenos Aires – wurden von Tullio Serafin betreut.[3] Sie singt die *cavatina* in F, in der Tonart der Pasta, die 1831 in der Scala die Uraufführung gesungen hatte, und diese Tonart paßt zu ihrem Timbre, wie G-Dur zu Joan Sutherland paßt, deren Stimme leichter und silbriger klingt. Vermutlich hat die Spielzeit einer 78er-Platte nicht ausgereicht, um auch das Rezitativ aufzunehmen. Die *cavatina* erfährt eine vollkommene, makellos ausgeformte Wiedergabe mit herrlichen melismatischen Phrasen und einer subtil gestuften Dynamik. Hingegen wirkt die *cabaletta* eher konzertant-virtuos und nicht so beredt wie in späteren Aufführungen. Sie ist gekürzt (nur ein Vers), und auch die *coda* ist verknappt. Sie beendet sie mit einem nicht geschriebenen C *in alto*.

Nicht ganz leicht fällt die Beurteilung der Aufnahme von Isoldes Liebestod. Sie singt in italienischer Sprache, und mit der Textgestalt ändert sich, unvermeidlicherweise, ein Teil des vokalischen Ausdruckscharakters, wie ihn Wagner beschrieben hat. Sie bietet keine dramatisch-heroische Interpretation, sondern eine empfindsame und pathetische. Zu hören ist weniger der Klang von Todessehnsucht als das tiefe Unglück, das in der Erinnerung an das vergangene Glück liegt. Das ist sehr bewegend und zugleich eine unorthodoxe Lesart, sängerisch aber sehr überzeugend, weil Callas mit einem *legato* singt wie schwerlich eine zweite Interpretin. Denkbar, daß der Komponist davon so hingerissen gewesen wäre wie von der Darstellung des Wolfram durch Mattia Battistini.

Eines der bedeutendsten Dokumente aus der Frühzeit ist der Mitschnitt von Giuseppe Verdis *Nabucco* aus dem Teatro San Carlo von Neapel (20. Dezember 1949), dirigiert von Vittorio Gui. Die Partie der Abigaille gilt als »hybride« (Rodolfo Celletti), weil sie neben der Verve des dramatischen Soprans auch ein hohes Maß an *agilità* verlangt. Damit ist nicht die Beweglichkeit des *soprano leggiero* gemeint, sondern die expressive Koloratur. Sie wurde bei der Uraufführung von Giuseppina Strepponi gesungen, die sich mit der Partie völlig überforderte. Zwischen 1842 und 1861 wurde *Nabucco* an der Scala 121mal gespielt und verschwand dann bis 1912 aus dem Repertoire. Beim ersten Revival sang Carlo Galeffi die Titelpartie und die kaum mehr bekannte Cecilia Gagliardi die Abigaille. Vittorio Gui dirigierte 1933 in Florenz und in der Scala-Saison 1933/34 Aufführungen erneut mit Galeffi und Gina Cigna, die zwar die Kraft und Fülle für die Rolle besaß, nicht aber die Agilität. 1946 eröffnet Tullio Serafin die Scala-Saison mit *Nabucco*, mit Maria Pedrini als Abigaille und mit Gino Bechi, der auch in Neapel der Partner von Maria Callas war, leider kein ganz ebenbürtiger mehr. Die Stimme klingt zwar noch nicht ausgesungen, doch neigt Bechi zu einem unausgesetzten *cantare con forza*, so daß die Phrasierung außer Form gerät.

Callas gibt als Abigaille eine geradezu sensationelle Aufführung: ein Unglück, daß sie die Partie nur dreimal hat singen können. In ihr steckte noch die Energie der Ambition, und sie besaß schon das Formgefühl für das Rezitativ »Ben io t'invenni«, eines »der lebendigsten und ausdrucksvollsten italienischen Rezitative seit Monteverdi«.[4] Vor allem aber sang sie schon damals mit einem ausgeprägten Sinn für vokale Gesten. Wenn sie zu Beginn »mit der erzwungenen Ruhe des Sarkasmus« (Budden) den »Prode guerrier« ansingt oder die Wut der enttäuschten Liebe in eine kadenzartige, verzierte Ausdrucksfigur ergießt und endlich im *terzettino* der Phrasen »Io t'amavo« und »Una furia... à quest'amore« die Erinnerung an das Glück der Liebe und das Rasen ob der Enttäuschung zum Ausdruck bringt, erleben wir ein darstellendes Singen von wahrhaft unerhörter Intensität und Suggestivität.

Die Stimme sprach zu dieser Zeit perfekt an: Das gehaltene C *in alto* bereitete ihr, ob im *piano* oder im *forte*, keine Mühe, und ein Intervallsprung über zwei Oktaven – im Rezitativ vor der Arie des zweiten Aktes

– gelingt mit instrumentaler Präzision. Die steigenden, bis auf das C sich hinaufschraubenden Triller-Ketten in der *cabaletta* bewältigt sie nicht nur, sondern sie entfaltet sie mit müheloser Bravour und entbindet dergestalt Expression aus technischer Virtuosität. Vielleicht noch imponierender der Klang- und Farbenreichtum ihrer *cantilena* in »Anch'io dischiuso«. Was die melodische Entfaltung angeht, bewegt sich Verdi hier, wie Julian Budden ausführt, in den Bahnen Donizettis. An die langen Phrasen schließen Gruppen von Fiorituren an, die wie mit dem Silberstift gezeichnet werden müssen. Welche Höhen Callas erreichte, zeigt der Vergleich mit späteren Aufnahmen, in denen Elena Suliotis, Renata Scotto oder Ghena Dimitrowa gesungen haben. Einen großen Moment bringt noch einmal der dritte Akt mit dem Duett zwischen Abigaille und Nabucco – es ist das erste große Duett Verdis und ein Modell für spätere (Rigoletto-Gilda, Violetta-Germont, Aida-Amonasro). Ardoin schreibt, daß in der Auseinandersetzung zwischen Nabucco und Abigaille weniger ein Dialog zu singen als ein Duell auszufechten sei. Bechi entlädt hier, mit einer gewaltsamen, fast heroischen Anstrengung die gewaltige Fülle seiner Stimme, doch setzt sich Maria Callas im Des-Dur-Abschnitt des Schlusses durch die wilde Energie ihrer Attacke und tonlichen Fokussierung durch. Sie krönt die Szene mit einem gewaltigen hohen Es, mit einem Ton, den man nur noch von leichten und hohen Sopranen kannte, aber nicht als klangliche Fackel. Bechi antwortet mit einem fulminanten hohen As.

In den Jahren zwischen 1950 und 1952 begründete Maria Callas ihre Ausnahmestellung unter den italienischen Sopranen ihrer Epoche – und sie bestieg den Thron, als sie am 7. Dezember 1952 unter Victor de Sabata an der Scala die Lady in *Macbeth* sang. Die Stationen auf dem Weg zum Ruhm sind gut dokumentiert – es liegen Mitschnitte von *Norma, Tosca, Aida, La Traviata, I Puritani, I Vespri Siciliani, Il Trovatore, Rigoletto* und *Lucia di Lammermoor* vor, die, ungeachtet aller technischen, klanglichen Mängel und der oftmals provinziellen Ensembles, die Entwicklung ihres sängerischen Könnens eindrucksvoll aufzeigen. Die *Norma*-Aufführung, mit der Maria Callas am 23. Mai 1950 in Mexico City – unter der lähmenden Leitung von Guido Picco – debütierte, kann nur für Callas-Fans, schwerlich aber für die Bewunderer des Werks von Interesse sein. Die Sängerin evoziert magische Momente: weniger in der *cavatina* als mit dem D *in alto* im Terzett des zweiten Aktes, in den klanglichen Nuancierungen von »Deh! con te« und vor allem in »In mia man«. Hier singt sie mit ihren unvergleichlichen Klangfiguren.

Sowohl 1950 als auch 1951 hat sie, erst unter Picco und dann unter dem weitaus flexibleren Oliviero de Fabritiis, Verdis *Aida* gesungen, und diese Aufführungen beweisen, daß sie auch in dieser Rolle Maßstäbe setzen konnte – die spätere Studio-Aufführung leidet ein wenig unter ihren Höhenproblemen, die nicht nur in »O patria mia« wahrzunehmen sind. Doch hat es jemals überzeugendere Aida-Portraits gegeben als in diesen beiden mexikanischen Aufführungen? Vergleicht man die Aufführungen, die Zinka Milanov (Met, live 1943), Herva Nelli unter Toscanini, Renata Tebaldi unter Erede, Milanov unter Perlea, Tebaldi unter von Karajan oder Leontyne Price unter Georg Solti oder Erich Leinsdorf von der Musik des ersten Aktes – bis »Ritorna vincitor« – gegeben haben, so fallen sie alle in dramatischer Hinsicht ab. Keine andere Aida kommt, wie Callas, so erregt, so zerrissen auf die Klangbühne. »Ritorna vincitor« bringt den Ausbruch dieser gequälten Seele.

Vielleicht haben Sängerinnen wie Elisabeth Rethberg, Rosa Ponselle, Meta Seinemeyer oder, nach dem Krieg, Renata Tebaldi, Leontyne Price und Montserrat Caballé die lyrischen Phrasen und den Schluß sanfter, weicher und stetiger gesungen, doch in keiner finden sich ausdrucksvollere Klangkontraste und eine größere Eloquenz der Phrasierung. Ardoin weist auf das unvergleichliche *legato* ab »Numi pietà« hin. Über den Stunt des zweiten Aktes – das endlos gehaltene Es *in alto* – braucht nicht mehr viel gesagt zu werden. Er ist sensationell und kann, auch beim wiederholten Hören, nur mit jener erschrockenen Bewunderung erlebt werden, die man bei einem Salto mortale empfinden mag. Der dritte Akt bietet so etwas wie ein Wechselbad: In der Nil-Arie zittert zu Beginn – bei »io tremo« – die Stimme vor Erregung, und beim C zittert die Note. Das C war schon damals eine Angstnote, wenn sie es aus einer langen, gehaltenen Linie entwickeln mußte. Sie hat große Momente im Duett mit Kurt Baum, dessen Radames viel Stimme besitzt und wenig Formgefühl.

Gut ein Jahr später sang sie die Aida erneut, nicht nur unter einem besseren Dirigenten (de Fabritiis), sondern auch mit besseren männlichen Partnern: Mario del Monaco als Radames und Giuseppe Taddei als Amonasro. Nicht nur, daß sie erneut das hohe Es am Ende des zweiten Aktes singt – ursprünglich eine Lehrstunde für Kurt Baum –, zeigt, daß ihre Stimme in bester Verfassung ist. Sie wirkt insgesamt glänzender und vor allem stetiger. Die Duette des dritten Aktes, 1950 nicht frei von musikalischen Schwächen (falsche Einsätze, ausgelassene Phrasen), wird man in keiner Studio-Aufnahme derart unmittelbar und geradezu explosiv dramatisch erleben; daß Mario del Monaco und überraschenderweise auch Giuseppe Taddei des Guten zuviel tun und kraß übersingen, muß man dabei in Kauf nehmen.

Bel canto und Verdi

In Mexico City sang Callas 1950 ihre erste Tosca – wenn man absieht von den 13 Aufführungen des Jahres 1942 und den vier von 1943. Es ist eine Aufführung, bei der man einen »guten Instinkt bei der Arbeit« (Ardoin) erlebt – nicht mehr, und auch die Partner (vor allem Mario Filippeschi) und der Dirigent (Umberto Mugnai) bessern den Eindruck nicht.

Bei weitem die interessanteste Aufführung der Saison 1950 ist die von Giuseppe Verdis *Il Trovatore* unter Guido Picco, mit Giulietta Simionato, Kurt Baum und Leonard Warren als Partnern. Sie ist durchaus nicht ausgefeilt, in den Ensembles nicht genau und musikalisch nicht vollständig, und doch ist sie interessant, sogar unverzichtbar wegen des Portraits der Leonora, dadurch, daß Maria Callas den Verdi-Gesang neu entdeckt. Im biographischen Teil wurde bereits erwähnt, daß sie sich nach dem Engagement für die mexikanischen Aufführungen an Tullio Serafin gewandt hatte, um die Partie mit ihm zu studieren. Doch hatte der Maestro ihre Bitte abgeschlagen; er wollte nicht die Vorarbeit für die Aufführung eines anderen Dirigenten leisten. Also mußte Maria Callas die Partie allein studieren, und es gelang ihr, die Verwurzelung dieser Musik im *bel canto* deutlich zu machen.

Die Leonora galt damals als eine der Paradepartien von Zinka Milanov, die bis auf den heutigen Tag als ideale Leonora angesehen wird, besonders wegen ihrer schwebend-schönen *pianissimo-acuti.* Hinsichtlich der musikalisch-dramatischen Gestalt fällt sie deutlich hinter Callas zurück. Die Jugoslawin sang exquisit im Sinne des klanglichen Finish (und auch darin verbirgt sich bedeutendes technisches und musikalisches Können), Maria Callas hingegen formte den Vokalpart mit allen Finessen der *fioritura*, der Triller aus und bildete *dadurch* den Charakter ab. Ein Beispiel: Am Ende der Phrasen von »D'amor sull'ali rosee« und »Vanne, sospir dolente« stehen – wie an vielen anderen Stellen der Partie – Triller. Deren Wirkung ist vertan, wenn sie – wie etwa von Luisa Tetrazzini oder Amelita Galli-Curci in der ersten Arie oder von Claire Dux in der zweiten – flötenhaft als Zierfiguren ausgeführt werden. Aber selbst Rosa Ponselle oder eine *espressivo*-Sängerin wie Claudia Muzio tauchen weder die melodische Linie noch die Zierfiguren so tief in den Klang der *melancolia tinta* wie Maria Callas. Anders: Maria Callas hat weit mehr anzubieten als die auf einem *fil di suono* ausgesponnenen Noten. Sie bequemt die Partie nicht der Stimme an, sondern führt jede vokale Formel aus und bindet sie ein in eine große Form.

Dies gilt schon für die erste mexikanische Aufführung (20. Juni 1950), auch wenn diese noch ein *work in progress* ist. Nach einer wundervoll entfalteten und expansiv gesteigerten *cantilena* singt Maria Callas ein hohes Des, dann ein C und schließlich, als Show-Note, ein hohes Es; es ist ein im doppelten Sinne dissonanter Effekt, musikalisch wie atmosphärisch. Sie wiederholt das Es am Ende der *cabaletta*, ohne daß die Sicherheit der Ausführung diese Interpolation rechtfertigen würde. Dies ist um so bedauerlicher, als die Wiedergabe des Bravourstücks insgesamt von phänomenaler Brillanz ist. Nicht nur sitzen die Triller, werden die *staccati* markant angeschlagen, überzeugend ist vor allem die expressive Färbung des Stücks.

Das Terzett am Ende des ersten Aktes entwickelt sich zu einem Wettkampf dreier Riesenstimmen: von Callas, Leonard Warren und Kurt Baum. Der amerikanische Bariton singt mit großer Energie und Tonfülle, Callas mit glänzender tonlicher Konzentration – und zum Schluß segelt sie auf ein Des *in alto*. Baum folgt ihr, und er versucht, den Ton länger zu halten als sie. Er verliert das Duell um den Bruchteil einer Sekunde. Erwähnt sei, daß er später im dritten Akt Effekt macht, weniger in »Ah sì, ben mio« als in der Stretta, doch kommt er übers Singen für die Galerie nicht hinaus. Allein, wo hört man heute noch eine so kraftvolle, gesunde und sichere Stimme?

Die Arie des vierten Aktes ist ein höchstwertiges Beispiel für expressiven Verdi-Gesang, auch wenn das hohe Des des Schlusses – von Verdi geschrieben – dem melancholischen Charakter des Stücks nicht entspricht. Callas singt es sicher und beherrscht, läßt es aber in späteren Aufführungen – unter anderem in der Studio-Aufnahme unter Herbert von Karajan – aus. Von dem Duett »Mira d'acerbe« gibt es nur wenige gelungene Aufführungen, eigentlich bloß die von Johanna Gadski und Pasquale Amato und die gekürzte von Rosa Ponselle und Riccardo Stracciari, aber keine pulsiert so heftig wie die von Maria Callas und Leonard Warren. Ardoin merkt an, daß nur eine perfekte *virtuosa*, die die Herausforderungen der Norma gemeistert hat, die Skalen und Kaskaden derart souverän ausführen und zudem die Phrasen so ausdrucksvoll modulieren kann, und dies in einem bravourösen Tempo. Das hat sie in ihren späteren Aufführungen nicht mehr erreicht. Sie krönt das Duett mit einem – wiederum interpolierten – hohen C. Das Finale leidet, so Ardoin, unter dem groben Singen des Tenors Kurt Baum, der einmal mehr der Galerie meint zeigen zu müssen, daß die Aufführung einen weiteren Star hat.

Ein halbes Jahr später wiederholte sie die Leonora am Teatro San Carlo von Neapel unter der Leitung von Tullio Serafin mit Cloe Elmo, Giacomo Lauri-Volpi, Paolo Silveri und Italo Tajo als Partnern. Hier, unterstützt und geführt von einem kongenialen Dirigenten, zeigt sie, wie im *Nabucco* unter Gui, ihre einzigartigen Qualitäten als Verdi-Sängerin. »Keine andere Sängerin unserer Zeit«, schrieb Conrad L. Osborne[5], »besitzt eine derart wache Sensitivität für die Form von Verdis vokalen Gesten, und keine ist an sie herangekommen hinsichtlich ihrer Fähigkeit, den Rhythmus zu halten und rhythmische Übergänge zu formen, ohne ein einziges Mal kalkuliert zu wirken oder an Spontaneität einzubüßen.«

Noch einmal sei nachdrücklich betont, daß diese Qualitäten nur dann entfaltet werden können, wenn eine Sängerin entsprechend begleitet wird: In »Tacea la notte« kann Callas, dank Serafin, das *crescendo* bis zum hohen B expansiver steigern als in der mexikanischen Aufführung unter dem starrer taktierenden Guido Picco. Sie verzichtet, ob aus eigener Einsicht oder auf Rat Serafins, auf die beiden hohen Es's der mexikanischen Aufführung, ändert aber die Kadenz.[6] Hingegen bleibt sie in der Arie des vierten Aktes bei dem hohen Des, das jedoch besser in die Stimmung, in die Klanggestalt der Arie eingebunden ist. Die filigrane Zeichnung und reiche Färbung von »D'amor sull'ali rosee« kommt der Vollkommenheit so nahe, wie man es sich denken kann, und die Kadenz bestätigt Osbornes Feststellung über das rhythmische Formgefühl der Sängerin. Im Duett mit Luna erleben wir erneut eine hochdramatische *virtuosa*, die allerdings in Paolo Silveri keinen so brillanten Partner hat wie in Leonard Warren. Lauri-Volpi, der nach der *stretta* neben Beifall auch heftige Mißfallenskundgebungen über sich ergehen lassen muß, legte sich nach den Aufführungen vehement mit der neapolitanischen Presse an, die nach seiner Ansicht den exzeptionellen Rang von Callas' Verdi-Singen nicht gerecht gewürdigt hatte.

Ihre nächsten Aufführungen von *Il Trovatore* sang Callas im Februar und März 1953 unter Antonino Votto an der Scala. Hatte sie in den früheren Aufführungen, was den Klang der Stimme angeht, mit dunkler

Farbe und kraftvollem Strich gesungen, so setzt sie hier – und das spiegelt die Entwicklung der Stimme – einen verhalteneren Ton ein. Es gibt keine interpolierten Spitzentöne mehr und auch nicht länger das Des am Ende von »D'amor sull'ali rosee«, dafür ein feineres Farbenspiel und subtilere Wortnuancierungen. Als Aufführung ist dieser Mitschnitt kaum zu empfehlen, weil Carlo Tagliabue als Luna weit über seinen sängerischen Zenit hinaus und Gino Penno als Manrico – »Fast sehnt man sich nach Baum«, so Ardoin – indiskutabel ist.

Das Gerücht, es gebe einen Mitschnitt der *Trovatore*-Aufführung, die sie am 8. November 1955 in Chicago mit Jussi Björling und Ettore Bastianini unter Nicola Rescigno gesungen hat, hält sich hartnäckig; doch zum Kummer vieler ist die weithin gerühmte Aufführung bisher nicht als Mitschnitt veröffentlicht worden. Es war, nach Ardoin, die zweite Aufführung, die auf Band aufgenommen wurde. Doch wurde die Kopie zerstört. Die EMI-Aufnahme unter Herbert von Karajan, entstanden im August 1956, bedeutete den Abschied von der Partie – und deren vollständigste und nuancierteste Interpretation, auch wenn sie stimmlich, vor allem in hoher *tessitura,* nicht mehr aus dem vollen singen kann. Als die Aufnahme veröffentlicht wurde, verglich der Kritiker Herbert Weinstock – einer der Großen seiner Zunft – die Interpretation mit denen von Zinka Milanov und Renata Tebaldi.[7] Über die Jugoslawin sagte er, daß sie zwar »vocally ravishing« sei, nichts aber beizutragen habe zu der »Oper als Drama«. Er wies vor allem darauf hin, daß die Milanov einzelne Phrasen wegen des klanglichen Effekts lediglich vokalisiert, also die Textgestalt einfach ignoriert; unverständlich, daß der Dirigent und der Produzent solch eine musikalisch-dramatische *reductio ad absurdum* die Studiotür passieren ließen. (Ähnliches leistet sich die Milanov am Ende des Nil-Duetts in *Aida* neben Jussi Björling.) Renata Tebaldis Portrait ist vielleicht noch unvollständiger, weil sie weder die vielen Skalen noch die Triller zu singen vermag und dadurch die vokale Linie ruiniert.

Ein bedeutender Vorzug der glänzend dirigierten Karajan-Aufführung liegt in der musikalischen Vollständigkeit. Giuseppe di Stefano (zwar ein eloquenter, aber in der Höhe angestrengter und dumpf-gepreßt klingender Manrico) singt nicht nur beide Stanzen von »Di quella pira«, der Dirigent öffnet auch den bis damals üblichen Strich nach der Arie des vierten Aktes. Callas singt die gestaltenreiche Cabaletta »Tu vedrai che amore in terra« nicht nur technisch brillant, sondern wiederum als dramatisches Bravourstück. »Ich sehe in ihr die vollkommenste darstellende Sängerin unserer Zeit«, schrieb Weinstock, und er rühmte »eine große

Aufführung: zugleich ernsthaft, akkurat und blendend«. Das Ensemble insgesamt ist akzeptabel: Nicola Zaccaria ist nicht nur ein routinierter, sondern auch stimmlich magerer Ferrando (man sehnt sich nach Pinza und wäre mit einem Giorgio Tozzi zufrieden), Rolando Panerai ein vielleicht zu leichter Conte Di Luna, und Fedora Barbieri klingt in der RCA-Aufnahme von 1952 (neben Milanov und Björling) sicherer und energischer.

Der verwandelte Wagner

ZURÜCK in das Jahr 1950, aus dem eine Aufführung von Richard Wagners *Parsifal* erhalten ist; die Kundry war die letzte Wagner-Partie ihrer Karriere. Kaum zu glauben, daß sie drei Wochen zuvor noch die Fiorilla in Rossinis *Il Turco in Italia* gesungen hatte. John Ardoins Feststellung, daß das Werk durch eine Übersetzung ins Italienische entscheidend verändert wird, ist nachdrücklich zu unterstreichen und bedarf sogar einer Ergänzung in Form eines Exkurses. In seiner Studie zu »The Record of Singing« hat Michael Scott einige frühe italienische Wagner-Interpretationen – von Fernando de Lucia, Giuseppe Borgatti und Mattia Battistini – auf Grund ihrer sanften Tongebung, ihres *legato*-Flusses und ihrer Eleganz als exemplarisch gerühmt. Es kann nicht der geringste Zweifel daran bestehen, daß Wagner solch eine Tongebung vorschwebte, übertragen jedoch auf die Klang- und Lautgestalt der deutschen Sprache. Selbst wenn der Komponist aber bei seinen Texten, vor allem mittels des Stabreims, sangliche Konsonanten – die Nasale und Liquide, auch die weichen Labiallaute – einsetzte, ist eine melodische Linie im Deutschen nicht so leicht, nicht so gebunden ausführbar wie im Italienischen. Es ist dieser Vorteil der italienischen Wort-Lautung, der Callas' Kundry so sinnlich, so seidig-verführerisch klingen läßt. Aber auch darüber hinaus hat sie im zweiten Akt großartige Momente. Wann je hat man Kundrys Schrei – in der Klingsor-Szene – derart musikalisch gehört? Wann je die fallenden Achtelnoten (»Den ich verlachte«) so präzis und prägnant? Wann je »Ich sah das Kind« so empfindsam? Auch wenn die von Vittorio Gui brillant dirigierte Aufführung – Robin Holloway stellt den Italiener über Pierre Boulez und Georg Solti[8] – als Sonderfall zu werten ist, so läßt sich an ihr studieren, daß die *bel canto*-Technik der Musik des Komponisten näher kommt als der zum »Bayreuth bark« (Georg Bernard Shaw) degenerierte deutsche Sprechgesang. Es ist so gut wie sicher, daß dieser Sprechgesang ein Produkt der Arbeit von Julius Kniese ist, der unter der Ägide Cosima Wagners als Stimmbildner in Bayreuth arbeitete. Der Verfasser ist zudem davon überzeugt, daß die emphatische, schwülstige Rhetorik der Wilhelminischen Ära – zu hören bei Schauspielern und in der politischen Rede – sich im Wagner-Gesang zu dessen Nachteil abgedrückt hat. Wer findet die Mitte?

Erfüllte Augenblicke: Callas im Konzert

DAS Jahr 1951 begann Callas mit Aufführungen von *La Traviata, Il Trovatore* (beide unter Serafin), *Norma* und *Aida*. Am 12. März sang sie zum erstenmal in der Reihe der »Concerti Martini e Rossi«. Auf dem Programm standen »Ma dall'arrido stelo« aus Verdis *Un Ballo in Maschera*, die Variationen von Heinrich Proch, »Je suis Titania« aus Thomas' *Mignon* und »Leise, leise, fromme Weise« aus Webers *Der Freischütz*. Am 18. Februar 1952 folgte ein Konzert mit dem Tenor Nicolai Filacuridi, bei dem sie unter Oliviero de Fabritiis »Vieni t'affretta« aus *Macbeth*, die Wahnsinnsszene aus *Lucia di Lammermoor*, die große Arie der *Abigaille* aus *Nabucco* und die Glöckchen-Arie aus Delibes *Lakmé* sang.

Das Jahr 1954 brachte, am 27. Dezember, ein von Alfredo Simonetto dirigiertes Konzert, bei dem auch Benjamino Gigli auftrat, ohne daß die Stars ein Duett gesungen hätten. Callas brachte die Arie der Konstanze aus Mozarts *Die Entführung aus dem Serail*, Dinorahs »Ombre légère«, Louises »Depuis le jour« und Armidas »D'amore al dolce impero«. 1956 endlich sang sie, wieder unter Simonetto, »Tu che invoco« aus Spontinis *La Vestale*, »Bel raggio« aus Rossinis *Semiramide*, »A vos jeux« aus Thomas' *Hamlet* und »Vieni al tempio« aus Bellinis *I Puritani*.

Selbst wenn man den Wert derartiger Konzerte nicht hoch ansetzt oder sie als Exhibitionen von Stars abtut, für das Bild der Sängerin sind sie von erheblicher Bedeutung. Sie alle bieten, mit einer lapidaren Formel von Will Crutchfield, »prime Callas«.[9] Dies nicht nur in stimmlicher Hinsicht, sondern auch in musikalisch-interpretatorischer. Maria Callas wußte nicht nur in einer einzigen Arie die dramatische Essenz einer Rolle zu erfassen, sondern sie hat in diesen frühen Konzerten manchmal mit einer musikalischen Konzentration und einer technischen Brillanz gesungen, die auf der Bühne nur schwer erreichbar ist. Deshalb in Stichworten einige Hinweise. Das Herzstück des ersten Konzerts von 1951 sind die Variationen von Heinrich Proch, die – das sei in Parenthese erwähnt – lange Zeit hindurch von hohen Sopranen als *cheval de bataille* für die Gesangsstunde im zweiten Akt von Rossinis *Il Barbiere di Siviglia* gesattelt wurden. Es ist schwer zu fassen, daß eine Stimme, die noch kurz zuvor Isolde, Turandot und Kundry gesungen hatte und Violetta, Aida, Norma und Leonora sang, höchste Schwierigkeiten – höchste in einem zweifachen Sinn – bewältigen konnte, gleichsam einen Teufelstanz der Triller, Skalen, *staccati* und Arpeggien nur auf der E-Saite: »Some of the most dazzling and virtuosic singing«, sagt Ardoin. Die spontanen – oder: die spontan wirkenden – Abweichungen vom gedruckten Text, die Ausschmückungen mit heiklen Intervallen und einem phantastischen Triller verraten exemplarische Schulung im *bel canto-Stil.*

Von weit größerer Bedeutung ist das Konzert vom 18. Februar 1952. Der Verfasser kann sich nicht vorstellen, daß sich ein Vokalist grandioser in seinen technischen und musikalischen Möglichkeiten präsentieren kann, zumal Callas die Arien aus *Macbeth* und *Lucia* zum erstenmal sang (die Bühnen-Aufführungen der Werke folgten im selben Jahre). Sie beginnt mit der Arie der Lady (leider ohne das Lesen des Briefes und ohne das Rezitativ), die sie erst im Dezember 1952 an der Scala singen sollte. De Fabritiis wählt ein sehr langsames Tempo, welches, wenn es auch gleich nicht der *andantino*-Vorschrift entsprechen mag, der Arie Gewicht und Spannung gibt, vor allem aber in der *cabaletta* die Elemente des verzierten Stils in hochdramatische vokale Gesten verwandelt. In seiner »Opera on Record«-Discographie bezeichnet Harold D. Rosenthal die spätere Studio-Aufnahme als »eine der größten Aufführungen, die Callas auf Platten hinterließ«, doch hält diese frühe Interpretation, obgleich nicht so ausgefeilt, ihren Platz durch die kühne Brillanz, Intensität und Mühelosigkeit des Singens.

Auf das Verdische Nachtstück Donizettis Lucia-Szene folgen zu lassen, konnte nur eine Callas, und vielleicht auch nur damals, wagen. Sie singt die Szene ab »Il dolce suono« und leider ohne »Spargi d'amore« – und eine neue Lucia war geboren. Oder anders: Die Figur war endlich von den *soprani leggieri* erlöst, und dies schon vor den ersten vollständigen

Aufführungen in Mexico City. Außer *Norma* (89 Aufführungen) und *La Traviata* (63) hat sie keine Rolle so oft gesungen wie die Lucia (46 Aufführungen, wie auch 46 in *Tosca*). Diese sogenannte Wahnsinnsszene stellt sich dar als ein höchst komplexes Formgebilde aus *recitativo, cavatina, scena* und *cabaletta,* wobei die einzelnen Elemente ihrerseits durch ariose Einsprengsel aufgelockert sind. Schon damals hatte sie die Szene »mit ihrer fast wissenschaftlichen Vorbereitung«[10] bis ins Detail ausgearbeitet, und doch wirkt jede Verzierung, jede *acciacatura*, jeder Triller, jedes *gruppetto* spontan und eloquent. Schlechthin atemberaubend aber ist, um noch einmal ein Wort von Itzhak Perlman aufzugreifen, ihr »pacing«, vor allem in der Abfolge von gehaltenen Noten und raschen Skalen. Hier offenbart sich, was im Sport als Bewegungsintelligenz bezeichnet wird: Die Fähigkeit, aus der höchsten Beschleunigung langsam und kontrolliert in eine Ruheposition zu gelangen und umgekehrt. Callas kann, z. B., Fermaten, die von den meisten nur endlos (und oft unmusikalisch-dumm) gehalten werden, gleichsam ausschwingen lassen und hineingleiten in die nächste Phrase.

Ein Topos in der Callas-Diskussion – oder auch im »Processo alla Callas« – wirft der Sängerin den Mangel an Tonschönheit vor, vor allem das harte Metall der Höhe. Dazu eine technische Erläuterung. Der Klang und die Klangschönheit einer Stimme, und ganz besonders ihre Farbe, sind abhängig von absolut gleichmäßig schwingenden Obertönen. Wenn ein Ton absolut rein ist, werden allein die unteren harmonischen Obertöne (nach H. Helmholtz die Formanten) in der Stimme gehört. Wird eine Stimme angespannt und forciert, treten die höheren, dissonanten Harmonien hervor: Der Ton wird hart, metallisch und nimmt eine scharfe Qualität an. Fehlen die Obertöne, klingt eine Stimme matt, hohl und wollig. Ein langer, gehaltener Ton wirkt nur dann, wenn in ihm eine innere Flamme brennt, die von nichts anderem genährt werden darf als von der kontrollierten Energie des Atems. Jede muskuläre Anspannung, die nicht das sanfte Entlassen des Atems kontrolliert, beeinträchtigt den Ton durch die Störung der Obertöne. Und jeder »schöne« Ton muß gleichsam aus dem Nichts kommen, sich unangespannt verlängern und im Nichts ausklingen. Nach der alten Regel von Maria Celloni: »Chi sarà respirare, sarà cantare.«

Was Klang und Tonschönheit angeht, hat Maria Callas am 18. Februar 1952 geradezu berückend gesungen und zugleich unglaublich kontrastreich. Trotz aller Härte ist im »Ton« der *Macbeth*-Arie keine Schärfe, keine grelle Färbung. Erstaunlich, wie sanft und weich und behutsam sie die Szene aus *Lucia* beginnt und wie mühelos sie sie durch die Serpentinen und über die Hürden dieses vokalen Parcours zu führen weiß. Nur in der allerhöchsten Lage – bei den *staccato*-B's und dem abschließenden Es – muß sie die Stimme ein wenig anspannen, so daß durch die dissonanten Harmonien der Klang sich gleichsam verschärft.

Anders als John Ardoin hält der Verfasser die Interpretation der Glöckchen-Arie aus *Lakmé* für ein Glanzstück. Daß Callas sich nicht mit dem Abbrennen eines vokalen Feuerwerks begnügt, versteht sich fast von selbst; aber läßt sich die Arie anders von ihrer eigenen Nichtigkeit oder Leichtigkeit erlösen? Sie gibt dem Stück mehr Gewicht, mehr Farbe, als es vor allem die französischen Koloratur-Sängerinnen mit ihren zitronensauren Tönen je vermochten; und sie schafft zum Schluß ein imponierendes hohes E.

Aus dem Konzert vom 27. September 1956 – in das sie sich mit dem jungen Tenor Gianni Raimondi teilte – ist vor allem die brillant gesungene Szene aus Thomas' *Hamlet* hervorzuheben und ihre einzige weitgehend gelungene Wiedergabe von »Bel raggio« aus *Semiramide* mit wundervoll nuancierten weichen und energischen Koloraturen.

In dem Konzert, das sie am 27. Dezember 1957 in San Remo zusammen mit Benjamino Gigli gab, zeigte sie sich ganz und gar als *virtuosa*. Ihre Stimme war, nach der Abmagerungskur (wer darf schon sagen: durch diese Kur?), heller und leichter geworden, insgesamt auch ausgeglichener und registertechnisch besser verblendet. Sie beginnt mit der Arie der Konstanze, die sie 1952 viermal an der Scala gesungen hatte. In der »Opera on Record« hat William Mann, wie erwähnt, ihre Wiedergabe verworfen; ein schwer verständliches Urteil, dem John Ardoin vehement widerspricht: »Die eindrucksvollste Wiedergabe der Arie überhaupt.«[11] Wenn es eine Schwachstelle gibt – das nicht sicher zu Ende gehaltene hohe C vor der Coda, wo der Ton sich nicht wie von selbst ins Nichts fortspinnt –, so ist das wenig angesichts der vielen Schwächen, die in den Aufnahmen renommierter Interpretinnen der Partie zu konstatieren wären. Wo aber hat man, wie bei Callas, die von Mozart verlangte »Gewalt der Worte« gespürt, wo eine vergleichbare dramatische Energie im Passagenwerk? Die Aufnahmen aus Meyerbeers *Dinorah* und aus Rossinis *Armida* kann man nur bestaunen als Demonstration ausdrucksvollen Ziergesangs. Welche Farben in den Echo-Effekten der Meyerbeer-Arie, welch eine Dringlichkeit und artikulatorische Nuanciertheit in der Rossini-Arie, deren Koloraturen mit einer fast verdihaften Energie ausgesungen werden.

Die ersten bedeutenden Aufführungen

EINE der wichtigsten Aufführungen des Jahres 1951 galt Giuseppe Verdis *I Vespri Siciliani* beim Maggio Musicale Fiorentino am 26. Mai; Erich Kleiber gab dabei sein italienisches Operndebüt. Diese Aufführung bestätigte den Rang der Sängerin so nachdrücklich, daß Antonio Ghiringhelli sie ans Teatro alla Scala engagieren mußte. Callas hat die Partie der Elena – nur für eine *assoluta* zu bewältigen, da Verdi, Zugeständnis an die Grand Opéra, einem *soprano spinto* im letzten Akt eine hochvirtuose *siciliana* abverlangt – elfmal gesungen, öfter als die Abigaille (dreimal) oder die Lady Macbeth (fünfmal). Vermutlich gehört das Werk zu den unbekanntesten Verdis. Das mag ein Grund dafür sein, daß, wie Ardoin zu Recht beklagt, einer der ganz großen Ausdrucksmomente der Callas kaum je erwähnt wird: die Arie der Elena aus dem ersten Akt, wo sie »Theater durch Singen« (Ardoin) schafft. Elena, von einem Besatzungsoffizier zum Singen genötigt, nutzt die Gelegenheit zu einem patriotischen Aufruf. »Sì, canterò«, erwidert sie dem Offizier – und die Klangfigur sagt sogleich, daß er kein unterhaltsames, sondern ein garstiges Lied zu hören bekommen wird, ein politisches. Elena ruft die Sizilianer – »Il vostro fato è in vostra man« – zum Widerstand gegen die Franzosen auf. Die Balance von Wort und Ton in dieser Phrase ist beispielhaft. Selbst im folgenden *allegro* (»Su coraggio«), virtuos gesetzt wie die erste Arie der Lady Macbeth, erleben wir einmal mehr exemplarische vokale Gesten, die Verwandlung der virtuosen Formel in Gebärden.

Das Niveau der Aufführung sinkt in den Duetten, weil Callas auch hier in Giorgio Kokolios-Bardi einen völlig unzureichenden Tenor-Partner hat:[12] Unvergeßlich aber, wie Callas das meditative »Arrigo, ah parli a un cor« singt – unvergeßlich auch, wie ein kleines technisches Mißgeschick den außerordentlichen Rang ihrer Technik deutlich macht. Am Ende der Szene hat Elena eine fallende chromatische Skala zu singen, hinunter bis zum Fis (unter dem mittleren C). Callas teilt, wie Ardoin schreibt, ihren Atem nicht richtig ein und kann die Phrase nicht mit sicher gestütztem Ton zu Ende bringen. Beim wiederholten Hören verwandelt sich das Mißgeschick in einen großen Augenblick: Man spürt, was es heißt, solch eine Passage zu singen und sie zu verwandeln in einer Geste. Und mehr: Callas formt sie gerade in der tiefen Lage aus, singt wenig später einen tiefen Triller. Nur ein Sänger (oder ein Klarinettist) wird das begreifen.

»Laß sie eine tiefe Skala singen«, sagte Nellie Melba lapidar, als man in ihrer Gegenwart die Brillanz der Luisa Tetrazzini in *La Traviata* rühmte.

Und die *siciliana,* der sogenannte Bolero? Es ist ein reines Virtuosenstück, eine Einlage wie Oscars »Saper vorreste« in *Ballo* – dramaturgisch allenfalls als Kontraststück gerechtfertigt. Callas gibt ihm wundervolle rhythmische Verve, singt einen herrlichen Triller und saubere Intervallsprünge und leistet sich einen kleinen Patzer bei dem Versuch, das E in *altissimo* zu singen. Der Ton bricht, und daß sie ihn neu faßt, rettet die Situation nicht ganz.

Weiter in das Jahr 1952 und zur Aufführung von Rossinis *Armida* im Teatro Communale von Florenz. Auf das Drängen Serafins hin hatte sie die Partie der Armida binnen fünf Tagen gelernt, in einem Zeitraum, in dem viele arrivierte Stars gerade eine Kadenz mit einem schwierigen Koloraturlauf in die Kehle bekommen. Es war weit mehr als eine bloße Gedächtnisleistung, weit mehr als der Beweis souveräner Musikalität: Nur eine Sängerin, die allen technischen Herausforderungen gewachsen ist, die jedes Intervall, jede Koloratur, jeden Triller, jede Zierfigur *prima vista* zu singen in der Lage ist, kann sich auf eine solche Herausforderung einlassen. Die Aufführung bekommt allein durch Callas und Serafin ihren Rang, nicht aber durch die fünf Tenöre, die ihren Partien nicht nur nicht gewachsen waren, sondern fremd gegenüberstanden. Für Francisco Albanese, Alessandro Ziliani, Mario Filippeschi bedeutete der verzierte Stil so etwas wie einen Gang in eine *terra incognita.* Das mindert den Rang der Aufführung und, in den Duetten, den Zauber, der vom Singen der Callas ausgeht. Es ist der Zauber einer geradezu transzendentalen Virtuosität. Rossini hat in diesem Werk, geschrieben für Isabella Colbran, die *fioritura* bis an extreme Grenzen getrieben, und doch ist die Titelpartie weit mehr als ein virtuoses Konzert für den Kehlkopf. Der italienische Kritiker Fedele d'Amico hat geschrieben, das Rossinis Koloratur Ausdruck der Ekstase und der lyrischen Entrückung, der Freude und der Wut sein kann. Aber erst nachdem er Callas gehört hatte, erklärte d'Amico, sei ihm neben der Sinnenwirkung der Sinn dieser Koloraturen bewußt geworden. In konzentriertester Form sind sie in »D'amor al dolce impero« zu erleben, in Callas' Wiedergabe eine der brillantesten Demonstrationen virtuosen Singens, das überhaupt je aufgezeichnet worden ist – es steht hoch über allen technischen Etüden, die Joan Sutherland je bewältigt hat. Welch ein Traum, sich eine Callas von 1952 in der Umgebung eines jungen José Carreras, eines Rockwell Blake, eines Alfredo Kraus und eines Luciano Pavarotti in dieser Oper vorzustellen.

In den Jahren 1951 und 1952 sang Callas Verdis Violetta, die sie unter Serafin für Florenz studiert hatte, in Mexico City. Wie bei der Leonora in *Il Trovatore* macht sie deutlich, daß die Oper in vokaler Hinsicht ein Werk des Übergangs ist: Sie verbindet die Elemente des verzierten Gesangs mit den vokalen Gesten des späteren Verdi. Die Aufführung von 1951, dirigiert von Oliviero de Fabritiis, ist ein grandioses Versprechen, die zweite, unter Umberto Mugnai, ein Rückschritt.

Von nicht allzu großem Interesse ist der Mitschnitt von Bellinis *I Puritani* (29. Mai 1952) unter Guido Picco: Wie immer hat Callas große Momente (und brillante D's und Es's), doch das Ensemble ist von provinzieller Dürftigkeit, und selbst Giuseppe di Stefano kommt über solide Routine nicht hinaus – und an diverse Spitzentöne nur mit äußerster Mühe heran.

Chaotisch-desorganisiert ist die Aufführung des *Rigoletto* vom 17. Juni 1952 in Mexico unter Mugnai, in welcher der Souffleur offenbar die größte Rolle hat: Er ist ständig zu hören und laut dazu, leider nicht laut genug, um Piero Campolonghi (Rigoletto) zu übertönen. Aber auch Giuseppe di Stefano ist der Partie des Herzogs, die er später auch in der Gesamtaufnahme mit einigen Kürzungen singen sollte, nicht gewachsen. Die Rolle verlangt nicht nur einen großen Umfang und eine leichte Extensionsfähigkeit in die Höhe bis zum Des und zum D, sondern auch das Singen »auf dem Atem« in vielen Passagen, die in der sogenannten *passaggio*-Region liegen. Tenöre wie Alfredo Kraus, Carlo Bergonzi und Luciano Pavarotti haben in Gesprächen mit Helena Matheopoulos – in »Divo« – erklärt, daß sie die Partie des Herzogs für eine der schwierigsten unter allen Tenor-Partien Verdis halten.

Und doch ist die Aufführung von Interesse, weil Callas für die Gilda fast noch mehr leistet als für Donizettis Lucia; um so bedauerlicher, daß sie sie nur zweimal auf der Bühne und dann auf der Platte gesungen hat. Callas entwickelt die Partie wie keine andere Interpretin, singt zu Beginn mit ihrer zaubrischen Kleinmädchenstimme, entfaltet ein exemplarisches *legato* im Duett mit Rigoletto und wirkt reinste Magie in »Caro nome« – welch ein »pacing« wiederum in den Phrasen, die von den meisten Sängerinnen geradezu zerhackt werden; welch perfektes Schwingen der Triller, welch feine rhythmische Einbindung dieser Triller in den melodischen Fluß. Weniger überzeugend als diese Kadenz ist der Abschluß: Statt des langen Trillers steigt sie auf das E und bietet damit nur einen Effekt. In »tutte le feste« und im Duett »Piangi, fanciulla« ist plötzlich eine ganz neue Stimme zu hören, ein von Leid und Schmerz getränkter

Klang. Aber wie schwer fällt es, die groben Effekte ihres Bariton-Partners zu ertragen, wie schwer auch, Giuseppe di Stefanos vage Intonation im vierten Akt zu erleben. Doch wird man zum Schluß wieder zu den Engeln geschickt, wenn Callas, mit in Schönheit sterbendem Ton und herrlicher Phrasierung, »Lassù in cielo« haucht.

Bel canto und Verismo

IHRE erste Studio-Aufnahme einer Oper nahm Callas im September 1952 für Cetra auf: Amilcare Ponchiellis *La Gioconda* unter Antonino Votto. Leider ist einzig Fedora Barbieri eine kongeniale Partnerin in einem Werk, das eines Tenors der Sonderklasse bedarf, eines hervorragenden dramatischen Baritons und eines profunden Basses. Hört man das krude, kloßige Singen Gianni Poggis – der die häßlichsten Klänge produziert, die man auf Platten überhaupt hören kann –, kann man gut verstehen, daß Maria Callas später, als sie es sich leisten konnte, größten Wert auf gründliche Ensemble-Arbeit und gute Partner legte.

Vielleicht muß man erst die mexikanische *Rigoletto*-Aufführung und gleich danach die Aufnahme des Hochdruck-Melodrams hören, um das Phänomen Callas zu begreifen: die einzigartige stimmliche Verwandlungsfähigkeit. Damit ist beileibe nicht nur die Fähigkeit gemeint, einerseits eine leichte, verzierte Partie und andererseits eine dramatische mit bedeutendem tonlichem Gewicht zu singen, vielmehr die hohe Kunst, die nicht nur unterschiedliche, sondern geradezu polare Formensprache dieser beiden Werke zu erfassen. Es hieße, diese Unterschiede auf eine bequeme Formel zu reduzieren, für die Musik Ponchiellis »vollblütiges Singen« zu verlangen und für die Verdis »vokale Gestik«. Der Unterschied ist so groß wie der sprachliche zwischen der klassischen französischen Tragödie und einem Melodram von Sardou. Und doch muß der vehemente, unmittelbare und partiell rohe gesangliche Ausdruck, den Ponchielli verlangt, durch Kunstverstand kontrolliert werden; sonst klingt die Musik der Gioconda so, als bediente sich Anita Cerquetti der Stimme der Callas. Das ist mehr als eine Bosheit mit realem Hintergrund. Anita Cerquetti, die 1958 für Callas in Rom als Norma einspringen mußte, hat, wie auch Elena Suliotis und später Lucia Aliberti und Sylvia Sass, spezifische klangliche Eigenarten der Callas, vor allem die offen-brustigen Klänge der tiefen Lage, imitiert, ohne aber mit solchen Klängen emotionale Inflektionen zu geben.

Mit einem Wort: Die Differenzierung des vollen, emphatischen, strömenden Tons durch Kolorierung und »verbales Agieren« bedürfen der klassischen *bel canto*-Technik, also des Kunstverstandes. Ein Element dieser Technik ist die Bildung eines gleichmäßigen, resonanten und dynamisch modifizierbaren Tons. Damit hat Callas, vor allem in veristischen Partien, sehr oft und auch schon in frühen Aufführungen und Aufnahmen einige Mühe gehabt, auch in einer oft zitierten Schlüsselszene von *La Gioconda*. Der Ausruf »Ah! come t'amo« kann aufsteigen wie eine Klangfontäne, sanft und entrückt und verhangen. Zinka Milanov, lange Jahre die »Besitzerin« der Partie an der Met, hat diese Phrase mit unvergleichlicher *dolcezza* gebildet, und sie ist immer stolz darauf gewesen. In der Tat macht sie noch in der Aufnahme von 1958, da sie längst über ihren Zenit hinaus war, mit dieser Phrase bedeutenden Effekt. Das hohe B liegt ganz ruhig auf einer sicher tragenden Luftsäule. Über Callas sagt Alan Blyth in seiner »Opera on Record«-Analyse, daß sie in ihren beiden Aufnahmen »wobbly« klinge. Ardoin formuliert euphemistischer, wenn er die Formung dieser Phrase als »eher erdgebunden denn ätherisch« bezeichnet. Nun ist jede Stimme, als technischer Artefakt wie als Seelenausdruck, ein Gesetz in sich selber. Die reine, lyrische Süße stand der Stimme der Callas deshalb nicht zu Gebote, weil sie ihrer Empfindung fremd war: Sie hat nicht naiv empfunden (und gesungen), sondern sentimentalisch. Es versteht sich, daß dadurch die Fähigkeit, Empfindungen zu erleiden und ihnen Ausdruck zu geben, stärker wird. Für meine Ohren (um es so subjektiv wie möglich zu sagen) klingt aus dem *crescendo* und *diminuendo*, das Callas auf dem B von »Ah! come t'amo« bildet, nicht nur das Glück einer Empfindung, die ganz und gar in sich ruht, sondern die Angst vor der Vergänglichkeit solchen Glückes.

Mit dem zweiten Akt betreten wir eine vokale Arena, in der Maria Callas und eine in jedem Betracht kongeniale Fedora Barbieri ein wildes vokales Duell ausfechten, wobei Callas einen bis zur Obsession gehenden Haß als Klangfigur zum Ausdruck bringt. Wenn beide Sängerinnen die Szene mit einem weißglühenden hohen B beenden, ist das Ergebnis mehr als die Summe von zwei Ausdrucksanstrengungen. Callas' Interpretation des »Suicidio« bedarf kaum mehr der rühmenden Erwähnung. Jeder, der die Stimme kennt, hat ihre dunklen, vor Erregung vibrierenden tiefen Töne im Ohr und die flammende Intensität der hohen Phrasen. Imponierender aber einmal mehr, daß auch hier die Expression nicht in die Exaltation getrieben, der Affekt nicht an den Effekt verraten wird. Sie singt erregt, nicht rhetorisch – oder anders: Sie singt einen Monolog, kein Statement. Sie findet immer wieder auch (»ultima croce del mio cammin«) den leisen Tod der Empfindung und des Leids, vielleicht der Erinnerung an jedes »come t'amo« und das schon imaginierte Leid.

Diese Ausdrucksdimension kommt in der zweiten Aufnahme von 1959 noch emphatischer zur Geltung als in der Cetra-Aufnahme, trotz der spürbaren Schwächen und Unsicherheiten ihrer Stimme. Daß Callas das »Suicidio« weitgehend gebundener, ausgeglichener singt als in der frühen Einspielung, zeigt einmal mehr ihre musikalisch-artistischen Qualitäten. Mehr als bedauerlich, daß all ihre vier Partner in den tragenden Rollen nicht einmal durchschnittlich singen und agieren: Fiorenza Cossottos Ehrgeiz richtete sich, wie auch in späteren Jahren, auf die Exhibition der Stimme und weniger auf die Entfaltung des musikalischen Sinns; Pier Mirando Ferraro verhökert die kruden Effekte des *verismo;* Piero Cappuccilli agiert mit zugleich rauhem und forciert-lautem Ton; Ivo Vinco fehlt die Sonorität eines echten Schwarzbasses.

Die »Lady« an der Scala

Das Jahr 1952 ging für Maria Callas zu Ende mit zwei besonders wichtigen Aufführungen. Am 8. November debütierte sie unter Vittorio Gui als Norma an der Covent Garden Opera London, einen Monat später setzte sie sich, unter Victor de Sabata, als Lady Macbeth endgültig an der Mailänder Scala durch. Sie hatte vor der ersten Londoner *Norma* bereits 38 Aufführungen des Werks gesungen, und doch ist in »Casta diva« das Zittern der Nerven im angespannten Klang der Stimme zu spüren, die vor allem bei den repetierten hohen A's unruhig wirkt, was zu erwähnen beckmesserisch ist, wenn man hört, wie später, von Joan Sutherland einmal abgesehen, diese Töne von Beverly Sills oder Renata Scotto gesungen worden sind. Vom zweiten Akt an erleben wir exemplarisches darstellendes Singen – und eine kongeniale Arbeit von Vittorio Gui. Erwähnenswert, daß in dieser Aufführung die kleine Partie der Clotilde von Joan Sutherland gesungen wurde, zu erwähnen noch einmal, daß Callas mit dieser Aufführung die Bewunderung und die Liebe des englischen Publikums gewann, das ihr bis zum Ende ihrer Karriere die Treue hielt.

Die wichtigste Aufführung des Jahres 1952 war die Scala-*prima* von Giuseppe Verdis *Macbeth* unter Victor de Sabata. Zuvor hatte sie, wenn man von der Einspring-Aufführung als Aida absieht, nur die Elena in *I Vespri, Norma* und Konstanze gesungen. *Macbeth* war die erste wirklich gründlich vorbereitete Produktion, und wenn sie auch in Enzo Mascherini in der Titelpartie einen lediglich soliden Partner mit einer erschöpften, grob-gemaserten Stimme hatte, fand sie in Victor de Sabata einen kongenialen Dirigenten, einen Musiker, der ihre dramatischen Talente forderte. Sie hat immer am besten gesungen, wenn ein Serafin, ein Bernstein, ein Karajan am Pult stand und, um des Bildes willen, ein Gegengewicht vorhanden war. Sie ging in bester Form in die Aufführung, stimmlich sicher und musikalisch perfekt vorbereitet, und selbst der Mitschnitt läßt die Spannung und die Atmosphäre der Aufführung erkennen. »Ihre Stimme«, schreibt Ardoin, »erschafft die Szenerie und die Aktion für das Theater der Einbildungskraft.« Dabei beginnt ihre Aufführung irritierend, im schlechten Sinne rhetorisch. Sie liest den Brief, den Macbeth geschrieben hat, nicht innermonologisch, sondern extravertiert pathetisch, liest ihn dem Publikum vor und nicht ihrer inneren Stimme, der des Ehrgeizes, welcher im Rezitativ (»Ambizioso spirto«) mit vehementer Wildheit ausbricht. Die Hitzigkeit des Rezitativs nimmt de Sabata in »Vieni t'affretta« auf. Er schlägt eine raschere Gangart an als de Fabritiis in der konzertanten Aufführung, läßt Callas aber ausreichend Zeit für das nuancierte Ausformen einer jeden vokalen Geste.

Der Rang ihrer Wiedergabe liegt nicht zuletzt darin, daß die dramatische Akzentuierung die genaue Ausformung von Linie und vokaler Formel niemals überlagert; zu erleben ist dramatisierter *bel canto*-Gesang, verwirklicht im Medium einer beispielhaften sängerischen Virtuosität. Alle anderen Interpretinnen dieser Partie fallen hinter Callas nicht deshalb zurück, weil sie über weniger »Ausdrucksmittel« verfügt hätten, sondern weil sie der Griechin technisch und stilistisch unterlegen waren. Karl Böhm hat Elisabeth Höngen, die unter seiner Leitung die Lady gesungen hat, als die »größte Tragödin der Welt« bezeichnet. Die Aufnahme bestätigt diese Einschätzung nicht, weil die Höngen die formale Vielgestaltigkeit von Verdis Musik nicht in nuancierte Gestik zu übersetzen vermag. Auch Shirley Verrett und Fiorenza Cossotto kommen in dieser Beziehung an Maria Callas bei weitem nicht heran, und es ist merkwürdig, daß die forcierten, schrillen und harten Töne der Cossotto nie Gegenstand kritischer Einwände waren. Mehr noch als in der Virtuosität liegt die Suggestivität dieser Aufführung in der Prägnanz, mit welcher Callas jede Phrase, jede Interjektion, jede dialogische Nuance mit Sinn, Spannung und Drama erfüllt; selbst Shakespeares Statthalter auf Erden, Sir Laurence Olivier, kann in dieser Beziehung nicht prägnanter agiert haben.

Der Rang einer Interpretation liegt in der Fülle realisierter Details. Das scheint eine Binsenwahrheit. Und doch, wie selten erlebt man Darstellungen, die durch wahrhaft erleuchtete Details überzeugen? Mehr als in der Arie müssen im Rezitativ und in ähnlich geformten dialogischen Passagen die Töne im Licht des Textes erklingen, muß die Phrasierung der Prosodie sich assimilieren, hat der Sänger auf den vokalen Effekt zu verzichten, ist Imagination gefordert, vor allem histrionische Phantasie. Der zweite Akt des *Macbeth*, in dem Handlungen (gerade die vollzogenen wie der Mord) gespiegelt werden in den Vorstellungen, den Wahnphantasien der Protagonisten, gewinnt dramatisches Leben nur dann, wenn die Dialoge und Rezitative überzeugend dargestellt werden.

Schon das Ende des ersten Aktes ist, in der Darstellung der Callas, ein psychologisches Kammerspiel mit infinitesimalen Schattierungen des Textes und Färbungen des Tons. Nicht weniger überzeugend die Gestaltung von »La luce langue« mit dem Wechsel innermonologisch-skeptischer und hysterisch-aggressiver Ausdruckselemente: hier das fragendnervöse »Nuovo delitto« (»eine neue Untat«), dort das entschlossen-heftige »E necessario!« (»Es muß sein!«). Ebenso scharf ausgearbeitet sind die Kontraste des Trinkliedes, das gleichsam auf einer doppelten oder ambivalenten Sprach- und Ausdrucksebene abläuft: Es ist ein Trinklied für die Gäste der gespenstischen »Party« und zugleich eine versteckte Mahnung und Warnung an Macbeth.

Weniger gelungen – darin stimmen Ardoin, Hamilton und andere Callasianer überein – ist die Nachtwandelszene. Sie hat zu wenig Gewicht, zu wenig dramatische Kontraste, beginnt wohl auch in einem überraschend schnellen Tempo; später hat Callas die Szene unter Rescigno, obwohl stimmlich nicht mehr so souverän, gestaltreicher gesungen, und dies vor allem wegen der perfekten Ausformung der zahlreichen rezitativischen Einwürfe. Doch ist das ein Einwand, den man, im nachhinein, beim Hören des Mitschnitts macht, nicht aber als Zeuge der Aufführung selber, die für Callas so etwas wie die Thronbesteigung bedeutete.

Die Entstehung der Legende oder Die zweite Existenz

Wird es nicht sein wie ein Dialog mit der Ewigkeit« – so emphatisch hatte sich Emil Berliner geäußert, als er vor gut einem Jahrhundert seine Erfindung, die Schallplatte, der (gelehrten) Öffentlichkeit vorstellte. Die »recherche du temps perdu« hatte, was die Musik angeht, eine neue Qualität angenommen. Die an die Kategorien von Raum und Zeit gebundene Aufführung von Musik konnte transloziert und perpetuiert werden. Dies sicherte dem Interpreten so etwas wie eine zweite Existenz. Caruso, der, nach dem Wort von Fred Gaisberg, die Schallplatte »machte«, war der erste Künstler, dessen Wirkung mehr und mehr unabhängig war von seiner leibhaftigen Präsenz, und der durch seine Aufnahmen weiterlebte. Maria Callas, ein halbes Jahrhundert nach Caruso geboren, bekam die Chance, das technische Medium in neuer Weise zu nutzen: Sie konnte die Oper als ästhetisches, dramatisches Gebilde in das *musée imaginaire* (André Malraux) der Schallplatte hinüberretten. Soll man diese Koinzidenz – hier den Aufstieg Carusos und die Emanzipation der Schallplatte, dort das Hervortreten von Maria Callas und die Ära der Langspielplatte – als zufällig ansehen?

Es kann kein Zweifel daran bestehen, daß Walter Legge in Maria Callas schon früh die ideale Protagonistin des imaginären Theaters erkannte. Aus Legges Erinnerungen[13] geht nicht nur hervor, daß er, kompromißlos selektierend, nach den besten Künstlern suchte, sondern daß er deren Aufnahmen zur Steuerung der Karriere und damit auch für den Erfolg seiner Firma einsetzte. Die Aufnahmen von Donizettis *Lucia di Lammermoor*, von Bellinis *I Puritani* und von Puccinis *Tosca* sollten, mit der Callas als Leitfigur, das Label »Angel« in den USA lancieren, so wie zwei Recitals von 1954 – eines allein Puccini gewidmet, das andere verzierten Arien und *espressivo*-Stücken – die Fähigkeiten der *assoluta* Callas weltweit propagieren sollten. Daß Callas auf der Platte Arien aus Opern sang, die sie nicht mehr darstellte, und auch Arien aus Opern, die sie nie auf der Bühne gesungen hatte und nie singen sollte, verschlug wenig: Wer eine zweite Existenz lebt, lebt auch mit Vorgaben, mit Fiktionen, mit Täuschungen (was durchaus nicht heißt, daß Callas die Mimi oder die Manon auf der Bühne nicht hätte singen können).

Ist dieser Gedanke triftig? Müssen wir nicht akzeptieren, daß die Aufführung eines Werks nur für die Klangbühne einen Eigenwert hat und gleichberechtigt neben der Bühnenaufführung steht? Und können wir dies akzeptieren, wenn wir genau wissen, daß der jeweilige Interpret die Rolle, die er dank technischer Hilfsmittel bewältigt, auf der Bühne nie und nimmer würde bewältigen können? Es sind dies Fragen, die in einer Ästhetik der Schallplatte zu reflektieren wären und im Kontext Callas irrelevant sind, weil die Mitschnitte zeigen, daß sie im Studio nichts gesungen hat, was sie nicht auf der Bühne ebensogut hätte singen können und gesungen hat. Vor allem hat sie *überwiegend* aufgenommen, was durch die Feuertaufe theatralischer Praxis hindurchgegangen war.

Das gilt für die Cetra-*Gioconda* von 1952 ebenso wie für die EMI-*Lucia* von 1953. Zwar hatte sie die Donizetti-Heroine vor der Aufnahme nur siebenmal (dreimal in Mexico und viermal in Florenz) gesungen, doch hätten Dutzende von Aufführungen nicht die Wirkung gezeitigt wie die Bandschnitzel, die Walter Legge an Herbert von Karajan schickte. Der Dirigent entschloß sich sogleich, das Werk an der Scala herauszubringen, und naiv, wer glauben würde, daß Maria Callas den Dirigenten von der Qualität des Werks überzeugt hätte! Vielmehr erkannte Karajan, daß die Aufführung einer jeden Oper ihren Rang vor allem durch die Qualität ihrer Protagonisten bekommt. Ohne die Visitenkarte der Aufnahme unter Serafin wäre die Aufführung an der Scala unmöglich gewesen, ohne die Erprobung an der Scala nicht der »Export« der Aufführung nach Berlin und Wien, ohne die Erfolge dieser Aufführungen nicht das Debüt an der Met. Mit einem Wort: Legge betätigte sich nicht nur als Künstler-Produzent, sondern er war auch einer der entscheidenden Architekten der Callas-Karriere – eine Feststellung, die nicht nur ohne jede Kritik zu lesen ist, sondern als Ausdruck von Bewunderung.

Viele Künstler, die mit Legge gearbeitet haben, berichten über die oftmals quälende (obgleich immer sympathetische) Aufmerksamkeit, mit welcher der Produzent die Aufführungen seiner Künstler beobachtete. Einer seiner Leitsätze lautete: »Ich glaube, daß Sie das besser machen können.« So sicher und souverän war er in seinem ästhetischen Urteil, daß er selbst Autokraten wie Wilhelm Furtwängler, Herbert von Karajan, Otto Klemperer oder Dietrich Fischer-Dieskau korrigierte. Oder eben auch Callas. Künstler also, die sich nicht leicht beugten oder nur dann, wenn sie im Widerspruch neue Möglichkeiten für ihre Arbeit witterten. Erinnert sei an den Satz Theodor W. Adornos, daß sich im Zeitalter der technischen Reproduktion die Arbeit des Künstlers vom technischen Fortschritt nicht lösen läßt – daß beides vielmehr zusammenfällt.

Als Violetta in *La Traviata*

Tosca, Royal Opera Covent Garden, London 1964

Star mit Pudel

Norma, Grand Opera, Paris 1964

Mit Battista Meneghini (links), Elisabeth Schwarzkopf und Walter Legge

In der Praxis der »Kulturindustrie« ist die glückhafte Zusammenführung von artistischen Möglichkeiten und technischem Fortschritt indes eine Seltenheit, und daß Legge dies vor vier Jahrzehnten gelang, rechtfertigt seine Einschätzung als *technischen Künstler*, als Svengali des technischen Zeitalters.

Sechs Jahre lang hatte Maria Callas in der Welt der Oper Sensation gemacht, seit 1953 machte sie Sensation mittels einer Kunstform, die in der modernen Welt fast schon vergessen war. Im Februar 1953 nahm sie unter Tullio Serafin Donizettis *Lucia di Lammermoor* auf, im März Bellinis *I Puritani* und im August Puccinis *Tosca*, ferner für die Cetra Verdis *La Traviata* (im September 1953). Es waren diese Aufnahmen, die den gleichsam provinziellen Ruhm zu einem Gegenstand weltweiter Aufmerksamkeit machten. Einer Aufmerksamkeit, die über das Interesse der Fachleute weit hinaus ging und zu vergleichen war nur mit der Ausstrahlung von Filmstars.

Zwischen 1953 und 1960 hat Maria Callas alljährlich – von Ausnahmen abgesehen – mindestens zwei, zuweilen aber auch vier Opern vollständig aufgenommen, nicht gerechnet ein halbes Dutzend Recitals. Das heißt, daß sie, wirkungsgeschichtlich oder rezeptions-ästhetisch betrachtet, erst seit dem Herbst 1953 und dem Frühjahr 1954 für die Öffentlichkeit im weiteren Sinne überhaupt präsent war.

Es sei nicht vergessen, daß die »Piratenplatten« erst seit Beginn der siebziger Jahre einem größeren Kreis bekannt wurden, also lange Zeit nach dem Bühnenabschied der Sängerin. John Ardoins »The Callas Legacy« erschien erst 1977 – im Todesjahr der Sängerin –, machte also die Leistung der Sängerin erst im Rückblick erkennbar.

Zu bedenken ist auch, daß die ersten Sänger-LPs in den fünfziger Jahren nur Auflagen von wenigen tausend Exemplaren erreichten. Erst als aus dem Sänger- oder Kunstphänomen Callas das Skandalon der Tigerin geworden war, änderte sich die öffentliche Perspektive, also etwa seit 1956, dem Jahr ihres Debüts an der New Yorker Metropolitan Opera.

Die Aufnahmen von 1953 zeugen von bewunderungswürdiger Sorgfalt und Professionalität. Diese richtet sich durchaus nicht auf eine Werktreue im modern-philologischen Sinne, sondern auf die dramatische, theatralische Stringenz des technisch reproduzierten Werks, das, rein formal gesehen, so aufgeführt wurde, wie es der damaligen Theater-Praxis entsprach. Da die meisten Komponisten, selbst Verdi, Theaterpraktiker waren und für einzelne Aufführungen ihre Opern gewissermaßen akkommodierten, kann diese Praxis so falsch nicht gewesen sein. Oder anders, der Rekurs auf Vollständigkeit, auf Authentizität zeugt nicht nur von Respekt, sondern auch von Unterwürfigkeit.

Konkret: Die Aufnahme von Donizettis *Lucia di Lammermoor*, mit der Maria Callas das Werk aktualisierte, ist sicher nicht so korrekt, nicht so vollständig, nicht so authentisch wie die Aufführung von Beverly Sills. Nur, wen interessiert diese korrekte Aufführung mit der Sills? Oder wer delektiert sich daran, ob man, in der Wahnsinnsszene, die Glasharmonika hört, die Donizetti eingesetzt hat? Verbirgt sich nicht im Verweis auf diese Vollständigkeit und Korrektheit, die in der theatralischen Praxis kaum je eine große Rolle gespielt hat (selbst für Toscanini nicht), das Eingeständnis, daß uns die Lucia einer Beverly Sills oder einer Montserrat Caballé einfach kalt läßt? Nein, es ist die Callas-Aufführung, zu der wir zurückkehren und durch die wir das Werk kennenlernen. Besser, *die* Callas-Aufführungen, denn es gibt zwei Studio-Aufnahmen und sechs Mitschnitte. Durch die Studio-Aufnahme war ihre Darstellung der Titelpartie ein Ereignis geworden. Knapp ein Jahr nach der Florentiner Aufnahme brachte Herbert von Karajan das Werk mit ihr an der Scala heraus, und er war es auch, der sie nach Berlin und Wien holte. Daß sie die Lucia auch in London, Chicago und New York sang und diese Aufführungen Gegenstand einer zuweilen hysterischen Aufmerksamkeit waren, zeigt nicht nur, daß die Lucia eine zentrale Rolle im Repertoire, sondern so etwas wie ein Symbol ihres Ruhms wurde – ausgelöst von der Platte.

John Ardoin hat bekannt, daß seine Callas-Aufnahme für die »einsame Insel« der Berliner Mitschnitt von *Lucia di Lammermoor* unter Herbert von Karajan wäre, und er hat die Florentiner Studio-Produktion als die befriedigendste Schallplatteneinspielung und »a glory of the LP era« bezeichnet. Auch David A. Lowe führt unter ihren größten Aufnahmen den Mitschnitt auf, nicht die Studio-Aufnahme, und er zitiert Desmond Shawe-Taylor mit der nach dem Berliner Abend getroffenen Feststellung: »Ich wage zu sagen, daß sie niemals besser singen wird als jetzt.« Damit hat der Kritiker, und nicht einmal unbewußt, im Grad der Vollendung deren Unüberbietbarkeit angesprochen und vielleicht auch darauf angespielt, daß Callas in dieser Aufführung, wie schon im biographischen Teil angedeutet, nicht mehr mit der souveränen Sicherheit und schon gar nicht mehr mit dem vokalen Gewicht früherer Abende sang.

Der Preis gehört doch wohl der ersten *Lucia*, der unter Serafin. Bemerkenswert zunächst die Verwandlung der Stimme und des sängerischen Zugriffs. Da springt keine »Wildkatze« mehr die hohen Töne an, sondern es werden selbst die exponiertesten *acuti* in die Linie eingebunden oder einer *cabaletta* entschieden als Krone aufgesetzt. Deutlich spürbar, daß es nicht mehr um *stunts* geht. Die größere Einheit und bessere Durchformung der Stimme – die Register sind besser verblendet und doch in ihrer Klangcharakteristik unverkennbar – sichert dem Singen einen wundervoll-harmonischen Fluß: »Quando rapito« und vor allem das Duett »Verranno a te« strömen mit perfektem *legato,* und der Klang hat eine herrlich-herbe Süße. Das Singen di Stefanos, dunkel getönt, ist sehr effektvoll und klanglich attraktiv, entbehrt aber jenes Schliffs, der den romantischen *bel canto*-Tenor auszeichnen müßte. Vom Typus der Stimme her wäre Luciano Pavarotti ein solcher Tenor. Aber auch er hat die Grabszene nicht mit der Eleganz eines Francesco Marconi oder eines John McCormack ziseliert. Vor allem über der hohen Lage di Stefanos liegt stets ein leichter Schleier, weil die Bruststimme in die Höhe getrieben wird.

In der Nachtwandelszene entfaltet Maria Callas mit den Mitteln vollkommener Virtuosität den inneren Sinn der Musik. Wie bei allen wahrhaft großen Aufführungen scheint die Zeit stillzustehen oder, anders gesagt, die Erlebniszeit zur Realzeit zu werden. So wie Shakespeare im ersten Satz eines Dramas eine Kulisse, eine Stimmung, eine Atmosphäre beschwören konnte (etwa im »Tempest«: »Boatswain! – Here master: what cheer?«), taucht sie die ersten Phrasen in den dunklen Klang von Melancholie, von Weltverlorenheit. Das *legato* eines perfekten Geigenspielers könnte nicht vollkommener sein. Die Phrase »Ohimè, sorge il tremendo fantasma« ist eine mit rein klanglichen Mitteln erreichte *azione teatrale*, und das gilt nicht weniger für das süchtig-sehrende »alfin sei tua«. Der Gefühlsgehalt der Vokale pulst heftig im Klang, in einem Klang von unendlich schmerzlicher Farbe. Ardoin spricht von einer »agonizing beauty«, einer schmerzlichen Schönheit – es sind, noch einmal André Gide, die schmerzlichsten Melodien die schönsten. Daß es in der Kadenz hier und dort einmal eine härtere und herbere Note gibt, mag beklagen, wer gern in lauen Klängen badet.

Wenden wir uns, kurz aus der Chronologie herausgehend, der von Herbert von Karajan dirigierten Berliner Aufführung zu (es gibt auch eine aus der Scala, von Ardoin offenbar nach einem Bandmitschnitt kommentiert). Sie wird mit einer solchen Einhelligkeit als exemplarisch gerühmt, daß der kritische Kommentar von Michael Scott[14] zitiert sei: »Als ich sie die Rollen in Dallas singen hörte, 1959, war ihr nur noch der Faden der Stimme geblieben. Sie hatte ihre ersten Lucias sieben Jahre zuvor gesungen, und 1955, als sie die Rolle in Berlin mit dem Scala-Ensemble unter Herbert von Karajan versuchte, klingt sie bereits erschöpft, hat die Aufführung den Charakter einer allzu vorsichtigen Einstudierung. Ihre Stimme ist bleich und zittrig [wan and wavery] geworden; im Sextett kann sie die wiederholten hohen A's nicht sauber und fest halten; und am Ende des ersten Teils der Wahnsinnsszene muß sie das exponierte, interpolierte Es auslassen. Karajans Dirigieren ist nicht stilvoll, und *Lucia* bedarf in jedem Fall weniger eines großen Dirigenten als einer großen Sängerin. Wie immer absurd das scheinen und wie sehr das allen modernen Vorstellungen widersprechen mag: Alles, was Callas' *Lucia* benötigte, war jemand, der ihr zu folgen in der Lage war und das Ensemble zusammenhalten konnte. Wir können dies in der Rundfunkübertragung aus Mexico City vom 14. Juni 1952, geleitet von Guido Picco, hören, als sie noch fähig war, die Musik mit erstaunlichem tonlichen Gewicht und breiter Phrasierung zu singen, als sie die verzierten Phrasen flüssig und furchtlos ausführen konnte, mit einer Akkuratesse, wie man sie seit den Tagen der Melba nicht mehr erlebt hatte. Am Ende, wenn die Aufführung in einem vollstimmigen hohen Es kulminiert, ergeht sich das mexikanische Publikum seinerseits in einer Wahnsinnsszene.«

Kann es, ganz vorsichtig gefragt, sein, daß die Bewunderer der Berliner Aufnahme deren Größe durch die Interpretation einer Interpretation sich ausmalen; daß sie sich eine wundervolle, musikalische Kunstanstrengung buchstäblich schön hören, schön hören wollen? Selbst wenn dem so wäre, spräche auch das für den Rang der Callas, für ihre Künstlerschaft, welche die Stimme vergessen machen kann.

Doch hören wir hin. Die Linie in »Regnava nel silenzio« fließt dahin, in weicher, melancholischer Tönung, doch ohne tonliche Intensität. In »Quando rapito« werden die Passagen und Skalen sauber, aber ohne virtuoses Feuer ausgeführt, und das hohe D am Ende der *cabaletta* wirkt klanglich ausgemagert. Selbst die zaubrische *mezza voce*, mit welcher Callas »Verrano a te« beginnt, klingt nach einer Anpassung an die reduzierteren stimmlichen Möglichkeiten. Sie hat grandiose Momente im Duett mit Rolando Panerai (Enrico), in dem sie Ausrufe und Gefühlsmomente durch Farbensingen wahrhaft erleuchtet. Die Wahnsinnsszene malt sie gleichsam in Pastellfarben – mit kräftigen Akzenten bei »il fantasma« und »alfin sei tua«. Es mag auch am breiten, symphonischen Tempo des Dirigenten liegen, daß sie den Ton auflichten muß und nicht zuviel Atem vergeben kann. Wunderbar ist einmal mehr das »pacing«, die innere Gespanntheit selbst in endlos gedehnten Phrasen. Repetierte *staccati*-B's klingen ein wenig unsicher. Das erste Es läßt sie aus und zum Schluß legt sie alle verbliebene Energie in diese erwartete Bravour-Note.

Eine große Aufführung? Mehr als das: eine der grandiosen, die sie gesungen hat. Und zugleich weniger, eine, in welcher der Kampf um die Stimme, mit der Stimme spürbar wird, auch wenn er bestanden, wenn er gewonnen wird. Eine Aufführung endlich ganz im Sinne Wagners, daß hier eine weibliche Seele so schön mit ihrem Atem umgeht, daß die Frage nach der Stimme irrelevant wird.

Es sind weitere Aufführungen erhalten. Eine sehr schöne aus Neapel unter Francesco Molinari-Pradelli mit dem jungen, exzellenten Gianni Raimondi, die wenig geglückte New Yorker Vorstellung aus ihrem Debüt-Jahr an der Met, bei der sie in höchst unsicherer Verfassung war, eine römische Aufführung unter Tullio Serafin von 1957, die kaum besser ist, und endlich die zweite Studioproduktion, die, auch durch ihre Partner, deutlich hinter die erste zurückfällt.

Die zweite Studio-Aufnahme für EMI galt Bellinis *I Puritani* mit Giuseppe di Stefano, Rolando Panerai und Nicola Rossi-Lemeni als Partnern und Tullio Serafin am Pult. Sie entstand Ende März 1953, wurde aber in den USA früher herausgebracht als *Lucia di Lammermoor*, weil Walter Legge die nach seiner Einschätzung beste Aufnahme – auch in technischer Hinsicht – als Visitenkarte für Callas und das neue Label »Angel« abliefern wollte. Obwohl Bellinis Spätwerk (wenn man denn bei einem Frühvollendeten und Frühverstorbenen von einem Spätwerk sprechen kann) eine Gesangsoper *in excelsis* ist, konnte sie, weil die Partie der Elvira dramatisch eindimensional ist, die theatralische Phantasie der Callas nicht so stark herausfordern wie Donizettis Oper. Hinzu kommt, daß Giuseppe di Stefano, als Edgardo trotz einiger Einschränkungen überzeugend, mit der in extremer *tessitura* liegenden Partie des Arturo, zugeschnitten auf den hohen, agilen, romantischen Tenor Rubinis, überfordert war. Die Partie wäre etwas für den jungen Nicolai Gedda gewesen, der sie erst 1973 und damit zehn Jahre zu spät sang. Das legendäre Rubini-F singt er zwar akzeptabel, aber mit mühsamem *portamento*-Aufstieg, und der Klang der Stimme ist spröde und trocken. Luciano Pavarotti singt den Stratosphären-Ton mit einem Falsett, aber er hat die *dalpetto*-Des' und den richtigen, vielleicht etwas zu eng fokussierten Klang und ein zu angestrengtes *piano*. Alfredo Kraus, auch er, wie Pavarotti, ein romantischer Tenor, ist technisch sicher und klanglich spröde, nicht nur unter Muti, sondern auch unter Bonynge (live, 1966).

Di Stefanos Emphase ist kein Ersatz für vokale Eleganz, und dies um so weniger, als Callas die Elvira mit vokalem *finish* sang. Sie zeigte, wie Ausdruck allein aus der Entfaltung und der Färbung der Linie gewonnen werden kann, demonstrierte in der *polacca* fallende chromatische Skalen von phantastischer Flexibilität und wiederholte in frühe meisterliche Interpretation von »Qui la voce« mit einer lichteren stärker nach vorn plazierten Stimme.

»Tosca« oder Das technische Kunstwerk

SCHON diese ersten Studio-Aufnahmen und vollends die von Puccinis *Tosca* offenbarten die wahrscheinlich bedeutendste Qualität der Sängerin: die Fähigkeit, den Sinn und die Emotion eines Wortes mit dem Klang zu erleuchten, und dies nicht nur in rezitativischen Passagen oder Phrasen, die prosodisch konzipiert sind. Es läßt sich oft, etwa bei Joan Sutherland, beobachten, daß der Text nur für den verständlich ist, der ihn kennt oder mitliest. Wer ihn hörend verstehen will, an dem rauscht er vorüber wie eine rasch gesprochene Fremdsprache. Maria Callas versteht es oftmals, ein Wort oder eine Phrase dergestalt zu artikulieren und zu deklamieren (ihnen also Form und Eloquenz zu geben), daß selbst derjenige, welcher die Wortbedeutung nicht kennt, den Wortsinn erfaßt.

Die Kunstfertigkeit hat für die Musik des *verismo* eine viel größere Bedeutung als für die der italienischen Klassik und Romantik. Bei Rossini und Bellini, bei Donizetti und auch noch beim jungen Verdi liegt die Expression wesentlich in der klanglichen Modulation. Auch wenn Rossini die dramatisch-feurige Koloratur und den energischen Triller verlangte und Donizetti oder Verdi den kraftvollen Akzent, blieben die »Ausdrucksmittel« strikt musikalisch. Anders im *verismo,* dessen Komponisten nicht länger dem Klang das Wort zufügten, sondern das Sprechen musikalisierten. Maria Callas, technisch vom *bel canto* kommend, bleibt die überragende Interpretin der veristischen Musik deshalb, weil sie – soweit nur eben möglich und ausführbar – auch der Rhetorik und den Exaltationen des *verismo* mit gesanglichen Mitteln beizukommen versuchte. Dabei kam ihr die oben beschriebene Fähigkeit, gleichermaßen das Relief und die Farbe eines Wortes wiederzugeben, zu Hilfe.

Selbst als ihre Stimme nur noch fadendünn war, blieben ihr genügend Mittel zur Darstellung der Tosca.

In der von Victor de Sabata dirigierten und, so sei noch einmal gesagt, von Walter Legge für die Klangbühne inszenierten Aufnahme von *Tosca* – ein *technisches* Kunstwerk einzigartigen Ranges – gelingt Maria Callas eine grandiose Symbiose: Gesang, der nur Ausdruck ist, und Ausdruck, der reinster Gesang bleibt. Sie schafft eine Identität des Nichtidentischen: Expression ohne Exaltation, Süße ohne Sentimentalität, Kunstverstand ohne Kalkuliertheit, Spontaneität ohne Hektik. Ihr Portrait ist aus einem Guß, und es ist damit, wie jede bedeutende darstellerische Leistung, mehr als die Summe von Details. Es gibt wahrhaft erleuchtete Details. Schon in den drei Mario-Rufen, Klangbildern voller Erregung und Spannung, voll Ungeduld und Hysterie, bekommt die Figur schärfstes Profil. Toscas Duett mit Cavaradossi ist ein mit den Ahnungen und dem Spürsinn der Eifersucht geführtes Verhör; es spielt, auf beiden Seiten, auf zwei Sprach-, Verständnis- und Gefühlsebenen. Sie fragt – er antwortet indirekt; sie stutzt – er reagiert besänftigend; sie zögert – er zeigt sich versöhnlich; sie ist gekränkt – er schmeichelt; sie kokettiert – er geht auf sie ein; sie schmeichelt – er flirtet; sie lockt und sie keift. Konkret ein Detail: Sie steht vor dem Bild der blonden Madonna und schreit plötzlich, in jähem Erkennen, daß es die Attavanti sei. »Weinend« (Szenenanweisung) fragt sie, ob er sie liebe – aber Callas schluchzt nicht. Sie droht ihm, betrachtet erneut das Bild und die Augen der vermeintlichen Rivalin. Darauf stimmt der Maler »con grande espressione« und »largamente« seine *cantilena* an, umschmeichelt sie »dolcissimo«, und Tosca, »hingerissen, den Kopf an Cavaradossis Schulter lehnend« (Szenenanweisung), singt »dolce, ma sentitio ed espressivo«. »O come la sai bene l'arte di farti amare« (»Oh, wie du dich auf die Kunst des Schmeichelns verstehst«). Vom Text her ist das, wie der gesamte Dialog, uneigentlich oder doppeldeutig. Der Text sagt: »Du bist ein Schmeichler und Heuchler.« Die Musik sagt: »Ich will dir glauben.« Callas artikuliert den Text und schlägt gleichzeitig einen Ton an, der den Text nicht widerlegt, aber ergänzt. Es gibt, sagt Schnitzler, in der Liebe keine Lüge, die nicht sofort erkannt und sogleich geglaubt wird. Callas singt das. Es ist der Ton, der spürbar, der fühlbar werden läßt, daß Tosca berauscht ist, und das klingt plötzlich so berauschend schön wie bei keiner Tebaldi, keiner Milanov, keiner Price, keiner Caballé.

Ein zweites Detail: Tosca kehrt, immer noch eifersüchtig, in die Kirche zurück und trifft auf Scarpia. Es fällt schwer, auf eine Beschreibung der

Darstellung Tito Gobbis zu verzichten. Er war der einzige in jedem Betracht kongeniale Partner (und Widerpart) der Callas – weniger als Sänger denn als Darsteller. Der Dialog, den Tosca mit Cavaradossi geführt hat, wiederholt sich jetzt unter anderen Vorzeichen: Jetzt ist es der Polizeichef, der ein Verhör führt mit dem Spürsinn des Demagogen und Verbrechers. Scarpia instrumentalisiert ihre Eifersucht. »Weinend« (Szenenanweisung) verläßt sie die Kirche, »con grande espressione« singend: »Gott wird verzeihen, denn er sieht, wie ich leide.« »In Tränen aufgelöst« steht über der letzten Phrase.

Weint Tosca an dieser Stelle? Oder muß sie singen, daß sie weint und wie sie weint? Oder anders: Sollen und wollen wir auf der Bühne die triviale Realität des Schluchzens erleben oder eine Klangfigur, die uns die Tränen in die Augen treibt? Bei der alltäglichen, der routinierten, der traditionellen Aufführung oder Aufnahme können wir uns auf die phantasielose Dummheit der Durchschnitts-Diva verlassen; sie schluchzt wie ein Fischweib auf dem Markt. Oder wie Renata Tebaldi. Callas schluchzt nicht. Aber die Art und Weise, wie sie »io piango« singt, wie sie einen Ton – einen Ton! – unter Tränen zu einem Schmerzensklang macht, läßt den Hörer die Schmerzen der Heldin empfinden.

Sie bleibt Heldin auch in dem Moment, in welchem die meisten Toscas auf ebenso effektvolle wie dumme Weise Sängerinnen werden: in »Vissi d'arte«. In den letzten Phrasen führt die melodisch-emotionale Kurve mit einem *crescendo molto* auf ein B. Zäsur. Dann Neuansatz auf As, G, Oktavfall auf G und Abgesang. Um des vokalen und klanglichen Effektes willen bringt Montserrat Caballé es fertig, über die Zäsur der Phrase hinwegzusingen. Hinwegzusingen über die Logik des Textes und der Musik. Callas beachtet die Zäsur, singt den Oktavfall, und sie singt einen Schluchzer, den man erst hört, wenn er nicht mehr zu hören, singt ihn als spontanen Urlaut und eben nicht als theatralische Illustrationsgebärde. Nach des Verfassers Erfahrung und Empfindung hat nur eine einzige Sängerin diese Einheit von Kunstverstand und Empfindung herstellen können: Lotte Lehmann.

Walter Legge hat berichtet, wieviel Zeit man sich genommen, um die letzte Phrase des zweiten Aktes zu bewältigen, zu inszenieren, zu meißeln. Tosca entwindet dem Erdolchten den vermeintlichen Passierschein für Cavaradossi, verweilt vor dem Leichnam, nimmt die Kerzen vom Tisch und stellt sie neben Scarpia. Und sagt-singt-seufzt: »Vor dem da zitterte einst ganz Rom!« Die Phrase besteht aus elf Noten: Sechzehnteln und (punktierten) Achteln. Es ist eine auf dem Cis liegende Phrase – eine gesprochene Phrase. Sie ist auf seltsame Weise pathetisch, echt und unecht zugleich. Und zwar deshalb, weil eine Schauspielerin in einer konkreten, in einer realen, in einer existentiell-leidvollen Situation nicht pathetisch werden, Leid nicht spielen, sondern leben muß. Callas ist beides: die Schauspielerin der Szene und deren Opfer. Aber Gott, wer sähe da den Unterschied – wenn er den Unterschied gesehen hat!

Die Tränen aus dem Verstand

PIETRO Mascagnis *Cavalleria Rusticana* ist, gemessen an Puccinis *Madama Butterfly* oder *La Bohème*, nicht zu reden von Verdis *Ballo* oder *Otello*, nur ein Reißer oder ein Meistermachwerk. Eine histrionisch begabte Darstellerin kann aus Tosca, aus Fedora, aus Adriana Kunstfiguren entstehen lassen, die sich, vor allem mit dem Camp-Geschmack, genießen lassen. Voraussetzung ist die Sublimierung der teils groben, teils anachronistischen Ausdrucksfiguren, die Überführung ins zugleich Naive und Manierierte. Die Beziehung zu einer Rolle mittels einer Attitüde ist, im Falle der Santuzza, ein nicht gangbarer Weg. Von Gemma Bellincioni an, der Santuzza der Uraufführung, haben fast alle italienischen Sopranistinnen – und viele Mezzos – die Santuzza (oder wenigstens »Voi lo sapete«) aufgenommen. Für die Partie wird einmal mehr das »vollblütige Singen« verlangt. Das ist eine zwar nicht unverständliche, aber vage Metapher.

Bei der Beschreibung von gut einem Dutzend Aufführungen verwendet Charles Osborne in seiner Discographie nur einige wenige und nicht einmal prägnant charakterisierende Adjektive: »highly effective«, »dramatic«, »moving«, »characterful« (in »Opera on Record« Bd. 1, S. 543 ff.) Es geht hier durchaus nicht um eine Kritik einer Kritik. Es geht um die Feststellung des merkwürdigen Tatbestandes, daß über die Interpretation veristischer Ausdrucksmusik nicht mit einem ästhetisch reflektierenden Vokabular geschrieben wird, sondern mit der Sprache der Empfindung.

Lina Bruna Rasa (unter Mascagni), Giulietta Simionato, Renata Tebaldi, Victoria de los Angeles, sie alle singen die Musik effektvoll, dramatisch und mehr oder weniger schön. Aber in keiner Aufführung entsteht so etwas wie eine tragische Fallhöhe. Eingeräumt, der Begriff scheint problematisch im Hinblick auf eine veristische Oper. Doch so wie es in Bellinis *I Puritani* um die »Essenz der Melancholie« (John Ardoin über Callas' Darstellung) geht, so in *Cavalleria* um die des Leids. Anders als Ardoin bin ich der Ansicht, daß die Partie dramatisch nicht so eindimensional ist, wie sie meist geschluchzt oder geschrien wird.

Die dramatische Phantasie der Callas findet einen anderen Weg als den der Exaltation. Nur ein-, zweimal erleben wir heftige, aber stimmlich und gestisch genau kontrollierte Ausbrüche, bei »l'amai« und »io piango«, aber, wie schon in der Aufführung von *Tosca*, läßt sie sich nicht zu jenem Schluchzen verleiten, das meist ins Alberne und Lächerliche abstürzt. Vor allem im Duett mit Turiddu stellt sie, nuancierter als alle Darstellerinnen der Rolle auf Platten, reiche und vor allem subtile Ausdruckskontraste her: zu Beginn kühle Distanz, hinter der, wie die Phrase »Battimi, insultami« spürbar werden läßt, die Emotion flackert; und welch ein erhabenes Pathos – im Sinne des tiefen, dunklen Schmerzens- und Tränentons – in den Phrasen ab »No, no Turiddu«, die sie mit Bellini-*bel canto* singt. Will sagen: Sie gewinnt auch hier den Ausdruck aus der Formung, der Färbung, der Schattierung der Linie. Vielleicht noch eindringlicher ihre artistische Intelligenz im Duett mit Alfio, in welchem, allein bezogen auf die gesangliche Gestaltung, Tränenton, Rhetorik und Empfindsamkeit Klang werden.

Es liegt nahe, wieder aus der Chronologie herauszutreten und auf das »Zwillingswerk« – Ruggiero Leoncavallos *Pagliacci* – einzugehen. Die Santuzza hat Callas nur während ihrer Athener Zeit auf der Bühne verkörpert, die Nedda nie. Die Oper gilt, nicht zu Unrecht, als die des Tenors, doch die von Tullio Serafin brillant dirigierte Aufnahme läßt erkennen, daß Nedda nicht als Typus dargestellt werden darf. Sie ist ein Charakter, und ein nicht ungefährlicher dazu. In wenigen Aufnahmen und Aufführungen ist so deutlich wie in dieser zu spüren, daß das Drama eine Vorgeschichte hat, das Canios Eifersucht nicht unbegründet ist und schon in »un tal gioco« brennt. Mit der *ballatella* darf diese Gestimmtheit nicht einfach aufgehoben werden. Die Figur der jungen Frau muß Profil bekommen, die Mischung aus Lebenslust und Leichtfertigkeit, womit sie sich über alle Warnungen hinwegsetzt, als Triebfeder der Handlung erkennbar werden. Das Duett mit Tonio hat die beklemmende Intensität all jener dramatischen Duelle, die sie mit Tito Gobbi ausgefochten hat: in *Tosca*, in *Ballo*, in *Aida*. Im folgenden Duett zwischen Nedda und Silvio erleben wir einmal mehr, wie berauschend schön Callas singen kann. Schön nicht nur im Sinne der dramatischen Richtigkeit, sondern einer Überflutung des Hörers mit Klang. Ward je ein »Silvio« seliger, beglückter, passionierter »angesungen« als Rolando Panerai hier? Im passionierten Singen beider wird nicht, wie es so oft geschieht, Leidenschaft *ausgedrückt*, sondern sie wird Klang und Gestalt.

Daß Nedda mit einer dramatischen Sängerin besetzt werden muß, wird man nach Callas' Darstellung des zweiten Akts begreifen. Die Spannung dieser kurzen Szene liegt schließlich darin, daß Nedda in der *commedia* als Typus – als Colombine – auftreten und singen, zugleich aber ausdrücken muß, daß ein Spiel im Spiel stattfindet, ein Drama des Hasses. Ein stimmliches Leichtgewicht mag die *ballatella* in Teilen zaubrisch tirilieren, doch was ist mit der Phrase »Ebben! Se mi giudici« nach Canios Ausbruch im zweiten Akt? Hier, in einem einzigen Ausruf, in einer einzigen wilden Gebärde zeigt Nedda sich als sinistre Figur; sie ist, anders als Desdemona, nicht einfach Opfer, sondern Täterin, die schließlich mit einer Mischung aus Haß und Stolz den Mord provoziert: »No, per la madre«, von Nedda-Callas dem Canio-di Stefano entgegengeschleudert, müßte einen Heiligen in Raserei versetzen.

Giuseppe di Stefano, von John Ardoin enthusiastisch gelobt, singt den Turiddu überzeugend und klanglich suggestiver als den Canio, für den er weder das Gewicht eines dramatischen Tenors noch die fast elegante Konzentration eines Björling hat. Gobbi, vortrefflich im Duett mit Callas, tut sich ein wenig schwer mit der *tessitura* des Prologs und noch schwerer mit den akzentuierten, deklamatorischen Passagen wie »de l'odio i tristi frutti«. Zum Glück läßt er die interpolierte hohe Note – die Tradition geworden – aus; nichts ist ärgerlicher als ein Effekt, der nichts bewirkt.

Medea oder Die Stimme des Abgrunds

BEDAUERLICHER noch als die nicht realisierte Aufnahme des *Macbeth*: Daß sich Maria Callas im September 1953 mit der von Giuseppe Verdis *La Traviata* selber für eine Produktion unter einem Team Serafin/Legge (oder Giulini/Legge) blockierte. Wie wichtig, mehr noch, wie unerläßlich die technische Regie als Ersatz der szenischen Arbeit ist, macht deren Abwesenheit in der Cetra-Aufnahme deutlich, die nicht nur spannungslos dirigiert (Gabriele Santini), sondern in den weiteren Hauptrollen ausgesprochen schwach besetzt ist. Franco Albanese als Alfredo und Ugo Savarese als Germont singen nicht nur grob und rauh, sondern auch spannungs- und phantasielos, so daß beispielsweise das große Duett im zweiten Akt ohne Wirkung bleibt. Callas bringt, obwohl technisch souverän singend, nicht die Energie auf, ihren Part so konsequent auszuformen wie in der mexikanischen Aufführung von 1951, wo sie wenigstens ein Publikum hatte, das auf sie reagierte. Einige wenige große Ausdrucksmomente, durchweg bei deklamatorischen Phrasen und den Ausdrucksgesten der Empörung (3. Akt) und der Todesangst (4. Akt), retten die Aufnahme nicht. Denn die Qualitäten der Callas entfalteten sich voll und ganz nur dann, wenn sie in wirklicher Ensemble-Arbeit aufgehen konnten. Nicht nur war der Klang- und Ausdrucksreichtum ihrer Stimme vom Orchester Wagners inspiriert, sondern ihr Kunstverstand von der Idee der Oper als Gesamtkunstwerk. Nach solchen ästhetischen Maximen hat sie die Rolle erst später in Mailand unter Visconti und in London unter Zeffirelli darstellen können.

Eine ganz andere dramatische Darstellerin tritt uns im Scala-Mitschnitt von Luigi Cherubinis *Medea* (10. Dezember 1953) unter Leonard Bernstein entgegen. Sie hatte die Rolle, ebenfalls eine zentrale ihrer Karriere, erst sieben Monate zuvor auf der Bühne gesungen, unter Vittorio Gui in Florenz, und obwohl sie sie in kürzester Zeit hatte einstudieren müssen, war ihre Affinität zu dieser Partie sogleich erkennbar gewesen. Das Werk, nur sechs Jahre nach der *Zauberflöte* geschrieben, war bei der Pariser Uraufführung nicht erfolgreich und hatte seine größten Bewunderer im deutschsprachigen Raum gefunden. Es war Schuberts Lieblingsoper, wurde von Beethoven aufs höchste geschätzt, und Brahms sah in *Medea* einen Gipfel dramatischer Musik. Ursprünglich war *Medée*, formal gesehen, eine *opéra comique* mit gesprochenen Dialogen, die von Franz Lachner, einem Freund Schuberts, durch Rezitative ersetzt wurden. Die Ricordi-Partitur folgt der Lachner-Bearbeitung (das gilt auch für zahlreiche Striche).[15]

Schon zu Beginn, bei der Beschreibung der Stimme, die nicht nur ein technischer Artefakt, sondern auch Ausdrucksform eines Charakters, eines Temperaments ist, habe ich auszuführen versucht, daß Maria Callas eine Sängerin der dunklen Romantik war. Die Expressivität der Oper Cherubinis weist, wie Ulrich Schreiber eindringlich ausführt, in die Welt, vor allem in die Nachwelten Spontinis, Webers und Meyerbeers voraus. Es ist eine Expressivität von äußerster Radikalität, die dem bürgerlichen

Opern- und damit dem Unterhaltungstheater sich entzieht. »Der Feuertod des Don Giovanni und der Medea« heißt es bei Schreiber, »sind fanalartige Zeichen eines Untergangs. ... Cherubinis Medée öffnete der Oper das Portal zum 19. Jahrhundert.« Der Rang der Callas-Interpretation liegt für Schreiber darin, daß in ihr die klassizistische Oberfläche des Werks aufgebrochen und »psychologisierend zersetzt,«[16] daß eine Figur wie die Ortrud Wagners antizipiert wird.

Nach der Pariser Uraufführung fand Cherubinis Oper, von der Bewunderung der genannten Komponisten abgesehen, nur wenig Interesse, vor allem nicht in der zweiten Hälfte des 19. Jahrhunderts. 1909 wurde sie an der Scala mit der Mazzoleni (unter Vitale) aufgeführt, aber erst Maria Callas sicherte ihr Aufmerksamkeit. Sie sang nicht nur das Revival in Mailand, sondern auch Aufführungen in Venedig, Rom, Dallas und London, schließlich in Epidaurus. Aus den fünfziger Jahren gibt es fünf Aufnahmen und Aufführungen des Werks mit Callas und keine einer anderen Sängerin. Gerda Lammers sang die Rolle 1958 in Kassel, aber erst 1962 übernahm mit Rita Gorr eine Sängerin internationalen Rangs die Rolle an der Pariser Oper. Erst Ende der sechziger Jahre folgten, auf Platte, Gwyneth Jones und 1977 die Ungarin Sylvia Sass. Den Rang der Callas-Aufführungen machen die einförmige Darbietung der englischen und die forcierte der ungarischen noch deutlicher.

Trotz aller Striche: Die Mailänder Aufführung unter dem als Operndirigent debütierenden (!) Leonard Bernstein, der für den erkrankten Victor de Sabata einsprang, gehört zu den eindringlichsten Callas-Dokumenten. Wenn John Ardoin schreibt, daß in ihren Aufführungen von *Norma* und *Medea* »sanfter Klassizismus zu vibrierender Emotionalität« wurde, ist dies ein Mißverständnis. Sowohl aus der romantischen *bel canto*-Rolle als auch aus der vermeintlich »klassizistischen« destillierte Callas den Ausdruck des Abgründigen, in Cherubinis Werk des Archaischen. Die beschreibende, die analytische Annäherung an ihr Portrait fällt nicht leicht. Zwar läßt sich der technische Artefakt des Singens grundsätzlich beschreiben: genauer, als gemeinhin angenommen wird (das zeigen die Beschreibungen von Stendhal, von Turgenjew, von Chorley, von Burney, von Hanslick, von Henderson, von Shawe-Taylor, von Porter). Doch die Darstellung von Ausdrucks-Charakteren und Klangfiguren, notwendig angewiesen auf Metaphorik, riskiert Unschärfen und Mißverständnisse. Wie soll der in einer Klang-Figur zum Laut gewordene Haß beschrieben werden? Was besagt es, wenn man behauptet, daß die Stimme der Callas-Medea beim ersten Auftritt Haß und nur Haß ist?

(Das ist keine Abwertung John Ardoins, der dies geschrieben hat und von vielen anderen Kommentatoren der Aufnahme paraphrasiert wird.) Der Verfasser versichert sich eines nicht nur eloquenten Kenners seelischer Abgründe und dramatischer Darstellungskunst: Richard Wagners. Unter höchstem Arbeitsdruck stehend, schrieb der Komponist dem Tenor Albert Niemann vor der Pariser Aufführung des *Tannhäuser* einen Brief (am 21. Februar 1861) – die vielleicht eindringlichste Erklärung dessen, was singendes Darstellen sein soll und kann. Es ist zugleich so etwas wie die Rechtfertigung einer Grenzüberschreitung in den Rausch, vielleicht sogar in die Gefährdung, der Niemann sich entziehen wollte: Er hatte, grob-insistierend, Wagner aufgefordert, eine schwierige Stelle zu streichen. Wagner erwiderte: »Daß es Ihnen möglich war, in Deutschland nur den dritten Akt zu geben, deckt ganz von selbst den schwachen Punkt Ihrer bisherigen Leistung auf. Selbst die allermittelmäßigsten Sänger haben mit diesem dritten Akt noch verhältnismäßig zu effektuieren gewußt: das macht sich eben von selbst, wie früher die Wahnsinnsszene des Masaniello, wo auch jeder Tenorist nach etwas aussah. Ich sage dagegen, daß ich Ihnen diesen ganzen dritten Akt schenke, wenn Sie mir das Finale des zweiten ordentlich bringen. Hier liegt die dramatische Katastrophe und hier der Punkt, wo Tannhäuser das höchste Interesse in Anspruch nehmen und behaupten muß: fällt dies weg, so bleibt der glückende dritte Akt nur noch ein Komödiantenstück. ... Berufen Sie sich nicht darauf, daß ich die Adagio-Stelle Tichatscheck gestrichen habe: hätte ich *Sie* damals schon gehabt, so seien Sie versichert, daß ich sie nicht gekürzt hätte. Glauben Sie auch nicht, daß ich Tichatscheck die Stelle genommen hätte, weil sie etwa seine Stimme fatiguiert habe: im Gegenteil, was die bloße Stimme betrifft, hätte Tichatscheck noch sechs solche Stellen gebraucht, denn je mehr und länger er im Zuge war, desto ergiebiger und ausdauernder ward sein Organ. ... Der Fehler, der damals in Dresden diese so wichtige Stelle verdarb, war folgender – ein Blick in die Partitur zeigt Ihnen, daß ich mit Tannhäuser zugleich das ganze Sänger-Ensemble mit vorsingen ließ; dies deckte dermaßen, daß das Solo des Tannhäuser wie eine bloße Mittelstimme wirkte, die allerdings vielleicht sich dann noch hervorstechend gezeigt haben würde, wenn Tichatscheck der eigentliche tragische Schmerz im Ausdruck zur Disposition gestanden hätte: daß hier aber seine schwache Seite lag, wissen wir. Auf den glücklichen Einfall, das Ensemble auszulassen und Tannhäuser allein singen zu lassen, kam ich damals noch nicht. ... Nun, die Bedeutung dieser Stelle haben Sie sehr wohl erkannt und wissen nicht nur, welche große Wirkung daraus an und für sich zu ziehen ist, sondern auch von welcher Wichtigkeit sie für das ganze Tannhäuser-Interesse ist. Nur für Ihre Stimme sind Sie besorgt, und Ihre Ängstlichkeit vermehrt sich durch die Vorstellung, daß ja eben auch Tichatscheck sie nicht herausgebracht habe. Dies zu widerlegen und Sie zu ermutigen, erzähle ich Ihnen soeben noch einmal den Ganzen Vorgang und den Grund, warum ich sie damals strich...

Lassen Sie also diese Furcht fahren.... Denken Sie nicht an den dritten Akt: der ist Ihnen sicher. Denken Sie nur an das zweite Finale, und werfen Sie sich so ganz mit Leib und Seele hinein, als ob Sie nach diesem Finale nicht eine Note mehr zu singen hätten. Der Gewinn ist dann ein sicherer: im entscheidenden Punkt der Oper, da – wo alles aufs äußerste gesteigert ist und der geringste Laut mit atemloser Spannung aufgenommen wird, da – hier ist es, wo die Entscheidung des *ganzen Abends* fällt! Glauben sie *mir*, und vertrauen Sie nur dieses *eine* Mal noch auf mich! Sie sollen in Ihrem Leben nie wieder von mir hören!!! – Haben Sie das ›pitiè pour moi!‹ so herausgebracht, wie Sie es schon wiederholt mir zum Angehör gegeben haben, wie Sie's können, nämlich so, daß einem die Haare zu Berge stehen und allen das Herz erbebt, so ist *alles, alles* gewonnen, die unmittelbare Wirkung unermeßlich...«

Mit einer Energie, einer Konzentration, einer Opferbereitschaft, wie Wagner sie von Niemann verlangte, ging Callas in die *Medea*-Aufführung zu Mailand – und auch in die spätere, vor allem in die von Dallas, wo ihre »vitriolischen Klänge« (Ardoin) erkennbar auch gegen Rudolf Bing gerichtet waren, der sie nicht nur gefeuert, sondern auch öffentlich diffamiert hatte. Callas' Portrait ist eines in den dunkelsten, heftigsten Klangfarben. Die Stimme versagt auch nicht in den Momenten, in denen ihr das Äußerste abverlangt wird, und das heißt weit mehr als die Feststellung, daß etwa das hohe C am Ende des zweiten Aktes mit kühner Attacke angeschlagen wird und exakt sitzt.

Was sich im ersten, langen und mit allen schwarzen Emotionen getränkten Rezitativ (vor »Dei tuoi figli«, mit schmerzlicher Sanftheit gesungen) andeutet, steigert sich im Duett mit Jason am Ende des ersten Aktes zu einer Raserei von äußerster, doch nie äußerlicher Wildheit. Daß sie das im dritten Akt, bei der Anrufung der Götter, beim Doppelmord, noch einmal expressiv übergipfelt, macht ihre Darstellung zu einer der singulären Kunstleistungen in der Interpretationsgeschichte der Oper.

Welch eine verpaßte Chance! So möchte man aufseufzen nach der Begegnung mit dem Mitschnitt von Christoph Willibald Glucks *Alceste* aus der Mailänder Scala unter Carlo Maria Giulini. Wir befinden uns im Jahre 1954. Nur eine Sängerin wie die Callas hätte die Symbiose aus deklamatorischem Vortrag und eloquenter Linie erreichen können; die Aufführung zeigt es nur zu deutlich, vor allem in der exemplarischen Wiedergabe von »Divinités du Styx«. Doch singt sie das Werk in einer Form, die nahe an eine Verstümmelung kommt, und zudem ist die technische Qualität ziemlich abschreckend. Hier ist eine jener Aufführungen, die trotz der Protagonistin dem Werk nicht gerecht werden.

Im August 1954 entstand die erste Verdi-Aufnahme – *La Forza del Destino* – für EMI unter der Ägide von Walter Legge, der in seinem von vergifteten Tönen nicht ganz freien Nachruf erzählt, die Stimme sei während der Aufnahme in der Höhe so tremulös gewesen, daß er der Sängerin gesagt habe (oder haben will), man müsse für die Hörer eine Pille gegen Seekrankheit beilegen. Daß er zudem genüßlich erzählt, Callas habe sich in einem Restaurant von Elisabeth Schwarzkopf vorführen lassen, wie sie hohe H's zu singen habe, läßt sich nur als bösartig bezeichnen, und wenn es Reklame gewesen sein soll für seine Frau, war diese allzu billig. Ja, zu dieser Zeit hatte Callas oftmals Probleme mit der hohen Lage. Etliche der hohen H's werden weder kernhaft erfaßt noch sicher gehalten, und vor allem fehlt den Tönen eine entscheidende Qualität: Sie enden nicht in sich selbst. Nach den Maximen des italienischen Gesangslehrers Lamperti muß ein Ton »self-beginning, self-prolonging, self-ending« sein.

Diese Unsicherheit ist verschiedentlich auf die Abmagerungskur zurückgeführt worden, doch ist das eine ungesicherte Erklärung. In vielen Aufführungen klingt die Stimme, auch in der Höhe, sicher und mühelos; affiziert wurde sie nicht nur von chronischen Erkältungen, sondern auch vom Nervenzustand der Sängerin, dem nicht selten heftig zugesetzt wurde.

Es geht nicht um eine Beschönigung, und der Hinweis, daß es auf ein paar wackelige Töne nicht ankomme, ist bei einer kritischen Auseinandersetzung unangebracht (auch wenn man ihn in jeder spontanen Diskussion sofort akzeptieren kann und wird). Die Ausdrucksqualität der Callas-Aufnahmen aus den mittleren fünfziger Jahren hätte unter einer größeren Konstanz der hohen Lage, unter »schöneren« Spitzentönen nicht gelitten, und die Entschuldigung der unsteten kann nur der Künstlerin gelten, nicht dem Singen selber.

Nun singt Leonora in *La Forza del Destino* nicht nur »La Vergine«, brilliert sie nicht nur mit einem leuchtenden hohen B am Ende von

»Pace«. Wer das hören will, muß zu den Aufnahmen der jungen Renata Tebaldi (am besten im Mitschnitt unter Dimitri Mitropoulos) oder von Zinka Milanov in ihrer Glanzzeit greifen, und wer will, kann mit diesen Aufnahmen gegen die von Maria Callas argumentieren. Doch warum gilt die Tebaldi nicht, mit Lord Harewood, als »zentrale Verdi-Sängerin«?[17] Und ist die Milanov eine umfassende Verdi-Sängerin – ohne Violetta und mit einer nicht in allen Belangen beherrschten *Troubadour*-Leonora? Kann eine Sopranistin eine umfassende Verdi-Interpretin sein, die nicht, um das eingangs zitierte Motto von Reynaldo Hahn aufzugreifen, den Versuch unternimmt, die Kombination und unauflösliche Einheit von Klang und Gedanken (oder Idee) herzustellen? Daß man von bloßer Klangschönheit überwältigt zu sein zugibt, heißt, nach Ansicht des Komponisten Reynaldo Hahn, eine »Schwäche« einzugestehen, einen »morbiden oder trägen Zustand des Geistes«. Ein Widerspruch zu dem Satz von Stendhal, daß man von einer Stimme zu den Engeln geschickt werden könne? Durchaus nicht. Dies geschieht erst dann, wenn dem Wort und dem Sinn durch den Klang ein zusätzliches Moment von Intensität, von Emotion, von Poesie gegeben wird.

»Me pellegrina ed orfana lungi del patrio nido« – diese beiden Verse der Leonora sind, als Text, zunächst nichts als eine Mitteilung. Daß in diesen Worten das ganze kommende Drama der Leonora wie eingekapselt versteckt ist, versteht allein Maria Callas zu singen, mit einem Ton, der, weil einer des Schmerzes, die Stimme fast erstickt. Das Duett mit dem bald danach erscheinenden Alvaro gerät denn auch nicht zu einem erlösten oder gar seligen Zwiegesang, sondern zum Ausdruck des seelischen Zwiespalts. Ardoin weist darauf hin, daß Tullio Serafin der Szene einen weiten Rahmen gibt. Mehr als das, er gibt ihr höchste Intensität durch eine langsame, meditative Gangart, die mehr Spannung birgt als die orchestral hochgeputschte Erregung eines Riccardo Muti. Auch »Madre, pietosa Vergine« erklingt nicht als Gebet einer schönen, unaufgeregten Seele. Leonoras »Son giunta« platzt förmlich in einen orchestralen *tutti*-Ausbruch hinein, und dann setzt ein Gesang ein, der wie ein Echo von Schuberts »Gretchen am Spinnrade« ist, von Verdi Jahre zuvor ins Italienische übertragen.[18] Die Szene ist »come un lamento« zu singen, und die *tremolo*-Bewegungen im Orchester müssen in der Stimme widerzittern. Keine Sängerin erfüllt das Rezitativ mit so viel Spannung wie Callas: Sie liegt einmal mehr in der expressiven Ausleuchtung der Vokale, in geradezu unvergleichlichen *chiaroscuro*-Belichtungen, wie man sie von Bildern der (manieristischen) Hochrenaissance kennt. Höhepunkt ist die Phrase »Deh! non m'abbandonar« – nein, die winzige Pause vor »Deh«, eine Todespause, die zunächst von einem Seufzer gefüllt wird, doch nicht mit dem routinierten *verismo*-Schluchzer, sondern jenem verzweifelten Ansaugen von Luft, mit dem sich der (seelisch) Erstickende befreit. Wer will, kann bei der dreifachen Wiederholung der Phrase dann und wann ihre »Mühe« hören: Wenn sie zum erstenmal »Deh! non m'abbandonar« singt, mit der *mezza voce*, liegt der Ton nicht sicher auf dem Atem. Doch welche Sängerin machte, wie Callas, die wechselnden Ausdruckscharaktere dieses Gebets zum Gefühlsereignis? Lord Harewood schreibt über den Padre Guardiano von Nicola Rossi-Lemeni, daß er, wie meist, mit mehr Gewicht als Finesse phrasiere – und mit ihm singt Callas das nächste Duett. Doch wenn er sie »fidente alla croce« (»im Zeichen des Kreuzes«) begrüßt, erweist er sich als inspirierter Partner.

Wo immer und wann immer über diese Aufnahme gesprochen wird, stehen die Arien, die großen Momente im Mittelpunkt, die bekannten und nachsingbaren Effektstellen. Wer jedoch die Verdi-Darstellerin Callas erleben will, muß (auch) anderes hören: »Più tranquilla l'alma sento.« Wundervoll die Beobachtung von Ardoin, daß sie diese Phrasen »auf dem Rhythmus der Noten und nicht auf diesen selber« singe. Der Akt geht zu Ende mit »La Vergine« (dem voraus geht das Baß-Solo »Il santo nome di Dio«). Legendär ist die Aufnahme von Rosa Ponselle (und von Ezio Pinza), die nicht nur eine wundervolle tonliche Konzentration besitzt, sondern durchaus »erfühlt« klingt. Doch ist hier auf ein für die Schallplatte typisches rezeptions-ästhetisches Phänomen hinzuweisen: Beim Vergleich einzelner Arien oder Szenen, die aus dem dramatischen Kontext herausgelöst sind, tendiert man dazu, die vokal »schönere« oder »bessere« Aufnahme vorzuziehen – oder: sich der Frage zu entziehen, ob aus der Einzelaufnahme auf ein dramatisches Konzept rückzuschließen ist. Callas' »La Vergine« bringt den Akt zu einem bewegenden Abschluß: Sie beginnt das Gebet mit ihrer »kleinsten«, zartesten Stimme, die, in anderer Färbung, die Kleinmädchenstimme ist, hier aber ganz Schmerz und Selbstaufgabe. Dem entspricht die Gestaltung der »Pace«-Arie als »Aufschrei« (Ardoin) statt einer inneren Reflektion.

Leider hat die von Tullio Serafin glanzvoll dirigierte Aufnahme eine große Schwäche: den total ausgesungenen Carlo Tagliabue. Daß Walter Legge diesen Sänger verpflichtet hat, ist dennoch nicht einfach als Mißgriff abzutun. Der Bariton war zum Zeitpunkt der Aufnahme 56 Jahre alt. In Italien galt er als der letzte wirkliche große Verdi-Bariton (und wurde durchweg über Gobbi gestellt). Seinen Rang bestätigt nachdrücklich Giacomo Lauri-Volpi in seinem Buch »Voci parallele«. Nicht ganz unproblematisch auch der Alvaro von Richard Tucker. Der amerikanische Tenor bringt atlethische Energie und eine schöne Phrasierungsfähigkeit mit, durchsetzt seinen Gesang aber mit unnötigen und ins Komische abgleitenden Effekten: Schluchzern und Seufzern, die den Vortrag nicht etwa ausdrucksvoller wirken lassen, sondern die Eloquenz der musikalischen Linie stark beeinträchtigen. Es ist keine Entschuldigung, doch eine Erklärung, daß Richard Tucker – damals fast nur an der Met beschäftigt – damit sängerischen Usancen folgte, die von Italienern mit großem Erfolg importiert worden waren (vor allem von Mario del Monaco).

Rosina, Fiorilla oder Das Sinnenspiel der Stimme

NICHTS bedarf weniger der Rechtfertigung als die Unterhaltung. Das ist ein Satz von Bert Brecht – aber der hat Unterhaltung ganz gewiß nicht als Zerstreuung, nicht als Ablenkung mißverstanden. Gioacchino Rossinis *Il Turco in Italia* zählt sicher nicht zu den ambitioniertesten Werken des Komponisten, dem Ambition abzusprechen freilich der Unsinn deutschen Tiefsinns ist. Eine Binsenwahrheit, daß auf dem Theater das Leichte schwerer herzustellen ist, das Komische mehr Widerstände bietet als das Erhabene und das Tragische. *Il Turco in Italia*, thematisch durchaus eine Art von Paraphrase der größer angelegten und systematischer entfalteten *L'Italiana in Algeri*, ist nicht mehr als ein Divertissement, eine hübsche kleine Komödie mit einem Figurenarsenal aus der *commedia dell'arte*. Der Hymne, die Ardoin auf die von Gianandrea Gavazzeni inspiriert dirigierte Aufnahme anstimmt, kann sich der Verfasser nur anschließen. Man assoziiert den Namen der Callas nicht leicht, wenn es um eine komische Rolle geht – so wie man bestimmte Partien Rossinis mit dem Namen der spanischen Mezzosopranistin Conchita Supervia assoziiert.

Aber auch hier gilt es, ein Clichée aufzubrechen, wenn es z.B. heißt, daß – um weiter auszuholen – die Rosina der Callas nicht »komisch« sei, vor allem in der Scala-Aufführung unter Carlo Maria Giulini wie eine verkappte Carmen gewirkt habe. Eher steht es wohl so, daß sich die meisten Kritiker bei dieser Rolle an einen sängerischen *Typus* gewöhnt hatten und durch einen *Charakter* irritiert wurden. Der Typus, das war der agile Mezzo oder der brillante *leggiero*, beides Sängerinnen für jene Epikureer, die altrömische Kost wollten: Nachtigallenzungen und Pfauengehirn (Newman). Wirkt Giulietta Simionato als Rosina komisch? Nein, sie klingt wie »Azucena« (Osborne). Wirkt Victoria de los Angeles komisch? Nein, wie eine empfindsame Madonna. Wirkt Roberta Peters' Zwitscher-Rosina überhaupt? Und wie endlich steht es mit Teresa Berganza, deren Kehle fein gereihte Rouladen ausspuckt wie die Märchenfee Perlen, doch als Charakter so pausbäckig wirkt wie ein barocker Putto? Wie endlich, noch schmerzlicher, steht es um die Qualitäten einer Beverly Sills als *comédienne*? Ihre Aufführung läuft hinaus auf die Kopie einer Kopie, also auf eine ungewollte Parodie — und wer hätte je erwähnt, daß sie so viele schrille und grelle Töne singt wie Callas nicht einmal in ihren schwächeren späteren Aufführungen zusammen? Callas als *comédienne*, das ist in beiden Rossini-Aufführungen die Verwandlung eines Typus, der sich vokaler Formeln bedient – in einen Charakter, der sich in Gebärden äußert. Mag sein, daß dies zu gewissen Überzeichnungen führen mag wie in der von Giulini dirigierten Aufführung, daß nach einem tieferen dramatischen Sinn gesucht wird, wo das Als-Ob des Spiels ausreichen würde.

Dieses Als-Ob stellt Callas als Fiorilla her, und es gelingt ihr überdies, die recht eigentlich schablonenhafte Handlung mit ihren standardisierten *buffa*-Passagen empfindsam zu brechen. Exemplarisch dafür ist das Duett zwischen Fiorilla und ihrem Gatten Geronio (Nr. 19): »Per piacere alla signora«. Es ist eine typische *buffa*-Situation, in der eine kleine Hexe ihrem Mann den Ring durch die Nase zieht und ihn vorführt wie den Tanzbären auf der Kirmes. Sie spielt auf einer doppelten Sprach- und Sinnebene. Zunächst schlägt Fiorilla einen neckend-boshaften Tonfall an, doch in dem Moment, in dem der Genasführte sich beklagt und echten Schmerz spürbar werden läßt, wirkt dies auf sie zurück. Die wie Quecksilber perlende Stimme wird weicher, aus ihr klingen Töne des echten Gefühls, so daß Geronio gleichsam zu schnurren beginnt. Hier geht der rein spielerische, unverbindliche Tonfall der *buffa* über in den empfindsamen Ausdruck des Lustspiels, hier wird die Bedrohung des Menschlichen im Spiel mit den Empfindungen eines Menschen spürbar. Erfreulich, daß Franco Calabrese wirkliche *vis comica* hat und sich als exzellenter Partner erweist, obwohl die Stimme selber rauh und grau klingt. Vokale Finessen sind Nicola Rossi-Lemenis, der den »bel Turco«

darstellt, Sache nicht, und Richard Osborne[19] dürfte recht haben mit der Annahme, daß Filippo Galli die »divisions« (ein englischer Terminus für die Teilung einer langen Note in kurze Einzelnoten) schneller und geschmeidiger gesungen hat. Doch hat Rossi-Lemeni Präsenz und jenen gravitätischen Humor, der gleichsam die Folie abgibt für Fiorillas Doppelspiel. Die Duette der beiden stecken voll entzückender Nuancen und verbaler Inflektionen. In der ganzen Aufnahme, auch bei Interpolationen in der Höhe, singt Callas mit einer Stimme, die gleichsam das Äquivalent einer Figurine ist, leicht und anmutig und silbrig.

Die Aufnahme des *Barbiere di Siviglia*, gemacht ein Jahr nach der zwiespältigen Scala-Aufführung, entstand in der zweiten Februarwoche des Jahres 1957 in London unter der exzellenten Leitung von Alceo Galliera (nur die von Vittorio Gui dirigierte Glyndebourne-Produktion mit dem Royal Philharmonic Orchestra hat, um des Bildes willen, den Vorzug eines anmutigeren Lächelns). Orchesterspiel und Ensemble-Arbeit sind subtil und präzis. Galliera stellt das Werk als klassische Komödie, nicht als Farce vor, ohne jenes grelle Agieren mit vokalen Gags und Witzchen aus der Hölle des Humors. Da ist die Szene, in welcher Almaviva in der Verkleidung eines Soldaten ins Haus des Bartolo eingedrungen ist. Er soll verhaftet werden, doch der zu Hilfe gerufene Offizier dienert vor dem Störenfried. Dann setzt Callas ein: »Fredda ed immobile«, und so, wie ihre Stimme in *Medea* ganz Klangfigur des Hasses wurde, singt sie hier die des Spottes, worauf die Phrase, *stretta*-Finale, in den Teilchenbeschleuniger eines Rossini-*crescendo* gesteckt wird.

Der Mozart-Forscher Ernst Lert hat in einer stilgeschichtlichen Anmerkung gesagt, daß die *opera seria* die Seele lyrisch singen und die französische ihre Charaktere deklamieren ließ, daß das Singspiel die deutschen Seelentypen liedhaft sich ausdrücken ließ und die *opera buffa* die Affekte »in ihrem äußeren Bewegungsbild rhythmisch abgebildet« habe. Eine prägnante Beschreibung, die Rossini gleichwohl nicht ganz gerecht wird. Es ist des öfteren von der Dürftigkeit des »melodischen Gerüsts« bei Rossini gesprochen worden, als wäre es denkbar, bei diesem Komponisten das Melodische nur als Zier zu begreifen. Das innerste Wesen von Rossinis Musik liegt vielmehr, wie Carl Dahlhaus schreibt, im »Element der Verbrämung«[20]. Gerade weil die Substanz der Melodie unterentwickelt sei, »gerät die fest umrissene rhythmische Prägung zur musikalischen Pointe; und gerade weil die Thematik sich auf motivische Gesten beschränkt, die sich nachdrücklich präsentieren, ohne bedeutungsvoll zu erscheinen, kann eine Technik der unablässigen, geradezu obsessiven Repetition, ohne in Monotonie zu verfallen, einen Rausch der Turbulenz hervorbringen«.

Galliera läuft nie Gefahr, die »obsessive Repetition« ins Metrisch-Monotone zu treiben, wie es Claudio Abbado tut, der, nach Osborne, »sich zu sehr auf Tempo und Politur verläßt, als daß komische Spannung aufkommen könnte«. Galliera gebietet über die Fähigkeit jenes rhythmischen »Pacings«, das sich der sängerischen Bewegung geschmeidig anpaßt. Das ist für die Begleitung bei Fiorituren ebenso wichtig wie bei Phrasen, die gleichsam *in* der Stimme agiert werden müssen. Die elaborierten Formeln des *canto fiorito* – die Verbrämungen – wollen in lebendige Gestik übersetzt sein. Mit *buffa*-Mechanistik ist es nicht getan, Rossinis Gesang bedarf einer beredten Mimik.

Für die Rosina, einst eine Paraderolle der Malibran, ist ein hoher Sopran unangebracht. Einige hohe Soprane – Amelita Galli-Curci, Lina Pagliughi, Gianna d'Angelo – haben die Partie durchaus ausdrucksvoll gesungen; und doch paßt der Klang-Charakter nicht zum Ausdruckscharakter der Rolle.

Wenn, beispielsweise, die Amina in *La Sonnambula* eine ahnungslose Unschuld ist, so ist Rosina (oder auch die Gilda) eine ahnend-erwartungsvolle, selbst wenn diese Erwartungen verkleidet sind im spielerischen Als-ob. Zugleich zauberhaft und bedrohlich eingefärbt »Una voce poco fà«. Mit Callas' Rosina ist nicht zu spaßen. Es dürfte wenig andere Aufnahmen dieser »Bravour-Szene« geben, in denen die *fioritura* rhythmisch gleichermaßen perfekt in den Fluß des Singens eingefügt ist. Und welch feine Pointierungen des Textes durch Akzentuierung und Kolorierung im Duett »Dunque io son« mit Tito Gobbi, von dem Ardoin sagt, daß er als einer der wenigen Baritone des Jahrhunderts in dieser Rolle technisch nicht hat mogeln müssen. Zuviel des Lobes, gerade in diesem Duett singt Gobbi sein Passagenwerk mit der halben Stimme – keine sehr überzeugende Lösung (vor allem, wenn man hört, wie sicher beispielsweise der Engländer Thomas Allen diese Passagen singt, nicht zu reden von Titta Ruffo). Gobbi macht viel wett durch Wortnuancierung und Witz, und Callas pfeffert die Szene geradezu mit kecken Wortnuancen. Als Almaviva bietet Luigi Alva seine solide Standard-Leistung, mehr kann man von einem *tenorino* nicht erwarten. In den Baßrollen allerdings hat man schon bessere Sänger gehört als Nicola Zaccaria (Basilio) und weitaus präziser singende als Fritz Ollendorff.

Einige Jahre nach dem Tod der Sängerin legte Pathé-Marconi, die französische Tochter-Firma der EMI, ein Album mit sämtlichen Recitals vor.

Es umfaßt elf Platten, die vollständig zu besprechen zu weit führen würde, auch mit Rücksicht auf die Sängerin, der mit der Veröffentlichung einiger später Versuche kein Gefallen getan worden ist. Doch nicht nur die frühen verdienen Aufmerksamkeit. Walter Legge sah in den beiden Ariensammlungen, die in der dritten Septemberwoche 1954 aufgenommen wurden, internationale Visitenkarten für die Sängerin.

Gegen Star-Recitals hat es oft kulturkritische Polemik gegeben, mit dem Tenor, daß der Sänger wichtiger werde als die (zudem aus dem Zusammenhang gerissene) Musik. Für die Erinnerung an Maria Callas aber sind die Recitals unverzichtbar; und wer bedauerte nicht, daß es keine solchen Platten aus den Jahren zwischen 1947 und 1951 gibt (die Cetra-78er bedeuten viel und sind nicht genug).

Das Puccini-Programm findet seinen Höhepunkt in der bravourös gesungenen Arie der Turandot. Die Stimme setzt sich nicht allein durch Versammlung, Konzentration und gleißende Brillanz gegen das Orchester durch, der Vortrag bekommt durch seine artikulatorische Prägnanz eine ganz selten nur zu erlebende Dringlichkeit. Callas singt mehr als die gefürchteten Aufschwünge; sie gibt dem Text Signifikanz und emotionales Gewicht. Das gilt auch für die Arien und Szenen aus *Manon Lescaut, La Bohème, Madama Butterfly, Suor Angelica* und *Gianni Schicchi.* Mehr als die Eleganz und Gespanntheit der melodischen Entfaltung bewundere ich zum einen das Farbenspiel, zum anderen die Gewichtung von kleinen Phrasen und vokalen Gesten; allein mit den Mitteln der vokalen Farbe gibt Callas jedem portraitierten Charakter sein Gesicht. Daß sie, wie Ardoin betont, jede Arie und Szene in ihren Gesamtaufnahmen gestaltenreicher gesungen hat, paßt ins Bild: Sie war eine dramatische Darstellerin und nicht Lieferantin schöner Stellen. Nicht verschwiegen sei, daß auch bei dieser Platte einige jener hohen Töne zu hören sind, für die man Legges Pillen gegen Seekrankheit einnehmen muß. Hier ist vor allem in *Suor Angelica* überschritten, was Edward Greenfield als »wobble tolerance« bezeichnet.

Die zweite Platte versammelt Arien aus dem verzierten Fach und aus dem Repertoire der Jahrhundertwende (das sich allein unter dem Wort *verismo* nicht subsumieren läßt). Hinter der Programmwahl stand erkennbar die Absicht, die Vielseitigkeit der Sängerin eindrucksvoll vorzuführen. Überragend, und von keiner anderen Sängerin auf Platten erreicht, Margheritas »L'altra notte« aus Boitos *Mefistofele*, worin Linie wie Dekor auf wunderbare Weise verbunden. In den Arien aus *Adriana Lecouvreur* (Cilea) und *La Wally* (Catalani) hat Callas durchaus Konkurrenz (Magda Olivero), in »La mamma morta«, wie weit auch immer man zurückblicken mag, keine »dank sprachlicher Ausdruckskraft, Meisterschaft der vokalen Kolorierung und Inflektion« (William Mann). Nur bei Claudia Muzio und bei Lotte Lehmann begegnen wir einer vergleichbaren musikalischen Eloquenz.

Die zweite Seite der Platte bringt zunächst Rosinas Arie aus Rossinis *Barbiere*, reicher verziert als in der Gesamtaufnahme unter Galliera, nicht reicher im Ausdruck. Die *fioritura* ist nicht so konsequent in den Rhythmus des gesamten Ablaufs integriert, und doch steht auch diese Interpretation über den meisten anderen. Was die Lakmé-Arie angeht, sollte man auf die Live-Aufnahme zurückgreifen, doch die Arie aus *Dinorah* – mit herrlichen Echo-Effekten – ist ein Meisterwerk virtuosen Singens. Ebenso brillant der Bolero aus Verdis *I Vespri Siciliani*: Imponierender als das kühn angeschlagene hohe E sind die dynamischen und rhythmischen Schattierungen und Nuancen, die aus dem *cheval de bataille* ein Ausdrucksstück werden lassen.

1955 nahm sie unter Serafin »Dei tuoi figli« aus *Medea*, Szenen aus Spontinis *La Vestale* und aus Bellinis *La Sonnambula* auf. Die Amina-Arie gab sie nicht frei; sie wurde erst nach ihrem Tod veröffentlicht und ließ die Rezensenten wie die Fans rätseln, womit die Sängerin wohl nicht zufrieden gewesen war. Die meisten wären glücklich gewesen, Bellinis Musik einmal im Leben so singen zu können. Medeas Musik singt sie in nicht nur einer Bühnenaufführung ausdrucksvoller, grandios aber sind die Szenen aus Spontinis Oper.

Die Lady oder Die infernalische Stimme

DAS von Nicola Rescigno, dem Freund der späteren Karrierejahre, dirigierte Verdi-Recital war die erste Studioplatte des Jahres 1958, und sie erinnert schmerzlich daran, daß sie die Lady Macbeth, die Abigaille und die Elisabetta in *Don Carlos*, nie vollständig hat aufnehmen können. Obwohl die Stimme leichter und schlanker geworden war, malt sie mit den dunklen Farben der umbrischen Maler. Auch wenn die einzelnen Wiedergaben nicht frei sind von Schärfen, verwirklicht sie, ausdrucksvoller als jede andere Verdi-Sängerin – Rosa Ponselle, Claudia

Muzio, Margherita Grandi, Elisabeth Rethberg, Leontyne Price eingeschlossen – die Einheit von Linie, Wortausdruck und farblicher Differenzierung.

Das Recital beginnt mit der definitiven Interpretation der ersten Lady-Arie. Anders als in der Scala-Aufführung trifft sie den Ton für das Lesen des Briefs. Bei der Aufführung hatte sie nicht für sich, sondern vor Zuhörern gelesen, mit extravaganter Betonung. Hier liest sie, und wenn sie laut liest, dann so wie eine, die das Gelesene nicht glauben mag und sich doch sehnlich wünscht. Sie liest für ihr *alter ego*: ihren Wahn. Maßlos die Energie der Attacke von »Ambizioso spirto«, hochgespannt der Vortrag der Arie mit der Umwandlung von Formeln in weißglühendes *espressivo*. Die *andantino*-Passage ab »Che tardi? Accete«, die sich in einem *furioso* hinaufschraubt und über die Grenzen der Singbarkeit fast hinausführt, bewältigt sie nicht nur, sondern sie singt sie so, als käme nichts mehr (Wagners Brief an Niemann!); aber es folgt die *cabaletta*, es folgt die Eruption mit der Zierfigur auf der letzten Silbe der Phrase »ministri infernali«, so filigran ausgeformt, als ginge es um eine *bel canto*-Formel, so erhitzt wie expressionistische Rede. Es folgt, aus dem zweiten Akt, das grandiose »La luce langue«, von Verdi 18 Jahre nach der ersten Aufführung für die Revision des Werks geschrieben: Das Bravourstück (»Trionfai«) ward ersetzt durch die Szene mit dem gestischen Wort und einer unvergleichlich avancierteren orchestralen Kolorierung, die im Klang der Stimme aufgenommen werden muß. Wie sie »nuovo delitto!« (»ein neues Verbrechen!«) und »è necessario« singt, geht über den dynamischen Kontrast – dort Wispern, hier der schneidende Schrei – weit hinaus: Es ist der in eine Klangfigur umgesetzte Wahnwitz des politischen Ehrgeizes.

Die »Gran Scena del Sonnambulismo« bedeutet, nach Julian Budden, einen einzigartigen Höhepunkt der italienischen Oper. Das selektiv orchestrierte Orchester – sordinierte Streicher, Klarinette und Englischhorn als Begleitung der *obbligati*, keine hellen Holzbläser – spricht exakt der Klangsprache der vokalen Gesten. Im ersten Teil muß der Gesangspart ständig *sotto voce* ausgeführt werden, einzelne Phrasen »a voce spiegata«; fast durchgehend liegt er im Tiefregister der Stimme. Trotz der klaren Gliederung entsteht der Eindruck einer »endlosen, ununterbrochenen und sich nicht wiederholenden Melodie« (Budden), die, auf einem *fil di voce*, zum Schluß auf ein Des *in altissimo* steigt – und auf Ausdruckshöhen, die schauern machen. In Callas' Interpretation erleben wir »one oft the most descriptive moments of singing ever captured on record« (John Ardoin). Selbst beim wiederholten Hören ist des Staunens kein Ende über die Fülle von klanglichen, gestischen Details. Auf ein ersticktes Seufzen zieht sich der Klang zusammen bei »No, mai pulire io non saprò« (»Ich werde nicht wissen, wie ich meine Hände je wieder reinigen kann«), und ein Meisterstück deklamatorischer Kontraste ist die Phrase »Araba intera romandar si piccol man«: Emphase bei den beiden ersten Worten, fahle Verzweiflung bei den folgenden – so kann sich das nur einer, Verdi selber, erträumt haben.

Glanzstück des zweiten Teils ist die Arie der Elisabetta aus *Don Carlo*, womit die Szenen aus *Nabucco* und *Ernani* nicht herabgesetzt seien – hat je eine Sängerin den Anruf »Ernani« zärtlicher, bewegter, bewegender gesungen? Doch die Gesangsarchitektin, die eine komplex gefügte Szene aufbauen, mit Spannung erfüllen, in Kontrasten darstellen konnte. Die ist in der Schiller-Oper zu bewundern und zu bestaunen. Callas' Interpretation steht hoch, steht turmhoch über allen anderen Aufnahmen, selbst über der von Lord Harewood enthusiastisch gerühmten von Meta Seinemeyer, die zu den wenigen Sängerinnen (und Sängern) mit dem »orphischen« Ton gehörte. Sie ergreift uns, weil im Klang der Stimme das Leid der Todgeweihten durchklingt, und Callas überwältigt durch die heroische Emphase, mit der sie eine Figur portraitiert, die königlich und verletzlich, erhaben und empfindsam ist. Sie singt die ariosen Passagen mit majestätischer Emphase und deklamiert die rezitativischen, innermonologischen mit beklemmender Inwendigkeit. Wer des Ranges dieser Platte inne werden will, sollte vielleicht erst die Briefe Verdis – jene, die sich mit dem sängerischen Ausdruck, mit dem »szenischen Wort«, mit der Dialektik des Ästhetisch-Schönen und des Häßlichen befassen – lesen und dann die Platte hören: Sie illuminiert und konkretisiert die Ideen des Komponisten, so wie diese präzise Maximen für die Kunst gesanglicher Expression sind.

Romantische Heroinen oder Die Stimmen des Wahns

DIES ist vielleicht die beste Solo-Platte, die Callas gemacht hat.« Dieser Satz, zitiert aus »Opera«, galt nicht dem Verdi-Recital, sondern dem gleich danach produzierten mit der langen Schlußszene aus *Anna Bolena* von Gaëtano Donizetti, der Wahnsinnsszene der Ophelia aus Thomas' *Hamlet* und der Szene der Imogene aus Bellinis *Il Pirata*. Callas wollte sowohl die Donizetti- als auch die Bellini-Oper vollständig aufnehmen, doch in den Jahren 1958 bis 1959 war die Studio-Arbeit für sie, und mit ihr, schwierig geworden. Ardoin zitiert eine Erinnerung des Dirigenten Nicola Rescigno an die Aufnahme der Donizetti-Arie. Er arbeitete mit dem Hornisten des Londoner Philharmonia an dessen langem Solo, das die *cavatina* einleitet. Callas kam dazu, lauschte konzentriert, sang dem Hornisten die Linie vor, und es begann eine Diskussion über die Musik, eine Analyse, in welcher Weise sich eine Melodie Donizettis von einer Bellinis unterscheide, wie ein Triller zu beginnen und wie er zu beenden sei. Mit einem Wort, es ging um die Nuancen der musikalischen Faktur, deren Ausführung allein den Rang einer Aufführung ausmacht.

Die Szene aus *Anna Bolena*, bei weitem nicht so berühmt wie die vokal effektvollere Wahnsinnsarie aus *Lucia di Lammermoor*, zählt in der Darstellung der Callas zu den größten Momenten dramatischen Gesangs. Anders als die säkularisierte Heilige (und Lucia ist nichts anderes als eine stigmatisierte Maria), ergeht sich die Tudor-Queen nicht in elaborierter Ornamentik. Die Gesangslinie wird gewissermaßen essentiell: streng, heftig, pathetisch. Callas singt sie mit dunklem, gewichtigem, reichem, expressivem Ton und großer Autorität. Bei der Phrase »Al dolce guidami« ist, wie Richard Fairman schreibt, »der gedeckte Ton so ausdrucksvoll, daß er den Eindruck erweckt, als sänge eine entfernte Stimme aus den Tiefen von Annas Seele«. In der *cabaletta* endlich singt sie mit der wilden Verve der frühen Jahre, sicher, energisch und ohne die gefürchteten Schärfen, die in der Verdi-Platte durchaus zu hören gewesen waren. Grandios!

Die Arie der Ophelia aus *Hamlet* von Ambroise Thomas, auch eine Wahnsinnsszene, mag vielleicht von dieser oder jener Sängerin aus den ersten beiden Jahrzehnten dieses Jahrhunderts technisch effizienter vokalisiert worden sein; von wem aber sinnvoller und gestaltenreicher? Thomas hat die Partie für einen leichten, hohen Sopran mit vollkommener Koloratursicherheit geschrieben, für die Schwedin Kristina Nilsson, eine bedeutende Konkurrentin der Patti. Doch ist es mit bloßer Agilität nicht getan. »A vos jeux, mes amis« verfehlt ohne pathetische Inflektionen und behutsame vokale Färbungen alle Wirkung. Ein großer Teil des Anfangs ist als »récit« gesetzt; es bleibt mithin der Interpretin überlassen, das Tempo ihrer gesungenen Rede nach ihrem (Bewegungs-)Gefühl zu gestalten. Doch ist die Deklamation vom Komponisten genau bemessen. Bei der Anrede vor den Landleuten spricht Ophélie im naiven Tonfall eines Kindes (»mes amis« und »de grâce«). In der zweiten Phrase – »Nul n'a suivi« – verschattet Callas den Ton, als flüstere sie ein Geheimnis aus. Mit dem *andantino*-Abschnitt beginnt eine Passage des anmutigen, selbstvergessenen Singens (und Vokalisierens auf »planait dans l'air«) – der imaginierte Vogeltriller wandert gleichsam in die Stimme, die zum Schluß des Abschnitts (»planait dans l'air«) sich am eigenen Klang entzückt. Es folgt ein Meisterstück sängerischer Architektur: der Abschnitt, in dem Ophélies Gedanken um Hamlet (»Hamlet est mon époux«) kreisen, in dem sie das Glück beschwört und zugleich ihre Hilflosigkeit ausdrückt. *Pianissimo*-Schattierungen, behutsame und genau abgewogene *ritardandi* – Klangrede von größter Intensität und Expressivität. Danach eine Kontrastepisode, ein walzerähnlicher Abschnitt. Triller auf F. Ende der Tanzepisode. »Et maintenant, écoutez ma chanson«, verlangt Ophélie, und sie intoniert eines jener »unbezwinglich traurigen« Lieder, ruhig und langsam und voller Melancholie. Todesgedanken, gesungen in langen, viertaktigen Phrasen auf einem Atem. Wie genau Callas das Stück, auch hinsichtlich der Textausformung, studiert hat, zeigt, daß sie korrekt »la Vill*iss*« artikuliert.[21] Den nächsten beiden Phrasen gibt sie, durch das Gewicht der Fermaten, höhere Spannung – und »D'un bonheur si doux« ist eine Klanggestalt voll trauriger Süße. Der Schluß der Szene läßt »den Wahnsinn des Mädchens explodieren in einen Zustand der Kohärenz« (Singher). Die delirierenden hohen Koloratur-Phrasen, in dissoziierter Form aneinandergereiht, können nur von einer *virtuosa* höchsten Ranges gesungen und nur von einer Tragödin dargestellt werden. Es sind Gesten des Gelächters, heftige Exklamationen, Abstürze in die Demenz, sentimentale Empfindungen, aber eingelagert in die Formen des Ziergesangs. Die Stimme der Callas ist, wie immer, genau angepaßt: Sie ist sehr weit nach vorn plaziert und wird klanglich in äußerster Konzentration gehalten, schlank und fein gesponnen. Anders als die meisten Koloratursängerinnen wahrt sie den Zusammenhang durch ihr exemplarisches *legato*, und sie zeigt, daß eine Sängerin, die wirklich singen kann, der Vokalgestalt des Italienischen nicht bedarf. Erwähnt sei, daß die Triller nicht immer gleichmäßig ausschwingen und die Töne der höchsten Lage zeitweilig eine geringe Schärfe annehmen.

Auch die Schlußszene aus *Il Pirata*[22] rechtfertigt das emphatische Lob, hier sei das bisher beste Recital der Callas zu hören. Die Kontraste zwischen rezitativischen und ariosen Passagen, zwischen szenischer Wortgestaltung (»Là... vedete... in palco funesto«) und brillant-elaboriertem Koloraturgesang in der *cabaletta* können nur von einer Gesangs-Dramatikerin höchsten Ranges bewältigt werden.

Späte Recitals oder Das traurige Glück

ZUR Erinnerung: Das Jahr 1958 hatte für Maria Callas mit dem römischen *Norma*-Abgang begonnen und sollte im November mit der Kündigung von der Met, durch Rudolf Bing, enden. In diesem Jahr entstand nicht eine einzige Studiogesamtaufnahme, und auf der Bühne sang sie nicht einmal 30 Aufführungen. Der Satz, sie habe das Gefühl, ihre »Energie zu verschwenden« und ihr »junges Leben zu vergeuden für den Ruhm«, verrät ihre psychische Verfassung. Nach den Remakes von *Lucia* und *La Gioconda* (1959) und dem von *Norma* (1960) nahm sie 1961 in Paris mit Georges Prêtre ihr erstes französisches Recital auf; das zweite folgte 1963.

Wegen ihrer vielen großen Momente werden diese beiden Platten von den Bewunderern der Sängerin, auch von den kritischen, sehr geschätzt, dies dank eines Pathos und einer Empfindsamkeit, die den Hörer die Qualitäten der Stimme irgendwann vergessen lassen. Dabei geht es nicht nur um jenen »erworbenen Geschmack«, der auch das Bittere und Scharfe genießen kann, sondern um das liebende Hören. Damit aber geraten die Grundlagen für das ästhetische Urteil ins Schwanken. Seltsamer Zustand: Beim Hören habe ich – denn dies läßt sich wiederum nur ganz persönlich sagen – eine aus Bewunderung und Trauer gemischte Empfindung. Die Trauer bezieht sich auf den Zustand der Stimme selber, auf die Verschattungen des Timbres, den Hohlraum-Klang der Mittellage, die wie aus einer Flasche widerhallt, die mit Anstrengung attackierten und gleichsam spleißenden hohen Töne (schon das B'' bringt sie nur mit Mühe heraus), die unsicher gestützten hohen *piani*. So einfach läßt sich dies nicht überhören, und nur mit dem Hinweis darauf, daß das gelungene Ganze wichtiger sei als der perfekte Einzelton, der dramatische Eindruck wichtiger als vokale Souveränität, ist es nicht getan. Mit diesem Argument läßt sich letztlich auch der musikalische Dilettantismus, der in technischer Unfertigkeit begründet liegt, rechtfertigen.

Wenn einige späte Callas-Aufnahmen, und vor allem die beiden französischen Recitals, überragenden Rang haben, so deshalb, weil sie, auf einer anderen Ebene, auch sängerisch-technisch, eine *intentionale* Vollkommenheit besitzen. Die Schwächen einzelner Töne und die Insuffizienzen des Klangs hindern sie nicht an einem technisch-musikalisch makellosen Singen. Konkret: Sie singt das *lamento* des Orphée nicht nur mit tiefem Pathos, sondern sie formt die Phrasen wie ein Bildhauer die Details einer Skulptur; sie erfüllt den Gesang der Dalila nicht nur mit dem Seidenklang, der als »sexy« gilt, sondern spinnt die langen Phrasen mit exemplarischem *legato* aus; sie führt nicht nur die vokalen Demonstrationsgesten der Carmen aus, sondern gibt ihnen einzigartige rhythmische Pointiertheit und verbale Nuancierung; und selbst in Juliettes »Je veux vivre« aus Gounods Oper *Roméo et Juliette* überzeugt sie, wenn auch einige Passagen klanglich nicht kontrolliert stand, durch expressive Nuancierungen im Tempo der Phrasen, durch makellose und eloquente Diktion. »Ist da ein ›beat‹ in einigen hohen Noten zu spüren?« fragt Richard Law in seiner Discographie der Oper[23], und er antwortet: »Nun, ich sollte kritisch fühlen, aber ich kann es einfach nicht.« Wer könnte das schon, der beim Hören spürt, daß der Ausbruch der Lebensfreude, zu Beginn des Walzers als *Geste* komponiert, vollkommen erfaßt ist? Es gibt brillantere, mühelosere Aufnahmen – gibt es eine von größerer Intensität? Mit feinerem »pacing« der Beschleunigungen und Verlangsamungen? Nicht anders die Polonaise der Titania aus Thomas' *Mignon*. Sie ist das Bravourstück dieser Oper, die einmal immens populär war; und weil das Stückchen höchst effektvoll, ist es, in den ersten Dekaden dieses Jahrhunderts, auch von italienischen Diven wie Amelita Galli-Curci und Luisa Tetrazzini, später von Toti dal Monte, Margherita Carosio und Lina Pagliughi gesungen worden, auch von Maria Barrientos, Irene Abendroth, Hedwig Francillo-Kauffmann, Margerethe Siems und selbst von Lillian Nordica, nicht zuletzt von den russischen Primadonnen. Darunter ist die nach säkularem Maßstab grandiose Antonia Neshdanowa, die mit absoluter Mühelosigkeit singt und sich doch, Phrase für Phrase und Girlande für Girlande, die Mühe macht, die Klangfigur eines sich an sich selber erfreuenden Lebens zu bilden.

Was konnte Callas mit einem solchen Stück, so möchte man fragen, überhaupt anfangen? Viel: verbales Filigran, rhythmische Nuanciertheit und Femininität. Doch wird man die Aufnahme schwerlich zu ihren bedeutenden rechnen müssen wie Cimènes Klagegesang »Pleurez, mes yeux« aus Jules Massenets *Le Cid*. Von den rein vokalen Anforderungen her kann die Arie von einem lyrischen Sopran mit gutem Volumen gesungen werden, vorausgesetzt, es handelt sich um eine wahrhaft dramatische Sängerin. Daß das bloße tonliche Gewicht selbst einer großen Mezzo-Stimme nicht ausreicht, zeigt die Aufnahme mit Grace Bumbry, in welcher der Ausdruck nicht mehr ist als ein Kostüm. Die Arie muß »langsam und schmerzlich, voller Traurigkeit« (Partituranweisung) und mit düster-verhangener Stimme begonnen werden. Die erste Phrase lautet: »De cet affreux combat/je sors l'âme brisée« (»Nach diesem schrecklichen Kampf bleibe ich zurück mit gebrochenem Herzen«). Massenet erlaubt keinen rezitierenden Ton, und so verweilt Callas für einen Moment auf »sors« und läßt »brisée« langsam ausschwingen, und man hört im Klang Cimènes Leid. Auf einem Atem, emphatisch und zugleich resignierend, erklingt die Phrase »soupirer sans contrainte«. Der Klagegesang setzt *piano* und *legatissimo* ein mit weich-elegischer Tongebung, aber jeder Vokal bekommt seinen Gefühlsakzent, und dies mehr in der Farbe als durch dynamische Betonung. Da ist die Anhebung von »*mes* yeux«, die klangvolle Vokalisierung des Liquids in »triste«, das unendlich feine Ausschwingen des (nicht gesprochenen) »ée« in »rosée«, die energischen Akzentuierungen in »c'est de bientôt mourir«, wo jede Silbe ihren Gefühlsakzent auch dynamisch bekommt; da ist die emphatische Steigerung der Klage über den Tod, das grandiose und in weiter Expansion ausgebreitete Pathos von »tu ne sarais jamais conduire qu'aux chemins glorieux« und schließlich der leise, verhangene, in Tränen erstickende Schluß: eine monumentale Interpretation, die zu den unvergeßlichen der Callas gehört. Hingegen leidet die Aufnahme der Arie »Depuis le jour« aus *Louise* an der oben erwähnten stimmlichen Unsicherheit; die Stimme entgleitet oberhalb des Systems in vielen Phrasen ihrer Kontrolle.

Die Probleme verschärfen sich im zweiten Recital, das Anfang Mai 1963 aufgenommen wurde. Maria Callas sang in diesem Jahr nur einige Konzerte und versuchte nach vielen Halserkrankungen, der Stimme wieder Form zu geben. Doch schon die Arie »O malheureuse Iphigénie« exponiert ihre Stimme in einer Lage, die sie kaum mehr erklimmen kann:

Der Klang ist heiser-verschattet, und das Singen gleicht der verzweifelten Anstrengung eines Athleten, dem die Kraft ausgeht, seinen Körper noch einmal, zum letzten Mal, in die Höhe zu ziehen, um sich vorm Absturz zu bewahren. Und dann, das Wunder und das Rätsel Callas, folgt Marguerites »L'amour l'ardente flamme« aus Hector Berlioz' *La Damnation de Faust*. Auch hier gibt es einige angestrengte hohe Töne, doch ist das Gespür, ist der musikalische Sinn für Phrasierung und Schattierung, für die innere Bewegung in jedem einzelnen Wort Zeugnis sängerisch-musikalischen Genies. David Cairns, wohl der beste Kenner des Werkes unter allen Kritikern, stellt ihre Aufnahme wegen ihrer dramatischen Dringlichkeit über alle anderen (und dazu gehören Suzanne Danco, Janet Baker, Edith Mathis, Josephine Veasey, Yvonne Minton, Frederica von Stade, Shirley Verrett und Leontyne Price). Ein weiterer Höhepunkt ist Charlottes Briefszene aus Massenets *Werther*.

Im Dezember 1963 und Januar 1964 folgte ein Recital mit Beethovens »Ah! perfido«, Donna Annas »Or sai chi l'onore«, »Non mi dir« und Elviras »Mi tradì«, »Porgi amor« aus *Le Nozze di Figaro* und der Ozean-Arie aus Webers *Oberon*. Man kann John Ardoin folgen, der, Callas chronologisch hörend, feststellt, daß die Stimme hier besser, sicherer, vollerer klingt; man kann, man muß, das Rezitativ von »Ah! perfido!« hören, die Energie des ersten Ausrufes, die Emphase der Deklamation; muß die empfindsamen Phrasen des liebenden Ich, das da singt, erleiden und dann alle, wirklich alle anderen Aufnahmen dieses Stücks verwerfen; kann endlich die Einheit von *espressivo* und *seria*-Brillanz in der Weber-Arie bestaunen und ein paar saure Noten schlucken. Aber man kann sich zugleich des Unbehagens nicht erwehren, daß die Stimme hier Agonien erleidet. Die sind vor allem in »Non mi dir« zu spüren, darin die einst brillante *virtuosa* mit den verzierten Passagen einen aussichtslosen Kampf ausficht.

Fast gleichzeitig entstand, unter Nicola Rescigno, das zweite Verdi-Recital mit Arien aus Opern, die sie (bis auf *Don Carlo*) auf der Bühne nicht gesungen hat. Große Momente, und auch wieder schmerzliche. Als »mistress of mood« (John Ardoin) formt sie die Szene der Desdemona subtiler aus als die meisten Interpretinnen. Der Name »Barbara« dürfte kaum je gefühlvoller ausgesprochen worden sein, die »Salce«-Rufe sind Klangbilder von Wehmut, Beklommenheit und Angst, und die sich steigernde Furcht gibt der Aufführung ihren inneren, Schritt für Schritt sich beschleunigenden Puls. Das abschließende As kommt, nach alter Tradition, auf einem *fil di voce*, doch sind Schwächen in der Stützung des Tons zu spüren (bitte um Nachsicht, John Ardoin). Auch die höchsten Töne in der Eboli-Arie (Ces und B) klingen erkämpft, während der Vortrag der Arie so dringlich, so leidenschaftlich, so differenziert auch in lyrischen Phrasen (»O mia regina«) ist wie bei schwerlich einer anderen Sängerin. Wieder müßte ich die hohlen, »in die Flasche gesungenen« Klänge als störend empfinden, und wieder: ich kann nicht.

Aber ich muß es beim Hören des Donizetti-Rossini-Recitals (auch 1963/1964) und des erst 1978 veröffentlichten Verdi-Programms, das im Februar und April 1964 aufgenommen wurde. Vor allem bei den Donizetti- und Rossini-Arien wird die Diskrepanz zwischen Intentionen und Möglichkeiten zu groß: »Nacqui all'affanno« aus *La Cenerentola* muß der Perlenkette der Märchenfee gleichen, muß schimmern und funkeln, aber der Wiedergabe fehlt die Bindung, fehlt der Charme, fehlt der Ton, das Lüster. Daß es auf der Verdi-Platte einige Phrasen gibt, die Callas und nur Callas singen konnte, daß in ihr dramatische Situationen aufgebaut werden, ist viel und doch nicht genug. Daß endlich die Aufnahmen von 1969 aus *I Vespri, Il Corsaro, I Lombardi* und *Attila* – nach dem Bericht von Rescigno »inch by inch« produziert oder, im Klartext: aus den nicht mehr schönen Resten der Stimme zusammengeklebt – die Studiotür verlassen durften, fällt unter den Tatbestand der Ehrabschneidung; oder sollte die Veröffentlichung unter dem Motto gestanden haben, daß man bei der Beschäftigung mit einem großen Menschen alles sehen muß und nichts verschweigen darf?

Triumphe

DAS Jahr 1954 (das wir mit der Gesamtaufnahme von Verdis *La Forza del Destino* verlassen haben) ging für Maria Callas mit einer Aufführung von Gasparo Spontinis *La Vestale*, nach Ardoin eine »Junior-Norma« zu Ende. Der Mitschnitt ist nicht viel mehr als ein Federstrich zum Bilde der Sängerin, und das gleiche gilt für den der Aufführung von Umberto Giordanos *Andrea Chenier*, der die Oper des Tenors und in diesem Fall von Mario del Monaco ist, der sich während der ganzen Aufführung gleichsam mit Callas duelliert – und dem man nicht gönnt, daß er so innig, so zärtlich »Andrea! Andrea! Rivederlo!« angesungen wird wie von Maria Callas.

Der Chopin-Spieler Artur Rubinstein hat einmal gesagt, die Grenze zwischen Süße und Sentimentalität sei nicht zu ziehen, doch dürfe man sie nicht überschreiten. Was für den Klavier-Belcantisten Chopin, dessen *fioritura* nach der Bellinis geformt ist, gilt, läßt sich auf die Partie der Amina in *La Sonnambula* übertragen. Mit dieser Rolle veränderte sich die Figur der Callas – nicht nur im Sinne des Erscheinungsbildes, sondern auch des Bildes in der Öffentlichkeit. Visconti präsentierte sie als eine Taglioni *reincarnata*, als grazile Ballerina, und die Sängerin gefiel sich fortan als der schöne Schwan.

Der Verfasser kann nicht umhin, noch einmal auf die Diskrepanz zwischen den Bühnen- und den Privatfotos aus dieser Zeit hinzuweisen. Die Rollen-Bilder wirken echt, ausdrucksvoll, pathetisch, innig – je nach dargestellter Situation –, während die Privatbilder falsch und inszeniert wirken, also die Sängerin in einer Rolle, der der Diva, zeigen, im Rollenspiel für das Publikum und vor allem für jene fatale Bilderwelt der Frau, die von den Magazinen geprägt wurde.

Das Ausdrucks-Spektrum, das sie für diese Rolle der vermeintlich Naiven fand, erschließt sich vielleicht, wenn man zuerst die Aufnahme des Werks mit Lina Pagliughi hört, eine bloße Skizze ohne musikalisch-dramatischen Ehrgeiz oder, *dacapo* für Ernest Newman, ein Gericht aus Nachtigallenzunge und Pfauenhirn. Callas hat die Amina 22mal gesungen, und es liegen eine Studio-Aufnahme (von 1957) und Mitschnitte aus Mailand (1955) sowie aus Köln und Edinburgh (1957) vor. John Ardoin bezeichnet die Kölner Aufführung (4. Juli 1954) als eine mythische Nacht in der Laufbahn der Sängerin, weil »Stimme, Intention und Technik in mirakulöser Balance« sich befunden haben, und David A. Lowe folgt ihm darin. Den Rang der Callas macht es aus, daß man dieser Einschätzung nicht widersprechen muß und doch andere Aufführungen höher bewerten kann. Die Scala-Aufführung unter Leonard Bernstein hat, so höre ich es, mehr Leuchten, mehr Exuberanz, und die Figur, die da vor uns tritt, strahlt uns an »mit weitgeöffneten Augen und dem Klang offener Vokale« (R. Fairman).

Viscontis Inszenierung wohnte der Zauber einer Kunst über Kunst inne, und den gleichen betörenden Zauber wirkt Maria Callas mit ihrer Stimme: Sie singt die Naive mit der höchsten Kunstfertigkeit und verwandelt Bewußtsein in Natur zurück. Marionettentheater – die höchste Anmut, also die artifizielle. Von der Malibran ward gesagt, daß ihre Darstellung eine »vehemence too nearly trenched on frenzy to be true« besaß (»eine Vehemenz, die dem Wahnsinn so nahekam, daß sie kaum wahr schien«), und auch aus der Callas-Aufführung tönen die exaltierten Schreie des Glücks und des Kummers. Stimmlich zeigt sie sich schon mit der ersten Phrase in hinreißender Verfassung. Aus der Stimme sind gleichsam alle dramatischen, dämonischen Rollen, alle dunklen Farben, alle Schmerzen getilgt; sie klingt hell, licht, weich und doch zärtlich-melancholisch. Amina tritt auf im Klang der Kleinmädchenstimme und singt, »Come per me sereno«, eine lyrische Seele aus, singt sie aus in langen, schwingenden Phrasen und so innig-süß wie eine Viola d'amore, reich an Inflektionen des Wortes, und über alldem liegt das Lächeln einer Engelsfigur des Raphael, die plötzlich, in der Coda, brillant zu tanzen beginnt. Bedarf es eines Hinweises auf die technische Brillanz bei der Ausführung der Skalen und der *gruppetti*?

Der Zauber setzt sich fort im Duett mit Cesare Valletti, der mit der Eleganz eines echten *tenore di grazia* singt. Die von Ardoin erwähnten ausgelassenen hohen C's sind *quantité négligeable* angesichts seiner schmelzend-weichen und elegisch-getönten *cantilena*, und hinzu kommt die außerordentliche Geschmeidigkeit im Duett »Son geloso del zefiro«, in dem eine (von fern) an Fernando de Lucia gemahnende Spontaneität bei der *fioritura* zu bewundern ist. Den »Schrei des Schmerzes« hören wir am Ende des zweiten Aktes, da Amina voller Verzweiflung ihr Glück schwinden sieht. Callas steigt auf das Es *in altissimo* und hält es volle vier Takte.

Der Schlußakt sichert Callas, so Ardoin, einen Ehrenplatz in den Annalen des Singens. Das Rezitativ könnte, was die Wortpointierung angeht, der beste Schauspieler nicht besser sprechen, zugleich aber werden alle diese Pointierungen durch die klanglichen Färbungen noch einmal intensiviert. Die Arie (»Ah! non credea«) entfaltet sich als reinster Vokalismus, belebt durch feinste Färbungen. Der Klang der Stimme hat das warme Leuchten von weichem Kerzenlicht, ohne die Unruhe eines Flakkerns. Makelloses Legato mit einer völligen Verschmelzung von Vokalen und Konsonanten. Und dann steigt das Feuerwerk der *cabaletta* empor, und plötzlich funkelt jeder Ton, brennt die Stimme im hellsten Licht. Leonard Bernstein hat den zweiten Vers kühn ausgeziert und der Sängerin eine Salve von *staccati* zugetraut, die sich als Zumutung erweisen; einige mißlingen ihr, sie wären wohl bei Luisa Tetrazzini besser aufgehoben gewesen, doch wären sie bei der Tetrazzini eben nur als *staccati* herausgekommen und nicht als Schreie des Glücks. Und um die geht es.

Zehn Wochen nach der Aufführung von *La Sonnambula* folgte an der Scala die Aufführung von Giuseppe Verdis *La Traviata* unter Carlo Maria Giulini. Ardoin sieht in dieser Aufführung den entscheidenden Schritt zu einem vollendeten Rollen-Portrait, das 1958, in der Londoner Aufführung vom 20. Juni unter Rescigno, seine Vollendung erfuhr. Selbst Michael Scott, der schon die Lucia von 1955 als eine vokale Reduktion empfunden (auch kritisiert) hatte, urteilt, daß sie als Violetta schwindende vokale Energie verbergen konnte durch ein gleichsam febriles Agieren. So sang sie das hohe A am Ende von »Addio del passato« in London mit ganz fein gezogenem Ton, der schließlich brach – so, als ob ein nur noch aus zwei Härchen bestehender Pinsel einen spleißenden Strich zöge. In einem Interview insistierte die Sängerin darauf, daß dieser Bruch in der Stimme Ausdrucksabsicht gewesen sei. Das mag man, kann man wohl auch anzweifeln. Absicht war die Reduktion des Klanges ins Tödlich-Tonlose, nicht der Bruch in der Stimme. Aber sie hätte dem Ton mehr Atemstütze geben können, um ihn sicher zu bilden; doch ein sicher geformter Ton hätte nie und nimmer eine vergleichbare Wirkung getan.

Doch wir sind vorausgeeilt. Die Mailänder Aufführung, vielleicht im Schlußakt ein wenig manieriert, gibt dem Werk eine erhaben-pathetische Dimension. Lord Harewood bezeichnet sie als »high-water-mark« ihrer Karriere.[24] Das wird nachdrücklich bestätigt durch die Erinnerungen der Beteiligten (voran Visconti und Giulini). Callas erweist sich als die einzige »vollständige« Sängerin der Violetta nach dem Krieg. Die wenigen, die die brillante Musik des ersten Aktes singen konnten, besaßen nicht die Ausdrucksmittel für den zweiten, und *vice versa*. Und die allermeisten hätten die Violetta erst gar nicht singen sollen (das gilt für Renata Tebaldi, für Antonietta Stella, für Beverly Sills). Höhepunkt des ersten Aktes ist das Trinklied, dessen Schwung nicht verbirgt, daß in Violetta nicht mehr das Leben pulst, dessen Mittelpunkt sie noch zu sein versucht. In »È strano – Ah! Fors'è lui« und vor allem in »Sempre libera« erreicht die Realisation nicht immer die Intention; die repetierten hohen C's flirren gleich einem hart gespannten Stahlband, und auch das hohe Es ist eine Zitternote. Und doch empfindet man diese kleinen Aussetzer nicht als Manko, sondern als momentane Schwäche – welcher Turner, welcher Artist wäre immer nach dem dreifachen Salto sicher zum Stand gekommen?

Der zweite Akt hätte in den siebten Himmel Verdis führen können, wenn Callas einen anderen Partner gehabt hätte als Ettore Bastianini, der einer der besten Verdi-Baritone des Jahrhunderts hätte werden können.

Wie wenige andere hatte er nicht nur eine vibrante Stimme mit leichter Extension in die Höhe, sondern auch ein dunkles, geradezu schwarzes Tiefregister. Was er nicht besaß, das waren dramatische Phantasie und der Ehrgeiz, mehr als ein Kostüm anzuziehen, wenn er auf die Bühne ging. Die klangliche Monotonie, mit der er auf die Ausbrüche, die Klagen, das Weinen, das Seufzen der Schmerzens-Madonna – und dazu macht Callas die Violetta im zweiten Akt – antwortet, verrät die Mentalität eines phantasiearmen Schönsängers. Die Ungeheuerlichkeit des dritten Aktes, mit der öffentlichen Schmähung der Violetta durch Alfredo, habe ich in keiner anderen Aufnahme derart erlitten wie in dieser. Selbst wenn es im Schlußakt einige manieristische Zuspitzungen gibt, vergleichbar den gestischen Exaltationen einer Greta Garbo, so kann man die Klangfiguren des Leides, die Angstschreie der Sterbenden, hat man sie einmal von Callas gehört, nur von Callas wieder hören.

La Traviata – nur eine große Aufführung von vielen in diesem denkwürdigen Jahr, und zwei der größten bestätigten ihren einzigartigen Rang als Norma. Die erste stammt aus Rom. Es ist eine Konzertaufführung unter Tullio Serafin vom 29. Juni (erwähnt sei, daß das Rezitativ zu »Casta Diva« aus der EMI-Aufnahme geborgt ist!). Die zweite sang sie als *prima* in der Scala, also am 7. Dezember 1955 unter Leitung von Antonino Votto. John Ardoin handelt sie respektvoll ab, ohne sie herauszuheben; aber gibt es eine insgesamt gelungenere? Sie hat die Energie der frühen Jahre und die Finessen der erfahrenen Künstlerin. Schon im Rezitativ spricht die Stimme sicher an. Die *cantilena* von »Casta diva« flutet dahin, die Melismen kräuseln sich wie das Wasser eines Tümpels bei leichtem Wind und schimmern wie im Mondlicht, die hohen Töne liegen, wie das B, auf dem Atem und verhauchen mit herrlichem *diminuendo*, die Skalen der *cabaletta* erklingen nicht nur flüssig, sondern mit energischer Fügung (Norma ist eben keine Amina). Exemplarisch gelungen die Duette mit Giulietta Simionato. Ein Höhepunkt bringt die Phrase »Ah sì, fa core, abbracciami«, wo Callas ein hohes C mit perfekter Attacke nimmt und in einem *diminuendo* verhauchen läßt – das Publikum, zunächst atemlos, atmet buchstäblich am Ende des Tons mit der Sängerin ein, atmet laut ein und muß sich aus der Stimmung befreien: Es seufzt hörbar auf; und einige jubeln. Und es gerät in einen geradezu frenetischen Rausch am Ende des Aktes, den Callas mit einem perfekt plazierten hohen D abschließt. Im Duett des zweiten Aktes – »Mira, o Norma« – erreichen Callas und Simionato nicht jene vollkommene Klangmischung, welche die Aufnahme von Rosa Ponselle und Marion Telva legendär gemacht hat, doch liegt Vollkommenheit in der Unwiederholbarkeit. In der letzten Szene steht wieder der Racheengel vor uns: »Sangue romano« verlangend, den Triumph über Pollione (»In mia man alfin tu sei«) auskostend und die Bravourpassagen als Flammenstöße ausstoßend.

Die Sommermonate, August und September, verbrachte sie im Studio. Sie nahm unter Herbert von Karajan zunächst *Madama Butterfly* auf, dann *Aida* und *Rigoletto* unter Tullio Serafin. Obwohl sie die Butterfly nur in Chicago auf der Bühne gesungen hatte, entsprach die Rolle ihrer dramatischen Phantasie und ihrer Empfindungswelt. Nach Ardoin trägt sie Aminas Unschuld, Gildas Verwandlung und Enttäuschung, endlich Violettas Leidenschaft in diese Rolle hinein, die zwar einige Male glänzend gesungen worden ist (etwa von Renata Tebaldi, Victoria de los Angeles, Leontyne Price, Mirella Freni), aber nur selten, wie von Renata Scotto, dramatisch agiert. Den Auftritt kann eine Sängerin nicht agieren, er will gesungen und mit einem hohen Des abgeschlossen sein, und dieser Ton war damals wohl eine Frage der Tagesform. Am Tage der Aufnahme war sie offenbar nicht in bester Form. Jeder kennt die Töne, von denen hier die Rede geht, die scharfen, die schrillen. Doch dann entwickelt sie, in der Stimme, das Drama der Butterfly, von der sich entflammenden Unschuld des Liebesduettes über das Drama der Erwartung (»Un bel dì«) und endlich die fahlen Klänge des Schlußaktes. Die Besetzung des Pinkerton mit Nicolai Gedda (damals noch ein lyrisches Leichtgewicht) hat besonderen Reiz: Dieser Pinkerton hat all die bedenkenlose Emphase eines Jünglings, der, einmal im Rausch, nicht weiß, was er tut. Die Nebenrollen sind idiomatisch besetzt, und das zählt mehr als vokale Eigenwerte.

Wer etwas über das Genie der Callas erfahren wolle, möge doch, so schreibt John Steane in seiner *Aida*-Discographie[25], die Nadel seines Tonarms irgendwo auf eine der Platten senken, aber nicht auf die Zielnote von »O patria mia«. Das ist wundervoll gesagt. Es handelt eine Schwachstelle in der einzig angemessenen Weise ab, in einem Nebensatz, geradezu in einer Klammer. Ja, ja, die Milanov, die Tebaldi, die Price, die Caballé haben das C schöner geflutet, aber sonst... sonst erlebt man bei denen, wie es einmal über Emma Eames hieß, »skating on the Nile«. (Leontyne Price sei ausgenommen.) Die von Tullio Serafin eher solide als konstruktiv-effektvoll dirigierte Aufführung hat andere Schwächen: Callas steht in den großen, dramatischen Massenszenen nicht länger strahlend beherrschend im Mittelpunkt, und schon gar nicht am Ende des zweiten Aktes, den sie in Mexico beherrscht hatte. Aber die Aufnahme hat einen einzigartigen Höhepunkt im Duett zwischen Aida und Amonasro zu Beginn des Nil-Aktes. Das Rasen des Königs und das Flehen der Tochter sind, einmal gehört, unvergeßlich.

Den *Rigoletto* hat Giuseppe Verdi als »eine lange Abfolge von Duetten« bezeichnet, und diese werden zwar nicht von di Stefano und Callas, wohl aber von Gobbi und Callas exemplarisch genutzt. Dabei sei gleich eine Einschränkung gemacht. Ich halte Gobbi für einen überschätzten Sänger – will sagen: für einen überschätzten Vokalisten. Aber er war ein so grandioser Akteur (der mit einer einzigen Färbung eine *suggestion diabolique* herstellen konnte), daß es selten thematisch wurde, welche Schwierigkeiten er, z.B. als Rigoletto, mit hoch liegenden *mezza voce*-Phrasen hatte, und deren gibt es nicht eben wenige. Doch nur wenige Interpreten der Partie haben die Szene mit den Höflingen vor der Invektive ausdrucksvoller gesungen (die Arie höre man besser von de Luca, von Warren, von Merrill). Kurz, er war ein bedeutender Interpret der Partie und nicht deren bester Sänger. Callas war beides: darstellerisch geradezu die einzige Gilda und gesanglich eine der besten. Ihre Aufnahme von »Caro nome«, rhythmisch vollkommener »bewegt« als jede andere, die ich kenne, profitiert unendlich vom Verzicht auf ein *altissimo*-Ende; sie klingt aus auf einem entrückten Triller. Aber man muß die dramatischen Szenen in den Ensembles des Schlußaktes erleben, um in Gilda mehr zu erkennen als eine Figur, die in der Terminologie als »ingenue« bezeichnet wird.

Die erste bedeutende Studio-Aufnahme von 1956 galt Giuseppe Verdis *Il Trovatore*, bei der, unter Herbert von Karajan, di Stefano, Fedora Barbieri und Rolando Panerai die Partner der Callas waren – ihre Scala-Kollegen in fast allen großen Aufführungen jener Jahre. Sie sind auch in der Aufnahme von Giacomo Puccinis *La Bohème* zu hören, die in der Regel nicht aufgezählt wird, wenn es um die Ideal-Aufführungen geht (da werden die unter Arturo Toscanini, Sir Thomas Beecham und Herbert von Karajan, mit einigen kleineren Abstrichen auch die unter Tullio Serafin genannt). Doch ist das akustische Gedächtnis nicht immer ganz zuverlässig und oftmals auch trügerisch. Beim Wiederhören wird Callas gewiß nicht zur bewegendsten Mimi – wenn man sich unter dieser Figur eine *femme fragile* vorstellt –, sondern man erlebt eine (mit einfacheren kompositorischen Mitteln dargestellte) »femme fatale«, eine Wahlverwandte der Violetta.

Wie sonst nie wird in ihrer Darstellung die Absetzbewegung von Rodolfo verständlich: als Emanzipation von seiner konsumptiven Machismo-Eifersucht. Aus keiner anderen Aufnahme bleiben so viele singschauspielerische Gesten in Erinnerung. Auch das Ensemble der von Antonino Votto nur routiniert dirigierten Aufnahme kann sich durchaus behaupten: Giuseppe di Stefano singt zwar nicht mit der eleganten Linie – und schon gar nicht mit der expansiven Phrasierung – eines Jussi Björling, ist aber detaillierter, lebendiger, charmanter und kommt fast an den überragenden Carlo Bergonzi und den unendlich fein differenzierenden Nicolai Gedda heran. Höchstes Niveau hält Rolando Panerai, während Anna Moffo als Musetta nicht nur fade singt, sondern auch lax und rhythmisch spannungslos.

Kaum war die *Bohème*-Produktion abgeschlossen, begann am 4. September 1956 – erneut unter Votto – die von Giuseppe Verdis *Un Ballo in Maschera*, und wenn es an ihr etwas zu bemängeln gibt, so ist es die dramatisch gezügelte Gangart des Dirigenten. Der Scala-Mitschnitt vom 7. Dezember 1957 (mit ähnlicher Besetzung, mit Bastianini statt Gobbi als Renato) hat im Vergleich eine fast vulkanische Energie und durchaus ein vergleichbares musikalisches *finish*: Dirigent ist Gianandrea Gavazzeni. Es ist die Amelia von Maria Callas, die der Votto-Aufnahme ihren Rang sichert: eine Figur, die ganz und gar zugeschnitten ist auf die Empfindungen und die dramatische Phantasie der Callas. Unüberhörbar, daß sie in der großen Arie die klimaktische Phrase nicht mit einem sicheren C krönen kann, doch wer vermöchte zu überhören, wie sie die Arie beendet: »O Signor, m'aita.« Dieser monologische Gesang zählt zu Verdis eindringlichsten dramatischen Erfindungen und muß gleichermaßen agiert wie gesungen werden. Sie agiert das anfängliche *allegro agitato* mit dem Ausdruck nervöser Angst und Spannung. Sie hat die dunkle Mezzo-Farbe für die ganz tief liegenden Phrasen (»t'annienta«), den fahlen Ton für »e m'affisa« und »terribile sta« und den Atem, um die langsam sich steigernden Schlußphrasen – ab »miserere« – auf weitem Atem zu entfalten. Ihr eloquentestes, dringlichstes Singen hören wir im Duett mit Riccardo: Phrasen wie »Ah! deh soccorri« oder »Ma, tu nobile me difendi dal mio cor« oder das nach langsamem, schreckhaftem Stocken ausgestoßene »Ebben, sì t'amo« haften im Gedächtnis wie Momente des erlittenen Glücks.

Weniger gelungen ist ihre Wiedergabe von »Morrò, ma prima in grazia«, weil die Arie, wie die Nil-Arie aus *Aida*, zu eindimensional, zu sehr lyrisches Gesangsstück ist. Hingegen ist die Auseinandersetzung mit dem Renato von Tito Gobbi ein Stück dramatischen Agierens wie das Duett aus *Aida*. Giuseppe di Stefano als Riccardo singt mit gewohntem Feuer –

und mit gewohnten Laxheiten und zu roh geöffneten Spitzentönen. Gobbi erweist sich einmal mehr als großartiger Darsteller und exemplarischer Duett-Partner, nicht als superber Verdi-Stilist.

Erkämpfte Triumphe

Im Oktober und November 1956 debütierte Callas als Norma, Tosca und Lucia di Lammermoor an der New Yorker Met. Sie errang, streng besehen, nur einen Achtungserfolg, und wenn man vom *Lucia*-Mitschnitt (8. Dezember 1956) auf die anderen Aufführungen, oder zumindest auf den Zustand der Stimme, rückschließen darf, werden die euphemistisch getönten Kritiken verständlich. Wenn die Nerven zittern, flakkern die Stimmbänder, und es sollte die *Lucia*-Aufnahme nur hören, wer sich für die Nachtseiten einer sängerischen Karriere interessiert. Aus dem Jahr 1957 stammen die Studio-Aufnahmen von Rossinis *Il Barbiere*, Bellinis *La Sonnambula*, Puccinis *Turandot* und *Manon Lescaut*, dazu Mitschnitte von Donizettis *Anna Bolena* und von Glucks *Iphigénie en Tauride* aus der Scala, von Bellinis *La Sonnambula* aus Edinburgh und Köln, von Verdis *Un Ballo in Maschera* aus der Scala und, last but not least, die Studio-Aufnahme von Cherubinis *Medea* für Ricordi.

Im Vergleich zu der von Bernstein dirigierten Scala-Aufführung wirkt die Studio-*Sonnambula* einfacher und moderater. Ihr fehlen die Extreme des Ausdrucks, die sowohl Bernstein als auch Callas versuchten. Bei aller Brillanz, es fehlt ihr die Magie, und brillant ist auch wieder nur Maria Callas, die aus Textgestalt, musikalischer Linie, *fioritura* und Klang einmal mehr ein fein gezeichnetes Portrait entstehen läßt. Ardoin schreibt, und es läßt sich schwerlich besser sagen, daß sie nicht nur Rosina als verspielt und Amina als scheu darstellt und dabei die Stimme ändert, also dem Charakter anpaßt, sondern im Zugriff erkennen läßt, daß Freude und Glück für Rosina und Amina etwas Unterschiedliches bedeuten. Mit einem Wort: Singen als Seelenkunde.

Von der Kölner *Sonnambula*-Aufführung am 4. Juli 1957 – es war die Eröffnungswoche des neuen Hauses am Offenbachplatz – schreibt David A. Lowe, es sei eine der letzten gewesen, in der alles gelungen sei, und nach Ardoin rechtfertigt ein solches Gelingen die in mancher Hinsicht fragwürdigen Piraten-Platten. Ohne die Berliner *Lucia*, die Kölner *Sonnambula*, die *Medea* aus Dallas wäre das Bild der Callas unvollständig.

Auf die Kölner Aufführung unter Antonino Votto sind, so will mir scheinen, wieder einmal zwei Perspektiven möglich. Die eine gibt Lowe: »Die Stimme der Callas nimmt in früheren Portraits der Amina, sowohl im Studio als auch auf der Bühne, eine stählerne Klangqualität an, die der Persönlichkeit der Amina nicht gerecht wird. Doch in der Kölner Aufführung geht Callas an die hoch liegenden Passagen weich und fast liebkosend heran. Dadurch wirkt die *fioritura* mehr wie feines Stickwerk als Primadonnen razzle-dazzle.«[26]

Dagegen ist nicht nur einzuwenden, daß Studiomikrophone ganz anders hören als die in einem Opernhaus, die bei der Übertragung in viel größerem Abstand zu den Sängern hängen. Das Studiomikrophon wird, als Mittel einer akustischen Nahaufnahme, den Klangkern einer Stimme immer deutlicher herauspräparieren. Doch ist das nur ein technischer Einwand. Unverkennbar ist, daß Callas sich den hoch liegenden Passagen vorsichtiger nähern *mußte*, daß sie mit reduziertem Ton und besonders leichter Plazierung zu singen hatte. Mehr noch als in der Berliner Aufführung von *Lucia* klingt die Stimme »wan and wavery«, wie Scott es formulierte. Darüber kann die schöne Ausführung der Cabaletta »Sovra il sen la man mi posa« ebensowenig hinwegtäuschen wie das gut plazierte hohe Es an deren Ende. Nun ist aber Callas eben Callas, weil sie aus Schwächen und Handicaps Stärken und Vorzüge zu entwickeln verstand. Die Reduktion des klanglichen Volumens nutzte sie zur Intensivierung des Legato, und statt auf Momente pyrotechnischer Brillanz konzentrierte sie sich auf jene Ausdrucksmomente, die leise und verhalten sind: Ihr Portrait wird in vielen Momenten subtiler und intimer, doch muß man die Mailänder Aufführung kennen, um dies als Fortschritt zu begreifen, als einen Fortschritt durch Reduzierung.

Mit der Opern-Revolution der achtziger Jahre des 19. Jahrhunderts – dem Verismo – traten die königlichen Heroinen von der Bühne ab. Die mythologischen Figuren der *opera seria* und die königlichen Heroinen berührten nicht länger die Empfindungen eines Publikums, das in einem nationalstaatlichen Sinne politisiert war und sein Empfindungsleben privatisierte. Trotz aller Haupt- und Staatsaktionen kennzeichnet es die dramatischen Handlungen vieler großer Opern (gattungsspezifisch gesehen), daß der politische Konflikt durchweg nur Folie ist für eine private (Liebes-)Geschichte. Die »Tudor Queens« von Gaëtano Donizetti – *Anna Bolena*, *Maria Stuarda* und *Roberto Devereux* – wurden, selbst an der

Scala, in diesem Jahrhundert ignoriert. Als Maria Callas 1957 in Mailand die Anna sang, war das die erste Scala-Aufführung seit 114 Jahren. Das erste Revival hatte es 1956 in Bergamo, der Geburtsstadt des Komponisten, gegeben. Richard Fairman weist in seiner Discographie in »Opera on Record« auf den bemerkenswerten Umstand hin, daß es für die Darstellung dieser Werke und vor allem die weiblichen Hauptrollen keine »aural history« gibt. Hingegen können wir uns dank der Schallplatte ein sehr genaues Bild davon machen, wie Mozart, Wagner, Rossini, Bellini und vor allem die Komponisten der Jahrhundertwende gesungen worden sind.

Das Bild, das wir von Donizetti, dem Musikdramatiker, haben, ist also, wie Fairman schreibt, in der Ära AC – after Callas – entstanden. Nicht allein dadurch hat die Aufführung von *Anna Bolena*, produziert von Lucchino Visconti, dirigiert von Gianandrea Gavazzeni, rezeptionsgeschichtliche Bedeutung. Sie markiert auch einen Höhepunkt in der Karriere der Sängerin, wenn auch, wie Carlo Maria Giulini gesagt, in einem ambivalenten Sinne. Sie mußte sich den Triumph erkämpfen, vor allem in der zweiten Aufführungsserie von 1958 nach den Eklats in Edinburgh und Rom. Wie Norma und Amina war Donizettis Anna eine für die Pasta geschriebene Rolle, die auf der Bühne, nach zeitgenössischen Berichten, zugleich majestätisch und verhalten agierte. Ihr Stil war »keusch und expressiv«[27], und sie verzichtete, wie Chorley oder Stendhal berichteten, auf elaborierte Verzierungen. Daraus läßt sich ableiten, daß die romantischen Gesangstragödinnen es waren, die schon früh mit der »Psychologisierung des Belcanto«, die Verdi zugeschrieben wird, begannen.

Callas hat zwölf Aufführungen des Werks gesungen. Schon in der ersten gab sie dem Portrait eine Tiefenschärfe, als wäre sie mit der Rolle vertraut wie mit der Violetta oder Norma. In gewisser Weise war sie es, weil ihre früheren Darstellungen »verwundeter Charaktere« (Ardoin), der leidenden, gequälten, melancholischen, hysterischen und rachsüchtigen Frauen, ihre Sensibilität geschärft hatten. So wie die Pasta, dem Bericht Chorleys zufolge, allein durch die Aussprache des Wortes »Sorgi« das Publikum in Frenesie versetzen konnte, jagt Callas dem Hörer Schauer über den Rücken, wenn sie »Tu, mia rivale« oder »Va, infelice« singt (wenn das denn Singen ist), nicht zu reden vom Furor bei »Giudici! Giudici ad Anna!« So sicher (und selbstsicher) ist sie in dieser Aufführung, daß sie auch die Töne *in alto*, ein C und ein D im ersten Akt, wie mit einem Feuerstoß abbrennt. Die Gestaltung des Schlußaktes ist von einzigartiger Dichte: Jedes sprachliche, dramatische, farbliche Detail fügt sich in die Darstellung, und selbst Passagenwerk und Verzierungen sind reinste Ausdrucksmusik. Auch dieser Mitschnitt wäre einer für die einsame Insel.

Kurz vor der Aufnahme von Puccinis *Turandot* (vom 9.–17. Juli 1957) hatte Callas noch an der Scala Glucks Iphigenie, in Rom Lucia di Lammermoor und in Köln die Amina gesungen, und in der Kölner Aufführung hatte sie, wie beschrieben, mit einem gleichsam sordinierten Klang gesungen, nicht nur mit einem der Rolle angepaßten Klang, sondern einem durch den Zustand der Stimme diktierten. Daß sie mit dieser Stimme *noch* die Turandot singen konnte, ist ein Wunder; oder eine Energieleistung, wie sie nur Maria Callas sich abtrotzen konnte. In der Aufnahme wird diese Anforderung an die Stimme (oder auch deren Überforderung) hörbar. Sie klingt derart angespannt, daß der Hörer ständig ihr Reißen fürchten muß. Aber (und wie fast immer gibt es bei Callas das entschuldigende, das rechtfertigende, das bewundernde ABER) wieder gibt es die »wunderbaren Kompensationen« (Ardoin): die majestätische Deklamation, die schillernden Klanggesten, die beispiellose Intensität in den Duetten. Während die meisten Sängerinnen für die Turandot nur eine silberne Trompete in der Kehle mitbringen und diese über das Orchester strahlen lassen (und auch das sind nicht eben viele), zeigt Callas, daß die »eisumgürtete Prinzessin« ein verletzliches Wesen ist: flapsig gesagt, eine Frau für die Couch des Analytikers.

Hochinteressant die Besetzung der Liù, weil die Tartaren offenbar schon in Vorzeiten ihre Sklavinnen aus dem Salon der Marschallin von Werdenberg geholt haben. Elisabeth Schwarzkopf singt sie betörend und zugleich gekünstelt. Eugenio Fernandi hat als Calaf wenig Ausstrahlung, wenig Prinzencharme zu bieten, aber die Stimme ist kräftig und kernig. Von exemplarischer Qualität ist die Ensemblearbeit der Scala-Sänger (vor allem von Mario Boriello, Renato Ercolani und Piero de Palma); es sind eben auch die *comprimarii*, die einer Aufführung ihre dramatische Bündigkeit geben.

Tullio Serafin, der Dirigent der Aufnahme, betreute auch die gleich im Anschluß produzierte *Manon Lescaut*, die erst nach dreijähriger Verspätung herausgebracht wurde, weil darin die Höhenprobleme der Callas »alarmierend« werden, vor allem dann, wenn sie hoch liegende Phrasen halten und mit der *mezza voce* singen muß. Nur mit äußerster Mühe gelingen die »self-ending tones« – die sanft ausschwingenden Schlußnoten. Selbst das B in »In quelle trine morbide« ist, im doppelten Wortsinn, eine Zitternote. Natürlich steht am Ende aller kritischen Anmerkungen wieder das große Aber, das Edward Greenfield in einen einzigen, bündigen Satz kleidet: »Was die Portraits der Heroine in den Gesamtaufnahmen angeht, so ist das von Maria Callas das mit weitem Abstand das lebendigste.«[28] Es ist unnötig, auf die vokalen Schwächen (die auch und gerade der unbefangene, nicht geschulte Hörer wahrnehmen kann) hinzuweisen, unnötig, ihre zahllosen dramatischen Nuancierungen (die dem Connaisseur nicht entgehen können) zu rühmen. Entscheidend einmal mehr, daß sie aus dem »vorzubildenden Charakter«, wie Wagner es formulieren würde, eine Stimme entwickelt. Eine Stimme, die Manon ist und nicht Mimi oder Tosca. In dieser Beziehung übertrifft sie auch Licia Albanese, deren Name mit der Partie eng verbunden ist. (Es gab zu allen Zeiten Rollen, die gleichsam *Besitz* bestimmter Sängerinnen oder Sänger waren.) Dabei ist die Ausführung jener Passagen, die Callas nicht restlos sicher gelangen, bei der Albanese durchaus nicht besser und sicherer; der Klang ihrer Stimme, ein wenig körnig und heiser, war zwar sehr charakteristisch und konnte fiebrig intensiv wirken, doch hat das Singen bei weitem nicht das technische *finish* der Callas. Hätte die letztere nur statt Giuseppe di Stefano den Partner der Albanese, Jussi Björling, gehabt, der als Des Grieux emphatischer, spontaner singt als in allen seinen anderen Rollen.

Der Mitschnitt eines Konzerts aus Athen (vom 5. August 1957) bedarf keines näheren Kommentars. Zu deutlich offenbaren sich stimmliche Probleme, die auch die Aufführung von *La Sonnambula* in Edinburgh beeinträchtigen. (Diese Aufnahme habe ich nicht hören können und folge deshalb John Ardoin.) Obwohl stimmlich und psychisch vollkommen erschöpft, erfüllte sie eine vertragliche Verpflichtung und sang, unter Tullio Serafin, Cherubinis *Medea*, und diese Rolle läßt sich nicht im Zustand der Erschöpfung singen und schon gar nicht so darstellen, wie Callas sie später in Dallas und London darstellen sollte. Auch sie sei übergangen.

Um so interessanter ist der Mitschnitt einer Probe vom 20. November 1957 für ein Konzert in Dallas. Hier liegt eines der wenigen Arbeitsdokumente vor. Die Stimme klingt, nach einer längeren Erholungspause, ausgeruht und frisch. Dieser Eindruck wird unterstrichen dadurch, daß sie nicht sogleich voll aussingt, und so gelingt, wie bei Artisten, all das, was bei der Aufführung aus Anspannung Schwierigkeiten bereitet. Das ist ein selbstverständlicher Tatbestand. Zu ergänzen wäre, daß Sänger bei Proben nicht nur deshalb besser und schöner singen, weil die Aufführungsangst keine Rolle spielt, sondern weil sie verhaltener, leiser, behutsamer singen; mit einem Wort, innerhalb ihrer stimmlichen Mittel bleiben.

Auch wenn es nur Skizzen sind, die Wiedergaben von »Martern aller Arten« aus *Die Entführung aus dem Serail.* »Qui la voce« aus *I Puritani* und »Ah! fors'è lui« aus *La Traviata* (trotz Oktavierung nach unten) führen direkt ins Herz der Stücke. Ein faszinierendes Dokument um so mehr, als die technische und musikalische Sicherheit der Sängerin im Arbeitsvorgang selber erkennbar wird.

Sie schloß das Jahr 1957 ab mit der Prima von Giuseppe Verdis *Un Ballo in Maschera* an der Mailänder Scala und gab dem feinen Portrait, das sie mittels der Platte gemalt hatte, einen größeren Rahmen und schärfere Konturen, vor allem eine größere Eloquenz. Wie gut sie bei Stimme war, zeigen »drei der schönsten hohen C's, die sie gesungen hat« (Lord Harewood in seiner Discographie). Vor allem die Arie des dritten Aktes bekommt in der Aufführung mehr Intensität und inneren Zusammenhang als in der Aufnahme. Das große Duett des zweiten Aktes ist in beiden Fällen großartig gelungen, mit feineren Wortnuancierungen in der Aufnahme und mehr Feuer und Intensität in der Aufführung, in der auch die Stimme von Giuseppe di Stefano frischer klingt. Als Renato erweist sich Ettore Bastianini als der stimmlich souveränere (und weitaus klangschönere) Sänger, doch macht Gobbi Punkte im Dialog. Welche Aufnahme also? – Beide.

Addio del passato

> Der Ruhm ist eine gefährliche Sache, denn ich weiß sehr wohl, daß ich nicht immer auf der Höhe singen kann, die man von mir erwartet. Ich mache meine Arbeit so ernsthaft, wie es mir möglich ist, aber ich bin ein menschliches Wesen. Mit dem Ruhm ist auch die Angst gekommen. Es ist der Beifall, der mich einschüchtert.
>
> *Maria Callas*

MIT dem Abbruch der römischen *Norma*-Aufführung mußte Maria Callas durch ein Fegefeuer, und es gibt tausend Gründe, anzunehmen, daß sie sich nie erholt hat. Der Mitschnitt läßt erkennen, daß sie ihre Stimme nicht restlos sicher führen konnte, verrät aber (nach meinem

Eindruck) nicht den Grad ihrer Erschöpfung. Unmöglich, danach zu beurteilen, ob sie hätte weiter singen können. Von den beiden Mitschnitten der *Traviata* ist der Londoner (unter Rescigno) dem aus Lissabon (unter Franco Ghione, mit dem jungen Alfredo Kraus) deutlich vorzuziehen; er gilt vielen sogar als das zwar gesanglich nicht makelloseste, aber ausdrucksstärkste Rollenportrait, und zudem hat sie in dem hell, manchmal fast tenoral klingenden Mario Zanasi den musikalisch und dramatisch überzeugendsten Partner als Germont. Vortrefflich ist auch Cesare Valletti als Alfredo, der Verdis Musik mit einer Eleganz singt wie die Tenöre des Goldenen Zeitalters: Anselmi, de Lucia oder Bonci.

Nach den Verdi-Recitals im September 1958 begann die neue Saison mit dem zweiten großen Skandal, dem Bruch mit der Metropolitan Opera. Es ist viel und lang darüber geschrieben worden, daß die öffentliche Demütigung durch Bing das Feuer jenes Zorns schürte, welches die Aufführung von Cherubinis *Medea* in Dallas durchglüht.

Über das Portrait selber ist ausführlich gehandelt worden. Callas singt in Dallas in guter Form und, nicht weniger auffällig, mit äußerster Konzentration, und sie hat in Jon Vickers wie in der jungen Teresa Berganza feine Partner. Aufs Ganze gesehen ist die Aufführung geschlossener und musikalisch ausgewogener als die in der Scala. Die Londoner Aufführung, die 1959 folgte, muß als »blasse Kopie« (Ardoin) nicht weiter erwähnt werden. Auch im Mitschnitt von Bellinis *La Pirata* sehe ich keine der großen Aufführungen der Callas, selbst wenn es im Finale furiose Momente gibt. Von den beiden Studio-Remakes des Jahres 1959 – Donizettis *Lucia di Lammermoor* und Ponchiellis *La Gioconda* – beansprucht die veristische Oper mehr Interesse als die romantische. Bei der Donizetti-Einspielung gerät man als Callas-Bewunderer in die Rolle eines Pflichtverteidigers (auch für den kurzatmigen und dumpf singenden Ferruccio Tagliavini), beim Ponchielli-Reißer in die eines mitleidenden Hörers, vor dem auch – und Callas hat das selber gesagt – privateste Empfindungen ausgesungen werden: eine schmerzhafte Erfahrung.

Im Fall der zweiten Studio-*Norma* sind sich die Callasianer, Ardoin wie Porter, einig darüber, daß die Stimme vormals sicherer, in der Höhe vor allem vehementer klang, daß aber ein immer schon ausgefeiltes Portrait noch mehr Finessen, noch mehr Pointierungen bekommen habe. Durch die behutsame klangliche Reduzierung gibt es auch, vor allem im mittleren Bereich der Stimme, Klänge von irisierender Schönheit, von den Angelsachsen als »mesmerizing« beschrieben. Porter zählt dennoch eine Reihe von Tönen auf, die durch den »wobble« um ihre Wirkung gebracht werden, und doch, und doch: »Mit beiden Aufnahmen liefert Callas eine Interpretation der *Norma,* der Sutherland, Caballé und Sills, die Heroinen späterer Einspielungen, sich nicht einmal zu nähern beginnen.« (Andrew Porter in seiner Discographie).

Als sie am 7. Dezember 1960 nach zweijähriger Abwesenheit an die Scala zurückkehrte, kam sie nicht als die *regina* des Hauses zurück. Sie sang die Paolina in Gaëtano Donizettis *Poliuto*, und dieses Werk ist die Oper des Tenors. Franco Corelli trug den Triumph des Abends davon. Erst im letzten Akt kann sie eine Ahnung einstiger Darstellungsintensität und stimmlicher Brillanz geben. Mit drei *Medea*-Aufführungen verabschiedete sie sich 1961 von der Scala und aus Italien, und es war, wie ein Mitschnitt unter Thomas Schippers zeigt, ein nicht eben triumphaler Abschied. Aus dem Jahr 1962, in dem sie nicht oft sang, sind nur einige wenige Konzertmitschnitte erhalten, über die allein in einem Buch wie »The Callas Legacy« zu handeln ist, und dies hat Ardoin, einige Male als Herold und meist als Pflichtverteidiger, getan. Die Recitals von 1963 und 1964 sind bereits abgehandelt.

Mit großem Werbe-Nachdruck wurde Ende 1964 »die Callas-*Carmen*« angekündigt. Rodney Milnes beurteilt sie in »Opera on Record« sehr kritisch. Es fehle dem Portrait an Charme (den Mérimées Novellenfigur auch nicht besitzt) und der Stimme an Gewicht in der tiefen Lage. Zudem sei ihr Französisch »individuell«. Gemeint ist wohl: Es ist nicht idiomatisch. Doch hat dies weniger mit der Fähigkeit zu korrekter Aussprache zu tun als mit stimmlichen Problemen. Callas muß viele Vokale dem Zustand der Stimme anbequemen, sie guttural einfärben. Ardoin bezeichnet die Aufnahme als eine Bewunderung abnötigende Leistung, und das erscheint mir wieder wie ein liebesvolles Plädoyer. Die vielen prägnant und musikalisch erarbeiteten und ausgeführten Details fügen sich nicht zu einer Einheit. Die Produktion wirkt (auf mich) artifiziell. Sie ist, anders als die *Tosca*-Aufnahme, kein technisches Kunstwerk, sondern ein Kunstwerk mit geraubter Aura, zumal Georges Prêtre die auch editorisch anfechtbare Fassung äußerlich, geradezu knallig musiziert.

Nicht besser verfährt er mit Puccinis *Tosca*, die in dieser Aufnahme wirklich kaum mehr ist als ein »shabby little shocker«. Es wäre falsch zu sagen, daß Maria Callas und Tito Gobbi sich dem plakativen Stil anpassen. Beide müssen sich, weil ihre stimmlichen Mittel auf schmerzliche Weise reduziert sind, jener histrionischen Gesten und rhetorischen Übertreibungen bedienen, von denen Callas die Musik des Verismo in früheren Aufführungen und Aufnahmen befreit hatte. Immerhin erweist sich

Carlo Bergonzi als Muster sängerischer Eleganz, ohne aber an die emphatische Sinnlichkeit des jungen Giuseppe di Stefano heranzukommen.

Aus dem letzten Jahr ihrer Bühnenlaufbahn, 1965, liegen Mitschnitte von Puccinis *Tosca* und Bellinis *Norma* vor. Sie sind nicht mit den Maßstäben zu beurteilen, die man gewinnen kann, wenn man sich mit Maria Callas beschäftigt hat. Man hört sie mit Trauer und Betroffenheit. Man spielt sie nicht jenen vor, denen man Callas nahebringen möchte, auch denen nicht, die die Sängerin bewundern. Man verrät seine Liebe nicht, und wenn man ihr nachtrauert, so allein. Und wenn man allein ist, erinnern einzelne Phrasen und Leidensklänge an die großen Aufführungen. Wie sagte Pauline Viardot unter Tränen, als sie die große Pasta bei ihrem traurigen Comeback hörte: »Es ist wie das Abendmahl Leonardos. Ein Wrack von einem Bild. Aber es ist das größte Bild der Welt.«

Anhang

Anmerkungen

ERSTES KAPITEL

1 Ingeborg Bachmann, »Hommage à Maria Callas«.
2 Hans Magnus Enzensberger, »Die Sprache des Spiegels«. In: Einzelheiten I.
3 George London, in »Opera Annual«, 1959.

ZWEITES KAPITEL

1 Lanfranco Rasponi, The Last Primadonnas. New York 1982.
2 Diese affektive Reaktion hat Theodor W. Adorno beschrieben: »Über den Fetischcharakter in der Musik und die Regression des Hörens«.
3 Vgl. Lilli Lehmann, Meine Gesangskunst. – Frida Leider, Das war mein Teil.
4 In der Oper der Jahrhundertwende geht es nicht mehr, wie in der *opera seria*, um abstrakte Tugenden oder die Verklärung des Herrschers, nicht mehr, wie in der romantischen Oper, um die Polarisierung von Gut und Böse, nicht mehr um moralische Probleme, sondern um die sinnliche, körperliche Leidenschaft – in Puccinis Œuvre steht der romantisierte erotische Konsum im Mittelpunkt.
5 Rodolfo Celletti, Geschichte des Belcanto. S. 206.
6 Üblicherweise ist der Kammerton a′ auf 440 Hertz gestimmt. Manche Orchester spielen auf a′ = 447 – für Sänger in Partien mit hoher Tessitura eine rücksichtslose Zumutung.
7 Vgl. hierzu Ethan Modden, Demented.

DRITTES KAPITEL

1 Das Hinauftreiben der Bruststimme bedeutet eine der größten Gefahren für die Frauenstimme. Über das F hinaus, dies gab etwa Nellie Melba als kardinale Regel, dürfe die Bruststimme nicht in die Höhe getrieben wer-

den. Das Brustregister sollte ausschließlich auf die tiefe Lage begrenzt sein, während die Mittelstimme, bei vollem Ton, das Hauptregister bilden müsse. Wird die Stimme mit Druck oder gar roher Gewalt ständig über das E′ getrieben, erkrankt die Stimme an »Überbrustung«. Sie schwingt langsam und schwer ein, produziert dumpfe und verfälschte Vokale, die zu offen gebildet werden, und verliert die Leichtigkeit des Aufstiegs in die Höhe. Nicht nachdrücklich genug kann darauf aufmerksam gemacht werden, daß sich mit einem verfälschten Vokal der Sinn und der Gefühlsgehalt eines Wortes völlig verändern: Wer die »Seele« besingt, darf nicht »Säle« sagen.

VIERTES KAPITEL

1 Keiner hat dies rascher erkannt als William James Henderson. Nachdem Titta Ruffo am 19. November 1912 an der Met debütiert und mit seinem gewaltigen Klang-Singen Furore gemacht hatte, schrieb der Kritiker eine Polemik unter dem Titel »Get Rich Quick Singing«. Er beklagte, daß durch die Produktion eines mächtigen Klangs die Gesangskunst einer goldenen Ära – der neunziger Jahre des 19. Jahrhunderts – beendet worden sei. Dabei sei, schrieb er, solch ein Klang gar nicht nötig. An keiner Stelle der Met habe man »das *moderato* einer Sembrich oder die fein gesponnene *mezza voce* eines Bonci nicht hören können«. Eine solche Meisterschaft zu erreichen, so weiter Henderson, koste allerdings Zeit. All die Sänger aber, die, nach dem Vorbild Carusos und Ruffos, nur Wert auf Klangsteigerungen legten, hätten damit ihre Stimmen dem vorzeitigen Verschleiß preisgegeben.

2 Verdi hatte während eines Aufenthalts in Paris 1852 eine der ersten Aufführungen von Alexandre Dumas' d. J. »La Dame aux Camélias« erlebt, eine Dramatisierung des gleichnamigen, auf realen Begebenheiten zurückgreifenden Romans von 1848. Thema ist die Liaison mit einer gefeierten Kurtisane, die Mittelpunkt eines Zirkels von Künstlern und Intellektuellen war, in dem u. a. auch Liszt, bekannte Literaten und adlige Liebhaber verkehrten. Die junge Frau starb 1847, kurz nach ihrem 23. Geburtstag, an Tuberkulose.

3 »Non mi dir« ist die Arie der Donna Anna aus Mozarts Don Giovanni. Sie wurde lange Zeit nicht veröffentlicht. Zu finden ist sie in der Anthologie »Les introuvables du chant Mozartien«, EMI-Pathé.

4 Walter Legges »La Divina – Callas Remembered« erschien im November 1977, kurz nach dem Tod der Sängerin, in »Opera News«.

SIEBENTES KAPITEL

1 Vgl. das von S. Gloede und R. Grünhagen edierte Buch »Ein Leben für die Sänger«, besonders das Kapitel »Mozart und die Sänger«, S. 278 ff.
2 Bastianini besaß sicher eine der klangschönsten italienischen Baritonstimmen der Nachkriegszeit mit einer sehr attraktiven, dunklen Farbe (die seine Herkunft aus dem Baßfach verrät). Was er nicht verstand, war das, was Verdi »miniare« nannte: das Färben.

ACHTES KAPITEL

1 Ettore Parmeggiani, 1895 in Rimini geboren, debütierte 1927 als Max in Webers *Der Freischütz* an der Mailänder Scala und sang dort bis 1937 vorwiegend dramatische Rollen des deutschen, speziell des Wagner-Fachs.

NEUNTES KAPITEL

1 Hans Mayer, Außenseiter. Frankfurt a. M. 1977, S. 99.

ZEHNTES KAPITEL

1 »Fono Forum«, 1/1990.
2 »The Observer«, 8. und 15. Februar 1970.

ELFTES KAPITEL

1 Auch Sängerinnen wie Rosa Ponselle, Claudia Muzio, Renata Tebaldi oder Victoria de los Angeles haben nach mißlungenen Zielnoten – etwa dem C in der Nil-Arie aus Verdis *Aida* – ähnliche Agonien durchlitten und deshalb bestimmte Partien gemieden.
2 Nachgedruckt in »Erlebte Musik«, Hamburg 1977, S. 635 ff.

3 Eine problematische Anmerkung. Der lyrische Mezzosopran hat durchweg eine kurze, vom Umfang her begrenzte Stimme. Wenn, so war Callas allenfalls ein *mezzo acuto*, also ein Mezzo mit großer Höhe. Zwar hatte sie in ihrer Jugend eine klangliche reiche Bruststimme, aber nie die Kraft für gehaltene Töne in der echten Altlage.
4 Puccinis Tosca muß allein das C singen, ist also kaum ein Indikator für die Höhensicherheit einer Sängerin. Der Begriff des »Forcierens« ist im Zusammenhang mit der »Höhe« nur bedingt tauglich; er meint die gewaltsame Steigerung des klanglichen Volumens durch Druck.

ZWÖLFTES KAPITEL

1 Das hat Julian Budden in seinem Aufsatz »Tosca, Puccini und Sardou«, geschrieben für die Salzburger Aufführung des Werks unter Karajan zu Ostern 1988, detailliert ausgeführt.
2 In »Erlebte Musik«, a.a.O.
3 Theodor W. Adorno, Minima Moralia: »L' Inutile beauté«.
4 John Ardoin, Callas at Juilliard. The Master Classes. London 1988.
5 Viele Gedanken und ästhetische Erwägungen des Franzosen decken sich mit denen des Verfassers; sie sind unabhängig voneinander entstanden.
6 Tubeuf unterschlägt, daß die Besetzung der Elvira oder der Lucia mit Blondchen wie Toti und Lily eine Notlösung des 20. Jahrhunderts für Probleme war, die das 19. Jahrhundert aufgeworfen hatte; daß bis hin zu Lilli Lehmann und Lillian Nordica dramatische Soprane auch verzierte Musik gesungen haben.

DREIZEHNTES KAPITEL

1 Maggie Teyte, The Pursuit of Perfection – A Life of Maggie Teyte. Von Garry O'Connor.
2 Vgl. den Beitrag von Elizabeth Forbes in The New Grove Dictionary of Music and Musicians, Bd. 7, S. 737f.
3 John Ardoin schreibt, daß der Aufnahme nur zwei Aufführungen vorausgegangen seien. Doch sind die Cetra-Platten erst zwischen dem 8. und 10. November 1949 entstanden.

4 Julian Budden, The Operas of Verdi, Bd. 1, S. 102.
5 Zitiert von David Hamilton, »The Recordings of Maria Callas«. In »High Fidelity«, März 1974, S. 44.
6 Die Details gibt John Ardoin, a.a.O., S. 27.
7 Herbert Weinstock, »Maria, Renata, Zinka ... and Leonora«. In »The Saturday Review«, 13. April 1957.
8 Opera on Record. Hrsg. v. Alan Blyth, Bd. 1, S. 442.
9 Will Crutchfield, »Martini & Rossi's Vintage Voices«. In »High Fidelity«, April 1984. – Mehr als nur »prime Callas«. In diesen Konzerten sind, neben etablierten und auf Platten gut repräsentierten Stars wie di Stefano, Ferruccio Tagliavini, Tito Gobbi, Renata Tebaldi, Mario del Monaco, Ebe Stignani, Carlo Bergonzi, Franco Corelli, Fiorenza Cossotto und Giulietta Simionato, auch Sängerinnen und Sänger wie Margherita Carosio, Rosanna Carteri, Gertrud Grob-Prandl, Gianni Raimondi, Agostino Lazzari, Anita Cerquetti, Alda Noni, Luigi Infantino, Ivo Vinco, Magda Olivero, Giacinto Prandelli, Pia Tassinari zu hören. Daraus läßt sich der Standard des italienischen Singens in den fünfziger Jahren ableiten – und es ist ein Standard, der seit den siebziger Jahren abgesunken ist.
10 Rolando Manicini in seinem Kommentar zu Maria Callas. »Un mito – una carriera«. Beiheft zur Foyer-Cassette Fo 1007.
11 John Ardoin, The Callas Legacy, a.a.O., S. 92.
12 Die Oper ist so unbekannt, daß über die Besetzung kaum mehr nachgedacht wird. Die Partie des Arrigo ist lang und – vor allem durch ihre hohe *tessitura* – sehr strapaziös. Nur ein Sänger, der die Leichtigkeit für den Herzog und die Brillanz für, sagen wir, den Raoul in *Die Hugenotten* besitzt, kann sich in dieser Partie behaupten. Als Riccardo Muti das Werk 1989 zur Eröffnung der Scala-Saison herausbrachte (mit Chris Merritt), vertrat er die Ansicht, die Partie sei schwieriger selbst als der Arnoldo in Rossinis *Guglielmo Tell.*
13 Walter Legge, On and off the record.
14 Michael Scott, »A Connoisseur's Callas«. In »Opera News«, September 1987.
15 Über die Wirkungsgeschichte des Werks vgl. Ulrich Schreiber, Opernführer für Fortgeschrittene, Kassel 1988, S. 524ff.
16 U. Schreiber bezieht sich, in seinem »Schallplattenführer«, auf die Studio-Aufnahme unter Tullio Serafin, die zwar bei weitem nicht vollständig ist, aber nicht so viele Striche aufweist wie die Scala-Aufführung unter Bernstein, die mit dem Hinweis auf theatralische Wirkung kaum zu erklären oder zu rechtfertigen sind.

17 Vgl. Opera on Record, Band I, Discographie von *La Forza del Destino.* S. 279.
18 Vgl. Julian Budden, The Operas of Verdi, Bd. 2, S. 464.
19 In Opera on Record, Discographie von *L'Italiana in Algeri* und *Il Turco in Italia.*
20 Carl Dalhaus, Die Musik des 19. Jahrhunderts.
21 Aufmerksam auf diese Details macht Martial Singher, An Interpretative Guide to Operatic Arias. A Handbook for Singers, Coaches, Teachers, and Students. The Pennsylvania State University Press, 1983, S. 241.
22 Die auf späteren CD-Veröffentlichungen enthaltene Szene aus dem ersten Akt »Sorgete – Lo sognai ferito esangue« stammt von 1961. Dirigent war Antonino Tonini, ein Dirigier-Assistent der Scala. Ursprünglich sollte bei den Sitzungen Verdis *La Traviata* aufgenommen werden, doch wurde das Projekt, wegen des Zustandes der Sängerin, verschoben. Mit dem Arien-Programm sollten die Kosten wenigstens teilweise reduziert werden.
23 Opera on Record, Bd. 2. Discographie von *Roméo et Juliette*, S. 202.
24 Lord Harewood, »The Art of Maria Callas«. In »Recorded Sound«, The Journal of the British Institute of Recorded Sound, Oktober 1979 (Nr. 76), S. 95.
25 In Opera on Record, Bd. 1, S. 307.
26 David A. Lowe, Callas – As they saw her, a. a. O., S. 241 (»razzle-dazzle« ist kaum zu übersetzen, aber onomatopoetisch eindeutig).
27 Vgl. R. Fairman, in Opera on Record, Bd. 3, S. 52 f.
28 Vgl. Opera on Record, Bd. 3, S. 213.

Die Auftritte der Maria Callas

Opernaufführungen und Konzerte
zwischen 1938 und 1974

1938

Studenten-Konzert, Athen, Parnassos-Halle (11. April). Arien aus *Der Freischütz* und *La Reine de Saba*, Duett aus *Tosca* u. a.

1939

Cavalleria Rusticana, Olympia-Theater, Athen (2. April).
Studenten-Konzert (22. Mai), Arien und Duette aus *Les Contes d'Hoffmann, Oberon, Aida* und Lieder.
Studenten-Konzert (23. Mai), Arien aus *Oberon* und *Thaïs.*
Studenten-Konzert (25. Juni). Szenen aus *Un Ballo in Maschera III. Akt* und aus *Cavalleria Rusticana.*

1940

Konzert, (23. Februar) Duett »Mira, o Norma« aus *Norma* mit Arda Mandikian.
Konzert, Radio Athen (3. April). Duette aus *Norma, Aida, La Gioconda* mit Arda Mandikian.
Suor Angelica, konzertante Aufführung im Athener Konservatorium (30. Juni).

1941

Boccaccio, Königliches Theater Athen (21. Januar und 3. Juli).

1942

Tosca, Königliches Theater Athen (27. August und 8. September). Dirigent: Vasilakis. Mit Delenda, Kalogeras/Xirellis.

1943

O Protomasteras (Manolis Kalomiris, 1883–1962, griechischer Komponist, Lehrer und Administrator), Königliches Theater Athen (19. Februar und 28. Februar bei einem Wohltätigkeitskonzert).
Stabat Mater (Pergolesi), Konzert, Radio Athen (22. April) mit Arda Mandikian.
Tosca, Königliches Theater Athen (17. Juli).
Konzert, Kosta Moussouri-Theater, Athen (21. Juli). Arien aus *Atalanta, La Cenerentola, Adriana Lecouvreur* und *Il Trovatore*. Lieder.
Recital, Saloniki (September). Lieder von Schubert und Brahms. Arien aus *Otello* (Rossini) und »Inflammatus« aus *Stabat Mater* (Rossini).
Konzert, Olympia-Theater (26. September). Arien aus *Fidelio, Thaïs, Aida,* »Et incarnatus est« aus Mozarts *Messe c-Moll KV 427*, Lieder.
Wohltätigkeitskonzert, Athen (12. Dezember). Arien aus *Fidelio, Semiramide* und *Il Trovatore*. Lieder.

1944

Tiefland, Olympia Theater, Athen (22-23-30. April, 4-7-10. Mai). Dirigent: Zoras; mit Delendas, Mangliveras.
Cavalleria Rusticana, Olympia Theater Athen (6-9-14-16-19-23-25-28-31. Mai und 1-8-16. Juni). Dirigent: T. Karalivanos. Mit Delendas, Tsoumbris, Burdaku, Kurachani.
Wohltätigkeitskonzert, Olympia-Theater, Athen. (21. Mai). »Casta Diva« aus *Norma*.
O Protomasteras, Theater Herodes Atticus, Athen (29-30. Juli). Dirigent: Kalomiris. Mit Remoundos, Mangliveras.
Fidelio, Theater Herodes Atticus, Athen (14-19. August). Dirigent: August Höner. Mit Delendas, Mangliveras, Kokolios.

1945

Tiefland, Königliches Theater Athen (14-15-24. Mai). Besetzung wie zuvor 1944.

1947

La Gioconda, Arena, Verona (2-5-10-14-17. August). Dirigent: Tullio Serafin. Mit Elena Nicolai, Richard Tucker, Carlo Tagliabue, Anna Maria Canali, Nicola Rossi-Lemeni.

Tristan und Isolde, La Fenice, Venedig (30. Dezember). Dirigent: Tullio Serafin. Mit Fedora Barbieri, Tasso, Raimondo Torres, Boris Christoff.

1948

Tristan und Isolde, Fortsetzung der Fenice-Aufführungen (3-8-11. Januar).

Turandot, La Fenice, Venedig (29-31. Januar, 3-8-10. Februar). Dirigent: Nino Sanzogno. Mit Rizzeri, José Soler, Carmassi.

Turandot, Teatro Puccini, Udine (11-14. März). Dirigent: Oliviero de Fabritiis. Mit Ottani, José Soler, Silvio Maionica.

La Forza del Destino, Politeama Rossetti, Triest (17-20-21-25. April). Dirigent: Serpo. Mit Anna Maria Canali, Vertecchi, Benvenuto Franci, Cesare Siepi.

Tristan und Isolde, Grattacielo, Genua (12-14-16. Mai). Dirigent: Serafin. Mit Elena Nicolai, Max Lorenz, Raimondo Torres, Nicola Rossi-Lemeni.

Turandot, Thermen des Caracalla, Rom (4-6-11. Juli). Dirigent: Oliviero de Fabritiis. Mit Montanari, Galliano Masini, Flamini.

Turandot, Arena, Verona (27. Juli und 1-5-9. August). Dirigent: Antonino Votto. Mit Rizzeri/Tognoli/De Cecco, Salvarezza, Nicola Rossi-Lemeni.

Turandot, Carlo Felice, Genua (11-14. August). Dirigent: Angelo Questa. Mit Montanari, Mario del Monaco, Salvarezza, Silvio Maionica.

Aida, Lirico, Turin (18-19-23-25. September). Dirigent: Tullio Serafin. Mit Elena Nicolai/Colasanti Turrini, de Falchi.

Norma, Teatro Communale, Florenz (30. November und 5. Dezember). Dirigent: Tullio Serafin. Mit Fedora Barbieri, Mirto Picchi, Cesare Siepi.

1949

Die Walküre, Teatro La Fenice, Venedig (8-12-14-16. Januar). Dirigent: Tullio Serafin. Mit Giovanni Voyer, Raimondo Torres, Jolanda Magnoni u. a.

I Puritani, Teatro La Fenice, Venedig (19-22-23. Januar). Dirigent: Tullio Serafin. Mit Antonio Pirino, Ugo Savarese, Boris Christoff, Silvio Maionica.

Die Walküre, Teatro Massimo, Palermo (28. Januar und 10. Februar). Dirigent: Francesco Molinari-Pradelli. Mit Giovanni Voyer, Bruno Carmassi, Giulio Neri, Jolanda Magnoni.

Turandot, San Carlo, Neapel (12-16-18-20. Februar). Dirigent: Jonel Perlea. Mit Vera Montanari, Renato Gigli, Mario Petri.

Parsifal, Teatro dell' Opera, Rom (26. Februar-2-5-8. März). Dirigent: Tullio Serafin. Mit Hans Beirer, Cesare Siepi, Marcello Cortis.

Konzert, RAI, Turin (7. März). Dirigent: Francesco Molinari-Pradelli. Mit Mario Filippeschi. Arien aus *Tristan und Isolde, Norma, I Puritani* und *Aida.*

Turandot, Teatro Colón, Buenos Aires (20-29. Mai und 11-22. Juni). Dirigent: Tullio Serafin. Mit Mario del Monaco, Helena Arizmendi, Juan Zanin/Nicola Rossi-Lemeni. Ausschnitte aus dem Duett III. Akt mitgeschnitten.

Norma, Teatro Colón, Buenos Aires (17-19-25-29. Juni). Dirigent: Tullio Serafin. Mit Fedora Barbieri, Antonio Vela, Nicola Rossi-Lemeni.

Aida, Teatro Colón, Buenos Aires (2. Juli). Dirigent: Tullio Serafin. Mit Fedora Barbieri, Antonio Vela, Victor Damiani, Nicola Rossi-Lemeni.

Konzert, Teatro Colón, Buenos Aires (9. Juli). Dirigent: Tullio Serafin. Mit Helena Arizmendi, Mario del Monaco, Nicola Rossi-Lemeni. Arien und Szenen aus *Norma* und *Turandot.*

San Giovanni Battista (Oratorium von Alessandro Stradella), Chiesa di San Pietro, Perugia (18. September). Dirigent: Gabriele Santini. Mit Miriam Pirazzini, Cesare Siepi.

Konzert, Verona (31. Oktober). Arien aus *Norma, Tristan und Isolde, I Puritani, Dinorah, La Traviata.*

Nabucco, Teatro San Carlo, Neapel (20-22-27. November). Dirigent: Vittorio Gui. Mit Gino Sinimberghi, Gino Bechi, Luciano Neroni. Mitschnitt der Aufführung vom 20. Dezember liegt vor.

Konzert, RAI (24. November). II. Akt von *Tosca* und IV. Akt von *Manon Lescaut.* Dirigent: Baroni.

1950

Norma, Teatro La Fenice, Venedig (13-15-19. Januar). Dirigent: Antonino Votto. Mit Elena Nicolai, Gino Penno, Tancredi Pasero.

Aida, Teatro Grande, Brescia (2-7. Februar). Dirigent: Alberto Erede. Mit Amalia Pini, Mario del Monaco, Aldo Protti.

Tristan und Isolde, Teatro dell' Opera Rom (6-9-19-25-28. Februar). Dirigent: Tullio Serafin. Mit Elena Nicolai, Anton Seider, Benvenuto Franci, Giulio Neri/Luciano Neroni).

Norma, Römische Oper (23-26. Februar und 2-4-7. März). Dirigent: Tullio Serafin. Mit Ebe Stignani, Galliano Masini, Giulio Neri/Antonio Cassinelli.

Konzert, RAI, Turin (13. März). Dirigent: Alfredo Simonetto. Mit Cesare Siepi. Arien aus *Oberon, La Traviata, Il Trovatore, Dinorah.*

Norma, Teatro Massimo Bellini, Catania (16-19-22-25. März). Dirigent: Umberto Berrettoni. Mit Jolando Gardino, Mirto Picchi, Marco Stefanoni.

Aida, Teatro alla Scala, Mailand (2-5-18. April). Dirigent: Franco Capuana. Mit Fedora Barbieri, Mario del Monaco, Raffaele de Falchi/Aldo Protti, Cesare Siepi.

Aida, Teatro San Carlo, Neapel (27-30. April und 2-4. Mai). Dirigent: Tullio Serafin. Mit Ebe Stignani, Mirto Picchi, Ugo Savarese, Cesare Siepi.

Norma, Palacio de las Bellas Artes, Mexico City (23-27. Mai). Dirigent: Guido Picco. Mit Giulietta Simionato, Kurt Baum, Nicola Moscona. Mitschnitt der Aufführung vom 23. Mai liegt vor.

Aida, Palacio de las Bellas Artes, Mexico City (30. Mai und 3-15. Juni). Dirigent: Guido Picco. Mit Giulietta Simionato, Kurt Baum/Mario Filippeschi, Robert Weede, Nicola Moscona. Aufführung vom 30. Mai liegt als Mitschnitt vor.

Tosca, Palacio de las Bellas Artes, Mexico City (8-10. Juni). Dirigent: Umberto Mugnai. Mit Mario Filippeschi, Robert Weede. Aufführung vom 8. Juni liegt als Mitschnitt vor.

Il Trovatore, Palacio de las Bellas Artes, Mexico City (20-24-27. Juni). Dirigent: Guido Picco. Mit Giulietta Simionato, Kurt Baum, Leonard Warren/Ivan Petroff, Nicola Moscona. Aufführung vom 20. Juni liegt als Mitschnitt vor.

Tosca, Teatro Nuovo, Salsomaggiore (22. September). Dirigent: Angelo Questa. Mit Pelizzono, Giovanni Inghilleri.

Tosca, Teatro Duse, Bologna (24. September). Dirigent: Angelo Questa. Mit Roberto Turrini, Rodolfo Azzolini.

Aida, Römische Oper (2. Oktober). Dirigent: Vincenzo Bellezza. Mit Ebe Stignani, Mirto Picchi, Raffaele de Falchi, Giulio Neri. Mitschnitt von Akt III liegt vor.

Tosca, Teatro Verdi, Pisa (7-8. Oktober). Dirigent: Riccardo Santarelli. Mit Galliano Masini, Afro Poli.

Il Turco in Italia, Teatro Eliseo, Rom (19-22-25-29. Oktober). Dirigent: Gianandrea Gavazzeni. Mit Anna Maria Canali, Cesare Valletti, Mariano Stabile, Sesto Bruscantini.

Parsifal, RAI, Rom (20-21. November). Dirigent: Vittorio Gui. Mit Africo Baldelli, Rolando Panerai, Boris Christoff, Lina Pagliughi. Mitschnitt liegt vor.

1951

La Traviata, Teatro Communale, Florenz (14-16-20. Januar). Dirigent: Tullio Serafin. Mit Franco Albanese, Enzo Mascherini.

Il Trovatore, Teatro San Carlo, Neapel (27-30. Januar und 1. Februar). Dirigent: Tullio Serafin. Mit Cloe Elmo, Giacomo Lauri-Volpi/Giuseppe Vertecchi, Paolo Silveri, Italo Tajo. Mitschnitt vom 27. Januar liegt vor.

Norma, Teatro Massimo, Palermo (15-20. Februar). Dirigent: Franco Ghione. Mit Elena Nicolai, Renato Gavarini, Giulio Neri.

Aida, Teatro Communale, Reggio Calabria (28. Februar). Dirigent: Federico del Cupolo. Mit Miriam Pirazzini, José Soler, Antonio Manca-Serra.

Konzert, RAI, Turin (12. März). Dirigent: Ermanno Wolf-Ferrari. Mit Sesto Bruscantini. Arien aus *Un Ballo in Maschera, Mignon, Der Freischütz,* Variationen von Heinrich Proch. Mitschnitt erhalten.

La Traviata, Teatro Massimi, Cagliari (14-18. März). Dirigent: Francesco Molinari-Pradelli. Mit Giuseppe Campora, Afro Poli.

Konzert, Teatro Verdi, Triest (21. April). Dirigent: Armando La Rosa Parodi. Mit Tito Schipa und Dolores Wilson. Arien aus *Norma, Aida, La Traviata, I Puritani.*

I Vespri Siciliani, Teatro Communale, Florenz (26-30. Mai und 2-5. Juni). Dirigent: Erich Kleiber. Mit Giorgio Bardi-Kokolios, Enzo Mascherini, Boris Christoff. Mitschnitt vom 26. Mai liegt vor.

Orfeo ed Euridice (Joseph Haydn), Teatro della Pergola, Florenz (9-10. Juni). Dirigent: Erich Kleiber. Mit Tyge Tygeson, Boris Christoff.

Konzert, Grand Hotel, Florenz. Begleiter: Bruno Bartoletti, Klavier. Arien aus *Norma, Dinorah, Aida, La Traviata,* Variationen von Heinrich Proch.

Aida, Palacio de las Bellas Artes, Mexico City (3-7-10. Juli). Dirigent: Oliviero de Fabritiis. Mit Oralia Dominguez, Mario del Monaco, Giuseppe Taddei. Mitschnitt der ersten Aufführung liegt vor.

Konzert, Radio Mexico (15. Juli). Dirigent: Oliviero de Fabritiis. Arien aus *La Forza del Destino, Un Ballo in Maschera.*

La Traviata, Palacio de las Bellas Artes (17-19-21-22. Juli). Dirigent: Oliviero de Fabritiis. Mit Cesare Valletti, Giuseppe Taddei/Carlo Morelli. Erste Aufführung als Mitschnitt erhalten.

Norma, Teatro Municipal, São Paulo (7. September). Dirigent: Tullio Serafin. Mit Fedora Barbieri, Mirto Picchi, Nicola Rossi-Lemeni.

La Traviata, Teatro Municipal, São Paulo (9. September). Dirigent: Tullio Serafin. Mit Giuseppe di Stefano, Tito Gobbi.

Norma, Teatro Municipal, Rio de Janeiro (12-16. September). Dirigent: Antonino Votto. Mit Elena Nicolai, Mirto Picchi, Boris Christoff.

Konzert, Teatro Municipal, Rio de Janeiro. Mit Renata Tebaldi. Arien aus *La Traviata, Aida.*

Tosca, Teatro Municipal, Rio de Janeiro (24. September). Dirigent: Antonino Votto. Mit Gianni Poggi, Paolo Silveri.

La Traviata, Teatro Municipal, Rio de Janeiro (28-30. September). Dirigent: Nino Gaioni. Mit Gianni Poggi, Antonio Salsedo.

La Traviata, Teatro Donizetti, Bergamo (20-23. Oktober). Dirigent: Carlo Maria Giulini. Mit Giacinto Prandelli, Giovanni Fabbri.

Norma, Teatro Massimo Bellini, Catania (3-6-17-20. November). Dirigent: Franco Ghione. Mit Giulietta Simionato, Gino Penno, Boris Christoff/Leonardo Wolovski.

I Puritani, Teatro Massimo Bellini, Catania (8-11-13-16. November). Dirigent: Ermanno Wolf-Ferrari. Mit Wenko Wenkow, Carlo Tagliabue, Boris Christoff.

I Vespri Siciliani, Teatro alla Scala, Mailand (7-9-12-16-19-27. Dezember und 3. Januar 1952). Dirigent: Victor de Sabata/Argeo Quadri. Mit Eugene Conley, Enzo Mascherini, Boris Christoff/Giuseppe Modesti.

La Traviata, Teatro Regio, Parma (29. Dezember). Dirigent: Oliviero de Fabritiis. Mit Arrigo Pola, Ugo Savarese.

1952

I Puritani, Teatro Communale, Florenz (9-11. Januar). Dirigent: Tullio Serafin. Mit Eugene Conley, Carlo Tagliabue, Nicola Rossi-Lemeni.

Norma, Teatro alla Scala, Mailand (16-19-23-27-29. Januar und 2-7-10. Februar und 14. April). Dirigent: Franco Ghione. Mit Ebe Stignani, Gino Penno, Nicola Rossi-Lemeni.

Konzert, RAI, Rom (18. Februar). Dirigent: Oliviero de Fabritiis. Mit Nicola Filacuridi. Arien aus *Macbeth, Lucia di Lammermoor, Nabucco, Lakmé.* Mitschnitt liegt vor.

La Traviata, Teatro Massimo Bellini, Catania (12-14-16. März). Dirigent: Francesco Molinari-Pradelli. Mit Giuseppe Campora, Enzo Mascherini.

Die Entführung aus dem Serail, Teatro alla Scala, Mailand (2-5-7-9. April). Dirigent: Jonel Perlea. Mit Tatiana Menotti/Franca Duval, Petre Munteanu, Giacinto Prandelli, Salvatore Baccaloni.

Armida, Teatro Comunale, Florenz (26-29. April und 4. Mai). Dirigent: Tullio Serafin. Mit Francesco Albanese, Alessandro Ziliani, Antonio Salvarezza, Mario Filippeschi, Gianni Raimondi. Mitschnitt der ersten Aufführung erhalten.

I Puritani, Teatro dell' Opera, Rom (2-6-11. Mai). Dirigent: Gabriele Santini. Mit Giacomo Lauri-Volpi/Antonio Pirini, Paolo Silveri, Giuli Neri.

I Puritani, Palacio de las Bellas Artes, Mexico City (29-31. Mai). Dirigent: Guido Picco. Mit Giuseppe di Stefano, Piero Campolonghi, Roberto Silva. Mitschnitt der ersten Aufführung erhalten.

La Traviata, Palacio de las Bellas Artes, Mexico City (3-7. Juni). Dirigent: Umberto Mugnai. Mit Giuseppe di Stefano, Piero Campolonghi. Mitschnitt der ersten Aufführung liegt vor.

Lucia di Lammermoor, Palacio de las Bellas Artes, Mexico City (10-14-26. Juni). Dirigent: Guido Picco. Mit Giuseppe di Stefano, Piero Campolonghi. Aufführung vom 10. Juni als Mitschnitt erhalten.

Rigoletto, Palacio de las Bellas Artes, Mexico City. Dirigent: Umberto Mugnai. Mit Giuseppe di Stefano, Piero Campolonghi. Mitschnitt der ersten Aufführung erhalten.

Tosca, Palacio de las Bellas Artes, Mexico City. Dirigent: Guido Picco. Mit Giuseppe di Stefano, Piero Campolonghi. Mitschnitt der ersten Aufführung liegt vor.

La Gioconda, Arena, Verona (19-23. Juli). Dirigent: Antonino Votto. Mit Elena Nicolai, Anna Maria Canali, Gianni Poggi, Giovanni Inghilleri, Italo Tajo.

La Traviata, Arena, Verona (2-5-10-14. August). Dirigent: Francesco Molinari-Pradelli. Mit Giuseppe Campora, Enzo Mascherini.

Norma, Royal Opera Covent Garden, London (8-10-13-18-20. November). Dirigent: Vittorio Gui/John Pritchard. Mit Ebe Stignani, Mirto Picchi, Giacomo Vaghi, Joan Sutherland. Mitschnitt der ersten Aufführung erhalten.

Macbeth, Teatro alla Scala, Mailand (7-9-11-14-17. Dezember). Dirigent: Victor de Sabata. Mit Gino Penno, Enzo Mascherini, Italo Tajo/Giuseppe Modesti. Mitschnitt der ersten Aufführung liegt vor.

La Gioconda, Teatro alla Scala, Mailand (26-28-30. Dezember, 1-3. Januar und 19. Februar 1953). Dirigent: Antonino Votto. Mit Ebe Stignani, Lucia Danieli, Giuseppe di Stefano, Carlo Tagliabue, Italo Tajo/Giuseppe Modesti.

1953

La Traviata, Teatro la Fenice, Venedig (8-10. Januar). Dirigent: Angelo Questa. Mit Francesco Albanese, Ugo Savarese/Carlo Tagliabue.

La Traviata, Teatro dell'Opera, Rom (15-18-21. Januar). Dirigent: Gabriele Santini. Mit Francesco Albanese, Ugo Savarese.

Lucia di Lammermoor, Teatro Comunale, Florenz (25-28. Januar und 5-8. Februar). Dirigent: Franco Ghione. Mit Giacomo Lauri-Volpi/Giuseppe di Stefano, Ettore Bastianini, Raffaele Arié.

Il Trovatore, Teatro alla Scala, Mailand (23-26-28. Februar und 24-29. März). Dirigent: Antonino Votto. Mit Ebe Stignani, Gino Penno, Carlo Tagliabue, Giuseppe Modesti. Mitschnitt der ersten Aufführung erhalten.

Lucia di Lammermoor, Teatro Carlo Felice, Genua (14-17. März). Dirigent: Franco Ghione. Mit Giuseppe di Stefano, Enzo Mascherini.

Norma, Teatro dell'Opera, Rom (9-12-15-18. April). Dirigent: Gabriele Santini. Mit Fedora Barbieri, Franco Corelli, Giulio Neri.

Lucia di Lammermoor, Teatro Massimo Bellini, Catania (21-23. April). Dirigent: Oliviero de Fabritiis. Mit Roberto Turrini, Giuseppe Taddei, Raffaele Arié.

Medea, Teatro Comunale, Florenz (7-10-12. Mai). Dirigent: Vittorio Gui. Mit Fedora Barbieri, Carlo Guichandut, Mario Petri.

Lucia di Lammermoor, Teatro dell'Opera, Rom (19-21-24. Mai). Dirigent: Gianandrea Gavazzeni. Mit Gianni Poggi, Gian-Giacomo Guelfi.

Aida, Royal Opera House Covent Garden, London (4-6-10. Juni). Dirigent: John Barbirolli. Mit Giulietta Simionato, Kurt Baum, Jess Walters, Michael Langdon, Giulio Neri. Die Aufführung wurde mitgeschnitten, veröffentlicht ist nur III. Akt.

Norma, Royal Opera House Covent Garden, London (15-17-20-23. Juni). Dirigent: John Pritchard. Mit Giulietta Simionato, Mirto Picchi, Giulio Neri, Joan Sutherland.

Il Trovatore, Royal Opera House Covent Garden, London (26-29. Juni und 1. Juli). Dirigent: Alberto Erede. Mit Giulietta Simionato, James Johnston, Jess Walters, Michael Langdon.

Aida, Arena, Verona (23-25-28-30. Juli und 8. August). Dirigent: Tullio Serafin. Mit Miriam Pirazzini, Mario del Monaco/Mario Filippeschi/Primo Zambruno, Aldo Protti, Giulio Neri.

Il Trovatore, Arena, Verona (15. August). Dirigent: Francesco Molinari-Pradelli. Mit Lucia Danieli, Primo Zambruno, Aldo Protti, Silvio Maionica.

Norma, Teatro Giuseppe Verdi, Triest (19-22-23-29. November). Dirigent: Antonino Votto. Mit Elena Nicolai, Franco Corelli, Boris Christoff.

Medea, Teatro alla Scala, Mailand (10-12-29. Dezember und 2-6. Januar 1954). Dirigent: Leonard Bernstein. Mit Fedora Barbieri, Gino Penno, Giuseppe Modesti. Mitschnitt der *prima* liegt vor.

Il Trovatore, Teatro dell'Opera, Rom (16-19-23. Dezember). Dirigent: Gabriele Santini. Mit Fedora Barbieri/Miriam Pirazzini, Giacomo Lauri-Volpi, Paolo Silveri, Giulio Neri.

1954

Lucia di Lammermoor, Teatro alla Scala, Mailand (18-21-24-27-31. Januar und 5-7. Februar). Dirigent: Herbert von Karajan. Mit Giuseppe di Stefano/Gianni Poggi, Rolando Panerai, Giuseppe Modesti. Die Aufführung ist erhalten. Veröffentlicht ist nur »Regnava nel silenzio«.

Lucia di Lammermoor, Teatro la Fenice, Venedig (13-16-21. Februar). Dirigent: Angelo Questa. Mit Luigi Infantino, Ettore Bastianini, Giorgio Tozzi.

Medea, Teatro la Fenice, Venedig (2-4-7. März). Dirigent: Vittorio Gui. Mit Gabriella Tucci, Renato Gavarini, Giorgio Tozzi.

Tosca, Teatro Carlo Felice, Genua (10-15-17. März). Dirigent: Franco Ghione. Mit Mario Ortica, Gian Giacomo Guelfi.

Alceste, Teatro alla Scala, Mailand (4-6-15-20. April). Dirigent: Carlo Maria Giulini. Mit Renato Gavarini, Paolo Silveri, Rolando Panerai.

Don Carlo, Teatro alla Scala, Mailand (12-17-23-25-27. April). Dirigent: Antonino Votto. Mit Ebe Stignani, Mario Ortica, Enzo Mascherini, Nicola Rossi-Lemeni, Marco Stefanoni.

La Forza del Destino, Teatro Alighieri, Ravenna (23-26. Mai). Dirigent: Franco Ghione. Mit Jolanda Gardino, Mario del Monaco, Aldo Protti, Giuseppe Modesti.

Mefistofele, Arena, Verona (15-20-25. Juli). Dirigent: Antonino Votto. Mit Disma de Cecco/Anna de Cavalieri, Giuseppe di Stefano/Ferruccio Tagliavini, Nicola Rossi-Lemeni.

Lucia di Lammermoor, Teatro Donizetti, Bergamo (6-9. Oktober). Dirigent: Francesco Molinari-Pradelli. Mit Ferruccio Tagliavini, Ugo Savarese, Silvio Maionica.

Norma, Civic Opera House, Chicago (1-5. November). Dirigent: Nicola Rescigno. Mit Giulietta Simionato, Mirto Picchi, Nicola Rossi-Lemeni.

La Traviata, Civic Opera House, Chicago (8-12. November). Dirigent: Nicola Rescigno. Mit Leopold Simoneau, Tito Gobbi.

Lucia di Lammermoor, Civic Opera House, Chicago (15-17. November). Dirigent: Nicola Rescigno. Mit Giuseppe di Stefano, Gian Giacomo Guelfi, Thomas Stewart.

La Vestale, Teatro alla Scala, Mailand (7-9-12-16-18. Dezember). Dirigent: Antonino Votto. Mit Ebe Stignani, Franco Corelli, Enzo Sordello, Nicola Rossi-Lemeni.

Konzert, RAI, San Remo (27. Dezember). Dirigent: Alfredo Simonetto. Mit Benjamino Gigli. Arien aus *Die Entführung aus dem Serail, Dinorah, Louise, Armida.*

1955

Andrea Chenier, Teatro alla Scala, Mailand (8-10-13-16. Januar und 3-6. Februar). Dirigent: Antonino Votto. Mit Mario del Monaco/Mario Ortica, Aldo Protti/Giuseppe Taddei.

Medea, Teatro dell'Opera, Rom (22-25-27-30. Januar). Dirigent: Gabriele Santini. Mit Gabriella Tucci, Fedora Barbieri, Francesco Albanese, Boris Christoff.

La Sonnambula, Teatro alla Scala, Mailand (5-8-13-16-19-24-30. März und 12-24-27. April). Dirigent: Leonard Bernstein. Mit Cesare Valletti, Giuseppe Modesti/Nicola Zaccaria, Eugenia Ratti. Mitschnitt der *prima* liegt vor.

Il Turco in Italia, Teatro alla Scala, Mailand (15-18-21-23. April und 4. Mai). Dirigent: Gianandrea Gavazzeni. Mit Jolanda Gardino, Cesare Valletti, Mariano Stabile, Nicola Rossi-Lemeni, Franco Calabrese.

La Traviata, Teatro alla Scala, Mailand (28-31. Mai und 5-7. Juni). Dirigent: Carlo Maria Giulini. Mit Giuseppe di Stefano/Giacinto Prandelli, Ettore Bastianini. Mitschnitt der *prima* erhalten.

Norma, RAI, Rom (29. Juni). Dirigent: Tullio Serafin. Mit Ebe Stignani, Mario del Monaco, Giuseppe Modesti. Mitschnitt liegt vor.

Lucia di Lammermoor, Städtische Oper Berlin (29. September und 2. Oktober). Dirigent: Herbert von Karajan. Mit Giuseppe di Stefano/Giuseppe Zampieri, Rolando Panerai, Nicola Zaccaria. Mitschnitt der ersten Aufführung liegt vor.

I Puritani, Civic Opera House, Chicago (31. Oktober und 2. November). Dirigent: Nicola Rescigno. Mit Giuseppe di Stefano, Ettore Bastianini, Nicola Rossi-Lemeni.

Il Trovatore, Civic Opera House, Chicago (5-8. November). Dirigent: Nicola Rescigno. Mit Ebe Stignani/Claramae Turner/Jussi Björling, Ettore Bastianini/Robert Weede. (John Ardoin nährt die Hoffnung, daß ein Mitschnitt der Aufführung auftauchen könnte).

Madama Butterfly, Civic Opera House, Chicago (11-14-17. November). Dirigent: Nicola Rescigno. Mit Giuseppe di Stefano, Robert Weede.

Norma, Teatro alla Scala, Mailand (7-11-14-17-21-29. Dezember und 1-5-8. Januar 1956). Dirigent: Antonino Votto. Mit Giulietta Simionato/Elena Nicolai, Mario del Monaco, Nicola Zaccaria. Mitschnitt der *prima* erhalten.

1956

La Traviata, Teatro alla Scala, Mailand (19-23-26-29. Januar und 2-5-18-26. Februar, 9. März, 5-14-18-21-25-27-29. April und 6. Mai). Dirigent: Carlo Maria Giulini/Antonino Tonini. Mit Gianni Raimondi, Aldo Protti/Carlo Tagliabue/Anselmo Colzani. Aufführung vom 19. Januar liegt als Mitschnitt vor.

Il Barbiere di Siviglia, Teatro alla Scala, Mailand (16-21. Februar, 3-6-15. März). Dirigent: Carlo Maria Giulini. Mit Luigi Alva/Nicola Monti, Tito Gobbi, Nicola Rossi-Lemeni/Melchiorre Luise/Carlo Badioli. Mitschnitt der ersten Aufführung ist erhalten.

Lucia di Lammermoor, Teatro San Carlo, Neapel (22-24-27. März). Dirigent: Francesco Molinari-Pradelli. Mit Gianni Raimondi, Rolando Panerai, Antonio Zerbini. Mitschnitt vom 22. März liegt vor.

Fedora, Teatro alla Scala, Mailand (21-23-27-30. Mai und 1-3. Juni). Dirigent: Gianandrea Gavazzeni. Mit Silvana Zanolli, Franco Corelli, Anselmo Colzani, Paolo Montarsolo.

Lucia di Lammermoor, Staatsoper, Wien (12-14-16. Juni). Dirigent: Herbert von Karajan. Mit Giuseppe di Stefano, Rolando Panerai, Nicola Zaccaria.

Konzert, RAI, Mailand (27. September). Dirigent: Alfredo Simonetto. Mit Gianni Raimondi. Arien aus *La Vestale, Semiramide, Hamlet, I Puritani.* Mitschnitt der Aufnahmen, die am 8. Dezember zum erstenmal gesendet wurden, liegt vor.

Norma, Metropolitan Opera, New York (29. Oktober, 3-7-10-22. November). Dirigent: Fausto Cleva. Mit Fedora Barbieri, Mario del Monaco/Kurt Baum, Cesare Siepi/Nicola Moscona.

Tosca, Metropolitan Opera, New York (15-19. November). Dirigent: Dimitri Mitropoulos. Mit Giuseppe Campora, George London.

Tosca, konzertante Aufführung von Szenen aus Akt II für die Ed-Sullivan-Show (25. November). Dirigent: Dimitri Mitropoulos. Mit George London. Mitschnitt erhalten.

Norma, Academy of Music, Philadelphia (27. November). Dirigent: Fausto Cleva. Mit Fedora Barbieri, Kurt Baum, Nicola Moscona. Gastspiel des Met-Ensembles.

Lucia de Lammermoor, Metropolitan Opera, New York (3-8-14-19. Dezember). Dirigent: Fausto Cleva. Mit Giuseppe Campora/Richard Tucker, Enzo Sordello/Frank Valentino, Nicola Moscona. Mitschnitt der ersten Aufführung erhalten.

Konzert, Italienische Botschaft in Washington (17. Dezember). Theodore Schaefer, Klavier. Arien aus *Il Trovatore, Norma, La Traviata, Tosca, Lucia di Lammermoor.*

1957

Konzert, Civic Opera House, Chicago. Dirigent: Fausto Cleva. Arien aus *La Sonnambula, Dinorah, Turandot, Norma, Il Trovatore, Lucia di Lammermoor.*

Norma, Royal Opera House Covent Garden, London (2-6. Februar). Dirigent: John Pritchard. Mit Ebe Stignani, Giuseppe Vertecchi, Nicola Zaccaria, Marie Collier.

La Sonnambula, Teatro alla Scala, Mailand (2-7-10-12-17-20. März). Dirigent: Antonino Votto. Mit Eugenia Ratti, Nicola Monti/Mario Spina, Nicola Zaccaria, Fiorenza Cossotto.

Anna Bolena, Teatro alla Scala, Mailand (14-17-20-24-27-30. April und 5. Mai). Dirigent: Gianandrea Gavazzeni. Mit Giulietta Simionato, Gianni Raimondi, Nicola Rossi-Lemeni. Mitschnitt der Aufführung vom 17. März liegt vor.

Iphigénie en Tauride, Teatro alla Scala, Mailand (1-3-5-10. Juni). Dirigent: Nino Sanzogno. Mit Francesco Albanese, Anselmo Colzani, Fiorenza Cossotto. Mitschnitt der *prima* liegt vor.

Konzert, Tonhalle, Zürich (19. Juni). Dirigent: Rudolf Moralt. Arien aus *La Traviata, Lucia di Lammermoor.*

Lucia di Lammermoor, RAI, Rom (26. Juni). Dirigent: Tullio Serafin. Mit Eugenio Fernandi, Rolando Panerai, Giuseppe Modesti. Mitschnitt erhalten.

La Sonnambula, Opernhaus, Köln (4-6. Juli). Dirigent: Antonino Votto. Mit Nicola Monti, Nicola Zaccaria, Fiorenza Cossotto. Mitschnitt vom 4. Juli liegt vor.

Konzert, Herodes Atticus, Athen (5. August). Dirigent: Antonino Votto. Arien aus *Il Trovatore, La Forza del Destino, Hamlet, Tristan und Isolde, Lucia di Lammermoor*. Mitschnitt erhalten.

La Sonnambula, King's Theatre, Edinburgh (19-21-26-29. August). Dirigent: Antonino Votto. Mit Nicola Monti, Nicola Zaccaria, Fiorenza Cossotto. Aufführung vom 21. August liegt als Mitschnitt vor.

Konzert, State Fair Music Hall, Dallas (21. November). Dirigent: Nicola Rescigno. Arien aus *Die Entführung aus dem Serail, I Puritani, Macbeth, La Traviata, Anna Bolena*. Mitschnitt erhalten.

Un Ballo in Maschera, Teatro alla Scala, Mailand (7-10-16-19-22. Dezember). Dirigent: Gianandrea Gavazzeni. Mit Eugenia Ratti, Giulietta Simionato, Giuseppe di Stefano, Ettore Bastianini/Romano Roma. Mitschnitt der Prima liegt vor.

Konzert, RAI, Fernsehen, Rom (31. Dezember). »Casta Diva« aus *Norma.*

1958

Norma, Teatro dell' Opera, Rom (2. Januar). Dirigent: Gabriele Santini. Mit Miriam Pirazzini, Franco Corelli, Giulio Neri. Aufführung nach dem ersten Akt abgebrochen. Mitschnitt liegt vor.

Konzert, Civic Opera House, Chicago (22. Januar). Dirigent: Nicola Rescigno. Arien aus *Don Giovanni, Macbeth, Il Barbiere di Siviglia, Mefistofele, Hamlet, Nabucco.*

La Traviata, Metropolitan Opera, New York (6-10. Februar). Dirigent: Fausto Cleva. Mit Daniele Barioni/Giuseppe Campora, Mario Zanasi.

Lucia di Lammermoor, Metropolitan Opera, New York (13-20-25. Februar). Dirigent: Fausto Cleva. Mit Carlo Bergonzi/Eugenio Fernandi, Mario Sereni, Nicola Moscona/Norman Scott/Giorgio Tozzi.

Tosca, Metropolitan Opera, New York (28. Februar und 5. März). Dirigent: Dimitri Mitropoulos. Mit Richard Tucker, Walter Cassel/George London.

Konzert, Cinema Monumental, Madrid (24. März). Dirigent: Giuseppe Morelli. Arien aus *Norma, Il Trovatore, Mefistofele, Hamlet.*

La Traviata, Sao Carlo, Lissabon (27-30. März). Dirigent: Franco Ghione. Mit Alfredo Kraus, Mario Sereni. Mitschnitt liegt vor.

Anna Bolena, Teatro alla Scala, Mailand (9-13-16-19-23. April). Dirigent: Gianandrea Gavazzeni. Mit Giulietta Simionato, Gianni Raimondi, Cesare Siepi.

Il Pirata, Teatro alla Scala, Mailand (19-22-25-28-31. Mai). Dirigent: Antonino Votto. Mit Franco Corelli, Ettore Bastianini.

Konzert, Royal Opera House Covent Garden, London (10. Juni). Dirigent: John Pritchard. »Qui la voce« aus *I Puritani.*

Konzert, BBC Fernsehen, London (17. Juni). Dirigent: John Pritchard. Arien aus *Il Barbiere di Siviglia, Tosca.* Mitschnitt erhalten.

La Traviata, Royal Opera House Covent Garden, London (20-23-26-28-30. Juni). Dirigent: Nicola Rescigno. Mit Cesare Valletti, Mario Zanasi, Marie Collier. Erste Aufführung liegt als Mitschnitt vor.

Konzert, BBC Fernsehen, London (23. September). Dirigent: John Pritchard. Arien aus *Madama Butterfly, Norma.*

Konzerte, Tournee durch die USA und Kanada. Birmingham (11. Oktober), Atlanta (14. Oktober), Montreal (17. Oktober), Toronto (21. Oktober), Cleveland (15. November), Detroit (18. November), Washington (22. November), San Francisco (26. November), Los Angeles (29. November), St. Louis (11. Januar). Dirigent: Nicola Rescigno. Arien aus *La Vestale, Macbeth, Il Barbiere di Siviglia, Mefistofele, La Bohème, Hamlet.*

La Traviata, Civic Opera, Dallas (31. Oktober und 2. November). Dirigent: Nicola Rescigno. Nicola Filacuridi, Giuseppe Taddei.

Medea, Civic Opera, Dallas (6-8. November). Dirigent: Nicola Rescigno. Mit Jon Vickers, Elizabeth Carron, Teresa Berganza, Nicola Zaccaria. Mitschnitt erhalten.

Konzert, Opéra, Paris (19. Dezember). Dirigent: Georges Sebastian. Arien aus *Norma, Il Trovatore, Il Barbiere di Siviglia,* II. Akt *Tosca* mit Albert Lance und Tito Gobbi. Mitschnitt liegt vor.

1959

Konzert, Academy of Music, Philadelphia (24. Januar). Dirigent: Eugene Ormandy. Arien aus *Mefistofele, Il Barbiere di Siviglia, Hamlet.*

Il Pirata, Carnegie Hall, New York (27. Januar), Constitution Hall, Washington (29. Januar). Dirigent: Nicola Rescigno. Mit Pier Miranda Ferraro, Constantino Ego. Mitschnitt aus New York liegt vor.

Konzert, Teatro de la Zarzuela, Madrid (2. Mai). Dirigent: Nicola Rescigno. Arien aus *Don Giovanni, Macbeth, Semiramide, La Gioconda, Il Pirata.*

Konzert, Teatro Liceo, Barcelona (5. Mai). Dirigent: Nicola Rescigno. Arien aus *Don Carlo, Mefistofele, Il Barbiere di Siviglia, Tosca, La Bohème, Il Pirata.*

Konzerte, Deutschland-Tournee, Hamburg Musikhalle (15. Mai), Stuttgart Liederhalle (19. Mai), München Deutsches Museum (21. Mai), Wiesbaden Kursaal (24. Mai). Dirigent: Nicola Rescigno. Arien aus *La Vestale, Macbeth, Il Barbiere di Siviglia, Don Carlo, Il Pirata.* Mitschnitte aus Hamburg und Stuttgart liegen vor.

Medea, Royal Oper House Covent Garden, London (17-22-24-27-30. Juni). Dirigent: Nicola Rescigno. Mit Joan Carlyle, Fiorenza Cossotto, Jon Vikkers, Nicola Zaccaria. Mitschnitt vom 30. Juni liegt vor.

Konzerte, Amsterdam, Concertgebouw (11. Juli), Brüssel, Théatre de la Monnaie (14. Juli). Arien aus *La Vestale, Ernani, Don Carlo, Il Pirata.* Amsterdamer Konzert mitgeschnitten.

Konzert, Coliseo Albia, Bilbao (17. September). Dirigent: Nicola Rescigno. Arien aus *Don Carlo, Hamlet, Ernani, Il Pirata.*

Konzert, Royal Festival Hall, London (23. September). Dirigent: Nicola Rescigno. Arien aus *Don Carlo, Il Pirata, Hamlet, Macbeth.*

Konzert, BBC, Fernsehen, London (3. Oktober). Gala. Mit Tito Gobbi, José Iturbi. Dirigent: Malcolm Sargent. Arien aus *La Bohème, Mefistofele.*

Konzert, Titania Palast, Berlin (23. Oktober). Dirigent: Nicola Rescigno. Arien aus *Don Giovanni, Ernani, Don Carlo, Hamlet.*

Konzert, Loew's Midland Theatre, Kansas City (28. Oktober). Dirigent: Nicola Rescigno. Arien aus *Don Giovanni, Lucia di Lammermoor, Ernani, Il Pirata.*

Lucia di Lammermoor, Civic Opera, Dallas (6-8. November). Dirigent: Nicola Rescigno. Mit Gianni Raimondi, Ettore Bastianini, Nicola Zaccaria.

Medea, Civic Opera, Dallas (19-21. November). Dirigent: Nicola Rescigno. Katherine Williams, Jon Vickers, Nan Merriman, Ettore Bastianini, Nicola Zaccaria.

1960

Norma, Epidaurus (24-28. August). Dirigent: Tullio Serafin. Mit Mirto Picchi, Kiki Morfoniou. (Regie: Alexis Minotis).

Poliuto, Teatro alla Scala, Mailand (7-10-14-18-21. Dezember). Dirigent: Antonino Votto/Antonio Tonini. Mit Franco Corelli, Ettore Bastianini, Nicola Zaccaria, Piero de Palma. Mitschnitt liegt vor.

1961

Konzert, St. James's Palace, London (30. Mai). Malcolm Sargent, Klavier. Arien aus *Norma, Le Cid, Don Carlo, Mefistofele.*

Medea, Epidaurus (6-13. August). Dirigent: Nicola Rescigno. Mit Jon Vikkers, Giuseppe Modesti, Kiki Morfoniou.

1962

Konzert, Royal Festival Hall, London (27. Februar). Dirigent: Georges Prêtre. Arien aus *Don Carlo* (Eboli-Arie), *Le Cid, La Cenerentola, Anna Bolena, Macbeth, Oberon.*

Konzerte, Deutschland-Tournee, München, Deutsches Museum (12. März), Hamburg, Musikhalle (16. März), Essen, Saalbau (19. März), Bonn, Beethoven-Halle (23. März). Dirigent: Georges Prêtre. Arien aus *Don Carlo* (Eboli), *Le Cid, La Cenerentola, Carmen, Ernani.*

Konzert, Madison Square Garden, New York (19. Mai). Begleiter: Charles Wilson, Klavier. Gala zum 44. Geburtstag von John F. Kennedy. Arien aus *Carmen.* Mitschnitt liegt vor.

Medea, Teatro alla Scala, Mailand (23. Mai und 3. Juni). Dirigent: Thomas Schippers. Mit Jon Vickers, Giulietta Simionato, Nicolai Ghiaurow, Bruna Rizzoli.

Konzert, BBC Fernsehen, aus dem Royal Opera House Covent Garden, London (4. November). Dirigent: Georges Prêtre. Mit Giuseppe di Stefano, Mischa Elman, Geige. Arien aus *Don Carlo, Carmen.*

1963

Konzerte, Tournee, Deutsche Oper Berlin (17. Mai), Rheinhalle Düsseldorf (20. Mai), Liederhalle Stuttgart (23. Mai), Royal Festival Hall, London (31. Mai), Falkoner Center, Kopenhagen (9. Juni). Dirigent: Georges Prêtre. Arien aus *Semiramide, Norma, Nabucco, La Bohème, Madama Butterfly, Gianni Schicchi.* Mitschnitte aus einigen Konzerten liegen vor.

Konzert, Theatre des Champs-Elysées, Paris (5. Juni). Dirigent: Georges Prêtre. Arien aus *Semiramide, Werther, Manon, Nabucco, La Bohème, Madama Butterfly, Gianni Schicchi.* Mitschnitt liegt vor.

1964

Tosca, Royal Opera House Covent Garden, London (21-24-27-30. Januar und 1-5. Februar. 9. Februar: Akt II. für BBC Fernsehen). Dirigent: Carlo Felice Cillario. Mit Renato Cioni, Tito Gobbi. Mitschnitte aus verschiedenen Aufführungen liegen vor.

Norma, Opéra, Paris (22-25-31. Mai und 6-10-14-19-24. Juni). Dirigent: Georges Prêtre. Mit Fiorenza Cossotto, Charles Craig/Franco Corelli, Ivo Vinco.

1965

Tosca, Opéra, Paris (19-22-26. Februar und 1-3-5-8-10-13. März). Dirigenten: Georges Prêtre/Nicola Rescigno. Mit Renato Cioni und Tito Gobbi. Mitschnitte aus mehreren Aufführungen liegen vor.

Tosca, Metropolitan Opera, New York (19-25. März). Dirigent: Fausto Cleva. Mit Franco Corelli/Richard Tucker, Tito Gobbi.

Konzert, Fernsehen Paris (Mai). Dirigent: Georges Prêtre. Arien aus *Manon, La Sonnambula, Gianni Schicchi.* Duparcs »Invitation au voyage«.

Norma, Opéra, Paris (14-17-21-24-29. Mai. In der letzten Aufführung ohne Akt IV.). Dirigent: Georges Prêtre. Mit Giulietta Simionato/Fiorenza Cossotto, Gianfranco Cecchele, Ivo Vinco. Mitschnitte aus mehreren Aufführungen.

Tosca, Royal Opera House Covent Garden, London (5. Juni). Dirigent: Georges Prêtre. Mit Renato Cioni, Tito Gobbi. Mitschnitt erhalten.

1971

Meisterklassen in der Juilliard-School, New York (11. Oktober bis 18. November und 7. Februar bis 16. März 1972). Mitschnitte erhalten und veröffentlicht.

1973

Konzerte, Abschieds-Tournee mit Giuseppe di Stefano. Hamburg (25. Oktober), Berlin (29. Oktober), Düsseldorf (2. November), München (6. November), Frankfurt (9. November), Mannheim (12. November), London (26. November und 2. Dezember), Paris (8. Dezember), Amsterdam (11. Dezember).

1974

Konzerte, Mailand (20. Januar, privat), Stuttgart (23. Januar), Philadelphia (11. Februar), Toronto (21. Februar), Washington (24. Februar), Boston (27. Februar), Chicago (2. März), New York (5. März), Detroit (9. März), Dallas (12. März), Miami (21. März), Columbus (4. April), Brookville, N.Y. (9. April), New York (15. April), Cincinnati (18. April), Seattle (24. April), Portland, Ore. (27. April), Vancouver (1. Mai), Los Angeles (5. Mai), San Francisco (9. Mai), Montreal (13. Mai), Seoul (5-8. Oktober), Tokio (12-19. Oktober), Fukuoka (24. Oktober), Tokio (27. Oktober), Osaka (2. November), Hiroshima (7. November), Sapporo (11. November). Begleiter: Ivor Newton, Robert Sutherland, Vasso Devetzi. Arien und Duette aus *L'Elisir d'amore, Faust, Carmen, I Vespri Siciliani, Cavalleria Rusticana, La Forza del Destino, Don Carlo, Carmen, Gianni Schicchi, Manon Lescaut, Manon, Werther, La Gioconda, La Bohème, Tosca.*

Discographie

Zusammengestellt von Thomas Voigt

Die vorliegende Discographie erhebt keinen Anspruch auf Vollständigkeit; es ging nicht um eine lückenlose Auflistung sämtlicher Callas-Aufnahmen, die jemals erschienen sind, sondern um eine möglichst übersichtliche Zusammenstellung des aktuellen Angebots.

Manche Live-Aufnahmen der Callas liegen inzwischen in fünf oder sechs verschiedenen CD-Ausgaben vor; davon habe ich in erster Linie die Labels berücksichtigt, die im jpc-Katalog (jazz/pop/classic-Versand Osnabrück) aufgeführt sind. Bei den wenigen Mitschnitten, die im deutschsprachigen Raum z. Zt. nicht erhältlich sind (*), habe ich das LP-Label angegeben, auf dem sie zuletzt erschienen waren.

Die EMI-Gesamtaufnahmen sind auf CD und LP erhältlich; der Übersicht halber habe ich nur die Bestell-Nr. der CD angegeben. Bei den Solo-Platten für EMI wurden die LP- und CD-Kopplungen separat aufgeführt. Wegen der höheren Speicherkapazität der CD hat EMI an die Recitals noch »Zugaben« gehängt und damit etwas Verwirrung gestiftet; ich hoffe, daß aus der Discographie klar hervorgeht, welche Aufnahme auf welcher CD zu finden ist.

Was die Callas-Portraits der diversen Live-Labels betrifft, so ist eine vollständige Discographie nicht möglich; beinahe jede Woche erscheint eine neue Sammlung mit Arien und Szenen aus Aufführungen, die bereits komplett vorliegen. Darum habe ich nur solche Veröffentlichungen berücksichtigt, die ausschließlich oder größtenteils Ausschnitte aus den Konzerten der Callas enthalten. Da fast sämtliche LP-Ausgaben der Callas-Konzerte inzwischen nicht mehr im Handel sind, wäre es wenig sinnvoll gewesen, sie aufzulisten. Detaillierte Angaben verzeichnet John Ardoin, Das Vermächtnis der Callas, München 1981 (2. Aufl.).

Mai 1990

A) KOMPLETTE OPERN UND GRÖSSERE SZENEN

Bellini, *Norma*

- Simionato, Baum, Moscona; Picco
  Mexico City 1950; Melodram 26018 (2 CD)
- Stignani, Pichi, Vaghi, Sutherland; Gui
  London 1952; Melodram 26025 (2 CD);
  Verona 27018 (3 CD), Legato 130 (2 CD)

- Nicolai, Corelli, Christoff; Votto
  Triest 1953; LER (Sz.)*
- Stignani, Filippeschi, Rossi-Lemeni; Serafin
  EMI 1954; 7 47304 8 (3 CD)
- Stignani, Monaco, Modesti; Serafin
  RAI Rom 1955; Cetra CDC 4 (3 CD + Sz. *Puritani, Sonnambula, Pirata*)
  Hunt 34029 (2 CD), Virtuoso 2699062 (2 CD)
- Simionato, Monaco, Zaccaria; Votto
  Scala 1955; Hunt 517 (3 CD + Sz. *Sonnambula*)
- Pirazzini, Corelli, Neri; Santini
  Rom 1958 (»The Rome Walkout«, nur 1. Akt);
  Voce 8 (LP), Melodram 16000 (CD)
- Ludwig, Corelli, Zaccaria; Serafin
  EMI 1960; 7 63000 2 (3 CD)
- Cossotto, Cecchele, Vinco; Prêtre
  Paris 1965; Legendary 1009 (Sz., CD)

Il Pirata (Imogene)
  Ego, Ferraro; Rescigno
  N. Y. Carnegie Hall 1959;
  Melodram 26013 (2 CD + Sz. *Norma*)

I Puritani (Elvira)
- Stefano, Campolonghi, Silva; Picco
  Mexico City 1952; Melodram 26027 (2 CD)
- Stefano, Panerai, Rossi-Lemeni; Serafin
  EMI 1953; 7 47308 8 (2 CD)

La Sonnambula (Amina)
- Valetti, Modesti, Carturan, Ratti; Bernstein
  Scala 1955; Myto 89006 (2 CD)
- Monti, Zaccaria, Cossotto, Ratti; Votto
  EMI 1957; 7 47378 8 (2 CD)
- Monti, Zaccaria, Cossotto, Angioletti; Votto
  Scala in Köln 1957; Melodram 26003 (2 CD),
  Virtuoso 2697252 (2 CD); Verona 27904 (2 CD)
- Monti, Zaccaria, Cossotto, Martelli; Votto
  Scala in Edinburgh 1957; LER*

Bizet, *Carmen*
  Gedda, Guiot, Massard; Prêtre
  EMI 1964; 7 47313 8 (3 CD)

Cherubini, *Medea*
- Guichandut, Barbieri, Tucci, Petri; Gui
  Florenz 1953; Hunt 516 (2 CD)
- Penno, Barbieri, Nache, Modesti; Bernstein
  Scala 1953; Melodram 26022 (2 CD)
- Picchi, Pirazzini, Scotto, Modesti; Serafin
  Ricordi 1957; DOCL 201 (2 CD)
- Vickers, Cossotto, Carlyle, Zaccaria; Rescigno
  London 1959; Melodram 26005 (2 CD)
- Vickers, Berganza, Carron, Zaccaria; Rescigno
  Dallas 1958; Melodram 26016 (2 CD + Callas probt *Puritani* und *Traviata*)
- Vickers, Simionato, Tosini, Ghiaurov; Schippers
  Scala 1961; Hunt 34028 (2 CD)

Donizetti, *Anna Bolena*
  Simionato, Raimondi, Rossi-Lemeni; Gavazzeni
  Scala 1957; Melodram 26110 (2 CD), Hunt 518 (2 CD)

Lucia di Lammermoor
- Stefano, Campolonghi, Silva; Picco
  Mexico City 1952; HRE*
- Stefano, Gobbi, Arie; Serafin
  EMI 1953; 7 69980 2 (2 CD)
- Stefano, Panerai, Zaccaria; Karajan
  Berlin 1955; Rodolphe 2325 (CD mit doppelter Spieldauer) Virtuoso 2697232 (2 CD),
  Verona 27009 (2 CD)
- Campora, Sordello, Moscona; Cleva
  Met 1956; OPR*, Cetra (Sz.)*
- Fernandi, Panerai, Modesti; Serafin
  RAI Rom 1957; Melodram 26014 (2 CD),
  Hunt 34022 (2 CD)
- Tagliavini, Cappuccilli, Ladysz; Serafin
  EMI 1959; 7 47440 8 (2 CD)

Poliuto (Paolina)
  Corelli, Bastianini, Zaccaria; Votto
  Scala 1960; Melodram 26006 (2 CD + Sz. *Lucia*)

Giordano, *Andrea Chenier* (Maddalena)
  Monaco, Protti; Votto
  Scala 1955; Melodram 26002 (2 CD)

Gluck, *Alceste*
Gavarini, Silveri, Panerai, Zaccaria; Giulini
Scala 1954; Melodram 26026 (2 CD + Sz. *Iphigenie, Armida, Semiramide, Barbiere*)
Iphigénie en Tauride
Cossotto, Albanese, Colzani, Dondi; Sonzogno
Scala 1957 (ital. ges); Melodram 26014
(2 CD)

Leoncavallo, *I Pagliacci* (Nedda)
Stefano, Gobbi, Panerai, Monti; Serafin
EMI 1954; 7 47981 8 (3 CD + *Cavalleria*)

Mascagni, *Cavalleria Rusticana* (Santuzza)
Stefano, Panerai; Serafin
EMI 1953; 7 47981 8 (3 CD + *I Pagliacci*)

Ponchielli, *La Gioconda*
- Barbieri, Amadini, Poggi, Silveri, Neri; Votto
  Cetra 1952; TRV 3 (3 CD), CDC 9 (3 CD)
- Cossotto, Companeez, Ferraro, Cappuccilli, Vinco; Votto
  EMI 1959; 7 49518 2 (3 CD)

Puccini, *La Bohème* (Mimi)
Stefano, Moffo, Panerai, Zaccaria; Votto
EMI 1956; 7 47475 8 (2 CD)
Madama Butterfly
Gedda, Boriello, Danieli; Karajan
EMI 1955; 7 47959 8 (2 CD)
Manon Lescaut
Stefano, Fioravanti, Calabrese; Serafin
EMI 1957; 7 47393 8 (2 CD)
Tosca
- Filippeschi, Weede; Mugnai
  Mexico City 1950; HRE*
- Poggi, Silveri; Votto
  Rio de Janeiro 1951 (Sz.); Voce 34
  (3 LP + Sz. Callas-Konzerte 1959/63)
- Stefano, Campolonghi; Picco
  Mexico City 1952; Melodram 26028 (2 CD)
- Stefano, Gobbi; Sabata
  EMI 1953; 7 47175 8 (2 CD)

- G. London; Mitropoulos
  N.Y. 1956 (Sz. 2. Akt); Melodram 26011 (2 CD + *Tosca*, London 1964)
- Lance, Gobbi; Sebastian
  Paris 1958 (2. Akt); Laudis 16010 (CD + Sz. *Norma, Trovatore, Barbiere*)
- Cioni, Gobbi; Cillario
  London 1964; Melodram 26011 (2 CD + Sz. *Tosca*, N.Y. 1956), Virtuoso 2697242 (2 CD), Verona 27027 (2 CD)
- Bergonzi, Gobbi; Prêtre
  EMI 1964; 7 69974 2 (2 CD)
- Cioni, Gobbi; Rescigno
  Paris 1965; Melodram 480 (2 LP)
- Corelli, Gobbi; Cleva
  Met 1965; Melodram 26030 (2 CD)

Turandot
  Schwarzkopf, Fernandi, Zaccaria; Serafin
  EMI 1957; 7 47971 8 (2 CD)

Rossini, *Armida*
  Albanese, Filippeschi, Ziliani, Raimondi; Serafin
  Florenz 1952; Melodram 26024 (2 CD + Sz. *Semiramide, Cenerentola*)

Il Barbiere di Siviglia (Rosina)
- Gobbi, Alva, Rossi-Lemeni, Luise; Giulini
  Scala 1956; Melodram 26020 (2 CD)
- Gobbi, Alva, Zaccaria, Ollendorff; Galliera
  EMI 1957; 7 47634 8 (2 CD)

Un Turco in Italia (Fiorilla)
  Rossi-Lemeni, Gedda, Calabrese, Stabile; Gavazzeni
  EMI 1954; 7 49057 8 (2 CD)

Spontini, *La Vestale*
  Corelli, Sordello, Rossi-Lemeni, Stignani; Votto
  Scala 1954; Melodram 26008 (2 CD); GOP 54 (2 CD)

Verdi, *Aida*
- Simionato, Baum, Weede; Picco
  Mexico City 1950; Melodram 26009 (2 CD)
- Dominguez, Monaco, Taddei; Fabritiis
  Mexico City 1951; Melodram 26015 (2 CD), Virtuoso 2699222 (2 CD); Legato SRO 508 (2 CD)

– Barbieri, Tucker, Gobbi; Serafin
EMI 1955; 7 49030 8 (3 CD)

Un Ballo in Maschera (Amelia)
– Stefano, Gobbi, Barbieri, Ratti; Votto
EMI 1956; 7 47498 8 (2 CD)
– Stefano, Bastianini, Simionato, Ratti; Gavazzeni
Scala 1957; Hunt 519 (2 CD), Virtuoso 2697412 (2 CD)

La Forza del Destino (Leonora)
Tucker, Tagliabue, Nicolai, Rossi-Lemeni; Serafin
EMI 1954; 7 47581 8 (3 CD)

Macbeth (Lady Macbeth)
Mascherini, Penno, Tajo; Sabata
Scala 1952; Nuova Era 2209 (2 CD), Hunt 34027 (2 CD), Movimento Musica 051022 (2 CD), Legandary 1003 (2 CD)**

Nabucco (Abigaille)
Becchi, Sinimberghi, Neroni; Gui
Neapel 1949; Melodram 26029 (2 CD), Legendary 1005 (2 CD)**

Rigoletto (Gilda)
– Campolonghi, Stefano, Ruffino; Mugnai
Mexico City 1952; Melodram 26023 (2 CD), Legendary 1006 (2 CD)**
– Gobbi, Stefano, Zaccaria; Serafin
EMI 1955; 7 47469 8 (2 CD)

La Traviata
– Valetti, Taddei; Fabritiis
Mexico City 1951; HRE*
– Stefano, Campolonghi; Mugnai
Mexico City 1952; Melodram 26021 (2 CD + Sz. *Lucia*), Rodolphe 3243 132 (2 CD + Recital G. di Stefano)
– Albanese, Savarese; Santini
Cetra 1953; CDC 2 (2 CD)
– Stefano, Bastianini; Giulini
Scala 1955; Hunt 501 (2 CD), Myto 89003 (2 CD),
– Raimondi, Bastianini; Giulini
Scala 1956; Hunt 89003 (2 CD + Callas singt Verdi)
– Kraus, Sereni; Ghione
Lissabon 1958; EMI 7 49187 8 (2 CD)

– Valetti, Zanasi; Rescigno
London 1958; Melodram 26007 (2 CD),
Virtuoso 2697292 (2 CD); Verona 27054 (2 CD)

Il Trovatore (Leonora)
– Baum, Simionato, Warren; Picco
Mexiko City 1950; HRE*
– Lauri-Volpi, Elmo, Silveri; Serafin
Neapel 1951; Melodram 26001 (2 CD)
– Penno, Stignani, Tagliabue; Votto
Scala 1953; Legendary 1007 (2 CD)**,
Myto .... (2 CD)
– Stefano, Barbieri, Panerai; Karajan
EMI 1956; 7 49057 8 (2 CD)

I Vespri Siciliani (Elena)
Kokolios, Mascherini, Christoff; Kleiber
Florenz 1951; Melodram 36020 (3 CD),
Legendary 1008 (3 CD)**

Wagner, *Parsifal* (Kundry)
Baldelli, Christoff, Panerai, Modesti, Pagliughi; Gui
RAI Rom 1950 (ital. ges.); Melodram 36041 (3 CD)

B) EMI-RECITALS 1954–69

LP-Ausgabe:

1. **Puccini-Recital**
Manon Lescaut, Bohème, Butterfly, Suor Angelica, Gianni Schicchi, Turandot; Serafin (1954)
2. **Lyrische und Koloratur-Arien**
Adriana Lecouvreur, Andrea Chenier, Wally, Mefistofele, Barbiere, Dinorah, Lakmé, Vespri; Serafin (1955)
3. **Bellini, Cherubini, Spontini**
Sonnambula, Medea, Vestale (Serafin, 1955),
Pirata (Rescigno, 1958/61)
4. **Wahnsinnsszenen**
Anna Bolena, Hamlet, Il Pirata (Rescigno, 1958)
5. **Verdi-Arien Vol. 1**
Macbeth, Nabucco, Don Carlo (Rescigno, 1958)
6. **Französische Arien Vol. 1**
Orfeo, Alceste, Carmen, Samson ed Dalila, Romeo ed Juliette, Manon, Le Cid, Louise (Prêtre, 1961)

7. **Französische Arien Vol. 2**
   Iphigénie en Tauride, Le Damnation de Faust, Les Pêcheurs de Perles, Manon, Werther, Faust (Prêtre, 1963)
8. **Verdi-Arien Vol. 2**
   Otello, Aroldo, Don Carlo (Eboli und Elisabetta)
   (Rescigno, 1963/64)
9. **Beethoven, Weber, Mozart**
   Ah Perfido, Oberon, Don Giovanni (Donna Anna und Donna Elvira), *Figaro* (1963, Rescigno)
10. **Rossini, Donizetti**
    Cenerentola, Guglielmo Tell, Semiramide, La Figlia Del Reggimento, L'Elisir D'Amore, Lucrezia Borgia
    (Rescigno, 1963/64)
11. **Bellini und Verdi**
    Pirata, Attila, Vespri, I Lombardi, Corsaro, Trovatore, Ballo, Aida (Tonnini/Rescigno, 1964/69)
    EMI 16 55417 8 (11 LP, auch einzeln erhältlich)

CD-Ausgabe:

1. **Puccini-Recital 1954 +** *Sonnambula* 1955
   EMI 7 47966 2
2. **Recital 1955 +** *Medea, Vestale* 1955
   EMI 7 47282 2
3. **Wahnsinnsszenen 1958 +** Donizetti-Titel 1964
   EMI 7 47283
4. **Verdi-Arien 1: Recital 1958 +** *Aida, Ballo, Lombardi* und *Vespri* 1964
   EMI 7 47730 2
5. **Verdi-Arien 2: Recital 1963/64 +** *Corsaro* 1969, *Attila, Trovatore* und *Ballo* 1964
   EMI 7 47943 2
6. **Callas à Paris: Franz. Arien Vol. 1 und 2,**
   bis auf *Faust* und *Werther*.
   EMI 7 49059 2
7. **Mozart, Weber, Rossini** (1963)
   + *Werther, Faust* 1963
   EMI 7 49005 2 (CD)

Maria Callas – Die Stimme des Jahrhunderts
Ah Perfido (1964/64) + div. Ausz. aus den Recitals
EMI CZS 25 2164 2 (3 CD)

Maria Callas at Julliard Masterclasses
Ausschnitte aus Meisterklassen 1971/72 + Callas-Aufnahmen von 1953–63 (u.a. »Non mi dir« 1953)
EMI 7 49600 2 (3 CD)

C) LIVE-RECITALS U.A.

Maria Callas – Unbekannte Aufnahmen
Ausschnitte aus Konzerten; *Tristan* (ital., Athen 1957), *Don Carlo, Pirata* (Amsterdam 1959), *Cenerentola, Tell, Semiramide* (1960–62) + EMI-Aufnahmen von 1969; *Lombardi, Vespri, Attila*
EMI 7 49428 2 (CD)

Cetra-Aufnahmen 1949/RAI-Konzerte 1952–56
Norma, Puritani, Tristan (ital., Cetra 1949), *Macbeth, Lucia, Nabucco, Lakmé* (RAI Rom 1952), *Entführung, Louise, Armida, Dinorah* (RAI San Remo 1954), *Vestale, Semiramide, Hamlet* (RAI Mailand 1956)
Cetra CDC 5 (»Arie Celebri«, 2 CD),
Verona 27067 (2 CD), Rodolphe (4 CD + div. Ausz. aus Live-Aufnahmen)

Maria Callas in Amsterdam
Don Carlo, Pirata, u.a.; Rescigno
Amsterdam 1959; Verona 27069 (CD)

Maria Callas – Dallas Rehearsal
Traviata, Puritani, Macbeth, Bolena, Entführung; Rescigno
Dallas 1957; Legato 131 (CD)

Maria Callas in Hamburg
Vestale, Macbeth, Barbiere, Don Carlo (Elisabetta), *Pirata* (Rescigno, 1959); *Le Cid, Carmen, Ernani, Don Carlo* (Eboli) (Prêtre, 1963)
Hunt 34010 (CD), Movimento Musica 51023 (CD)

Maria Callas in Paris
Norma, Trovatore, Barbiere, Tosca (2. Akt); Lance, Gobbi; Sebastian
Paris 1958; Laudis 16010 (CD), Frequenz CNM 1 (CD),
Suite 16010 (CD)

Maria Callas in Paris und Amsterdam
Semiramide, Cenerentola, Manon, Werther, Nabucco, Bohème (Musetta), *Butterfly, Gianni Schicchi*
(Prêtre, Paris 1963); *Don Carlo, Pirata* (Rescigno, Amsterdam 1959)
Melodram 16502 (CD)

Maria Callas – Un Mito, una Carriera
Proch, Variationen für Sopran, Flöte und Orchester + Div. Ausz. aus Live-Aufnahmen
Foyer 1007 (3 LP)

Maria Callas/Benjamino Gigli
Africaine, Dinorah, Entführung, Werther, Cid, Louise, Arlesiana, Armida; Simonetto
RAI-Konzert San Remo 1954; Suite 15006 (CD)

Maria Callas/Giuseppe di Stefano
Don Carlo, Gioconda, Bohème, Carmen, Werther, Cavalleria, L'Elisir, Gianni Schicchi, Lieder
LA 1974; Legato 137 (CD)

* z. Zt. nicht im deutschen Handel
** Direkt zu bestellen bei: Legendary Recordings, P.O. Box 562, East Northport, N.Y. 11731

Bibliographie

ANMERKUNGEN ZUR LITERATUR ÜBER MARIA CALLAS

»Soll ich dir die Gegend zeigen/mußt du erst das Dach besteigen«, heißt es in Goethes »Diwan«-Gedichten. Abzuleiten wäre daraus, daß sich die Biographie einer Künstlerin aus zu großer Nähe nicht – oder nur mit großen Schwierigkeiten – schreiben läßt. Um so bewunderungswürdiger das Buch, das George Jellinek schon 1960 geschrieben hat: *Callas: Portrait of a Prima Donna*. Es ist das Buch eines Bewunderers, der dennoch Distanz wahrt zum Objekt seiner Bewunderung und seiner Liebe. Vor allem strandet der Autor nicht in den Untiefen des damals üppig blühenden Klatsches, sondern er schreibt über die Künstlerin mit dem kalten Feuer der kontrollierten Empfindung – die Biographie, 1978 wiederaufgelegt, bleibt eines der wenigen Standard-Bücher über die Sängerin. Das gleiche gilt für die 1978 veröffentlichte sachliche, lapidare und kritische Biographie von Pierre-Jean Rémy, der sich vor allem bemüht, die Dornenhecke aus Anekdoten, Gerüchten und Skandalgeschichten zu durchdringen. Allerdings bleiben die Urteile über die Gesangskunst der Callas pauschal, und sie werden auch nicht durch eine Analyse ihrer Aufnahmen verifiziert. Diese Arbeit hat, in einzigartiger Form, John Ardoin geleistet, der 1982 mit *The Callas Legacy* demonstrierte, wie das Medium der Schallplatte – dem der musikalische Künstler seine zweite Existenz verdankt – ernst genommen werden kann. Ardoin, auch er ein glühender Bewunderer und überdies ein Freund der Sängerin, verliert vor allem nie die kritische Distanz. Die Grundlage für diese Studie hatte er 1974 gemeinsam mit Gerald Fitzgerald gelegt – mit einer Biographie, die mit einem exzellenten, historisch weit ausgreifenden Essay beginnt, der die Stellung der Sängerin in der Tradition erläutert und ihre individuelle Leistung prägnant zusammenfaßt. Der zweite Teil ist eine Bild- und Interview-Dokumentation über die wichtigsten Callas-Aufführungen (vor allem die Mailänder) mit vorzüglichen Photos und Kommentaren der Dirigenten, Regisseure und Kollegen, die mit Callas gearbeitet haben. Ähnlich angelegt ist das optisch reizvolle Buch von Henry Wisneski aus dem Jahr 1975, dessen Text freilich nicht an den von Ardoin herankommt. Noch reicher ist die 1979 in Paris veröffentlichte Bild-Biographie von Sergio Segalini: *Callas: Les images d'une Voix*. Von bedeutendem dokumentarischem Wert sind die Sammlungen von David A. Lowe *(Callas – As they saw her)* und von Martin Monestier *(Le livre du souvenir)*. Lowes Buch ist eine umfassende Sammlung von kritischen Stimmen und Essays über Maria Callas.

Ambivalent die Biographie von Arianna Stassinopoulos, welche The Art behind the Legend zu verdeutlichen verspricht, sich dabei ausschließlich auf die Urteile von Jellinek, Rémy, Ardoin und zahlreicher bedeutender Kritiker stützt – und viele dieser Urteile wirken nur wie ein rechtfertigender Nachtrag zu den Episoden der minuziös recherchierten privaten Biographie – und auf deren Verfasserin trifft das von Helmut Schmidt geprägte Wort von den »Indiskretins«. Man liest das Buch mit einer Mischung aus Faszination und Ekel. Über die Enthüllungs- und Rechtfertigungsbücher von Evangelia Callas, Jackie Callas, Giovanni Battista Meneghini und Nadia Stancioff läßt sich kaum mehr sagen, als daß die Lektüre mit Schmerzensgeld belohnt werden müßte.

BÜCHER ÜBER MARIA CALLAS

Ardoin, John: *The Callas Legacy.* New York, 1982.
Ardoin, John & Fitzgerald, Gerald: *Callas.* New York, 1974.
Callas, Evangelia: *My Daughter, Maria Callas.* New York, 1960.
Callas, Jackie: *Sisters.* London, 1989.
Ardoin, John: *Callas at Juilliard. The Master Classes.* London 1988.
Galatopoulos, Stelios: *Callas: La Divina.* London, 1966.
Jellinek, George: *Callas: Portrait of a Prima Donna.* New York 1960. 2. Auflage 1978.
Linakis, Steven: *Diva: The Life and Death of Maria Callas.*
Lorcey, Jacques: *Maria Callas: D'Art et d'amour.* Paris, 1983.
Lowe, David A.: *Callas – As they saw her.* New York, 1986. (Enthält u.a. »Callas's Career in Reviews«, die von »Oggi« veröffentlichten Callas-Memoiren, Essays von André Tubeuf, Sergio Segalini, die vielzitierte Callas-Debatte der RAI mit Fedele d'Amico, Rodolfo Celletti, Eugenio Gara, Giorgio Gualerzi, Luchino Visconti und Gianandrea Gavazzeni und eine umfassende Diskographie.)
Meneghini, Giovanni Battista: *My Wife Maria Callas.* New York, 1982.
Monestier, Martin: *Maria Callas – le livre du souvenir.* Paris, 1985.
Rémy, Pierre-Jean: *Maria Callas – A Tribute.* New York, 1978.
Stassinopoulos, Arianna: *Maria Callas: The Woman Behind the Legend.* New York, 1981.
Stancioff, Nadia: *Callas. Biographie einer Diva.* Zürich, 1987.
Wisneski, Henry: *Maria Callas: The Art behind the Legend.* New York, 1975.

AUSGEWÄHLTE ESSAYS UND AUFSÄTZE ÜBER MARIA CALLAS

(Aufgeführt sind nur größere Aufsätze, die für die Biographie und die kritische Bewertung von Bedeutung sind und, meist zitiert, in die Darstellung eingewandert sind. Unmöglich, die vielen Hundert Rezensionen zu erwähnen, die ich während des Schreibens gelesen-konsultiert-akzeptiert-verworfen habe. Es handelt sich überwiegend um Beiträge folgender Fachzeitschriften: *The Grammophone*, London. *Music and Musicians*, London. *HifiStereofonie*, Karlsruhe. *FonoForum*, Bielefeld, später München. *Opernwelt*, Hannover. *Opera News*, New York. *High Fidelity*, New York.)

»Callas Remembered«. In: *Opera*, 11/1977. Mit Erinnerungen, Widmungen und Kommentaren von Tito Gobbi, Carlo Maria Giulini, Lord Harewood, Rolf Liebermann, Sir John Tooley, Margarita Wallmann und einem Leser.

»Maria Callas – The Prima Donna«. In: *Time*, 44/1956.

»Maria Callas – Die Primadonna«. In: *Der Spiegel*. 13. 2. 1957.

Bachmann, Ingeborg: »Hommage à Maria Callas«. *Die Wahrheit ist den Menschen zumutbar*. Essay, Reden, Kleinere Schriften. Serie Piper, Band 218.

Ardoin, John: »The Kelly Years«. In: *Opera News*, 11/1974.

Ardoin, John: »The Callas Legacy Updated«. In: *Opera News*, August 1978.

Barnes, Clive: »Callas – The Unique«. In: *Music and Musicians*. 1/1964.

Cassidy, Claudia: »Splendor in the Night – Callas Remembered«. In: *Opera News*, 11/1977.

Celli, Teodore: »A Song from Another Century«. In: *Opera Annual*, London, 1959.

Christiansen, Rupert: »Callas. A polemic«. In: *Opera*.

Crutchfield, Will: »Martini & Rossi's Vintage Voices.« In: *High Fidelity*, 4/1984.

Culshaw, John: »Callas – A personal Footnote«. In: *High Fidelity*.

Du-Pond, Carlos Diaz: »Callas in Mexico.« In: *Opera*, 3/1973.

Hamilton, David: »The Recordings of Maria Callas.« In: *High Fidelity*, 3/1974.

ders, »Who speaks for Callas?«. – In: *High Fidelity*, 1/1979.

Harewood, Earl of: »The Art of Maria Callas«. In: *Recorded Sound*. 10/1979.

Heinsen, Gerd: »Aufgelegt. Maria Callas auf CD – Erbe und Distanz.« In: *Orpheus*, 10/1987.

Legge, Walter: »La Divina – Callas Remembered«. In: *Opera News*, 11/1977.
Leibowitz, René: »Le Secret de la Callas.« In: *Les Temps Modernes*. Hg. von Jean-Paul Sartre. 15. Jahrgang, Nr. 161. 1958/59.
London, George: »The Prima Donnas I have Sung Against«. In: *Opera Annual*, 1959.
Luten, C. J.: »Callas on Compact Disc.« In: *Opera News*, 8/1988.
Schonberg, Harold C.: »Callas at the Met«. In: *Show*, 5/1965.
Scott, Michael: »A Connoisseur's Callas«. In: *Opera News*, 9/1987.
Schröter, Werner: »Der Herztod der Primadonna.« In: *Der Spiegel*, 40/1977.
Voigt, Thomas: »Demonstrationen konkurrenzloser Vielseitigkeit – Compact-Disc-Ausgaben zum 10. Todestag von Maria Callas.« *In: Fono Forum*, 9/87.
Weinstock, Herbert: »Maria, Renata, Zinka ... and Leonora.« In: *The Saturday Review*, 13. April 1957.
Winterhoff, Hans-Jürgen: »Maria Callas – Die wichtigsten Einspielungen.« In: *FonoForum*, ab 1/1979.

ALLGEMEINE LITERATUR

Adorno, Theodor W.: »Die Oper überwintert auf der Langspielplatte.« in: *Der Spiegel*, 24. März 1969.
ders.: *Minima Moralia. Reflexionen aus dem beschädigten Leben*. Frankfurt, 1964.
ders.: *Musikalische Schriften*. In: *Gesammelte Schriften*, Bd. 16 und 17. Frankfurt, 1978 und 1982.
Barthes, Roland: *Mythen des Alltags*. Ed. Suhrkamp, Bd. 82. Frankfurt a. M., 1964.
Benjamin, Walter: »Das Kunstwerk im Zeitalter seiner technischen Reproduzierbarkeit.« In: *Illuminationen*. Frankfurt, 1961.
Bing, Rudolf: *5000 Nächte in der Oper*. München, 1975.
Blaukopf, Kurt: *Musik im Wandel der Gesellschaft*. dtv 10352. München, 1984.
Bloch, Ernst: *Zur Philosophie der Musik*. Frankfurt, 1974.
Bonynge, Richard: »Bonynge on Bel Canto.« In: *Opera News*. 28. 2. 1976.
Bovenschen, Silvia: *Die imaginierte Weiblichkeit. Exemplarische Untersuchungen zu kulturgeschichtlichen und literarischen Präsentationsformen des Weiblichen*. Ed. Suhrkamp. Frankfurt a. M., 1979.
Budden, Julian: *The Operas of Verdi*. 3 Bände. London 1973, 1979, 1981.

Burney, Charles: *Musical Tours in Europe*. London, 1973.
Carner, Mosco: *Puccini*. A Critical Biography. London, 1976.
Celletti, Rodolfo: *Le Grandi Voci*. Dizinario Critico-Biografico dei Cantanti. Rom, 1964.
ders., *Geschichte des Belcanto*. Kassel–Basel, 1989.
Clément, Cathérine: *Opera, or the Undoing of Women*. Minneapolis, 1988.
Crutchfield, Will: »Authenticity in Verdi: the Recorded Legacy«. In: *Opera*, 8/1985.
Dahlhaus, Carl: *Musikalischer Realismus. Zur Musikgeschichte des 19. Jahrhunderts*. München, 1982.
Drake, James A.: *Richard Tucker*. New York, 1984.
Einstein, Alfred: *Größe in der Musik*. dtv.
Enzensberger, Hans Magnus: *Einzelheiten I. Bewußtseins-Industrie*. Ed. Suhrkamp. Frankfurt a. M., 1971.
ders.: *Mittelmaß und Wahn*. Frankfurt, 1988.
Gehlen, Arnold: *Die Seele im technischen Zeitalter*. rde 780. Hamburg, 1957.
Gobbi, Tito: *My Life*. New York, 1980.
Gollancz, Victor: *Journey Towards Music. A Memoir*. New York, 1965.
Grove, George: *Dictionary of Music and Musicians*. Ed. Stanley Sadie.
Habermann, Günter: *Stimme und Sprache. Eine Einführung in ihre Funktion und Hygiene*. München dtv, 1978.
Henderson, William James: *The Art of Singing*. New York, 1938.
Horowitz, Joseph: *Understanding Toscanini*. New York, 1987.
Kaiser, Joachim: *Erlebte Musik*. Hamburg, 1977.
Kesting, Jürgen: *Die großen Sänger*. 3 Bände. Düsseldorf, 1986.
Kolodin, Irving: *The Story of the Metropolitan Opera*. New York, 1966.
ders.: *The Opera Omnibus*. New York, 1976.
Lamperti, Giovanni Battista: *Vocal Wisdom*. New York, 1957.
Lauri-Volpi, Giacomo: *Voci Parallele*. Bologna, 1977.
Martienssen-Lohman, Franziska: *Der Wissende Sänger. Ein Gesangslexikon in Skizzen*. Zürich/Freiburg, 1956.
Martinelli, Giovanni: »Singing Verdi«. In *Recorded Sound*, Sommerheft 1962.
Mayer, Hans: *Außenseiter*. Frankfurt a. M., 1975.
Mordden, Ethan: *Demented. The World of the Opera Diva*. New York/Toronto, 1984.
Opera on Record: Hg. von Alan Blyth. Londen, 1979, 1983, 1984.
Pleasants, Henry: *The Great Singers*. New York, 2. und revidierte Aufl., 1981.

Praz, Mario: *Liebe, Tod und Teufel. Die schwarze Romantik.* dtv 4375. München, 3. Aufl. 1988.
Pugliese, Giuseppe: »Verdi and Toscanini.« In: *Opera*, 7/8, 1976.
Rasponi, Lanfranco: *The Last Prima Donnas*. New York, 1982.
Rosenberg, Wolf: *Die Krise der Gesangskunst*. Karlsruhe, 1968.
Sachs, Harvey: *Arturo Toscanini*. Phil./New York, 1978.
Sontag, Susan: *Kunst und Antikunst*, Fischer TB 6484. Frankfurt, 1982.
Schreiber, Ulrich: *Opernführer für Fortgeschrittene*. Kassel, 1988.
Steane, John: *The Grand Tradition Seventy Years of Singing on Record*. London, 1974.
Stendhal: *Life of Rossini*. London, 1970.
Verdi, Giuseppe: *Letters*. London, 1971.
Wagner, Richard: *Dichtungen und Schriften*. Insel. Frankfurt, 1983.
ders.: *Briefe*. Ausgewählt, eingeleitet und kommentiert von Hanjo Kesting. München, 1983.
Weaver, William: »Tullio Serafin«. In: *Opera*, 4/1968.

Erläuterungen gesangstechnischer Begriffe

Abbellimenti — Verschönerung, Verzierung.

Acciaccatura — Ein der Appoggiatur verwandtes Ornament, eine kurze, auf dem Takteinsatz gesungene Note, welche der Zielnote vorausgeht und diese harmonisch schärft.

Agilità — Geläufigkeit, Beweglichkeit für den verzierten Gesang oder Canto di bravura.

Acuto — Spitzenton.

In alto — In der Höhe, meist bezogen auf das zweigestrichene C des Tenors oder das identisch notierte dreigestrichene C des Soprans, vor allem aber für die um eine Terz oder Quart darüber liegenden Töne. In altissimo: das viergestrichene C.

Appoggiatur — Vorschlag von einem – oder auch mehreren Tönen – vor oder zwischen Medodietönen, meist von oben und wieder dissonierend gesungen. Es ist eine unterstützende Note für eine emphatische musikalische Akzentuierung vor allem bei weiblichen Endungen. Appoggiaturen waren in der Musik vor Verdi und Wagner selten ausgeschrieben, sondern wurden von den Sängern selbstverständlich ausgeführt. Die Auslassung nimmt melodischen Linien ihre Spannung. Der Wortakzent ist ein schlechter Ersatz, weil er die musikalische Linie beeinträchtigt.

Aria d'urlo — Arie mit dem Geschrei oder Geheul. Sie kam mit dem musikalischen Verismo in Mode, der zu krassen Ausdrucks- und Affektmitteln griff: Schluchzern, theatralischem Weinen und selbst dem Schreien.

Assoluta — Eine Sängerin, die dramatische, lyrische und verzierte Partien singen kann. Die Zuordnung von Stimmtypen zu einzelnen Fächern ist eine Lösung des 20. Jahrhunderts für Probleme, die im 19. Jahrhundert gestellt wurden.

Arpeggio	Ein vokaler Harfen-Effekt: die Teilung eines Akkordes in rasch fallende oder steigende Noten.
Artikulation	Bindung, Trennung und Betonung innerhalb einer Phrase.
Aspirierung	Behauchung eines Vokals bei der Attacke des Tons oder zwischen den Vokalen in einer Koloratur. Der stimmlose Hauchlaut führt zu einem »Loch« in der Linie und verhindert korrekte Bindung. Einer der schwersten und folgenreichsten Fehler des Singens.
Attacke	Der kernhaft feste und doch nicht harte oder harsche Anschlag eines Tons. Die hochsteigende Luftsäule muß die Stimmbänder ohne Nebengeräusche (Klicks) in Schwingung versetzen. Wird das Schwingen nicht ebenso sanft beendet, entsteht ein schockartiges Stoßgeräusch – oft hörbar bei unbeherrscht gehaltenen hohen Tönen.
Auszierung	Das freie, improvisatorische Ausschmücken eines Musikstücks. Voraussetzung ist ein quasi-kompositorisches Können des Sängers. In *L'art du chant* (Teil II) hat Manuel Garcia die bis 1870/1880 üblichen Auszierungen berühmter Sänger notiert. Rossini hat noch spät für einzelne Interpreten Kadenzen und Auszierungen geschrieben. Erst durch den Begriff der Werktreue kam die Auszierung als virtuose oder eitle Verirrung in Verruf – zum Schaden der Gesangskunst.
Belcanto	Wörtlich schöner Gesang, eigentlich aber ein Form- und Stilbegriff. Belcanto ist danach die Technik für einen vokalen Stil. Siehe auch die Einleitung im ersten Band.
Cabaletta	Virtuoser Abschluß einer Arie.
Cantilena	Lange, fließende Melodie.
Canto fiorito	Verzierter Gesang.
Cavatina	Ursprünglich die Antrittsarie; auch Arie.
Chiaroscuro	Wechsel von hell und dunkel.
Coloratura	Ein aus dem Deutschen kommendes, italianisiertes Wort. Es heißt eigentlich färben. Koloratur ist die Färbung und Schmückung der Linie durch Teilungen, Kadenzen und

	Verzierungen. Erst spät wurde aus dem technischen Begriff die Bezeichnung für ein Fach: vor allem für das des hohen und agilen Soprans. Grundsätzlich muß jeder Sänger und Stimm-Typ Koloraturfähigkeit besitzen.
Dolcezza	Süße und Sanftheit. Begriff für die lyrisch-sanfte Tongebung vor allem in elegischer Musik.
Dynamik	Ab- und Ausstufung der Lautstärke, oft mittels der Messa di voce, zwischen Pianissimo und Fortissimo.
Emission	Das kontrollierte »Entlassen« des Tons auf einem sanften, stetigen Atem. Bei Ausübung muskulären Drucks verliert die Tongebung an Fluß und Geschmeidigkeit. Unter Druck produzierte Töne tendieren, vor allem wenn lang gehalten, dazu, mit einem Schock vom Zwerchfell her abzureißen oder mit einem Japser zu Ende zu gehen (man höre das Ende der Radames-Romanze aus *Aida*, deren B die wenigsten Sänger schwingend-sanft beenden).
Evirato	Wörtlich »der Entmannte«. Synonym für den Kastraten.
Falsetto	Das höchste Register der Männerstimme, das so klingt wie eine Knabenstimme vor der Mutation. Falsett-Töne klingen wie geblasen, steif und schwingungsarm, für heutigen Geschmack unmännlich. Wenn korrekt gestützt, kann ein Falsett sehr reizvoll sein.
Fermate	Langgehaltene Note (auch Corona genannt).
Fiati	Töne auf einem (langen) Atem.
Fil di voce	Ein fadenfein auf dem Atem ausgesponnener Ton.
Filatura	Ausgesponnene Note am Phrasenende.
Fioritura	Italienisches Wort für Verzierung oder Passagen.
Fokus	Brennpunkt. In unserem Zusammenhang gebraucht für die Konzentration und Versammlung des Tons.
Gruppetto	Eines des wichtigsten Ornamente in der Musik des 18. und 19. Jahrhunderts (auch bei Wagner). Es besteht aus vier Noten, geht von einer höheren aus, führt auf die Melodienote, sinkt unter diese und führt auf die Hauptnote

zurück. Es muß flüssig in die Linie integriert werden, z.B. »Di quella *pira*« in *Trovatore*.

Intervall — Abstand zwischen zwei Tönen.

Intonation — Fähigkeit des korrekten Anschlags auf genauer Tonhöhe.

Kadenz — Eine eingeschobene Abschlußpassage am Ende einer Arie, oft vor der Cabaletta. Gedacht als virtuose, ausdrucksvolle Improvisation. Später im 19. Jahrundert oftmals vom Komponisten eingeschrieben, aber auch frei für Auszierungen.

Legato — Gebundene vokale Linie mit lückenloser Tonübernahme bei allen dynamischen Graden. Voraussetzung sind korrekte Stützung durch den Atem (portare la voce). Noch Wagner spricht vom Portament des Atems – Zeichen für Fundierung auch seines Singens auf der klassischen Technik.

Lirico-Spinto — Lyrisch-dramatischer Sopran oder Tenor. Ein analoger deutscher Terminus ist »Zwischenfach«.

Marcato — Markierung oder Betonung. Gemeint ist das feste, »gehämmerte« Anschlagen einer Note ohne heftige Stößigkeit und Nebengeräusche durch den Atem. Wichtig beim dramatischen Vortrag.

Melisma — Gesangliche Verzierung, Koloraturkette auf einem Vokal. (Beispiel: die Übergangspassage in Don Ottavios »Il mio tesoro«).

Messa di voce — Das Ausschicken der Stimme mit beherrschtem An- und Abschwellen des Tons.

Mezza voce — Die halbe Stimme. Sie soll nicht wie ein gedämpftes Forte klingen und »gefesselte« Töne produzieren, sondern einen schwingenden, klingenden, leise-leuchtenden Klang herstellen. Sänger ohne das klingende Piano der Mezzavoce haben durchweg kein klangreiches Forte.

Morbidezza — Das schmerzliche, verhangene Einfärben des Klangs.

Morendo — Der ersterbende, in einem feinen Hauch ausklingende Ton.

Mordent ›Beißer‹. Scharfe Vorhaltenote.

Parlando Gesang im Sprechton, vor allem beim silbischen Tonsatz und in Rezitativen, oft zu finden in der Opera buffa. Wichtig ist das rasche Einschwingen der Stimmen, damit die Sprache dem Klang zugeführt werden kann und nicht umgekehrt.

Passaggio Das »Schalten« der Stimme durch die Register ohne hörbare Klangveränderung.

Portamento Das heutige Verständnis des Begriffs – »gleitende Verbindung zwischen zwei Tönen« (Dietrich Fischer-Dieskau) – ist zu eng. Ursprünglich verstanden die großen Belcanto-Lehrer darunter das Tragen der Stimme auf dem Atem. Nur so ist ein expansives und schwingendes Phrasieren möglich. Falsch ist allerdings das Angleiten der Töne zwischen Intervallen.

Primadonna »Die erste Dame«; Sängerin von Hauptrollen.

Primo uomo »Erster Sänger«; Sänger von Hauptrollen.

Register Gleichsam die Etagen der Stimme. Register haben ihre spezifische Farbe. Diese Farben müssen aneinander angeglichen werden. Bei einer gut gebildeten Stimme sind die Register verblendet, und es gibt kein »Hakeln« beim Schalten.

Rinforzamento Klangsteigerung, dynamische Intensivierung.

Rubato Tempo rubato meint die gestohlene Zeit. Mittel der rhythmischen Gliederung und der Spannungserzeugung innerhalb einer Phrase. Setzt ein sängerisches Bewegungsgefühl heraus. Siehe auch die Ausführungen bei Mannstein in der Einleitung des Buches.

Scooping Englischer Begriff für das tonlich indifferente Angleiten hoher Töne statt sauberer Intervallbildung.

Sforzato Jähe, scharfe Akzentuierung oder betonter Akkord.

Sfumato Metaphorischer Ausdruck für Duft und Atmosphäre; ursprünglich aus der Malerei für den Dunstschleier auf Landschaftsbildern.

Smorzando Schmachtende Phrase.

Sprechgesang Begriff vor allem aus dem Wagner-Gesang. Meint den vom Rhetorischen oder Deklamatorischen geprägten Vortragsstil. Von einigen Parteigängern aufgefaßt als Absage an den italienischen Vokalismus. Ohne korrekte Tonbildung ein problematisches Mittel des Vortrags.

Squillo Durchdringende, metallische Tonqualität in der hohen Lage vor allem bei Spinto-Partien.

Staccato Gestoßene, sorgsam voneinander abgeteilte Töne in rascher Folge. Auch hier soll der Tonstoß nicht spürbar sein. Garcia unterscheidet die »abgeschnittene« Note vom Picciettato, dem leicht und leise angeschlagene Ton, aus dem, wenn verlängert, das Flautato wird.

Stamina Durchhaltekraft, Ausdauer.

Stile fiorito Verzierter Stil.

Tenore di grazia Der leichte, lyrische Tenor für elegische und verzierte Partien.

Tenore eroico Heroischer Tenor.

Tessitura Lage und Gesamtumfang einer Partie und einer Stimme. Die oft erwähnten Tessitura-Probleme liegen weniger an den extremen hohen Tönen der Partie, sondern den vorherrschenden Tonhöhen: dem Höhenschwerpunkt. Ein Sänger, der Wagners Siegmund gut bewältigt, kann an der Partie des Walther – die durchschnittlich einen Ton höher liegt – scheitern.

Timbre Farbe der Stimme, eine der wichtigsten Naturqualitäten, nach Franziska Martienssen Lohmann ein »Gnadengeschenk«. Ein charakteristisches Timbre ist so etwas wie ein akustischer Fingerabdruck.

Tremolo Das unbeherrschte Flackern der Stimme, das ungenügende Stützung verrät.

Tremolando Das gezielt eingesetzte, rasche und starke Vibrieren zur Intensivierung einer zunächst gerade angesungenen Note.

Umfang Skala der Stimme vom tiefsten zum höchsten Ton.

Understudy Ensemble-Sänger, der mit dem Star – der Primadonna oder dem Primo uomo – eine Hauptrolle studiert, um einspringen zu können.

Urlatore »Schreier«.

Vibrato Das natürliche Schwingen der Stimme. Das Vibrato gibt dem Ton Leben, Intensität, Emotion. Es muß gleichmäßig sein und dient, wenn intensiviert, dem Affekt.

Volumen Die Fülle, Rundung und Dynamik der Stimme. Volumen ist nicht identisch mit der Durchschlagskraft und dem Glanz der Stimme. Glanz entsteht durch Beimischung der Kopfstimme und perfekte Projektion des Tons in den Raum.

Personen- und Werkregister

Inhalt

ANHANG